Les Guérisseuses

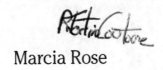

Marcia Rose

LES GUÉRISSEUSES

ÉDITIONS FRANCE LOISIRS

Titre original : *A Time to Heal*
Traduction de Philippe Safavi

Éditions du Club France Loisirs
avec l'autorisation des Presses de la Cité

Éditions France Loisirs,
123, boulevard de Grenelle, Paris
www.franceloisirs.com

© Marcia Kamien, 1998
© Presses de la Cité, 2000, pour la traduction française
ISBN 2-7441-4033-3

Ce livre est dédié au vrai Harry K., aimé de beaucoup, regretté par tous.

L'auteur souhaite exprimer toute sa gratitude à Virginia Chapman, bibliothécaire en chef de la Killingworth Public Library, pour son aide, ainsi qu'à l'infatigable et toujours efficace Elizabeth Ellis.
Tous les personnages de ce récit, à l'exception peut-être de Margaret Sanger, sont issus de l'imagination de l'auteur. S'ils rappellent au lecteur des personnes ayant réellement existé ou s'ils lui paraissent familiers, l'auteur en sera ravi, mais ils n'en sont pas moins imaginaires.

Prologue

Shining Stone [1]
et sa fille Bird [2]

Territoire péquot, sur le rivage de Massapoag,
près du fleuve Konektikut, été 1637

Shining Stone se redressa et s'étira longuement. Il faisait chaud dans le pré, et des gouttes de sueur lui piquaient les yeux. Ces trois longues journées de cueillette l'avaient fatiguée. Elles auraient dû prendre le chemin du retour la veille, mais le soleil et les averses du soir avaient nourri les achillées mille-feuilles, les gorgeant de sève et les faisant ployer sous leurs bourgeons riches en pouvoirs curatifs. Elle tenait à en ramasser autant qu'elle pourrait en porter. Autant qu'elles pourraient en porter. Sa fille Bird, qui avec ses douze étés était presque une femme, l'accompagnait. Ce n'était pas la première fois. Même petite, alors qu'elle marchait encore en se dandinant comme un canard, Bird l'avait souvent suivie. Mais, cette année, le moment était venu de l'initier aux arts que sa mère connaissait si bien : les rites de la guérison, de l'enfantement et de la mort.

Bird apprenait tout rapidement et avec grâce. Shining Stone contempla sa fille avec une grande fierté.

L'adolescente, qui ne se savait pas observée, déterrait, arrachait, coupait, se courbant et se relevant, souple comme un roseau au vent. Sa longue tresse se balançait de droite à

1. Pierre qui brille. *(N.d.T.)*
2. Oiseau. *(N.d.T.)*

gauche tandis qu'elle scrutait le pré en quête des petites fleurs pâles de *pipsissewa*. Sans être vraiment belle, Bird était très agréable à regarder, grande et large d'épaules, avec des seins hauts et ronds. Ses jambes solides pouvaient la porter sur de longues distances, marchant à pas de loup ou courant comme une biche. Ses longs doigts effilés étaient habiles à tisser des paniers, à trier des coquillages, à tanner les peaux de cerf ou à cueillir des plantes pour le sac de simples comme elle le faisait à présent.

Au village, de nombreux jeunes hommes hochaient la tête en la voyant passer devant leur wigwam. Ils l'observaient du coin de l'œil en espérant qu'elle dirait : « C'est lui que je veux. » Ils pouvaient toujours attendre! Shining Stone avait déjà choisi celui que Bird épouserait : White Wolf [1], le fils du sachem. Pouvait-on rêver plus belle union? Bird était issue de l'une des familles les plus respectées et les plus importantes de la tribu. Shining Stone était une sorcière et une guérisseuse réputée. Son mari, Great Eagle [2] était le *paw-wow*, le chaman. A elles deux, les deux familles formaient le sommet de la hiérarchie des puissants Péquots.

Les Péquots étaient la nation la plus redoutée à la ronde. Ils étaient des centaines de milliers, et toutes les tribus tremblaient devant eux. Ils avaient conquis tous les autres peuples de la région, sauf les Narragansett, ces fouines sournoises. Mais ces derniers ne perdaient rien pour attendre. Ils tomberaient bientôt à leur tour. Surprise par sa propre véhémence, Shining Stone se mit à sourire. Elle n'était pas guerrière, mais *moigu*. Et qu'il était bon d'être *moigu*, sorcière et guérisseuse, dans une tribu dont le nom était l'abréviation de *Bekawatawog*, les « Destructeurs »!

C'était une journée magnifique, claire et ensoleillée. Shining Stone balaya du regard le paysage baignant dans une lumière dorée, se laissant pénétrer par la beauté de sa terre. Avec Bird, elles avaient trouvé de l'ellébore, du raisin d'ours, du sassafras,

1. Loup blanc. *(N.d.T.)*
2. Grand Aigle. *(N.d.T.)*

10

de l'aristoloche, des baies et de l'écorce de sureau pour provoquer des suées, de la racine de squaw pour soulager les douleurs des règles et de l'enfantement, de la collinsonia pour interrompre le cycle lunaire des femmes. A présent, le sac de remèdes qu'elle portait en bandoulière était aussi lourd et plein qu'un ventre de mère prête à accoucher. Elle ne devait pas se montrer trop avide et voler tous ses enfants à la terre. Il fallait en laisser pour les animaux et pour qu'une nouvelle génération de plantes voie le jour.

– Viens, Bird! appela-t-elle. On en a assez. Je veux voir Wild Goose [1] avant la tombée de la nuit.

Bird se redressa docilement et rejoignit sa mère.

– J'ai rêvé de lui la nuit dernière, mère. Wild Goose nageait au milieu d'un banc de poissons dorés. Tout à coup, ils se sont transformés en étoiles et sont tombés du ciel.

Shining Stone fronça les sourcils. Elle ne savait pas trop comment interpréter ce rêve étrange. Un frisson d'appréhension parcourut son échine.

– Dépêchons-nous, Bird.

Lorsqu'elles s'étaient mises en route, trois jours plus tôt, le pied de son fils Wild Goose était presque remis. Quelques jours auparavant, il avait marché sur un coquillage brisé, sur la plage. N'écoutant que sa fougue juvénile, cet écervelé avait continué à pêcher des huîtres et des palourdes avec ses amis au lieu de rentrer faire panser sa plaie. Il l'avait payé cher. Le lendemain matin, son pied avait doublé de volume. Il avait été pris de fièvre, roulant les yeux dans leurs orbites et marmonnant des phrases que personne ne comprenait.

Son père était resté à ses côtés toute la journée, récitant des incantations. Communiquer avec les esprits était utile, certes, mais Shining Stone savait qu'au bout du compte l'onguent qu'elle avait appliqué à Wild Goose serait plus efficace. Néanmoins, il y avait ce rêve étrange de Bird... Inquiète, elle accéléra le pas.

Sa fille la rattrapa.

1. Oie sauvage. *(N.d.T.)*

– Mère, j'ai trouvé beaucoup de racines secrètes. Les vieilles ont donné naissance à de nouvelles.

– C'est bien, ma fille.

Elle faisait allusion à la dent-de-lion, au navet et au gingembre sauvage, plantes aux pouvoirs puissants car, une fois bouillies ou moulues, elles empêchaient de tomber enceinte. Shining Stone hocha la tête d'un air satisfait. Sa mère lui avait appris à trouver ces racines, science qu'elle tenait elle-même de sa propre mère et ainsi de suite jusqu'à la nuit des temps. C'était cette connaissance qui rendait Shining Stone célèbre. Tout le monde n'avait pas son savoir. Les autres femmes connaissaient la racine de squaw, qui pouvait déclencher les règles ou les contractions quand l'enfant était prêt à venir au monde. Mais la racine de squaw ne marchait pas toujours. Les remèdes de Shining Stone, eux, si.

– Tu as bonne mémoire, Bird. Je t'ai bien observée. Tu as les mains agiles, l'esprit vif et généreux. Tu es née avec le don de guérir. Un jour, tu seras toi aussi une grande sorcière.

Bird rougit de plaisir.

– Je l'espère !

Elles marchèrent en silence pendant quelques minutes, puis Bird demanda timidement :

– Mère ?

– Oui ?

– J'ai remarqué ton front soucieux quand je t'ai raconté mon rêve. Tu crois que c'est un mauvais présage pour Wild Goose ?

Shining Stone ne répondit pas tout de suite.

– Je ne connais pas la signification de ton rêve, dit-elle enfin. Il est bon que tu aies vu ton frère dans l'eau, car tout le monde sait que celle-ci a des vertus curatives. Mais qu'il soit entouré de poissons ne me dit rien qui vaille. Un malade doit être isolé des personnes saines, sinon la maladie quitte son corps et se glisse dans un autre. J'ignore donc si c'est un bon ou un mauvais présage. Je sais seulement que je veux le voir rapidement, le toucher et m'assurer qu'il va bien.

12

Elle hâta encore un peu le pas, et Bird s'efforça de la suivre sans rechigner.

– Mère, raconte-moi une histoire de quand vous étiez jeunes, toi et père.

Shining Stone sourit. Cela ferait passer le temps et lui éviterait de trop penser à ce rêve étrange.

– Un jour que ton père était encore petit garçon, il s'est subitement effondré et s'est mis à se tordre comme un ver. Des flots de bave sortaient de ses lèvres. Ceux qui étaient présents s'émerveillèrent. Combien d'esprits habitaient ce petit corps pour le faire se tortiller et danser ainsi! Puis les tremblements cessèrent. Great Eagle ne se souvenait de rien et n'avait qu'une envie : dormir. Alors les gens ont dit « Les esprits l'ont choisi. »

– Puis, quand il est devenu plus grand... l'aiguillonna Bird.

Elle adorait cette histoire, qu'elle connaissait par cœur.

– Quand il est devenu plus grand, il a appris à pressentir la visite des esprits. C'est encore le cas aujourd'hui. Il voit l'air trembler. Personne d'autre ne le voit. Ils viennent toujours.

Bird roulait des yeux émerveillés.

– Mère, j'aimerais bien que les esprits me parlent, à moi aussi.

– Chut! Ne dis pas ça! Ça n'a rien d'agréable. Souviens-toi de Little Fern [1], ta grand-mère. Elle parlait souvent avec les esprits. Tout le monde venait la consulter pour guérir. Puis, un jour, les esprits se sont fâchés avec elle. Ils lui ont dit que sa famille était maudite et voulait sa mort. Terrifiée, elle s'est jetée dans Massapoag et s'est noyée. Le frère de ton père, lui aussi, parlait avec les esprits. Un jour, alors qu'il avait seize ans, il s'est éloigné du groupe avec qui il chassait et a disparu. Personne ne l'a plus jamais revu. Alors, ne souhaite pas quelque chose qui pourrait te faire du mal.

Bird s'entêta.

– Mais... si c'est si dangereux, pourquoi choisit-on les chamans de cette façon?

1. Petite Fougère. *(N.d.T.)*

13

– Petite sotte que tu es! On ne les choisit pas. Ce sont les esprits qui les choisissent. C'est une épreuve qu'on leur impose, et ils l'acceptent.

Elles marchèrent en silence, écartant les hauts joncs du marais. Il n'y avait pas de sentier, mais elles n'en avaient pas besoin. Les cris des mouettes les guidaient vers le rivage de Massapoag, la Grande Eau, où le village s'était installé pour l'été.

Bird lança un regard admiratif à sa mère. Tout comme elle, elle portait une peau de daim lui tombant sous les genoux, enroulée autour de la taille et maintenue par une ceinture. Celle de sa mère était finement entrelacée de rubans composés de minuscules perles multicolores. Shining Stone arborait également un beau bandeau en peau d'oiseau brodée de perles. Bird portait une tenue plus simple de jeune fille. Son amulette était en pierre, alors que celle de sa mère était une belle perle tubulaire en coquille sculptée, pourpre et iridescente comme les *wampums* les plus précieux. Elle était très ancienne. Son trou avait été percé avec une pierre très fine, ce qui avait pris de nombreux jours, et non avec un clou d'homme blanc comme les perles d'aujourd'hui. Shining Stone lui avait souvent dit : «Cette amulette est très particulière, Bird. Lorsque tu seras devenue femme, elle sera à toi.» *Ce jour viendra bientôt*, pensa la jeune fille en souriant.

Soudain, Shining Stone se figea. Bird s'arrêta derrière elle.

– Cette odeur... Tu la sens?

Bird huma l'air.

– On cuit de la viande.

Sa mère secoua la tête.

– Non, non, c'est... autre chose. Quelque chose de mauvais. Viens! Dépêchons-nous.

Elle se fraya un chemin entre les hautes herbes, haletant légèrement. Bird commença à avoir peur.

– Mère, qu'est-ce que tu veux dire? Pourquoi «mauvais»? Qu'est-ce que tu as senti?

14

– Rien. Je ne sais rien. Seulement que nous devons nous dépêcher!

– Ils préparent sans doute la nourriture pour la grande cérémonie du sachem, non?

Wild Goose avait trépigné de rage en apprenant qu'il n'y assisterait pas. Lui aussi voulait se rendre au fort du sachem sur la colline des Péquots pour participer à la fête. On célébrait la défaite d'Uncas qui, avec ses amis anglais, avait fui le territoire péquot la queue entre les jambes. Ce vaurien d'Uncas! Furieux de ne pas avoir été élu sachem, il avait quitté la tribu, emmenant avec lui d'autres jeunes hommes en colère. Il avait repris l'ancien nom de son peuple, les Mohicans, et vivait à présent, avec son petit groupe, coupé des siens et pactisant avec les Anglais. Il avait menacé les Péquots de guerre puis, avec ses renégats, avait pris peur et s'était enfui. Le sachem avait alors fait passer le message qu'un grand festin se tiendrait dans son fort, rassemblant toute la tribu. Naturellement, tous les gens importants y seraient. Comme ce pauvre Wild Goose avait pleuré et imploré! Mais, incapable de marcher, il aurait retardé tout le village. Aussi Great Eagle resterait-il avec lui pour mieux prier, ainsi que tous ceux qui étaient trop vieux ou trop malades pour faire le voyage.

L'odeur de viande brûlée, de plus en plus forte, se mêlait à présent à une autre, bien plus désagréable. Shining Stone laissa tomber son grand sac et se mit à courir dans le sable vers la crête des dunes, Bird sur ses talons. Lorsqu'elle parvint au sommet et baissa les yeux, la jeune fille sentit son cœur lui remonter dans la gorge. Où était son village? Il n'en restait pratiquement rien. Seuls deux ou trois wigwams tenaient encore debout. Les autres n'étaient plus que des tas de branches et de roseaux éparpillés autour des âtres de pierres noircies. Aucun des lits suspendus n'avait été épargné : tout avait été écrasé, piétiné, cassé. Les matelas, les couvertures, les peaux de daim prêtes à être tannées avaient été brûlés. Le sable était noir et calciné. Même la grande hutte sacrée des cérémonies était en miettes. Mi-terrifiée, mi-choquée, Bird laissa échapper un sanglot. Sa mère lui plaqua aussitôt une main sur la bouche.

15

– Chut! murmura-t-elle. Ecoute! Ils sont peut-être encore là.

Bird, osant à peine respirer, obéit et tendit l'oreille. En bas, dans le village, il semblait n'y avoir plus personne. Son père! Son frère! Ses grands-parents! Elle resta accroupie derrière la dune, les viscères noués, sentant des larmes couler le long de ses joues.

Shining Stone entendait un bourdonnement dans ses oreilles, accompagné d'un battement sourd, comme le grondement régulier des vagues. Au bout d'un moment, elle reconnut les palpitations de son cœur, un cœur lacéré par la douleur et le chagrin. Parti, tout était parti, tout! Elle s'efforça de rester calme et de comprendre ce que ses yeux lui montraient. Le village était presque totalement détruit. Pourquoi? Par qui? Aucun guerrier ne s'y trouvait, il n'y restait que les malades et les vieillards. Pourquoi les tuer? Cela n'avait aucun sens.

Elle perçut des gémissements et de faibles cris. Il y avait encore quelqu'un de vivant. Son wigwam semblait avoir été épargné. Il tenait encore debout, de minces volutes de fumée s'en dégageant ici et là. Puis elle aperçut les corps des vieux parents de son mari gisant devant l'entrée. Son fils était peut-être encore vivant, son mari aussi. Peut-être avaient-ils été faits prisonniers. Si c'était le cas, elle les libérerait. Puis elle jetterait un sort à ceux qui avaient osé les capturer. Un sort terrible qui les tuerait à petit feu! Elle sentit une colère purificatrice monter en elle.

Elle se tourna vers sa fille et murmura, au cas où l'ennemi serait encore tapi dans les parages :

– Viens, allons voir. Reste derrière moi.

Elles descendirent lentement la dune, s'arrêtant souvent pour tendre l'oreille. Mais, à chaque pas, Shining Stone se persuadait un peu plus que l'ennemi était parti depuis longtemps déjà. *Ceux qui tuent comme des lâches fuient comme des lâches*, pensa-t-elle.

Elle accéléra le pas, se laissant glisser au pied de la dune, puis, le cœur battant, courut vers son wigwam. Mon fils! pria-t-elle en silence. *Mon mari! Faites qu'ils soient vivants!* Elle s'arrêta devant la porte pour reprendre son souffle, puis se baissa et entra. Son corps se figea. Il y avait tant de sang! Tant de plaies affreuses! Ils avaient été tués ensemble. Les bras inertes du père étreignaient encore le corps du fils. Puis elle vit que la tête de Great Eagle avait été à moitié arrachée par un coup de hache et pendait sur le côté tel un oiseau brisé. Une vague de ténèbres déferla sur Shining Stone, et elle ferma les yeux pour ne pas se laisser emporter.

Un cri terrible retentit derrière elle. Bird s'était glissée dans le wigwam. Elle gémissait en se balançant d'avant en arrière :

– Non, non! Ce n'est pas vrai!

Shining Stone se laissa tomber à genoux et serra sa fille contre elle.

– N'oublie jamais, dit-elle. Toute ta vie durant, n'oublie jamais ce que tu viens de voir.

Morts, ils étaient tous morts. Il ne restait même pas un vieux sage pour conduire les rites funéraires de ces pauvres âmes massacrées comme des bêtes, aucune femme pour pleurer, aucun homme pour leur rendre un dernier hommage, pour dire « *Kutchimmoke* », « Ne perds pas espoir », personne pour réconforter les parents des victimes, d'une caresse sur la joue ou d'une main posée sur la tête. Shining Stone étreignit sa fille et, ensemble, elles laissèrent parler leur douleur.

Enfin, Shining Stone se redressa. Sa fille l'imita. Elles se dirigèrent vers la plage qu'inondait la lueur sanglante du soleil couchant. Shining Stone tremblait. Son corps tout entier lui disait de fuir cet endroit. Près d'elle, elle entendit un faible gémissement. Elle se dirigea vers le bruit, Bird marchant si près d'elle qu'elle sentait son souffle sur son épaule

– Ah!

Elles faillirent lui marcher dessus. Il était recroquevillé au pied d'une dune. Shining Stone le reconnut. C'était l'un des jeunes hommes qui passaient souvent devant leur wigwam dans l'espoir d'attirer l'attention de Bird. Il s'appelait Thundercloud [1]. Ses plaies étaient si nombreuses et si profondes que

1. Nuage d'orage. *(N.d.T.)*

17

Shining Stone se demanda comment il était encore en vie. Lorsqu'elle s'agenouilla près de lui pour voir si elle pouvait le sauver, il ouvrit un œil, le seul qui lui restait. Il essaya de parler, et elle colla son oreille contre sa bouche pour l'entendre.

– Fuyez... dit-il. Fuyez ce camp...

Il s'interrompit. Un mince filet de sang coulait à la commissure de ses lèvres.

– Dis-moi tout ce que tu peux, petit frère, l'implora Shining Stone. Tu vas mourir et je dois savoir. Dis-moi, c'étaient les Narragansett, n'est-ce pas ?

Sa bouche articula :

– Non.

Elle envoya Bird chercher de l'eau pour lui humecter les lèvres. Le temps que le soleil sombre derrière la ligne d'horizon et que les premières étoiles apparaissent dans le ciel, Shining Stone connaissait toute l'histoire. C'était encore pire que ce qu'elle avait imaginé. Uncas avait perpétré ce crime monstrueux avec les *Yengueses*, les Anglais. Ils avaient fait semblant de quitter le territoire péquot pour revenir sur leurs pas pendant la nuit. A l'aube, ils avaient remonté en silence la rivière mystique jusqu'au fort où les Péquots préparaient leur festin. Les prenant par surprise, ils les avaient massacrés jusqu'au dernier.

– Les Destructeurs ont été détruits, dit Thundercloud. Il y a deux jours. Le sachem aussi.

Plusieurs guerriers mohicans avaient quitté le fort péquot à la recherche d'autres victimes. Thundercloud avait couru pendant des kilomètres pour prévenir ceux qui étaient restés au village.

– Mais ils sont arrivés avant moi, murmura-t-il.

Il se remit à cracher du sang. Shining Stone lui prit la main, tentant de lui insuffler un peu de sa force.

A ses côtés, Bird déclara, incrédule :

– Mais Uncas est un Péquot, et les Péquots ne se tuent pas entre eux !

– Non, répondit Shining Stone. Uncas se considère comme un Mohican, pas comme un Péquot. Pour moi, il n'est qu'un renégat. Il s'est retourné contre ses frères et sœurs. Il a détruit le peuple péquot.

Les larmes coulaient le long de ses joues.

Thundercloud émit un dernier râle, puis sa tête retomba sur le côté. Bird s'effondra sur les genoux, pleurant et gémissant. Shining Stone prit sa fille dans ses bras. Son cœur était devenu dur comme la pierre.

– Nous pleurerons plus tard, ma fille. Pour le moment, sèche tes larmes. Nous ne pouvons pas nous attarder ici. S'il doit rester des Péquots sur cette terre, il nous faut partir tout de suite. Nous irons dans un endroit secret que je connais, près de notre campement d'hiver. Si d'autres que nous ont survécu, c'est là-bas qu'ils se réfugieront.

Elles ne rassemblèrent que quelques affaires, leurs remèdes, deux marmites et des couvertures. Puis elles grimpèrent sur les dunes et se mirent à courir. A la nuit tombée, elles s'arrêtèrent pour dormir. A l'aube, elles reprirent la route, sans cesser de lancer des regards inquiets par-dessus leur épaule, sursautant à chaque bruissement de branches dans la forêt. Elles trouvèrent un ruisseau où elles burent et cueillirent les baies des buissons qui poussaient sur les berges.

– Descendons ce ruisseau, il nous mènera à sa mère, annonça Shining Stone.

Elle voulait parler du grand fleuve appelé Konektikut, qui naissait loin au nord avant de fendre en deux le territoire péquot et de se déverser dans Massapoag, s'unissant avec la Grande Eau.

Au coucher du soleil, elles avaient remonté une bonne partie du fleuve.

– Nous sommes encore loin, mère?

– Non. Le fleuve décrira bientôt un grand virage. Là, nous nous en éloignerons et nous grimperons dans la forêt.

Le lendemain matin, Shining Stone reconnut le sentier qu'elle cherchait. Elles escaladèrent le flanc de la vallée, se frayant un chemin dans un épais sous-bois résonnant des chuchotements de nombreux animaux. *Au moins, nous ne manquerons pas de nourriture*, songea Bird. Elle remarqua également de nombreuses jeunes pousses robustes qui pourraient leur servir pour construire leur nouveau wigwam.

19

Enfin, Shining Stone s'enfonça dans un dense taillis de bouleaux et déclara :

– Nous y sommes.

Elles débouchèrent sur une grande clairière inondée de soleil et bordée de grands arbres qui projetaient une ombre rafraîchissante. On entendait au loin le grondement du fleuve et, plus près, le gargouillis d'un ruisseau. Dans un coin de la clairière se dressait un immense noyer blanc. Son écorce velue lui donnait l'aspect d'un grand ours gris. Ses longues branches retombaient presque au ras du sol, chargées de noix fraîches. Bird se dit qu'un arbre aussi gros et accueillant ne pouvait être que de bon augure.

– Nous devons être fortes, dit sa mère. Nous ne pouvons plus revenir en arrière. Nous avons quitté à jamais *Manitook*, le pays de Dieu. C'est ici que nous construirons notre nouvelle maison.

Bird enlaça sa mère pour la réconforter. Elle-même se sentait vide et perdue. Qui était-elle ? Qu'était une jeune fille sans famille, sans village, sans tribu ? Elle se sentait si petite, et le monde semblait si vaste !

Tandis qu'elles se tenaient ainsi, accrochées l'une à l'autre, un jeune faon sortit des bois. Il les fixa un instant de ses grands yeux doux, puis disparut d'un bond. Elles se mirent à rire. Shining Stone essuya les larmes sur les joues de sa fille, puis sur les siennes. Elle lui prit la main, et elles firent le tour de la clairière.

– Nous construirons le wigwam ici. Là nous planterons un petit jardin. Nous fabriquerons des pièges pour les lapins. Tu vois ce grand arbre, Bird ? Il sera notre père et notre mère. Il nous protégera. Bientôt, d'autres nous rejoindront et tout pourra recommencer.

Elle marqua une pause, puis déclara sur un ton solennel, en regardant Bird dans les yeux comme si elle voulait graver à jamais ses paroles dans son esprit :

– Voici notre terre. Ici, nous demeurerons.

PREMIÈRE PARTIE

Annis
Little Bird

Rébecca
Wounded Bird

Morgan
Water Bird

Todd Wellburn

1

Août 1868, dans les collines surplombant
East Haddam, Connecticut

C'était un accouchement difficile. Le bébé avait les épaules larges et une grosse tête. En outre, Annis n'était plus toute jeune. Elle approchait de la trentaine. Toutefois, elle acceptait la douleur, sachant qu'elle lui apporterait un fils. Ce ne pouvait être qu'un garçon. Depuis des mois, il donnait des coups de pied et se retournait dans son ventre, prenant des forces. La nuit, elle ne rêvait que de hauts pins, de hérons et de lances surmontées de plumes. Elle savait interpréter les rêves et les signes. Descendante d'une longue lignée de sorcières et de guérisseuses, elle avait acquis le droit de s'appeler *moigu*. Ce serait un garçon.

Annis s'accroupit au-dessus de la couverture étalée sous le grand noyer blanc qui projetait son ombre sur la maison. En silence, elle pria son fils de rassembler ses forces pour sortir dans le monde. Le soleil de la fin d'après-midi se vautrait sur le sol tel un animal pantelant. Les cigales s'en donnaient à cœur joie. Le seul autre bruit dans la clairière était celui de ses propres grognements et gémissements. Son corps ruisselait de transpiration. Pas un souffle d'air n'agitait les hautes herbes sèches. Même les feuilles des trembles ne frémissaient pas. Enfin, au moment où le soleil commençait à sombrer derrière la terre dans un embrasement rouge et pourpre, l'enfant glissa hors de son ventre et se mit à hurler. Il était sombre, sombre et rouge. Elle l'appellerait Red Sunset [1] dans la langue des anciens.

---

1. Crépuscule rouge. *(N.d.T.)*

Annis prit son enfant, l'essuya, cligna des yeux, puis l'examina de plus près. Ce n'était pas un garçon! Les signes avaient été trompeurs. Comment était-ce possible? Pourtant, cela ne faisait aucun doute : elle avait donné naissance à une fille, encore une. Mais quelle fille! Si foncée et si vigoureuse! Avec d'épais cheveux noirs et lisses. Poussant des cris affamés. Rien à voir avec Becky, toute menue, comme les fées des histoires que racontait papa. Becky était rose et pâle, avec de longs cheveux cuivrés et bouclés qui lui tombaient jusqu'à la taille. Tout le monde disait : « Une vraie petite beauté! » Mais tout le monde pensait : « Cette petite n'a pas une goutte de sang indien! » Elle était le portrait craché de papa, un Anglais qui avait traversé tout un océan pour voir ce qu'il pourrait trouver dans le Nouveau Monde. Il y avait trouvé la mère d'Annis, Margaret pour les gens de la ville, White Bird [1] pour son peuple.

Lorsque Margaret avait ramené son Anglais au campement, ses parents s'étaient détournés d'elle. C'étaient des Péquots au sang pur. Ils prenaient des noms chrétiens (cela facilitait les échanges commerciaux), mais n'accepteraient jamais un chrétien parmi eux. Après le massacre, que les *Yengueses* appelaient la « guerre péquot », les rares survivants de leur peuple s'étaient réfugiés dans ces collines. Bien que les Péquots n'aient pas été entièrement exterminés, tous savaient qu'ils devaient se regrouper pour que survive leur culture. Margaret venait d'une famille noble, les descendants en ligne directe de la célèbre Bird, la *moigu* qui savait arrêter les crampes d'un simple regard et faire pleuvoir des couteaux de sang comme un vrai chaman. La mère de Bird avait été *moigu* et son père un célèbre chaman assassiné par ces traîtres de Mohicans dans son propre wigwam alors qu'il veillait sur son fils mourant. Or les descendants directs d'un chaman et d'une *moigu* ne voulaient pas d'un *Yengue*, avec ses étranges cheveux de cuivre, sa peau laiteuse et les petites taches orange parsemées sur son visage.

Mais White Bird était amoureuse, et rien d'autre ne comptait à ses yeux. Elle méprisait les hommes de sa tribu, dont la plu-

1. Oiseau blanc. *(N.d.T.)*

24

part s'étaient laissé dévorer par le mauvais rhum et passaient le plus clair de leur temps affalés sur le sol, ivres morts. Elle méritait mieux, avait-elle affirmé à sa mère. Elle était déjà une célèbre guérisseuse. Elle pouvait avoir tous les hommes qu'elle voulait, et elle voulait son Anglais, Arthur Armstrong. Avec lui, elle eut une fille, Annis, et un fils, Tristram. Mais Arthur mourut lors d'un voyage en amont du grand fleuve, vers le Vermont. En tout cas, il n'en revint jamais. White Bird retourna alors au campement avec ses deux enfants et courba la tête devant ses parents. Ils la reprirent, pour leurs petits-enfants et parce que, entre-temps, leur autre fille, la sœur de White Bird, avait été emportée par les esprits.

Annis n'avait que de vagues souvenirs de son père. En revanche, elle se souvenait parfaitement du terrible chagrin de sa mère, de ses torrents de larmes et des cris qu'elle lançait vers les dieux. Cela avait semblé ne jamais devoir finir. Annis, elle, n'avait connu un amour aussi fort qu'une seule fois et avait laissé partir celui qu'elle aimait. Et elle avait expulsé leur enfant, un fils, de ses entrailles. A l'époque, elle était déjà mariée avec Todd Wellburn, parti combattre dans la grande guerre, quelque part, très loin. Comment aurait-elle pu présenter un fils à Todd alors qu'il avait été absent si longtemps? Elle réduisit de l'aristoloche en poudre dans un peu d'eau chaude. Elle y ajouta du cohosh noir, qui poussait dans la prairie et qui était plus puissant que le cohosh bleu des épais sous-bois. Elle laissa soigneusement macérer le tout, puis prépara une infusion qu'elle but d'un coup. Une heure plus tard, les crampes commencèrent et, peu après, la petite créature sortit, ses membres recroquevillés, si innocente et si douce. Elle creusa un trou et, après l'avoir enveloppée dans un beau linge offert par une des femmes qu'elle avait aidées à accoucher, elle l'enterra. Elle crut mourir de chagrin. Mais Becky avait besoin de sa mère, et il n'était pas question de se laisser dépérir. Toutefois, elle n'avait jamais pu oublier ce petit garçon à demi formé. Pas plus que son père, d'ailleurs.

Si Todd n'était pas parti à la guerre, rien ne serait arrivé. Mais, comme ils y allaient tous, il les avait suivis. « Je ne veux pas rater ça ! » avait-il dit à Annis. Il était parti avec le premier contingent de volontaires du Connecticut, défilant fièrement dans la grand-rue de Hartford, le 20 avril 1862. Il s'était engagé pour trois mois, mais elle ne le revit pas pendant cinq ans. Certes, il lui fit écrire quelques lettres. Ce fut ainsi qu'elle apprit qu'après la bataille de Bull Run il avait rempilé pour trois ans, comme tant d'autres idiots. Un an plus tard environ, elle reçut une lettre rédigée par une dame « très bien », depuis un camp de prisonniers dans le Sud. Puis plus rien. Il était peut-être mort, mais elle était sûre du contraire. S'il lui était arrivé quelque chose, elle aurait vu un signe en rêve. Elle savait qu'il reviendrait un jour, ce qu'il avait fait à peu près un an plus tôt.

Annis lança un regard vers sa cabane, de l'autre côté de la clairière. Todd et Becky se tenaient sur le porche, comme elle le leur avait demandé. Dans la langue des anciens, Rébecca, s'appelait Wounded Bird [1]. C'était tout ce que Annis se rappelait de cette langue : les noms de personnes et ceux des plantes et des herbes dont elle avait besoin dans son travail. Dans la langue des anciens, toutes les femmes portaient des noms d'oiseaux. Elle-même s'appelait Little Bird [2]. Rébecca était Wounded Bird parce qu'un moineau à l'aile brisée était tombé sur le plancher de la cabane et avait voleté dans la pièce pendant qu'elle naissait. Et cette enfant, cette nouvelle petite fille ? Annis attendait un signe. Elle appela sa famille d'une voix rauque :

– Venez voir ! Nous avons une nouvelle petite fille !

Todd arriva à grandes enjambées. Il ne boitait presque plus, ayant appris à prendre appui le moins possible sur sa jambe blessée. Elle avait bien fait de la plonger dans une fourmilière, car les insectes avaient mangé les chairs putréfiées et l'avaient laissée propre et prête à cicatriser. Lorsqu'elle avait revu Todd pour la première fois, à la fin de l'été précédent, il était entré dans la clairière en se soutenant sur une béquille en bois, sa jambe tout enflée et violette. Son odeur le précédait. Avec son

1. Oiseau blessé. *(N.d.T.)*
2. Petit Oiseau. *(N.d.T.)*

visage barbu plissé par la douleur, elle ne l'avait même pas reconnu. Elle avait entrouvert la porte, une main sur le fusil de chasse, prête à envoyer à sa perdition cet intrus brûlé par le soleil.

Il avait crié : « Hé! Qu'est-ce qui te prend, femme? Tu ne reconnais pas ton mari parti combattre Johnny Reb pendant toutes ces années? » Même ainsi, elle n'avait pas été tout à fait convaincue, jusqu'à ce qu'il l'attire à lui et l'embrasse voracement. Elle avait alors tout de suite retrouvé son odeur et sa saveur, malgré la puanteur de sa jambe et les couches de crasse.

Todd lui prit l'enfant des mains et l'examina.

– Elle a l'air d'une Indienne, tu ne trouves pas? Dommage quand même que ce soit encore une fille! J'aurais bien aimé un garçon pour m'aider à chasser et à dépecer les bêtes. J'avais déjà un joli nom pour lui, Morgan. Dans la famille de ma mère, tous les hommes s'appellent Morgan.

Le bébé se mit à agiter les bras et ouvrit grand la bouche, cherchant un sein. Todd éclata de rire.

– Sapristi, ma fille! Ce n'est pas à moi qu'il faut t'adresser!

Le bébé se mit à pleurer. Todd se tourna vers Annis.

– C'est une sacrée petite bagarreuse, celle-là! Comme sa mère. Après tout, qu'importe que ce soit une fille, n'est-ce pas, Becky? Les filles sont tout autant indispensables à la survie de l'espèce que les garçons, pas vrai? Ça ira très bien comme ça. Et puis, on l'appellera quand même Morgan. Morgan Wellburn, ça, c'est un nom!

– Comme la fée Morgane, dit Annis en reprenant l'enfant.

La petite bouche se referma sur son mamelon et commença à téter goulûment. Cette petite avait du tempérament!

– Je me souviens des histoires de papa au sujet du roi Arthur et de ses chevaliers. Morgane était une grande magicienne.

Elle cracha trois fois par terre pour attirer la chance, mais sa bouche était sèche.

– Ça tombe bien, reprit-elle. Dans ma famille, toutes les femmes ont des pouvoirs magiques. Je me demande si les esprits ont déjà parlé à Quare Auntie.

Annis cracha à nouveau et balaya la clairière du regard. La vieille errait dans les bois, évitant le contact avec les autres êtres humains. Mais, de temps à autre, elle faisait une apparition dans la clairière, hurlant à pleins poumons, de jour comme de nuit.

Annis fit signe à Rébecca de venir s'asseoir auprès d'elle.

– Ecoute-moi bien, Becky. Je parle de tes ancêtres. Ma vieille grand-mère appelait sa mère *moigu* parce qu'elle descendait des Mohicans et que *moigu* signifie sorcière ou guérisseuse en mohican. On utilise le même mot pour un homme ou pour une femme. Tu m'écoutes ?

– Oui, maman.

Annis doutait que sa jolie fille devienne jamais *moigu*. Elle était docile et suivait attentivement ses instructions, mais elle n'avait ni la seconde vue ni le don de guérir.

– Ne commence pas à lui farcir la tête avec ces salades d'Indiens, Annis. Cette enfant est aussi mon enfant, et ce n'est pas une... une... *moigu* ?

– Ne sois pas stupide, Todd. Il n'y a rien de mal à être sorcière. Une sorcière possède des pouvoirs. Cette fée Morgane dont je parle était une dame blanche. Elle avait des pouvoirs, elle aussi. Mon père m'a raconté toute l'histoire d'Arthur, de son épée et tout. Il n'y a aucun mal à être une sorcière blanche non plus. Ils traitaient ma mère de sorcière parce qu'ils avaient peur d'elle, mais ils venaient tous la trouver quand ils étaient malades ou que leurs femmes allaient accoucher. Elle était née avec le don, tout comme moi, et...

Elle s'interrompit, regardant par-dessus l'épaule de Todd. La vieille était là, à la lisière de la forêt, comme elle s'y était attendue. Quare Auntie était toujours en aussi piteux état, couverte de boue, ses cheveux blancs, qui n'avaient pas été brossés ou tressés depuis longtemps, voire des années, pleins de brindilles et de terre. Elle avait une méchante plaie à la jambe. En dépit de la distance, on pouvait la sentir : un mélange de charogne, d'excréments et de pourriture. Annis eut envie de crier : « Va-t'en d'ici, horrible vieille femme ! » Naturellement, elle n'en fit rien. Quare Auntie était peut-être habitée par les esprits, mais elle était la sœur de sa mère. Quel âge pouvait-elle avoir ? Difficile à dire. Près de soixante ans. Il était incroyable qu'elle ait pu survivre seule dans la forêt. Ce devait donc être vrai : les esprits qui lui parlaient la protégeaient.

– Qui va là ? lança Annis.

– Small Sparrow [1] ! répondit Quare Auntie.

Annis avait oublié son vrai nom. Cela faisait si longtemps que personne ne l'avait plus prononcé. Autrefois, elle avait dû être une charmante petite fille aux yeux brillants. Annis tenta d'imaginer sa grand-mère caressant tendrement la tête de Small Sparrow en lui répétant à quel point elle était jolie.

Quare Auntie avançait dans la clairière, lançant des regards méfiants à la ronde, gesticulant et criant :

– Reculez ! Allez-vous-en, je vous dis !

Elle balayait l'air autour d'elle, chassant des créatures invisibles.

Todd se raidit et Becky se blottit contre l'épaule de sa mère. Faisant de son mieux pour conserver une voix calme et aimable, Annis accueillit sa tante.

– Pourquoi cette visite ?

Quare Auntie répondit d'une voix soudain parfaitement normale :

– Un esprit m'a dit en rêve de me réveiller et de venir saluer le nouveau bébé. Je dois poser la main sur son front et la nommer.

– Comment savez-vous que c'est une fille ? tonna Todd. Et d'ailleurs comment saviez-vous qu'Annis était sur le point d'accoucher ? Vous nous espionnez, la tante ? Vous êtes toujours tapie dans un coin à nous épier, c'est ça ? Vous n'avez rien d'autre à faire de vos journées ?

Quare Auntie ne lui prêta aucune attention, comme à son habitude. Elle s'approcha du nouveau-né et posa une main sur son front.

– Tu t'appelleras Woman of the River [2], déclara-t-elle, parce que tu descendras le fleuve jusqu'à ta destinée.

1. Petit Moineau. *(N.d.T.)*
2. Femme du fleuve. *(N.d.T.)*

29

Soudain, elle remarqua une tache de naissance sur l'épaule du bébé et recula d'un pas.

– Un oiseau! Un aigle! Elle aurait dû naître mâle!

Elle se pencha vers Annis, plissa les yeux et hurla :

– Ah! Tes copulations de chienne au bord de la rivière ont empoisonné cette enfant! Je vous ai vus, toi et ton amant aux cheveux noirs!

Le cœur d'Annis se mit à tambouriner. Quare Auntie l'avait espionnée! Elle l'avait surprise avec Nattie Marcus! La bile lui remonta dans la gorge et elle déglutit avec peine. Et puis après? Ce n'était qu'une vieille folle qui voyait des choses que personne d'autre ne voyait et qui entendait des voix que personne n'entendait... Mais qui se déplaçait aussi silencieusement que les esprits qui l'escortaient. Annis réprima un frisson.

Puis la vieille sourit, dévoilant les quelques chicots bruns qui lui restaient. Elle recula encore d'un pas et se mit à chanter :

– *Noire est la chevelure de celui que j'aime...*

Dieu soit loué, elle s'en allait! La puanteur qu'elle dégageait était encore pire que celle de la jambe de Todd quand il était rentré. Quare Auntie éclata d'un rire sans joie et, tournant les talons, reprit la direction de la forêt. Elle s'arrêta un instant pour hurler quelque chose en péquot puis, revenant à l'anglais, cria :

– Ecoute-moi bien, ma nièce! Cette enfant sera la fin de notre lignée. Après elle, plus rien ne sera comme avant! Méfie-toi d'elle!

Annis avait bien remarqué la façon dont la vieille faisait semblant de ne pas remarquer Becky, comme si cette dernière n'était pas là. A la naissance de Rébecca, elle n'était pas sortie de son trou. Qu'est-ce que cela signifiait? Son attitude voulait sûrement dire quelque chose. Tout avait une signification. Becky allait-elle mourir bientôt? Etait-ce la raison pour laquelle Quare Auntie refusait de la voir? Au même instant, la vieille fit volte-face, lança un regard mauvais vers Becky, puis siffla comme un serpent. L'instant suivant, elle avait disparu derrière les arbres.

Ils restèrent tous silencieux, même le bébé qui avait cessé de téter et attendait paisiblement dans les bras de sa mère. Annis sentait les yeux de Todd rivés sur elle et n'osait relever la tête. Enfin, il demanda d'une voix dangereusement calme :

– « Ton amant aux cheveux noirs », Annis ?

Toujours sans le regarder, elle répondit :

– Ne sois pas idiot, Todd ! Tu sais bien qu'il ne faut pas écouter Quare Auntie. Tu te souviens quand elle est venue annoncer que ton chien gisait mort près de ce taillis de bouleaux blancs ?

Il n'y avait aucun chien mort près du taillis en question. Certes, l'épagneul de Todd avait été tué une semaine plus tard en se battant avec un raton laveur. Mais Todd ne croyait ni aux signes ni aux rêves prémonitoires. Pour lui, ce n'étaient que des « salades d'Indiens ».

– Elle a toujours été aussi folle ? demanda-t-il.

– Pour nous, elle n'est pas folle. Elle parle avec les esprits. Les femmes de notre famille sont connues pour ça.

Todd cracha dans la poussière, ce qui acheva d'agacer Annis.

– Vous, vous avez bien un Moïse dans votre Bible qui parle avec Dieu, fait jaillir de l'eau d'un rocher et transforme un bâton en serpent ! Tu y crois bien, à ces salades de chrétiens, non ?

– Ça n'a rien à voir !

– C'est exactement la même chose. Réfléchis-y, Todd Wellburn. Mais, en attendant, aide-moi plutôt à me relever. Il faut que j'aille me coucher.

Elle confia le bébé à Becky et prit la main de Todd pour se redresser. Son corps était encore tout endolori de l'intérieur. Il valait mieux qu'elle ne s'approche pas trop de son mari pendant quelques jours. Elle était morte de fatigue. Elle avait faim. Ce matin, lorsqu'elle avait senti l'enfant se retourner dans ses entrailles et que son ventre gonflé s'était tendu, elle avait mis un ragoût à mijoter à feu doux. Plus tard, avant de sortir dans la clairière pour donner le jour à l'enfant, elle avait demandé à Becky de surveiller le feu et de garder le dîner au chaud.

Elle s'appuya sur le bras de Todd et ils traversèrent lentement la clairière vers leur cabane. Le crépuscule était tombé et le bleu tendre du ciel se couvrait peu à peu de nuages moutonneux.

Bas dans le ciel, la première étoile du soir brillait déjà. La nuit leur apporterait peut-être une brise qui les débarrasserait de la chaleur accumulée pendant la journée. Leur cabane était robuste, en pierres et en rondins de bois, jouxtant un petit verger de pommiers sauvages et de cerisiers. Elle avait été construite par l'arrière-arrière-arrière... grand-père d'Annis. Il avait fait du bon travail. Il y avait une grande cheminée dans laquelle on tenait debout, deux pièces, un grenier où l'on dormait, deux fenêtres avec d'épais volets en bois à présent grands ouverts et une terrasse qui courait tout le long de la façade. C'était là qu'Annis avait placé les rocking-chairs troqués contre ses soins de sage-femme auprès de Mme Carter, dont le mari était menuisier à East Haddam. Un fauteuil à bascule pour chaque petit Carter : il y en avait quatre en tout. Elle y avait également placé sa baratte et son rouet. Ils vivaient bien ici, dans les collines. Ils gardaient leurs cochons dans une porcherie à un bout de la clairière. Ils avaient également une remise à outils, une grange à foin et un poulailler où Annis enfermait la volaille le soir pour la protéger des loups qui rôdaient. Leur jument, Josie, broutait l'herbe de son enclos. Ils possédaient aussi une vache pour le lait et le beurre. Oui, ils avaient une bonne vie. Tous aux alentours savaient à qui s'adresser quand ils voulaient un bébé ou ne voulaient pas de celui qui était en route. Les femmes l'appelaient à leur chevet quand elles sentaient les premières contractions. On venait également consulter Annis pour d'autres maux, comme la goutte, les rhumatismes, les brûlures. Certaines femmes lui demandaient des remèdes pour ranimer l'ardeur de leurs hommes au lit. Bref, quand on avait besoin de soins, un seul nom venait à l'esprit : Annis Wellburn. Ce qui n'empêchait pas les gens de la traiter de « squaw » dès qu'elle tournait le dos.

Tandis que Todd l'aidait à gravir les marches du porche, elle remarqua qu'il traînait la patte.

— Becky, donne-moi le bébé, demanda-t-elle, et va chercher quelques feuilles d'achillées mille-feuilles à mâcher pour ton père ou... Attends ! Non, ce n'est pas ce qu'il lui faut. Prépare-lui

32

plutôt une tisane de faux-buis. Tu boiras ça, Todd. Ça fera partir la douleur de ta jambe.

Elle grimpa enfin dans son grand lit. Elle n'en pouvait plus. Becky avait fait le ménage et placé un petit bouquet de fleurs jaunes dans un verre sur sa table de nuit. Becky était une enfant adorable, mais beaucoup trop jolie. Sa beauté ferait son malheur. Annis avait remarqué la façon dont les hommes la regardaient. Et ce n'était encore qu'une enfant ! Pire encore, Rébecca était flattée par leur attention sans comprendre ce qu'elle signifiait. Elle souriait en rosissant. Annis l'avait déjà mise en garde, mais Becky répondait : « Mais pourquoi, maman ? Pourquoi je ne dois pas dire merci à M. Cartwright quand il me dit que je suis une jolie petite fille ? »

Annis ne savait pas quoi répondre. Tout ce qu'elle pouvait faire, c'était garder l'enfant toujours près d'elle. Mais, avec ce nouveau bébé, comment allait-elle pouvoir surveiller Becky jour et nuit ?

Bah ! On verrait pour Becky plus tard. Pour le moment, il fallait s'occuper de la petite Morgan. Annis devait l'observer attentivement et attendre un signe pour lui donner son nom indien. Woman of the River serait son nom secret et sacré. Il lui fallait un surnom, d'autant plus qu'elle tenait beaucoup de la famille de sa mère, avec des yeux ronds, noirs et brillants, des pommettes hautes et des cheveux noirs, lisses et luisants. A présent que les rougeurs s'estompaient, Annis remarqua que son teint était presque aussi blanc que celui de Becky. Pas olivâtre comme l'aurait été le petit garçon... Elle refoula les larmes qui lui montaient aux yeux. Elle ne devait pas laisser venir ces pensées. Ce qui était passé était passé. Elle avait fait son choix en connaissance de cause.

Elle reporta son attention sur la petite créature dans ses bras.

– Quel est ton nom, ma petite ? murmura-t-elle.

Elle repensa à Quare Auntie. La vieille était peut-être folle, mais elle vivait avec les esprits et ceux-ci lui avaient ordonné de poser les mains sur le bébé et de lui donner un nom. Si le fleuve était son destin et s'il fallait qu'elle porte un nom d'oiseau...

– Je sais comment tu t'appelles, ma fille, déclara-t-elle en posant le bébé sur son sein. Water Bird [1], mon bel oiseau d'eau.

Elle était belle, mais elle avait un visage d'Indienne. Or Annis savait qu'un visage d'Indienne était source de chagrin. Elle aussi entendrait les gens crier « squaw » sur son passage lorsqu'elle descendrait des collines pour se rendre en ville. Il n'y avait que des Anglais à East Haddam. La plupart des Péquots avaient fui depuis longtemps ou étaient morts de la vérole. Ceux qui restaient étaient des « Indiens d'église » ou, comme Annis et peut-être une demi-douzaine d'autres, vivaient isolés dans les collines.

Annis s'assoupit, rêvant d'Indiens dansant autour d'un feu sur la plage. Todd s'approcha sur la pointe des pieds, mais elle sentit sa présence. Elle ouvrit les yeux, laissant filer les derniers vestiges de son rêve.

– Ne t'inquiète pas, dit doucement Todd. La prochaine fois, on l'aura, notre garçon.

C'était bien une réaction d'homme de croire qu'elle se souciait de ne pas avoir mis au monde un enfant mâle. Elle secoua la tête.

– Je n'aurai plus d'autres enfants, Todd. Pas à mon âge.

Il réfléchit un moment, puis sourit :

– Dans ce cas, je lui apprendrai tout ce que j'aurais appris à un fils.

Il la regarda de biais, attendant sa réaction.

– On verra, répondit-elle simplement.

Il s'éclaircit la gorge et se tortilla un moment sur place.

– Notre petite Becky m'a fait une tisane qui a complètement ôté la douleur de ma jambe. Peut-être qu'elle deviendra guérisseuse comme sa maman...

C'était censé être un compliment, mais Annis secoua de nouveau la tête.

– Non. Becky sait préparer les remèdes si je lui dis exactement ce qu'il faut faire et elle sait à quoi sert chaque plante.

1. Oiseau d'eau. *(N.d.T.)*

34

Mais le don de guérir... Non, Todd, ça me désole, mais elle ne l'a pas.

Elle baissa les yeux vers le bébé tétant son sein, vorace, avide et costaud.

– Pas Becky, reprit-elle, mais peut-être celle-ci. Peut-être Morgan.

2

Octobre 1880

Regardez-moi cette flèche! songea Annis.

Elle observait Morgan courant à la rencontre de son père. On entendait Todd approcher dans la forêt, faisant craquer les branches mortes dans un vacarme à réveiller les morts. Il était parti à la ville le matin pour faire du troc. Elle espérait qu'il avait trouvé l'étoffe rouge qu'elle lui avait demandée. Les deux filles avaient grand besoin de nouvelles robes, surtout Morgan. Annis ne savait plus comment l'habiller. Dès qu'elle lui confectionnait un nouveau vêtement, il était déjà trop petit ou trop serré. Ce n'était pas que Morgan eût tellement envie d'une nouvelle robe. Elle aurait nettement préféré s'habiller en culotte. Elle disait toujours qu'elle aurait aimé être un garçon.

C'était la faute de Todd. Il était gâteux avec elle et Morgan était en adoration devant son père, buvant ses moindres paroles, voulant le suivre partout. De fait, il lui parlait plus qu'à n'importe qui d'autre. Mais Morgan n'était pas un garçon, quoi qu'eût pensé son père le jour de sa naissance. C'était une fille, presque une femme. Il était temps qu'elle entende ce que sa mère avait à lui dire, comme Annis elle-même avait écouté sa propre mère.

Annis se pencha à nouveau sur le panier de linge humide, en extirpa une chemise et la fit claquer plusieurs fois pour la défroisser avant de l'étendre sur un buisson. Lorsqu'elle se redressa, une douleur dans le bas du dos lui rappela qu'elle avait trente-huit ans, presque trente-neuf. Bientôt, elle serait une vieille femme, sage et respectée. Cela la fit sourire. De nos jours, les anciens n'avaient plus droit à la crainte et à la révérence avec lesquelles elle les avait traités dans sa jeunesse. Elle s'estimait heureuse que Morgan lui obéisse une fois sur dix. Elle acheva d'étendre son linge et rapporta le panier vide sur la terrasse. Au moment d'entrer dans la cabane, elle surprit son reflet dans le fragment de miroir que Todd avait échangé contre un lapin. Il en manquait un coin, mais cela n'avait pas grande importance. Elle n'avait jamais eu de miroir auparavant. Pendant des années, elle avait tressé ses cheveux agenouillée au bord de la mare derrière la maison. S'arrêtant devant son image, elle nota avec satisfaction qu'elle était toujours aussi élancée qu'une jeune fille, avec un dos toujours aussi droit, même s'il lui faisait mal de temps à autre. Todd la trouvait belle. Il ne le lui disait jamais mais elle le savait. Il venait encore à elle la nuit, excité comme un adolescent. Elle s'examina plus longuement. Etait-elle vraiment belle ? Pas pour les gens de la ville. Mais ses longs cheveux noirs et brillants pendaient en une épaisse tresse qui lui tombait jusqu'à la croupe. Sa peau était sombre, trop sombre. Sa robe en coton n'avait rien de différent de celles qu'elles portaient toutes en ville, ajustée à la taille avec un long jupon large. Naturellement, elle en avait remonté les pans et les avait coincés sous la ceinture de son tablier pour avoir les jambes libres et pouvoir travailler. Les femmes d'East Haddam ne faisaient pas ça. Soit, elle avait une allure différente. Et alors ? Elle était différente avec son sang indien. Cela lui donnait certains pouvoirs que les Blanches n'avaient pas. Pourtant, elles la méprisaient, la considérant comme une sauvage. Cela n'avait aucun sens.

Elle tripota l'amulette qu'elle portait au cou, accrochée à une chaînette en perles. Elle avait été sculptée dans un coquillage pourpre et luisant. Sa mère la lui avait donnée quand elle était devenue femme, disant qu'elle avait appartenu à leur ancêtre, Bird, la *moigu*. Elle portait également son sac à remèdes en cuir suspendu à sa ceinture. Lui aussi avait appartenu à sa mère. Elle le caressait souvent, comme s'il s'agissait d'un talisman. Ce n'était pas pour qu'il lui porte chance, mais pour se rappeler qui elle était : Annis Wellburn, la guérisseuse.

Dans la région, on considérait ses potions et ses sorts comme magiques. On parcourait des kilomètres pour la consulter. Elle avait la réputation de faire chuter les fortes fièvres et de guérir les plaies que personne d'autre ne savait soigner. On l'envoyait toujours chercher lorsqu'un accouchement s'annonçait. On n'aurait voulu de personne d'autre. Annis sourit. On lui demandait toujours les recettes de ses remèdes. Elle pouvait toujours leur dire où trouver les plantes, mais ça ne leur servirait pas à grand-chose, car il fallait avoir le don. Le don de guérir lui venait de sa mère, et de la mère de sa mère, et ainsi de suite jusqu'à la nuit des temps. Elle pouvait regarder un malade dans les yeux, palper ses membres et savoir aussitôt quel mal l'avait saisi et comment l'aider à s'en débarrasser.

Sa mère et sa grand-mère l'avaient emmenée avec elles chaque jour. Elles lui avaient appris l'art de guérir, lui chantant des chansons pour qu'elle mémorise tous les noms des plantes et leurs vertus. La nuit, son grand-père lui racontait des histoires... Sur le *pawwow* Great Eagle, le chaman de la tribu des Péquots, et son fils Wild Goose, massacrés par ce félon d'Uncas et ses Mohicans qui avaient abandonné leurs frères pour aller se battre aux côtés des Yankees. Il lui parlait de la femme du chaman, une grande *moigu* appelée Shining Stone, et de sa fille, Bird. Il lui racontait comment elles étaient rentrées un jour après avoir cueilli des plantes pour le sac à remèdes de Shining Stone et avaient trouvé le campement détruit et tous ses habitants assassinés.

Annis entendait encore son grand-père, se balançant d'avant en arrière, chantant sa lamentation : « Voici comment ont fini les puissants Péquots, fille de ma fille. Voici comment ont été tués le sachem et mille de ses braves dans le fort de la rivière mystique. Voici comment se sont éparpillés les rares survivants, terrorisés. »

Le récit s'achevait sur l'histoire de Shining Stone et de Bird se réfugiant dans les montagnes en amont du fleuve Connecticut. « Elles se sont installées dans ce lieu même où nous nous tenons », concluait-il. Elle avait beau avoir entendu la même histoire racontée dans les mêmes termes un millier de fois, cette dernière phrase lui donnait toujours des frissons.

Mais cela n'intéresse pas Morgan, songea tristement Annis. Sa fille voulait l'impossible. Elle avait tenté de lui insuffler la fierté de ses origines péquots, mais elle ne rêvait que de ressembler à son amie Lizzie Bushnell, la fille du pasteur, une grosse bêtasse au mauvais caractère. Morgan ne voyait pas que Lizzie était aussi fade qu'un tas de boue avec son teint pâteux et ses cheveux presque blancs. Elle était sans couleur, comme un fantôme. *Ou*, pensa Annis amusée, *comme un lapin blanc enragé*. Morgan ne supportait pas la moindre critique sur Lizzie, qui était assise sur le même banc qu'elle en classe. Annis aurait eu tôt fait de la retirer de l'école, mais Todd ne voulait pas en entendre parler : « Elle apprendra à lire et à écrire comme une enfant normale ! N'oublie pas qu'elle n'est qu'en partie indienne. »

Annis en était parfaitement consciente, mais elle savait aussi que Morgan avait le don, même si elle ne semblait pas pressée de s'en servir. La petite n'en faisait qu'à sa tête et n'écoutait pas sa mère. Elle avait l'intelligence pour apprendre ; il ne lui manquait que la bonne volonté. Pourtant, Annis devait absolument lui enseigner tout ce qu'elle savait, car il était désormais évident que Becky n'apprendrait jamais. Jamais.

Un craquement de branches retentit dans la forêt. Annis se tourna en s'apprêtant à accueillir Todd et Morgan. Mais les mots moururent sur ses lèvres lorsqu'elle aperçut la frêle silhouette qui se tenait au bord de la clairière, clignant des yeux sous le soleil. Son visage était barbouillé de boue, sa chevelure formait une masse compacte. Elle avait enroulé un lambeau de tissu autour de sa taille, retenu par une liane. Ses seins nus, si beaux, étaient maculés de terre. Elle empestait.

– Bonjour, Becky ! lança Annis d'une voix neutre.

Becky ne répondit pas, mais lança des regards effrayés autour d'elle, marmonnant entre ses dents.

– Il n'y a aucun danger, Becky. Tu es chez toi ici. Personne ne te fera de mal.

Elle ne répondit toujours pas. Quelques instants plus tard, Todd et Morgan émergèrent d'entre les arbres, traînant derrière eux une civière en branchages tressés sur laquelle étaient entassés les produits du marché. Becky courut se réfugier dans la forêt. Toutefois, elle ne s'enfonça pas dans les bois. Annis pouvait toujours l'apercevoir. Elle devait avoir faim. Ces derniers temps, c'était la seule raison qui la poussait à revenir. En voyant Becky scruter Morgan, Annis se tendit, prête à protéger sa cadette. On ne pouvait jamais savoir ce que Rébecca allait faire.

Quelques semaines plus tôt, Becky était apparue, déclarant : « Faim. Manger. » Pas de « s'il vous plaît », de « merci » ou de « comment ça va ? ». Lorsque Morgan lui avait apporté du pain et de la viande, Becky les lui avait arrachés des mains et s'était mise à marmonner, disant que Morgan était habitée par les mauvais esprits, qu'elle les voyait sortir de ses narines, de ses oreilles, de sa bouche et d'entre ses jambes. Todd, qui observait la scène de loin, était arrivé à grands pas, furieux, et l'avait giflée. Becky n'avait pas pleuré. Depuis que les esprits s'étaient emparés d'elle, il ne semblait plus y avoir de larmes en elle. Elle avait craché au visage de son père et avait filé dans les bois.

Aujourd'hui, c'était la première fois qu'elle revenait depuis l'incident. Il avait eu beau chercher, Todd n'avait pas encore trouvé sa cachette, lui qui débusquait les animaux à la trace sans même les voir.

— Bonjour, Becky, dit Morgan très doucement.

— Ne t'approche pas ! hurla Becky. Je lis dans tes pensées ! Tu crois que je ne te connais pas ? Ne t'approche pas de moi !

Morgan courut se réfugier auprès d'Annis.

— Qu'est-ce qu'elle a, maman ? Pourquoi Becky dit toujours ça ? Pourquoi est-ce qu'elle me déteste ?

— Elle ne te déteste pas, Morgan. Elle est habitée par les esprits, tout comme Quare Auntie l'était. C'est comme si elle ne nous entendait plus. Elle n'entend que les esprits. Dans l'ancien temps, on l'aurait considérée comme une sainte. Par-

40

ler avec les esprits, c'est une magie très puissante. Mais les temps ont changé. Aujourd'hui, les gens ont peur des esprits. Ils ne leur offrent plus de sacrifices. Personne ne s'isole plus dans la nature pour communiquer avec eux en rêve. Peut-être que tous les bons esprits sont partis et que ceux qui sont restés ont pris ta sœur. Mais en vérité je ne sais pas, je ne sais pas pourquoi, Morgan.

L'enfant s'appuya contre elle, cherchant sa protection, resta silencieuse pendant une minute, puis demanda :

– Je vais devenir comme elle quand je serai grande ?

– Je ne le sais pas non plus. Pourquoi ? Tu le souhaiterais ?

– Non ! A l'école, ils se moquent tous de ma sœur ! Ils disent qu'elle est folle ! Ils la singent ! Je déteste ça !

Elle s'effondra en larmes, reprenant entre deux sanglots :

– Il faut que je sache. Est-ce que les esprits vont venir me chercher, moi aussi ?

Annis secoua tristement la tête.

– Je n'en sais rien, Morgan. Becky avait à peu près l'âge que tu as aujourd'hui quand tu es née. Elle s'occupait si bien de toi qu'on l'appelait « petite mère ». Je n'aurais jamais imaginé que cela lui arriverait. Ces enfants à l'école peuvent l'appeler comme ils veulent, nous, on sait bien que ce sont les esprits, n'est-ce pas ?

Morgan émit une petit bruit étranglé, puis s'arracha des jupons de sa mère et courut dans la maison. Annis l'entendit grimper quatre à quatre l'échelle qui menait au grenier. La pauvre enfant s'imaginait peut-être qu'elle pouvait courir plus vite que les esprits.

Annis soupira. Il fallait d'abord s'occuper du plus urgent.

– Tu as faim, Becky ? cria-t-elle.

– Oui. Apporte-moi à manger.

– Non, viens le chercher.

– Peux pas.

Elle était tapie dans l'ombre, lançant des regards effrayés vers son père qui se tenait immobile près de sa civière. Il savait que, s'il faisait le moindre mouvement brusque, elle filerait.

41

– Le démon veut m'attraper, poursuivit Becky d'une voix tremblante.

– Il n'y a pas de démon ici.

Becky pointa un doigt vers son père.

– Le démon habite ici, entre ses jambes. Je l'ai vu, le démon serpent! Aïe! Il mord! Il fait mal!

Elle plaqua une main entre ses cuisses et mima la douleur.

– Un garçon a amené son démon dans ma cachette, reprit-elle sans quitter Todd des yeux. Il l'a sorti pour qu'il me morde, mais c'est moi qui l'ai mordu la première. Oui, je l'ai mordu! Puis j'ai poussé le garçon et j'ai couru, couru, couru...

Elle s'interrompit un instant et, contre toute attente, se mit à sourire :

– Je me suis trouvé une nouvelle grotte. Personne ne me trouvera jamais!

– Becky, regarde! dit Todd de sa voix la plus douce. Je me tourne, comme ça aucun démon ne viendra te chercher.

Tout en se tournant, il siffla vers Annis :

– Quelle bande de salauds! Comment peuvent-ils abuser d'elle alors qu'ils voient bien qu'elle n'a pas toute sa tête? Je n'arrive même pas à imaginer comment ils en ont envie.

– En ville, ils parlent d'elle, Todd, je te l'ai dit. Ils l'appellent la « sauvage ». Tu te souviens, quand elle avait douze ans, comme tous les hommes se retournaient sur son passage? Ça ne la gênait pas. Elle rejetait ses cheveux en arrière et faisait la moue. J'ai dû la gifler plusieurs fois pour lui apprendre à se tenir. Mais elle aimait qu'on la regarde et qu'on lui sourie. Le problème, c'était qu'il suffisait qu'elle croise le regard d'un homme pour qu'il ait envie d'elle.

– Ils devraient avoir honte!

– Tu as raison, mais ça ne change rien.

Elle ne lui avait jamais raconté ce qui s'était passé l'année où Becky avait eu treize ans. Il y avait de ça sept ans. Annis avait eu trop peur qu'il prenne son fusil et descende en ville pour abattre ces chiens. On l'aurait jeté en prison, peut-être même pendu. Que serait-elle devenue sans son homme?

Aussi, elle s'était tue. Mais elle n'oublierait jamais ce qui s'était passé. Avec Becky, elles étaient descendues en ville acheter du kérosène, de la mélasse, de la farine et du tissu pour faire des robes. Déjà à l'époque Morgan préférait rester avec son père. Annis était entrée dans la grande épicerie et, comme il faisait beau, avait laissé Becky assise dans la balançoire sur le porche. Certes, elle n'était pas tout à fait tranquille, sachant que l'enfant battait des cils chaque fois qu'un homme passait. Mais il faisait jour et elles se trouvaient dans la rue principale. Alors elle était entrée seule, pensant n'en avoir que pour une minute ou deux.

L'épicière était enceinte de huit mois de son cinquième enfant, et cela prit un peu plus de temps que prévu. Il fallait qu'elles conviennent d'un arrangement pour qu'Annis puisse lui servir de sage-femme en temps voulu. Mme Griswold racontait à qui voulait l'entendre qu'elle n'aurait jamais plus un bébé sans l'aide d'Annis Wellburn. Son dernier accouchement avait été difficile, et elle y serait sûrement restée sans Annis. Le bébé se présentait par le siège et ne pouvait sortir. Annis la fit se mettre debout, soutenue par sa sœur et sa mère, puis lui demanda de se balancer de gauche à droite pendant qu'elle lui palpait doucement le ventre pour faire se retourner l'enfant. Ce qu'il fit. Quelques instants plus tard, M. et Mme Griswold avaient un joli petit garçon, réclamant son dîner à grands cris. Mary Griswold disait qu'Annis Wellburn était un génie. Mais ce n'était que la science des Péquots et de tous les peuples de l'Algonquin.

Toujours est-il que, lorsque Annis ressortit du magasin quinze à vingt minutes plus tard, Becky n'était plus sur le porche. Un mauvais pressentiment lui tordit les entrailles. Il s'était passé quelque chose, elle le sentait. Il ne lui fallut pas longtemps pour en avoir la confirmation. Elle contourna le bâtiment du magasin et entendit des cris sourds dans l'écurie.

Elle se mit à courir, poussa la grande porte et grimpa l'échelle qui menait au grenier d'où venaient les bruits. Elle avança à pas de loup, comme une Indienne, aurait dit Todd.

Sa fille, son bijou, une innocente gamine de treize ans, était étendue sur le dos dans le foin, les jupes rabattues sur le visage, se débattant et criant, tandis qu'un homme était couché sur elle. Annis avait déjà remarqué les jeunes garçons qui rôdaient autour de Becky, mais ni son violeur ni les trois autres qui attendaient leur tour dans le grenier, le visage rouge, n'étaient des adolescents. C'étaient des hommes adultes.

Annis poussa un cri de guerre et se rua sur le dos du violeur. Il roula sur le côté, le visage furieux, prêt à riposter. Ils se dévisagèrent, incrédules. L'homme en question n'était autre que Josh Griswold, le mari de l'épicière, celle qui attendait son cinquième enfant. Il était soi-disant parti négocier avec un marchand de chevaux, Amos Webb, qui se tenait là, lui aussi, attendant son tour, aux côtés de George Spencer et de William Chesley, tous de bons pères de famille, respectables, membres assidus de leur église.

Les hommes restèrent cloués sur place. Annis se précipita vers sa fille, la prit dans ses bras, lui rabattit ses jupes et lui essuya les yeux. Puis elle se tourna vers les quatre hommes et fit pleuvoir sur eux des imprécations qu'ils n'oublieraient pas de sitôt. Elle ramena sa fille en larmes à la cabane, la mit dans un baquet d'eau chaude et la récura. Cela ne servit pas à grand-chose. A compter de ce jour, Becky fut terrorisée par les hommes. A présent, elle avait peur de tout le monde, de son père, de sa sœur, des créatures qu'elle était la seule à voir. Depuis quelques années déjà, elle s'était mise à marmonner seule, à hurler soudain après les esprits ou à entretenir avec eux de longues conversations animées.

Depuis qu'elle avait commencé à errer seule dans la forêt, il se trouvait toujours un homme ou deux pensant pouvoir la débusquer et abuser d'elle. Qui le saurait ? Qui croirait une fille à moitié folle ? Ce serait si facile, pensaient-ils. Mais ils pouvaient toujours courir. Sauvage et rapide, Becky leur filait entre les doigts. Du moins Annis l'espérait.

– Viens ici sur la terrasse, Becky, lança Annis. Je vais te donner à manger.

A sa grande surprise, Becky s'approcha aussitôt. On ne pouvait jamais deviner comment elle allait réagir. La jeune fille se jeta sur la viande et le pain comme une bête sauvage, fourrant la nourriture dans sa bouche avec ses deux mains. Quand Annis lui apporta de l'eau, on aurait dit qu'elle n'avait pas bu depuis un mois. Elle laissa même Annis la mettre dans le grand baquet en cuivre, la brosser et lui laver les cheveux. Pendant tout ce temps, elle chanta. Pas un air reconnaissable mais une litanie de mots inintelligibles. Néanmoins, elle paraissait en paix pour une fois. C'était réconfortant de la voir ainsi.

Une fois repue et propre, Becky se coucha en boule dans un coin et s'endormit aussitôt. Annis s'agenouilla auprès d'elle, caressant ses longs cheveux cuivrés, la contemplant. Lorsqu'elle dormait, son air terrifié disparaissait, et elle ressemblait à nouveau à une belle jeune femme, malgré ses quelques mèches encore emmêlées et sa peau couverte de bleus et d'égratignures. Parfois, les esprits la quittaient un moment, laissant la Becky d'autrefois, douce, docile et aimant apprendre. Puis, tout à coup, ils revenaient, emplissant sa tête. Elle se retournait alors contre vous, était capable de saisir un couteau et de crier qu'elle vous tuerait si vous vous approchiez d'elle. Ou encore, elle filait ventre à terre vers la forêt, vociférant dans une langue étrange.

– Tu l'aimes plus que moi, pas vrai, maman?

Annis tressaillit et fit volte-face.

– Morgan! Qu'est-ce que tu racontes? Bien sûr que non, je ne l'aime pas plus que toi. Et la prochaine fois, ne t'approche pas comme ça par-derrière sans faire de bruit!

La lèvre inférieure de Morgan se mit à trembler et ses yeux se remplirent de larmes.

– Je n'ai pas voulu te faire peur, maman, je te jure. J'ai fait du bruit mais tu ne m'as pas entendue.

– Ne pleure pas, ma fille. Je ne voulais pas m'emporter. C'est juste que je suis inquiète pour Becky, c'est tout. Parce qu'elle est toute seule dans la forêt.

– Mais elle est avec ses esprits, maman.

– Oui, c'est vrai, elle est avec ses esprits.

Annis savait que les esprits étaient réels et qu'ils étaient partout : dans l'eau, les arbres, la terre, les plantes qui poussaient dans la terre et les animaux qui se nourrissaient de ces plantes. Certains étaient bons, d'autres non. Mais les esprits de Becky ne ressemblaient pas aux autres.

Au même moment, Becky se réveilla. Dès qu'elle aperçut sa sœur, elle se mit à hurler, criant qu'elle était mauvaise et que son âme était sale. Todd entra au même moment et, voyant ce qui était en train de se passer, déclara précipitamment :

– Annis, j'emmène Morgan avec moi chasser et lever les collets. On sera rentrés d'ici un jour ou deux.

– Oui, oui, répondit-elle avant que Morgan ait eu le temps d'ouvrir la bouche. Rapportez-moi une dinde et je vous préparerai un festin.

Elle n'osait pas regarder sa cadette, se sentant coupable de l'éloigner ainsi. Mais il n'y avait pas d'autre solution. La pauvre Becky avait besoin de sa mère. Morgan, elle, était robuste et forte. Elle saurait toujours se débrouiller.

3

Plus tard le même jour

Morgan était triste que sa mère lui préfère Becky, mais cette promenade en forêt avec son père l'aidait à oublier sa peine. Elle se sentait si... adulte, seule avec lui. Lorsqu'ils étaient tous à la maison, il était toujours en mouvement, toujours occupé à quelque chose. Si elle lui demandait ce qu'il faisait, il répondait : « Je travaille, Morgan, et tu devrais en faire autant. » Mais, dès qu'il était en forêt, il devenait différent. Il prenait le temps de tout lui expliquer et la traitait comme une grande personne. A vrai dire, elle avait douze ans, c'était déjà grand. Elle savait lire, écrire et faire ses calculs. En plus, elle était douée. Mais la plus grande transformation qui s'opérait en papa dans la forêt était qu'il se mettait à parler. Se retrouver dans la nature semblait le libérer et lui dénouer la langue.

En marchant à travers bois, il entretenait la conversation. Comme il ne discutait pratiquement jamais, c'était une véritable fête. Ce jour-là, tandis qu'ils relevaient les collets et couraient après les pintades et les lapins, il lui parla de ses aventures pendant la grande guerre. Morgan adorait ses récits de guerre. Elle les trouvait beaucoup plus intéressants et vraisemblables que les contes de fées qu'elle lisait dans les livres ou les histoires de maman au sujet d'esprits invisibles et d'ancêtres disparus depuis belle lurette. Elle connaissait les histoires de son père par cœur, ce qui ne diminuait en rien son plaisir de les entendre à nouveau.

– Parfaitement ! Le jour où on a quitté Hartford, on était sûrs de boucler l'affaire en moins de deux. Tu aurais vu la foule,

Morgan! Ils criaient, applaudissaient, agitaient des drapeaux, celui du Connecticut et cette bonne vieille bannière étoilée. Nos tambours s'en donnaient à cœur joie et la fanfare était si entraînante que nos pieds avançaient tout seuls. Pour ça, ils nous ont donné un bel au revoir! Ils étaient tous là, tous les habitants de Hartford étaient sortis pour nous saluer. Comme il n'y avait plus de place dans la rue, il y en avait même sur les toits. On a marché au pas jusqu'à New Haven, conduits par notre brave capitaine Daniel Tyler. Notre navire nous y attendait, prêt à embarquer le premier contingent de volontaires, prêt à voguer vers la victoire!

« ... On a mis le cap sur Washington, où le président Lincoln et son cabinet sont venus nous accueillir sur la berge du Potomac. Tu imagines un peu, Morgan, le président en personne! Ils avaient tout ce dont nous avions besoin : tentes, munitions, paquetages, provisions, de quoi tenir vingt jours! Nous, on se disait qu'il nous en faudrait peut-être vingt et un, tout au plus, pour montrer aux rebelles qui étaient les maîtres! Ah, qu'il était bon d'être jeune, costaud et de partir en guerre, Morgan!

Il marqua un temps d'arrêt, et Morgan en profita pour glisser :

– C'est pourquoi tu as signé pour trois années supplémentaires, alors que vous n'étiez censés partir que pour trois mois. Parce que vous pensiez que tout ce foutu bordel serait réglé en moins de deux!

Todd éclata de rire.

– Allons, Morgan! Qu'un homme adulte dise « foutu bordel », passe encore, mais ce ne sont pas des mots qu'on veut entendre de la bouche d'une petite fille. Non, on a tous rempilé pour le président Lincoln, parce qu'il nous l'avait demandé. Il avait besoin de cinq cent mille fidèles soldats de l'Union pour défendre la bonne cause. A l'époque, on s'appelait le « Premier Connecticut », parce qu'on avait été les premiers à répondre à l'appel.

Il s'interrompit à nouveau, le regard songeur. Elle attendit impatiemment qu'il reprenne.

– La Confédération nous a battus à Bull Run et s'est emparée de la Virginie. Ah, ce fut une sale journée ! Quand on a entendu le clairon sonner la retraite, on a brandi le poing et lancé des insultes, mais un bon soldat doit obéir aux ordres. Il tombait des cordes, et on était tous trempés jusqu'aux os... « trempés jusque dans les os », disaient même certains. Je crois bien n'avoir jamais été aussi mouillé, ni avant ni après. Après quoi, on a manqué de nourriture. On n'a rien mangé pendant trois jours. On croyait que c'était la fin. Pourtant, on a survécu, enfin, la plupart d'entre nous en tout cas. Mais on s'est rendu compte qu'on avait été fous de croire qu'on gagnerait si rapidement. Johnny Reb [1] n'était pas le clown qu'on avait cru. C'était un vrai combattant, et on était partis pour une longue, longue guerre.

Il cracha par terre pour montrer ce qu'il pensait de la guerre.

Ils suivaient un sentier bien net dans la forêt. Morgan marchait prudemment dans les empreintes de son père. Il avait attrapé beaucoup de renards dans des pièges savamment placés. La fourrure de renard se troquait contre de nombreux sacs de farine, du sel et du tissu pour fabriquer des vêtements. Tout à coup, il se figea. Naturellement, Morgan aussi. Il resta immobile comme une statue, et Morgan l'imita, comme il le lui avait appris. Il devait avoir senti la présence d'un animal, une biche ou une dinde sauvage. Cette seule idée fit saliver Morgan. Le soleil était déjà bas dans le ciel, et elle commençait à avoir faim. Elle contempla les pintades accrochées à la ceinture de son père, mais n'osa dire qu'elle avait besoin de manger, de peur d'avoir l'air d'un bébé. Peut-être lisait-il dans ses pensées, comme le faisait maman, car il haussa soudain les épaules et se tourna vers elle :

– Il serait temps qu'on monte le camp pour la nuit. J'ai l'estomac dans les talons. Ta mère nous a emballé des crêpes et du bœuf séché, et je suis sûr qu'une petite maligne comme toi saura nous trouver quelques champignons à cuire avec la volaille pour le dîner.

1. Surnom collectif de l'armée confédérée. *(N.d.T.)*

49

Il tourna les talons et s'engagea dans un petit sentier sinueux à peine tracé qu'elle n'aurait jamais remarqué s'il ne lui avait pas appris à regarder.

– Je connais un joli endroit, annonça-t-il. On y a déjà campé une fois l'année dernière. J'entends de l'eau, il y a un petit ruisseau là, plus bas. Tu vois ce gros pin blanc? Tu t'en souviens? Tu avais dit qu'il ressemblait à un chien plein de poils. C'est vrai...

Comme chaque fois qu'il était fatigué, il traînait un peu la jambe droite, celle qui avait été blessée. Morgan fut soulagée de s'arrêter. A l'ouest, le soleil était rouge orangé, et elle n'aimait pas marcher dans la forêt la nuit, même avec son père. Maman lui avait dit que les esprits aimaient sortir la nuit, et elle ne tenait pas à en rencontrer, après avoir vu ce qu'ils avaient fait à sa sœur.

Une fois installés, pendant que les champignons, les oignons sauvages et les tranches de pintade mijotaient sur le feu, son père s'adossa à un tronc d'arbre et se massa la cuisse. Morgan surveillait le ragoût.

– Raconte-moi encore, papa. Parle-moi de la guerre.

– Où j'en étais? Ah, oui. Bull Run... Le général Lee, de l'armée rebelle, était convaincu qu'il allait remporter la guerre. Il s'est mis à prendre des risques. Il voulait Washington et, après ça, pensait monter vers le nord et nous envahir. Il faut dire qu'ils nous avaient battus à Antietam, Morgan, même si ça me fait mal au cœur rien que d'y penser. Ça se trouve dans le Maryland, à côté de Washington. On nous envoyait à droite, puis à gauche, sur les traces de Johnny Reb. Au bout d'un moment, on ne savait même plus où on était. On marchait, on bivouaquait, on attendait que les clairons et les tambours nous disent ce qu'on devait faire. Charger. Se tenir prêt. S'abriter. Battre en retraite. Un jour, on marchait dans une forêt qui ressemblait à celle-ci, sauf qu'elle se trouvait, je ne sais pas trop, dans le Maryland, ou peut-être en Virginie... Toujours est-il que j'avançais lentement, le fusil braqué devant moi, cherchant l'ennemi des yeux. Et pan! Qu'est-ce que je vois? L'ennemi est

50

là, juste devant moi. Ça n'a pas fait un pli, il m'a tiré dessus. Deux fois! Et les deux fois il m'a eu, une balle dans l'épaule, l'autre dans la jambe!

Il cracha par terre et se tut.

– Et c'est là qu'ils t'ont emmené dans un hôpital... le relança Morgan.

– Peuh! Ces foutus chirurgiens n'étaient que des bons à rien. C'est ta mère qui a sauvé ma jambe. Ces médecins de l'armée voulaient me la scier! Ta mère est un vrai médecin, Morgan, même si elle n'a jamais été à l'école. Sur le champ de bataille, les médecins étaient pires que des bouchers. Même moi j'aurais fait du meilleur travail avec mes années d'expérience à égorger les cochons et à dépecer les cerfs. Tout autour des infirmeries, le sol était jonché de tas de bras et de jambes amputés. Certaines portaient encore leurs bottes! Je me souviens qu'ils criaient sans cesse qu'on leur apporte de l'eau... Ils n'avaient jamais assez d'eau, jamais assez de bandages, jamais assez de tout! Il y a eu plus de morts sous ces tentes médicales que sur le champ de bataille, Morgan. Tu sais ce qui nous a sauvés?

– Ce sont les dames, papa. Les dames vous ont sauvés!

C'était la partie qu'elle préférait.

– C'est vrai. De simples femmes ordinaires comme celles que tu vois dans les rues d'East Haddam. Elles sont venues sur le front soigner les soldats blessés, lavant les plaies les plus dégoûtantes, faisant du porte-à-porte dans toutes les villes et les fermes de la région pour quémander un peu de pain, de thé et des fruits secs afin qu'on ait quelque chose à manger et qu'on guérisse.

– Parle-moi des infirmières, papa, et des dames médecins.

– Il y avait la mère Bickerdyke. Elle était infirmière. On racontait qu'elle ne dormait jamais et qu'elle chantait toute la nuit pour que les soldats oublient leurs douleurs. Il y avait aussi toutes les autres femmes qui changeaient nos bandages, nous massaient les tempes pour faire passer les migraines, écrivaient des lettres pour tous ceux d'entre nous qui ne savaient ni lire ni écrire. Ta maman en a reçu deux comme ça.

Il se pencha en avant, la lueur du feu baignant son visage dans une auréole dorée.

– Certaines de ces femmes, comme Clara Barton, Louise Gilson ou Mme John Harris, plantaient elles-mêmes leurs tentes près des hôpitaux de campagne. Elles travaillaient nuit et jour comme infirmières, sans se soucier du pilonnage et des canons. Elles se fichaient bien de ne pas recevoir un sou en échange. J'ai entendu dire qu'il y en avait parmi elles qui étaient de vrais médecins mais je n'en ai jamais vu. Bien sûr, c'était difficile à dire. Il y avait tant de médecins qui n'étaient que des gamins sans un poil sur le menton. Ils auraient tout aussi bien pu être des filles. Tu imagines un peu, Morgan? Pourquoi une femme médecin ne saurait pas soigner aussi bien qu'un homme? C'est moi qui te le dis, Morgan, ce sont les femmes qui nous ont sauvé la peau. Même à Gettysburg...

Morgan connaissait bien l'épisode de Gettysburg. Papa s'était échappé de l'hôpital sudiste et était parti à l'aventure, cherchant à rejoindre le Premier Connecticut. Il n'avait jamais retrouvé son bataillon, mais s'était joint à un groupe d'une dizaine d'hommes du Vingt-Neuvième Connecticut ayant eux aussi perdu le leur.

– Rien que des Nègres, Morgan. Mais, après tout, ils n'avaient rien contre moi, et moi rien contre eux. C'étaient de bons soldats, en plus. Il ne faut pas écouter ce que les gens racontent. Ensemble, on a retrouvé notre chemin jusqu'à Gettysburg.

Gettysburg. Morgan connaissait la scène aussi bien que si elle s'y était trouvée. Le champ de bataille n'était plus qu'un océan de boue et de sang. Il y avait tant de soldats morts qu'on pouvait traverser la plaine sans salir ses bottes, en marchant sur les cadavres. Papa y avait été de nouveau blessé, plus grièvement cette fois. Il était resté inconscient pendant longtemps.

– Quand je suis revenu à moi, ne sachant pas quel jour, quel mois ni même quelle année on était, il y avait un médecin penché au-dessus de moi en train de dire qu'il allait me scier la jambe juste en dessous du genou. C'est qu'il ne savait pas que j'étais réveillé. Aussi, Morgan, j'ai répondu du plus fort que j'ai pu : « Oh, non, monsieur! Sur la tête de Dieu tout-puissant, vous ne me couperez rien du tout! » Il a fait un de ces bonds! J'ai bien cru qu'il allait s'étouffer!

« ... Alors il me dit : " Si je dis qu'il faut vous couper la jambe, alors il faut la couper, y a pas à discuter! " Et que je lui réponds : " Je vous tuerai d'abord, docteur, et je ne suis pas du genre à ne pas tenir parole! – Très bien, c'est ce qu'on verra ", qu'il dit. Et le voilà qui sort.

« ... Mais il n'est jamais revenu, Morgan. J'ai alors décidé qu'il était temps de filer avant qu'ils ne se mettent à me découper en petits morceaux. Le moment était venu pour moi de retrouver ma femme et mon enfant. On m'a appris que Lee avait été repoussé des Etats du Nord et battait en retraite, que la guerre n'était pas finie et que l'Union était en train de gagner, mais je n'avais plus le cœur à me battre.

– Et c'est là que tu es rentré, et que maman et toi vous m'avez eue.

– Ah oui, tu crois? dit-il d'un air moqueur. Attends, laisse-moi te regarder. Oui, je me reconnais bien dans tes yeux, même si tout le reste a l'air indien. Oui, on t'a eue, et maintenant tu es là!

– Est-ce que tu as vraiment fait tout le chemin du retour à pied sur une jambe, papa?

– Pour sûr! L'autre jambe était pourrie. Tiens, laisse-moi te montrer comment j'ai fait.

Pour le plus grand plaisir de Morgan, il se leva et, après avoir ramassé une branche qu'il fit mine d'utiliser comme une béquille, commença à fredonner un de ses airs militaires tout en sautillant autour du feu. Il fit tout le tour de la clairière, puis se prit les pieds dans une racine. Il tenta de se redresser en battant des bras. Peine perdue. Il tournoya sur lui-même et s'affala sur le sol. C'était si drôle que Morgan éclata de rire et applaudit. Puis elle se rendit compte que papa ne souriait pas. Il semblait avoir très mal.

– Papa! Papa! cria-t-elle en se précipitant vers lui. Ça va? Tu peux te relever?

– Oh, Seigneur! gémit-il. Il s'est passé quelque chose de bizarre dans ma jambe, Morgan. J'ai entendu un bruit de déchirement. Tu y connais quelque chose en déchirures?

– Prends appui sur moi, je vais t'aider à te relever.

Il était très lourd et, vu ses grimaces et ses grognements, sa jambe lui faisait manifestement très mal. Il ne pouvait poser le pied par terre et avançait à cloche-pied. Avec l'aide de sa fille, il parvint à s'asseoir près du feu. Elle rassembla des herbes et de la terre qu'elle mit sous sa jambe pour la surélever. Sa mère lui avait montré comment faire.

– C'est un muscle de ta jambe, papa. Tu l'as étiré dans le mauvais sens. Ne t'inquiète pas, je sais comment calmer ce genre de douleur. Je vais recueillir un peu de résine de ce grand pin. Tu te sentiras mieux en la mâchant. On va déchirer mon jupon pour te faire un joli bandage. Ne t'inquiète de rien, je vais bien m'occuper de toi.

Lorsque Todd rouvrit les yeux, l'aube teintait le ciel d'une lueur jaune pâle. L'espace d'une minute, il se demanda ce qu'il faisait là. Puis il se souvint qu'il s'était tordu la jambe la veille. Il s'était conduit comme un idiot, à danser sur place pour impressionner sa fille. Il l'avait bien cherché. Il s'était fait sacrément mal. Il tenta de bouger légèrement sa jambe, juste pour voir. Elle allait nettement mieux. Elle était encore raide et douloureuse, mais il pouvait la soulever sans hurler de douleur. Cette Morgan! Cette enfant était vraiment douée pour soigner. Elle lui avait donné de la résine à mâcher et avait massé l'arrière de son genou avec une substance poisseuse récoltée sous l'écorce du pin puis cuite. Au début, cela ne lui avait fait aucun effet. Au moment où il s'était apprêté à le lui dire… pffuit!… il avait rouvert les yeux et l'aube était déjà là. Il se souvint de s'être réveillé plusieurs fois pendant la nuit et d'avoir tenté de bouger sa jambe. Mais il s'était aussitôt rendormi.

– Morgan! Hé, ma fille! Tu as bien pris soin de ton papa…

Il balaya la clairière du regard. Elle n'était pas là.

– Morgan? Morgan!

Il tenta de se relever. Sa jambe ne le soutenait pas. Peu importait, il ramperait s'il le fallait! Seigneur, s'il était arrivé quelque chose à sa petite chérie... Puis il l'entendit crier depuis la forêt qu'elle cueillait quelques herbes et qu'elle arrivait. Cela lui revint. Elle avait dit que, dès qu'il ferait jour, elle irait chercher de la gaulthérie pour lui préparer une tisane qui atténuerait la douleur. Il fallait l'espérer car, dès qu'il avait tenté de se remettre debout, il avait senti un terrible élancement dans sa jambe. Il fallait encore qu'ils marchent jusqu'à la cabane.

Se redressant, il parvint à s'adosser contre un arbre et songea à la façon dont sa fille s'était occupée de lui la veille. Elle n'avait pas bronché, pleuré ou paniqué en le voyant blessé, mais s'était tout de suite montrée efficace et réconfortante, comme Annis lorsqu'elle soignait quelqu'un. Il avait suivi ses instructions sans discuter, comme s'il était l'enfant et elle la mère. Morgan avait de bonnes mains, sûres et délicates. Pendant qu'elle le soignait, elle avait paru différente, plus âgée et plus sûre d'elle. Il était sacrement fier d'elle!

La voilà qui arrivait à travers bois, silencieuse comme une Indienne. A dire vrai, c'était une Indienne. En partie du moins. Annis était à moitié indienne. Son père était un Anglais avec les mêmes cheveux roux et bouclés que Becky, du moins le disait-elle. Qu'étaient donc Becky et Morgan? La moitié d'une moitié, soit un quart. Chacune avait un quart de sang péquot, et pourtant on n'avait jamais vu deux sœurs si dissemblables. Becky ne paraissait pas avoir une seule goutte de sang indien alors que, hormis pour ses yeux clairs, Morgan semblait tout droit sortie de son wigwam. Elle était belle et grande, comme Annis, avec ce même regard pénétrant.

La première fois qu'il avait vu Annis, Todd avait parcouru trente kilomètres à pied à travers les montagnes pour la rencontrer. Il avait entendu parler d'elle et de sa magie, et se demandait à quoi pouvait ressemblait cette squaw. Il n'avait aucun talent pour la conversation et n'avait aucune parole de miel à lui offrir. De toute façon, elle lui avait flanqué la frousse avec sa taille et son air féroce. Il était grand, comme tous les Wellburn, mais la tête d'Annis lui arrivait au menton. Aussi il avait simplement dit : « Salut, comment allez-vous ? »

Puis il était reparti. Mais il n'avait pu se la sortir de la tête. Il l'avait trouvée... pas belle peut-être, mais excitante. Il était donc revenu dans sa clairière, se cachant pour l'épier. Il l'avait vue défaire sa lourde tresse, libérant ses longs cheveux brillants. Pieds et seins nus, elle s'était dirigée vers le ruisseau pour faire sa toilette. Il avait contemplé ses longues jambes, ses fesses fermes et ses seins qui ployaient sous leur propre poids. Il avait senti ses genoux faiblir et son sexe durcir. Il l'avait regardée s'asperger d'eau et savonner sa peau douce et hâlée, puis tordre sa chevelure comme un linge trempé, la tête penchée. Son corps tout entier semblait l'appeler.

Lorsqu'elle ressortit de l'eau, propre, grande et fière, il se tenait devant elle, entièrement nu et prêt pour elle. Son cœur battait à tout rompre. Il était persuadé qu'elle allait hurler et le repousser, mais il la désirait plus que tout au monde. Elle ne tressaillit même pas. Elle avança vers lui et dit : « Je savais que tu reviendrais. – Quoi ! Mais je ne le savais même pas moi-même ! » Elle sourit. « Je t'ai jeté un sort. A présent, tu es mon homme et je suis ta femme. Tu ne me quitteras plus jamais. »

Il éclata de rire. Jamais une femme sur cette terre n'avait dit à Todd Wellburn ce qu'il ferait ou ne ferait pas. Pourtant, elle avait raison. Il ne l'avait plus quittée. Il n'en avait même jamais eu envie. Jusqu'à la guerre, du moins. Le patriotisme avait arraché plus d'un homme à sa vie, certains définitivement. Il avait eu de la chance.

– Comment tu te sens ce matin, papa ?

– Très bien, Morgan. Tu as fait du bon travail. Ce n'est pas encore complètement remis, mais c'est beaucoup mieux.

Elle avait trouvé la gaulthérie pour sa tisane, ainsi que des œufs de tortue qui, frits, feraient un excellent petit déjeuner.

– Papa, raconte-moi une autre histoire. Tu n'en racontes jamais à la maison.

– Une histoire à quel sujet?

– Sur maman.

Todd se sentit rougir. Encore heureux qu'elle ne lise pas dans les pensées! Quoique... Annis prétendait lire dans le cœur et l'esprit des gens. Il se mit rapidement à parler.

– Tu sais, le père de ta mère, le trappeur anglais... il a remonté le Connecticut en canoë. Il a dit un jour qu'il pagaierait jusqu'au Vermont, quitte à en crever. Eh bien, il a dû en crever, parce qu'il n'est jamais revenu. La mère de ta mère, Margaret qu'elle s'appelait, s'est donc retrouvée seule avec deux petits enfants et personne pour les nourrir. Alors elle est revenue dans sa famille. C'était une grande guérisseuse, ta grand-mère, du moins c'est ce qu'on m'a dit, mais elle n'a jamais pu guérir son cœur brisé. Elle en est morte, laissant ta mère s'occuper de son petit frère, Tristram. Je ne sais pas si elle t'a jamais parlé de Tris. Il avait des crises de convulsions. Il se roulait par terre en bavant comme un chien enragé. Selon elle, il avait toujours été comme ça. Malheureusement, à cause de ses crises, il ne pouvait être ni chasseur ni trappeur, et ça le rendait fou de rage. Il se traitait de femme, de bon à rien. Il disait qu'il ne causait que du souci aux autres et que personne ne voudrait jamais de lui. Un jour de printemps, elle est rentrée à la maison après avoir labouré le jardin et l'a trouvé étendu au milieu de la clairière, couvert de sang. Il s'était tiré une balle dans la tête avec le fusil.

– Il était mort?

– S'il était mort? Qu'est-ce que tu crois, ma fille? Bien sûr que oui! Ta mère était bien triste! Elle avait tout essayé pour calmer ses crises et le guérir, même la belladone. Elle en était venue à croire qu'elle ne pouvait rien soigner. Mais nous, on sait bien que ce n'est pas vrai, n'est-ce pas?

– Elle a guéri ta jambe pourrie quand tu es rentré de la guerre.

– Tu peux le dire. Elle l'a regardée, palpée, reniflée, et hop là, dans la fourmilière! Ça m'a fait un mal de chien mais, une fois que les fourmis en ont eu terminé avec moi, la plaie était propre et prête à cicatriser. Me voilà des années plus tard marchant toujours sur mes deux pattes! Oui, mademoiselle, ta mère est une sacrée guérisseuse!

Morgan lui tendit la tisane. Il en but une rapide gorgée tandis qu'elle disait d'une toute petite voix :

– Ils l'appellent la squaw.

– Parce que ce sont des ignorants, Morgan! Peuh, la squaw! Ça te montre ce qu'ils sont vraiment! C'est pour ça qu'elle déteste aller en ville, elle déteste la façon dont ils la regardent. Elle sait bien comment ils l'appellent. Mais tu veux savoir une chose? Elle sait aussi qu'ils ont besoin d'elle. Elle me dit : « Qui est-ce qu'ils viennent chercher quand ils ont la fièvre des marécages... ou quand ils se sont brûlés... ou quand une femme entre en travail et qu'elle n'en finit pas... ou quand ils ont une étrange maladie qui ne s'en va pas? » Ils peuvent toujours l'appeler la squaw, il n'y a que la squaw qui a le don de guérir! Et tu l'as aussi, Morgan. Tu as cette faculté de soigner qui court dans le sang de la famille de ta mère. Ecoute-moi bien. Apprends tout ce que tu peux de ta mère, tu m'entends? Un jour, tu seras une grande guérisseuse. Ils viendront depuis des kilomètres à la ronde pour que tu les soignes, comme pour Annis.

– Est-ce qu'ils m'appelleront la squaw, moi aussi?

Todd poussa un soupir et la dévisagea longuement. Elle avait un regard de femme adulte, pas celui d'une enfant.

– Sans doute, dit-il tristement.

Elle réfléchit une minute, avant de déclarer :

– C'est pas grave. Je n'y ferai pas attention.

Il fallut attendre trois jours avant que Todd puisse marcher sans que sa jambe plie sous lui. Mais les remèdes de Morgan lui furent d'un grand secours. Au moins, il pouvait dormir. Elle faisait le tour des pièges, et il dépeçait et nettoyait leurs prises. Ils ne perdirent pas une minute, mais Morgan n'allait pas en classe. L'école lui manquait. Elle savait déjà lire et compter. Annis estimait que c'était amplement suffisant et qu'elle aurait tout aussi bien pu arrêter là. Mais la petite adorait ça. Quant à Todd, il avait hâte d'être de retour. Sa femme lui manquait. Il avait envie de la toucher, de l'écouter bavarder et de savourer sa bonne cuisine. En outre, il trépignait d'impatience à l'idée de lui annoncer que Morgan avait le don inné de soigner.

Il n'en eut jamais l'occasion. Dès l'instant où ils pénétrèrent dans leur clairière, ils comprirent que quelque chose s'était passé. Une dizaine de personnes étaient assises ou accroupies dans la cour, dont un aveugle et un homme couché sur une civière. Trois des femmes étaient enceintes. Que fichaient-ils tous ici ?

Annis vint à leur rencontre au pas de course, excitée comme une puce.

– Todd ! Morgan ! Oh, c'est merveilleux ! C'est un rêve devenu réalité !

Todd ne l'avait jamais vue aussi joyeuse et énervée.

– Quel rêve, Annis ? Calme-toi et parle plus lentement. Je ne comprends rien à ce que tu dis !

– Becky ! C'est Becky ! Notre petite Becky a été touchée par l'esprit de la guérison et parle avec les anges !

Les anges ! Todd et Morgan échangèrent un regard ahuri. Becky... parlant aux anges ?

– Notre fille, Rébecca Wellburn ? demanda Todd lentement. Celle qui croit que le monde est mauvais et qu'on en veut tous à sa peau ?

– Chut ! Todd ! Tout ça, c'est fini. C'est un miracle.

– Annis, tu n'es même pas chrétienne !

Elle rougit, mais redressa son menton têtu.

– Peut-être, mais le pasteur dit que c'est un miracle, et il est chrétien, lui !

Elle l'entraîna vers la cour, lui racontant à toute allure ce qui s'était passé. Quelques jours plus tôt, une de ses patientes était arrivée sur le dos d'une mule. Elle avait des pertes sanglantes mais tenait désespérément à garder son bébé car elle avait déjà fait trois fausses couches.

– Je l'ai examinée et j'ai vu qu'il n'y avait rien à faire pour arrêter ses saignements. Mais, au moment où j'allais le lui dire,

Becky est sortie de la maison. Je te jure qu'il y avait un halo autour de sa tête. Elle a annoncé à la femme qu'un ange lui avait dit qu'elle guérirait. Elle lui a apporté de l'eau et l'a touchée. La femme a aussitôt arrêté de saigner!... A présent, regarde! Tous ces gens attendent Becky pour qu'elle demande aux anges s'ils peuvent les aider. Ils apportent des poulets et de la farine, et même de la mélasse et du sucre. On va devenir riches!

Annis jubilait tandis que Todd restait planté là, la bouche ouverte.

– Notre Becky est célèbre! lança-t-elle.

4

Fin février 1882

Annis conservait un visage impassible. Elle était douée pour ça, grâce à son sang indien, mais tous ses sens étaient aux aguets. Elle ne quittait pas Becky des yeux, attendant qu'elle s'agite. Tous les signes étaient là : les yeux roulant dans leurs orbites et, de temps à autre, la tête qui versait sur le côté. Annis savait très bien ce que cela signifiait. Becky remuait discrètement les lèvres, parlant silencieusement aux anges. Elle croyait que si elle tournait légèrement la tête personne ne pouvait la voir. Lorsqu'elle commençait à marmonner ainsi, cela voulait dire qu'elle n'allait pas tarder à hausser le ton. Bientôt, elle allait se mettre à crier et à jurer, délirant comme une folle. Annis était résolue à ce que cela n'arrive pas aujourd'hui. Une demi-douzaine de clients attendaient sur la terrasse, et il ne s'agissait pas de les perdre.

La dernière fois que Becky avait eu une de ces crises, elle s'était mise à hurler contre les gens rassemblés dans la clairière, vociférant qu'elle savait ce qu'ils cherchaient, qu'elle voyait toutes leurs mauvaises pensées flottant dans les airs. Puis elle avait brandi le couteau de chasse de Todd, et tout le monde avait déguerpi. Il avait fallu attendre longtemps avant qu'ils osent gravir à nouveau la montagne pour se faire soigner, trouver un mari ou se débarrasser d'un mauvais sort. Lorsque Annis descendait en ville à East Haddam, les gens évitaient de croiser son regard. Certains changeaient même de trottoir. Heureusement que les femmes avaient toujours besoin d'elle pour mettre leurs enfants au monde, sinon, pendant l'hiver 1881, la famille aurait eu faim. Jamais Annis n'oublierait cet hiver-là. Jamais. Un vrai cauchemar.

Puis, un beau jour de printemps, en traînant dans la forêt, Becky avait découvert une fillette endormie, roulée en boule, sur un tas de feuilles de chêne. Elle l'avait ramassée et amenée à Annis, disant : « Voici mon bébé, maman. Je t'avais bien dit que j'étais sur le point de donner la vie. » Ce n'étaient que des inepties, bien entendu. La petite devait avoir au moins trois ans. En outre, elle était le portrait craché d'Amelia Hapgood, la femme du maréchal-ferrant, avec ses oreilles décollées et ses cheveux raides et marron.

Annis envoya Morgan en ville pour annoncer à Mme Hapgood que Becky avait découvert une enfant lui ressemblant. Il s'avéra que la petite, qui s'appelait Elizabeth, s'était perdue trois jours plus tôt en allant cueillir des baies avec sa mère et que personne n'avait pu la retrouver. On la croyait mangée par un loup, et sa mère ne cessait de pleurer.

Ezra Hapgood grimpa sur la montagne avec sa jument rouanne. Il arriva aussi essoufflé que s'il était venu à pied. Il ne salua même pas Annis : « On m'a dit que votre fille Becky avait trouvé... »

Au même instant, l'enfant surgit de la maison en criant : « Papa ! Papa ! » Après ça, le père fut tout sourire. Il bénit Becky une bonne dizaine de fois tout en installant sa fille sur sa selle devant lui. Puis il déclara : « Je suis navré d'avoir douté de vous, mademoiselle Wellburn, sincèrement navré. C'est un vrai miracle d'avoir retrouvé ma petite saine et sauve. J'ai bien cru qu'on ne la reverrait jamais, dans cette vie du moins. »

Sa voix se brisa et les larmes lui montèrent aux yeux. Annis en fut émue. Mais elle le fut encore plus quand, les jours suivants, les gens commencèrent à réapparaître pour demander des faveurs à la sainte qui parlait aux anges.

Amos Whitbeck, de Killingworth, entra dans la cabane et tendit à Becky un châle appartenant à sa fille disparue depuis six mois. Annis ne le quitta pas des yeux tandis qu'il priait Becky, entre deux sanglots, de lui retrouver sa petite Peggy.

Annis eut envie de rire. Elle savait très bien où était allée se perdre la Peggy Whitbeck... et avec qui. Peggy avait fui la maison de son pingre de père qui la battait si elle osait seulement suggérer qu'elle aimerait aller au bal de la paroisse. Annis, qui avait toujours une oreille qui traînait, avait entendu la femme du forgeron le dire à une autre commère à l'épicerie générale, racontant comment Peggy s'était enfuie par une nuit pluvieuse avec un des fils Cole, de Madison. Elle le tenait de sa fille de ferme, une amie de Peggy, qui était dans le secret. Annis se demanda combien d'autres personnes étaient dans le secret, elles aussi. Le seul à ne rien savoir devait être Amos lui-même!

Amos commençait à s'impatienter. Becky restait silencieuse, roulant des yeux hébétés. Annis savait que son esprit errait, ce qui signifiait qu'elle allait encore devoir lui souffler les mots justes. Elle réfléchit un moment, puis décida que Becky répondrait qu'elle voyait des images floues, comme vues sous l'eau. Cela signifierait que Peggy était sur la rivière et que son père ne la retrouverait pas avant un bon moment. En fait, elle avait entendu dire que les amants s'étaient dirigés vers le Massachusetts à cheval et non en bateau.

Becky tripotait le châle en murmurant:

– Joli, joli... très joli!

Puis elle releva brusquement la tête.

– Ecoutez! Vous avez entendu?

Avant qu'Amos ait eu le temps de réagir, Annis intervint:

– Oui, je l'ai entendu! J'ai entendu le mot « eau »!

Parfois, il suffisait de lancer Becky sur une piste et le reste suivait tout seul. Mais cela ne marchait pas à tous les coups. Il fallait la surveiller à chaque instant. On ne pouvait jamais savoir, avec Becky.

– Eau, répéta Becky. Oui, c'est ça, eau.

Annis poussa un soupir soulagé.

– Quoi? Qu'est-ce que c'est? s'exclama soudain Becky. Elle est dans la rivière? Oh, la pauvre petite, dans la rivière, dans l'eau...

Amos ouvrit des yeux alarmés.

– Elle veut dire... qu'elle s'est noyée ?

– Bien sûr que non, Amos, le calma Annis. Elle veut dire que Peggy est montée dans un bateau. Ou dans un canoë...

– Un canoë... répéta Becky d'un air songeur.

– Eh bien, je m'en vais la retrouver, annonça Amos. On a une petite barque, c'est pas un canoë, mais ça fera l'affaire ! Elle est sur le Connecticut ?

– Le Connecticut, répéta Becky.

Annis se détendit. L'affaire était dans le sac. Avec un sourire serein, elle accepta les sacs de farine de maïs et de blé qu'Amos avait apportés en guise de paiement.

– Si je la retrouve, je vous en apporterai plus, promit-il.

En sortant, il annonça aux autres qui attendaient sur la terrasse que Becky avait encore fait des merveilles.

Tout le monde voulait croire à Becky et à ses voix d'anges. Elle était devenue célèbre tout le long du fleuve. On venait la consulter depuis Wethersfield et Saybrook, parfois même d'aussi loin que le nord du New Hampshire. Annis écoutait ce qu'ils se disaient en attendant leur tour. On ne venait pas que pour des remèdes. Certains lui posaient également des questions sur l'avenir, et Becky leur répondait. S'ils lui apportaient un morceau d'étoffe ayant appartenu à quelqu'un, elle racontait tout sur cette personne. C'était là une idée d'Annis dont elle était fière. Elle savait que Becky ne parlait qu'à ses esprits... et que, pour la plupart, il s'agissait de mauvais esprits qui ne voulaient rien de bon à personne. Mais, si les gens voulaient croire aux anges et si cela les aidait à se sentir mieux, pourquoi les décourager ? Elle n'avait jamais vu quelqu'un ressortir de chez elle sans un petit sourire satisfait au coin des lèvres, jamais. Becky n'était peut-être pas ce que ces gens croyaient, mais elle ne faisait de mal à personne. Et si cela mettait les Wellburn à l'abri du besoin... pourquoi ne pas en profiter ?

Becky s'était presque entièrement retournée sur sa chaise, fixant le feu. Annis se tendit. Elle n'allait plus tarder à se mettre à hurler après ses esprits, voire à courir dans la clairière en menaçant les gens comme elle le faisait parfois.

– Encore un, un seul! cria Annis.

Un murmure de déception s'éleva sur la terrasse, mais tout le monde s'effaça pour laisser passer le jeune John Hampton et sa femme Sally. La semaine précédente, ils étaient venus voir Becky pour savoir pourquoi leur bébé, qui n'avait que deux mois, était soudain mort dans son berceau. Ils avaient apporté sa petite couverture afin que Becky la touche et que les anges puissent la voir. Cette fois, Annis n'avait pas eu à souffler ses mots à sa fille. « Cherchez la femme qui porte une robe cousue dans la même étoffe, déclara Becky en plissant les yeux. C'est une sorcière. Elle a étouffé votre bébé par un sort. »

Puis elle s'interrompit. John et Sally eurent beau la supplier de leur dire comment retrouver cette sorcière, plus un mot ne sortit de sa bouche. Annis abrégea l'entretien en leur disant que, s'ils retrouvaient la maison de cette sorcière, ils devaient danser tout autour trois fois de suite à la nouvelle lune, soit deux jours plus tard. « Alors, la sorcière mourra », conclut-elle. Comme elle le faisait souvent, Becky répéta : « La sorcière mourra. »

Cette fois, ils étaient venus remercier Becky et lui apporter deux poulets. Comme prévu, la sorcière avait disparu après qu'ils eurent exécuté leur danse. En effet, le jeune couple avait décidé qu'il ne pouvait s'agir que de Dorothy Granding, une vieille bique ratatinée qui vivait seule, s'habillait toujours en noir et ne parlait que dans un murmure à peine audible... quand on arrivait à lui arracher deux mots. La pauvre Mlle Granding avait effectivement quelque chose qui ne tournait pas rond, mais Annis savait pertinemment qu'elle n'était pas une sorcière. Ils lui avaient sans doute flanqué une telle frousse qu'elle était partie se terrer dans un trou. Bah! ce n'était pas bien grave.

– C'est très bien, félicita-t-elle le couple. Vous avez bien fait. Je suis sûre que votre petit vous regarde de là-haut et vous sourit.

Ravis, ils redescendirent de la montagne, suivis par les autres. Annis n'était pas fâchée de les voir partir. Dès qu'ils furent hors de vue, Becky bondit sur ses pieds en marmonnant et sortit de la maison. Elle s'éloigna en courant vers les bois et en criant :

– Vous ne me trouverez pas ! Si vous me trouvez, je vous arracherai le cœur !

Pendant tout ce temps, Morgan était restée dans la pièce, faisant macérer des herbes en silence. Annis avait complètement oublié sa présence. Elle sursauta en entendant l'enfant dire juste derrière elle :

– Ils ne se rendent donc pas compte qu'ils ont terrorisé cette pauvre Mlle Granding et qu'elle a dû s'enfuir en pleine nuit ?

– Chut ! fit Annis. Et alors, qu'est-ce que ça peut faire ? Regarde comme la jeune mère est contente. Elle croit s'être débarrassée de la meurtrière de son enfant. Si Mlle Granding s'est enfuie avant qu'ils aient pu la noyer dans le fleuve, alors tant mieux pour elle...

– Mais, maman, ce n'est pas juste !

– Ecoute-moi bien, Morgan Wellbum. Tu n'as que treize ans, ce n'est pas assez pour te permettre d'être insolente avec ta mère. Si je dis qu'il n'y a aucun mal, c'est qu'il n'y a aucun mal, un point c'est tout. Je suis morte de fatigue et j'ai mal à la tête. Une camomille me ferait le plus grand bien.

– Oui, maman, je vais t'en chercher.

Morgan tourna rapidement les talons pour que maman ne voie pas à quel point elle était furieuse. Elle avait mal au dos. Il faisait aussi chaud que dans les feux de l'enfer, beaucoup trop chaud pour faire cuire des remèdes. Mais qui s'en souciait ? Sa mère avait tout le temps de s'occuper de Becky et de l'aider dans ses délires, mais lorsque Morgan avait quelque chose à dire elle était soudain morte de fatigue et avait mal à la tête. Elle n'avait jamais une minute à consacrer à Morgan depuis que quelqu'un avait décidé que Becky parlait aux anges. Les rares fois où Morgan osait s'en plaindre, sa mère lui rétorquait que Becky avait besoin d'elle et qu'elle, qui était intelligente et avait le don de guérir, était assez forte pour se débrouiller seule. « C'est un grand soulagement pour moi, lui disait-elle. Je peux te faire confiance, je sais que tu feras ce qu'il faut. »

Elle la gratifiait d'une petite tape sur la main, mais Morgan voyait dans ses yeux que toutes ses pensées étaient déjà de nouveau concentrées sur Becky. « Moi aussi, j'ai besoin de toi », aurait-elle voulu dire. Mais elle savait que c'était peine perdue. Le seul point positif était que, sa mère étant trop occupée, c'était elle qui soignait un bon nombre de ses patients. Et ces derniers appréciaient la façon dont elle s'occupait d'eux.

Naturellement, cela n'avait rien à voir avec ce qu'ils pensaient de Becky. Becky était si exceptionnelle, si jolie, si... célèbre. Même la meilleure amie de Morgan, Lizzie Bushnell, était de cet avis. Morgan se demandait parfois si Lizzie ne la tolérait pas uniquement parce qu'elle était la sœur de la sainte qui parlait aux anges. Mais Lizzie lui assurait que non. D'ailleurs, elle était déjà son amie avant que Becky devienne célèbre, non ? Lizzie était grosse et s'essoufflait vite, mais c'était la fille du révérend Enos Bushnell, membre respecté de la bonne société d'East Haddam.

Une fois la camomille infusée, Morgan en versa une tasse pour sa mère et la lui apporta.

– Ah, ma petite Morgan ! Tu m'es vraiment d'un grand secours !

Encouragée par ces paroles, Morgan balbutia la question qui lui brûlait les lèvres depuis longtemps.

– Pourquoi les anges parlent-ils à Becky et pas à moi ? Je ne suis pas méchante. Je suis bonne... à l'école.

Un jour, elle avait posé la même question au père de Lizzie, parce que après tout il était pasteur. Un homme de Dieu. Il devait donc savoir. Il avait répondu : « Peut-être que tu n'es pas assez mystique. Peut-être que tu ne pries pas assez. Nous devons tous faire des efforts... »

Il l'avait fixée longuement, d'une manière qui l'avait mise mal à l'aise, puis avait conclu : « Afin d'être meilleurs que ce que nous sommes. »

Elle n'était pas tellement plus avancée pour autant.

– Maman? insista-t-elle. Pourquoi est-ce qu'ils ne me parlent pas? J'ai essayé. Je me suis mise à genoux et je leur ai demandé de me parler, mais ils se sont tus.

– Oh, Morgan! soupira sa mère. Qu'est-ce que tu veux que je te dise?

Elle resta silencieuse pendant un long moment, au point que Morgan crut qu'elle avait oublié sa question. Puis elle soupira de nouveau et reprit :

– Tu avais raison, tout à l'heure, Morgan. Tout ça, c'est un mensonge. Toi et moi, nous savons bien qu'aucun ange ne parle à Becky. Ce ne sont que ses esprits, les mêmes qui la poursuivent depuis si longtemps. Mais, comme je te l'ai déjà dit, nous ne faisons rien de mal, du moment que les gens se sentent mieux. D'ailleurs, c'est la même chose avec les soins. J'ai vu des femmes qui se roulaient dans leur lit en hurlant, déchirées par la douleur de l'enfantement, puis, dès que j'arrive et qu'elles voient mon visage, la souffrance s'estompe. Elles ont confiance en moi, Morgan, elles savent que je vais les aider. Cela suffit parfois à les apaiser. Bien sûr, ensuite, il faut encore leur donner les bons remèdes...

Morgan hocha la tête. Elle savait que c'était vrai, car elle avait déjà assisté à ce phénomène. Le seul fait que les gens vous considèrent comme une guérisseuse était un pouvoir.

– Tu as l'esprit de guérison en toi, Morgan. Tout comme moi, ma mère, la mère de ma mère, et ce depuis la nuit des temps. C'est une bonne chose.

Morgan n'en était pas persuadée. Les autres enfants de la ville évitaient de s'approcher d'elle. Elle ignorait si c'était parce qu'elle était guérisseuse, indienne ou laide. Elle savait qu'elle n'était pas belle. Tout le monde reconnaissait que Becky était une beauté. Or on n'avait jamais vu deux sœurs se ressembler aussi peu. En outre, les garçons ne la regardaient pas. Ils ne lui tiraient jamais ses nattes. Elle serait morte de solitude sans Lizzie. Mais cette amitié valait-elle vraiment la peine? Lizzie voulait toujours commander, donner des ordres, décrocher les meilleurs rôles quand ils montaient une pièce à l'école. Il lui arrivait parfois de dire soudain, parce que leurs jeux ne l'amusaient plus ou qu'elle se sentait grognon : « J'en ai assez. Rentre chez toi. » Morgan était sûre que Lizzie la trouvait intéressante parce qu'elle était en partie indienne, parce qu'elle était déjà guérisseuse et, surtout, parce qu'elle était la sœur de Becky. Un jour, Lizzie lui avait déclaré qu'elles étaient des sortes de cousines parce que c'était Annis qui l'avait aidée à naître. Le même soir, Morgan avait demandé à sa mère si cela suffisait pour faire de Lizzie sa cousine. Sa mère avait éclaté de rire. « C'est vrai que j'étais là pour l'aider à sortir le jour de sa naissance. Mais je peux te dire une chose, cette enfant est sortie du ventre de sa mère en se plaignant et en geignant, et elle n'a pas changé depuis ! »

A l'automne précédent, les parents avaient invité Morgan à venir voir une vraie pièce de théâtre avec Lizzie. Jamais elle n'oublierait ce moment magique. Cela se passait dans le théâtre de M. Goodspeed, construit juste au bord du fleuve. C'était un bâtiment merveilleux, achevé cinq ans plus tôt seulement. Il était aussi grand qu'un palais, avec ses six étages ! On disait que l'amphithéâtre du dernier étage pouvait accueillir trois cents personnes. Le soir où elle avait accompagné les Bushnell, Morgan avait passé toute la soirée bouche bée. On aurait dit que tout l'Etat du Connecticut était là, attendant que M. Gillette apparaisse sur scène pour incarner Sherlock Holmes. Tant de gens, tant de gorges blanches couvertes de bijoux étincelants, tant de messieurs élégants ! Un des bateaux à aubes de M. Goodspeed avait acheminé des invités depuis New York. Lizzie fit remarquer que les New-Yorkaises étaient celles qui portaient des plumes d'autruche dans les cheveux, des capes doublées de satin et des colliers de diamants. Des colliers de diamants ! Morgan n'avait jamais imaginé avoir un jour la chance de voir tant de beauté ! Tout était beau : le théâtre et les spectateurs. Puis l'immense rideau de velours rouge s'ouvrit comme par magie et des milliers de bougies et de lampes à huile illuminèrent le devant de la scène. Elle se sentait un peu mal à l'aise dans sa robe toute simple cousue par sa mère, alors que Lizzie était engoncée dans une robe à volants en satin de soie. Mais, dès que la salle sombra dans l'obscurité et que la pièce commença, Morgan oublia tout, sauf ce qui se passait sur la scène. Elle sortit du théâtre étourdie, sachant à peine où elle se trouvait, ne demandant qu'à retourner à l'intérieur et à tout revoir depuis le début. Elle savait qu'elle ne verrait sans doute jamais d'autre pièce de théâtre de sa vie, à moins que les parents de Lizzie ne décident de l'inviter à nouveau. Cela leur donna l'idée, à Lizzie et à elle, de monter leur propre petite troupe de théâtre, après la classe, dans la chambre de Lizzie, à l'arrière du presbytère. Hélas, ces derniers temps, on avait trop besoin de Morgan à la cabane pour s'occuper des tâches ménagères et soigner les patients, et elle n'avait plus beaucoup de temps à consacrer au théâtre.

Un bruit derrière elle la fit se retourner. Becky était de retour, assise sur la terrasse dans le meilleur rocking-chair. Pourquoi? Il n'y avait plus personne. Puis elle aperçut Lizzie entrant dans la clairière en haletant, le visage rouge, se tenant la poitrine. Son père était juste derrière elle. Plus surprenant encore, suivait son grand ami le révérend Carstairs, qui habitait à Wethersfield. Ils étaient tous trois emmitouflés dans des manteaux pour se protéger du froid, mais semblaient en nage après leur grimpette. Les deux pasteurs avançaient, pantelants, faisant des pauses et se tenant aux troncs d'arbres. Lorsque le révérend s'arrêta au milieu de la clairière, son poing sur le cœur, reprenant son souffle, Morgan fut soudain frappée par la ressemblance entre le père et la fille. Seigneur! Cela voulait-il dire que, plus tard, Lizzie aurait un ventre rond et un nez bulbeux?

Lorsqu'ils furent suffisamment près, Morgan entendit le révérend Bushnell déclarer :

– Nous y sommes, frère Carstairs. Voici la maison. Cette fille rousse sur le porche, c'est elle l'enfant bénie qui communique avec les anges. Vous allez voir... c'est vraiment remarquable.

Morgan fut étonnée. Becky avait-elle vu le trio approcher? Savait-elle qu'ils venaient la consulter? Cela lui plaisait-il?

Morgan n'y avait jamais pensé auparavant. Jusque-là, elle avait toujours supposé que Becky discutait simplement avec ses esprits et que maman traduisait pour les autres. Mais peut-être que sa sœur aimait toute cette attention dont elle était l'objet. Peut-être qu'elle s'amusait à... se donner en spectacle. Oui, c'était ça, exactement ça, elle jouait!

Les deux pasteurs s'arrêtèrent devant le porche, leur souffle formant des petits nuages blancs dans l'air glacé.

– Mademoiselle Becky... commença le révérend Bushnell. Je vous ai amené le révérend Carstairs. Il est venu de Wethersfield pour vous parler.

– Wethersfield! répliqua Becky sur un ton cinglant. Le mal attire le mal. Je dis que Wethersfield brûlera.

M. Carstairs blêmit. Il avança une main pour interrompre Becky.

– C'est exactement ce que je dis à mes paroissiens! s'écria-t-il d'une voix tremblante d'émotion. Les jeunes de Wethersfield n'en font qu'à leur tête et raillent les paroles du Seigneur. Je leur dis la même chose : Wethersfield sera emporté par les flammes! O vous, les anges du ciel, comment les remettre sur le droit chemin?

– Frappe ceux qui se sont égarés sur les voies du mal! hurla Becky. Ils sont mauvais, mauvais, mauvais!

D'ici peu, elle allait descendre du porche et agresser les deux hommes, Morgan le sentait.

Mais, avant qu'elle et sa mère aient eu le temps de réagir, le révérend Carstairs était tombé à genoux dans la boue à moitié gelée. Les mains jointes, il implorait le Seigneur de pardonner à ces misérables pécheurs et de les aider à retrouver la foi. Le révérend Bushnell s'agenouilla à son tour, imité par Lizzie, sa bonne robe en laine traînant dans la gadoue. Morgan se dit soudain que son amie avait vraiment l'air d'une idiote, à rouler des yeux extatiques et à prendre des airs qu'elle croyait inspirés.

– Misérables pécheurs! répéta Becky. Vous brûlerez en enfer! Emportez vos démons loin de moi, loin de moi! Non, je ne me tairai pas, je ne me tairai pas! Cessez ce vacarme infernal! Je ne le supporte pas!

Elle se mit à parler dans la langue des anciens, débitant à toute allure des mots indiens. Elle n'en connaissait que quelques-uns, pour la plupart des noms de plantes et d'herbes. Elle en récitait la liste, comme à l'école. *A présent*, pensa Morgan, *les deux pasteurs vont comprendre que Becky ne parle pas aux anges du paradis.* Mais le révérend Carstairs leva les mains au ciel et s'écria :

– Elle parle en langues!

Et le révérend Bushnell et Lizzie de renchérir :

– Amen!

Tout avait soudain l'air religieux dans la cour, avec les dindes suspendues par les pieds et les écureuils écorchés.

Morgan et sa mère ne bougèrent pas, observant la scène. Puis Becky fit pivoter sa chaise et tourna le dos à tout le monde, les bras croisés sur la poitrine, se balançant furieusement. Au bout de quelques minutes, le révérend Bushnell s'en aperçut enfin.

– Mlle Becky voudrait qu'on s'en aille, chuchota-t-il à son confrère.

Sans un mot d'adieu ou de remerciement, ils prirent le chemin du retour. Morgan attendit vainement que Lizzie se retourne et lui fasse un signe d'au revoir, mais son amie s'éloigna sans un regard vers elle. Becky avait encore tout gâché.

– Pourquoi tu ne retournes pas chez toi dans la forêt! hurla-t-elle à sa sœur. Emmène ta misère et laisse-nous en paix!

Becky se leva d'un bond et fit volte-face vers elle.

– Un couteau en plein dans ton cœur, cria-t-elle.

– Ose un peu! Vas-y, ose un peu! hurla Morgan.

Son cœur battait si fort que sa cage thoracique semblait sur le point d'exploser.

Becky lui adressa un regard chargé d'une telle haine que Morgan prit peur. *Elle va me tuer!* pensa-t-elle. *Elle va vraiment le faire!*

Soudain, papa surgit hors de nulle part et traversa la clairière à grandes enjambées, criant le nom de Becky. Celle-ci changea aussitôt de cible.

– Non ! lui cria-t-elle. Non, je ne te laisserai pas le faire !

Puis elle partit comme une flèche vers la forêt, sans même un dernier regard vers maman. L'instant d'après, elle avait disparu, et le silence retomba brusquement sur la clairière. Morgan entendait le souffle court de son père et le sien. Elle était un peu étourdie.

– Qu'est-ce qui t'a pris, Morgan ? s'écria sa mère derrière elle.

– Pourquoi tu me cries dessus ? Je ne hurle pas sur les gens en leur disant qu'ils sont mauvais et que je vais leur arracher le cœur, moi ! Pourquoi est-ce que tu es fâchée contre moi ?

– Tu sais bien qu'il ne faut pas la provoquer, dit papa. A présent, il se passera peut-être des semaines avant qu'on la revoie.

– Quel désastre ! lança Morgan avec plus de sarcasme qu'elle ne l'aurait voulu. Les gens ne viendront plus la voir et nous apporter des provisions. Les Wellburn ne seront plus célèbres ! Vous croyez que je ne comprends pas ce qui se passe ? Je sais très bien que, quand Becky agite les mains au-dessus d'une enfant brûlée, tout le monde crie au miracle alors que c'est maman qui applique le baume qui guérit les brûlures. Je sais bien que Becky dit n'importe quoi et que c'est maman qui interprète. Tout ça, c'est faux ! Tout est faux. Je ne regrette pas de l'avoir provoquée. Je m'en fiche ! Vous ne voyez donc pas que, tôt ou tard, les gens comprendront qu'on les berne ?

– Je devrais te laver la bouche avec du savon ! lança Annis.

– Tu te fiches de l'avoir fait partir ? répéta papa. Lorsqu'on n'aura plus rien d'autre à manger qu'un fond de ragoût d'écureuil, tu changeras sans doute d'avis !

Morgan ne répondit pas. Papa tourna les talons et s'éloigna. Lorsqu'elle se retourna, maman était rentrée dans la cabane : il ne fallait plus compter sur elle pour la consoler. *Non, je ne pleurerai pas. J'ai treize ans, bientôt quatorze. Je m'en fiche et je ne pleurerai pas.*

Des bruits dans la nuit. Des voix d'hommes échangeant des messes basses. Ils la cherchent.

– Tu es une idiote, tu mérites la mort.

Non, à présent, c'est une voix différente. Celle de son arrière-arrière-grand-mère : *Enfuis-toi ou ils enfonceront leur serpent en toi et te feront mal. Ils te feront mal. Ils te feront mal.*

– Ils me feront mal, me feront mal! gémit Becky.

Elle se redresse et se met à courir.

– Là-bas, là-bas. Je la vois! Tu aperçois ses cheveux roux?

– Attrapons-la!

– Attention! On m'a dit qu'elle était armée!

Des rires, des ricanements, des bruits de bottes écrasant les branches mortes derrière elle.

– Non, non, non! crie Becky. Non!

Ils rient plus fort. Ils sont tout près. *Je te l'avais bien dit! Le mal attire le mal. Tu n'auras que ce que tu mérites!* dit l'esprit de son arrière-arrière-grand-mère.

Becky reste figée sur place. Les bras des esprits la maîtrisent. Elle ne peut plus bouger. Quand ils la découvrent, elle se tient là, le dos contre un tronc d'arbre, se disputant avec son arrière-arrière-grand-mère. Ils y passent tous, les uns après les autres, un, puis deux, puis trois, puis quatre. Elle les compte, puis compte leurs coups de reins, compte et compte encore pour ne plus rien sentir. L'un d'eux la gifle et lui ordonne d'arrêter de marmonner des âneries, puis la gifle encore. Elle ne sent rien, rien, rien.

– Arrête, Henry! Tu n'as pas besoin de la frapper!

– Elle n'arrête pas de marmonner comme une folle!

– Hé, j'ai pas encore eu mon tour! Tu vas me la gâcher! Ils rient. Ça fait mal.

– Tu la sens bien, hein, la folle? Je parie que tu n'avais encore jamais eu de vrai homme!

Ils rient et rient.

74

Elle a mal. *Tu vois, idiote ?* crie l'arrière-arrière-grand-mère. *Maintenant, tu vas avoir un bébé ! Le bébé du diable. Becky va avoir le bébé du diable !*

Becky se met à hurler.

– Hé, attends, Brad ! Elle saigne. Elle pisse le sang !

– Fichons le camp d'ici !

– J'espère que tu en as bien profité ! Tu raconteras aux anges comme c'est bon de se faire sauter !

Ils rient. Des bruits de bottes dans le sous-bois, puis plus rien. Plus personne. *Rentre chez toi et débarrasse-toi de l'enfant du diable !* dit l'arrière-arrière-grand-mère. *Ils t'ont planté leur fourche dans le ventre. Ils ont semé en toi la graine du démon. Tu n'as eu que ce que tu méritais ! Débarrasse-t'en ! Arrache-le toi-même de ton ventre.*

Elle a si mal ! Ils lui ont cogné la tête contre le sol. Ils l'ont écrasée sous leur poids. Elle doit reprendre le chemin de la cabane, comme on le lui a ordonné. Mais d'abord, elle avance à quatre pattes, palpant le sol jusqu'à ce qu'elle retrouve le couteau de chasse de papa qu'elle a pris dans le tiroir. Elle le plante dans son ventre pour tuer l'enfant du diable, elle se larde de coups jusqu'à ce qu'elle soit sûre qu'il est bien mort.

Plus tard, cette même nuit, Morgan se réveilla en sursaut, tous ses sens à l'affût, sans savoir ce qu'elle guettait. Puis elle l'entendit : un gémissement au-dehors, dans les bois. Elle se leva et descendit à tâtons l'échelle du grenier. Elle alla sur la pointe des pieds chercher une lanterne, l'alluma, puis sortit pieds nus de la cabane. Elle trouva Becky couchée sur le sol à la lisière du taillis de bouleaux, juste derrière la maison, sa robe en lambeaux. Sa peau pâle luisait dans la lumière de la lune. Elle se tenait le ventre. Morgan s'agenouilla auprès d'elle et se mit à hurler. Le ventre de Becky était en sang.

Maman sortit de la maison en courant.

– Où es-tu ? Qu'est-ce qui se passe ?

– Ici, vite ! Apporte des bandages ! Becky a été poignardée. Elle se vide de tout son sang !

Morgan se mit à sangloter tandis que papa soulevait Becky et la transportait à l'intérieur.

Pendant plusieurs semaines, Becky resta couchée sur une paillasse près du feu, se nourrissant de soupe, de gruau mélangé avec de la belladone et d'huile de serpent qu'on lui donnait à la cuillère. Papa ramassa des toiles d'araignées pour mettre sur ses plaies, et maman les enduisit d'un baume gluant à base d'écorce d'aulne et d'un onguent au plantain pour soulager les douleurs et les démangeaisons. Becky était fiévreuse, mais ses plaies étaient propres et commençaient à cicatriser. Toutefois, elle refusait d'ouvrir les yeux et continuait à discuter à voix basse avec ses esprits. Ils purent reconstituer ce qui lui était arrivé à partir de ses divagations. Un groupe d'hommes l'avait traquée, puis l'avait violée à tour de rôle. Morgan, qui depuis toujours était habituée à voir les animaux copuler, se demandait qui pouvait bien avoir envie de s'accoupler avec Becky. On ne savait jamais si elle allait vous écorcher la figure ou vous dire bonjour. Mais il était évident que c'était ce qui était arrivé. L'intérieur de ses cuisses était couvert d'ecchymoses, tout comme ses épaules, car on l'avait plaquée et maintenue au sol. Des coulures de sang avaient séché sur ses jambes. Becky, persuadée qu'elle allait enfanter un démon, s'était lacéré le ventre avec le couteau de son père avant de rentrer à la maison en rampant.

Morgan fut chargée d'empêcher les gens de monter à la clairière. Elle leur déclara que Becky avait eu un accident et qu'elle ne pourrait recevoir personne avant un certain temps. Mais elle avait entendu ce que sa mère avait dit à son père un soir dans leur lit :

– Becky n'est plus la même, Todd. Ses esprits lui disent qu'elle doit mourir. La pauvre enfant est déchirée, et je doute que son état s'améliore un jour. Si on ne l'attachait pas à son lit, elle serait partie depuis longtemps. Elle ne demande que ça. La voir dans cet état me rappelle Quare Auntie. Je ne sais pas ce qu'on va faire si elle reste comme ça. Je ne sais vraiment pas.

De fait, une nuit de mars, lorsque tout le monde était endormi, Becky parvint à se détacher et à s'enfuir. Ils eurent beau l'appeler et la chercher, elle avait bel et bien disparu. Un matin, Morgan crut l'apercevoir derrière un chêne. Elle ne l'appela pas, mais s'approcha sans faire de bruit. Arrivée au pied de l'arbre, elle entendit un souffle à peine audible, juste un murmure, et lorsqu'elle regarda derrière le tronc Becky n'était pas là. Ni personne d'autre, d'ailleurs. Elle se demanda si Becky n'était pas devenue un esprit, mais maman lui dit qu'elle avait sans doute imaginé l'avoir vue parce qu'elle avait très envie de la voir. C'était une possibilité. L'autre étant que Becky soit morte.

Les gens continuaient à demander si Becky était prête à les recevoir, et Morgan continuait à leur répondre que non, pas encore. Elle avait envie de leur dire la vérité, mais maman et papa étaient contre.

— Je réfléchis à la situation, Morgan, expliqua sa mère. Bientôt, je saurai ce que nous devons faire.

Un matin d'avril, alors que Morgan s'apprêtait à partir à l'école, maman l'appela sur la terrasse, lui annonçant qu'elles devaient discuter. Elle lui demanda de s'asseoir dans le rocking-chair préféré de Becky. Lorsque Morgan lui demanda pourquoi, sa mère se fâcha et rétorqua :

— Fais ce que je te dis et ouvre grand tes oreilles. Ce que j'ai à t'annoncer est très important.

— Mais il faut que j'aille à l'école, maman !

— C'est plus important que l'école, tu m'entends ? Assieds-toi !

Morgan prit place là où on le lui demandait et croisa les mains sur ses genoux, mais elle sentait sa rancœur monter. Il était inutile de lui parler sur ce ton, d'autant qu'elle s'était occupée des patients de sa mère tout au long de l'automne et de l'hiver, et ce sans arrêter de préparer les remèdes et de chercher les simples. Elle avait eu à peine le temps de faire ses devoirs.

— Ecoute, Morgan, commença sa mère, il n'y a aucune raison qu'on cesse de vivre bien parce que Becky est partie. J'ai longuement réfléchi et voici ce que j'ai décidé : dorénavant, c'est toi qui resteras assise dans ce rocking-chair et qui parleras aux anges, et...

Morgan n'en croyait pas ses oreilles.

– Non, maman! interrompit-elle. Je ne le ferai pas! Je ne jouerai pas la comédie et je ne mentirai pas! J'ai le don de guérir, tu l'as dit toi-même. Je suis une guérisseuse, une vraie guérisseuse. Il y a même des femmes qui demandent Morgan Wellburn plutôt qu'Annis! Parfaitement! Et tu voudrais que je reste assise dans ce fauteuil à faire semblant d'être Becky?

Annis tourna les talons et entra dans la cabane en claquant la porte derrière elle. Puis Morgan l'entendit pousser le verrou. Sa mère l'avait enfermée à l'extérieur.

– Je m'en fiche! vociféra-t-elle. Je descendrai en ville et j'irai vivre chez Lizzie Bushnell! Tu verras!

Sa mère déverrouilla la porte pour répliquer :

– Tu feras ce que je te dis, même si je dois t'attacher!

C'est ce qu'on verra, pensa Morgan. Ce jour-là, elle se rendit à l'école, mais entendit à peine ce que le maître disait, trop occupée à réfléchir à ce qu'elle devait faire. Lorsqu'elle rentra à la maison, elle alla chercher son sac à remèdes et y fourra rapidement sa robe de rechange. Elle avait d'abord envisagé de filer par la fenêtre à la nuit tombée, puis avait eu une meilleure idée. Elle annonça à sa mère qu'elle devait aller cueillir un peu de gaulthérie et traversa la clairière d'un pas tranquille. Les dernières paroles qu'elle entendit sa mère prononcer furent :

– Au fait, il nous faudrait aussi quelques racines de squaw. Ne tarde pas trop, Morgan!

– D'accord, maman.

Tout en descendant le sentier, elle se dit que sa mère était vraiment trop injuste. Elle avait toujours préféré Becky, même maintenant que celle-ci avait disparu au fond de la forêt. Plus elle y réfléchissait, plus il lui paraissait évident qu'il n'y avait jamais eu d'esprits. Cela signifiait que sa mère lui avait menti, à elle aussi. Ce n'était pas juste, pas juste du tout. Elle avait pris sa décision. Elle descendit toute la montagne, sur le petit sentier sinueux qu'elle connaissait si bien, jusqu'à l'endroit au bord du fleuve où ils cachaient leur canoë. Papa l'utilisait parfois pour la pêche, mais il était parti chasser les crotales vers Glastonbury pour fabriquer de l'huile de serpent. L'embarcation se balançait sur l'eau. Les yeux de Morgan se remplirent de larmes. Papa allait salement lui manquer, maman aussi peut-être, mais ce qu'on lui demandait était affreux.

Elle grimpa dans le canoë et s'installa confortablement. Pendant une minute ou deux, elle hésita encore un peu. Puis elle s'imagina se balançant dans le rocking-chair, jouant la folle. Elle dénoua l'amarre et poussa le canoë loin de la berge. Lançant un dernier regard derrière elle, elle murmura :

– Adieu. Je ne sais pas où je vais, mais une chose est sûre : je ne peux pas rester ici.

Puis le courant entraîna son embarcation, et elle n'eut plus le temps de penser qu'à se diriger entre les rochers et à rester en vie.

5

Le même jour

Au printemps, le fleuve devenait démoniaque. Lorsque les glaces fondaient, des tonnes d'eau se déversaient depuis le Vermont jusque dans le détroit, retournant les bateaux et noyant les marins malchanceux. Il fallait attendre la fin de l'été pour que les esprits du fleuve s'apaisent et s'assoupissent un peu. Maman l'avait mise en garde dès le premier jour où elle lui avait confié la pagaie et lui avait appris à diriger le canoë. Morgan n'avait alors que cinq ou six ans. « Ce fleuve n'a jamais été dompté. Il est comme une biche capricieuse. »

Maman lui avait appris que les esprits du fleuve étaient féminins et que son nom, Konektikut, signifiait la « longue rivière à marées » dans la langue des anciens. Cela voulait dire qu'il avait ses propres courants, mais qu'ils étaient attirés et repoussés à la fois par le détroit. « C'est pour ça que tu dois toujours être sur le qui-vive, Morgan. Pas question de se laisser aller et de rêvasser quand on est sur le Connecticut. »

Morgan se rappela soudain que, quand elle était petite fille, sa mère lui paraissait grande et forte, son visage large et calme recelant toute la sagesse du monde. Ce souvenir lui piqua les yeux. Elle ne la reverrait peut-être plus dans cette vie. Quant à l'idée d'abandonner son père à jamais, cela lui était insupportable. Elle ne reviendrait peut-être plus jamais dans la clairière. Elle ne grimperait peut-être plus jamais sur la terrasse. Tout à coup, son ventre se noua, et elle dut lutter contre elle-même pour ne pas faire demi-tour et rentrer à la maison. Mais elle était partie, et il n'était pas question de reculer. Jamais elle ne deviendrait une autre Becky. Mais qu'allait-elle décider? Elle ne savait même pas où elle allait, si ce n'était en aval du fleuve. Pour le moment, il valait mieux cesser de penser et se concentrer sur les bancs de sable. Il y en avait trente en tout dans le fleuve. Et des rochers aussi, des gros. Elle n'avait pas peur. Elle savait manier un canoë.

Elle avait un sac plein de médicaments et une tête remplie de remèdes. Elle avait aussi l'amulette de sa mère, celle que les femmes de sa famille se transmettaient depuis des générations. Où qu'elle aille, elle devrait compter sur la chance. Dès qu'il commencerait à faire sombre, elle grimperait sur la rive et marcherait jusqu'à la ville la plus proche. Là, elle expliquerait aux gens qu'elle savait soigner leurs maux et leurs misères. Elle leur dirait tout ce qu'elle savait faire : arrêter les douleurs menstruelles, se débarrasser des poux, crever un abcès, soulager les otites, extraire un bébé du ventre de sa mère. Elle savait quelles plantes étaient comestibles et lesquelles étaient vénéneuses. Elle pouvait faire tomber la fièvre et remettre en place un os brisé. Elle était peut-être encore jeune, mais elle était guérisseuse. Elle s'imposerait, d'une manière ou d'une autre. Jamais plus elle n'aurait à obéir aux ordres de quelqu'un. Jamais!

Les premières gouttes de pluie tombèrent alors que le ciel était encore clair, quoiqu'un peu brumeux. Elle entendit le grondement du tonnerre au loin et, sachant que les eaux pouvaient monter d'une minute à l'autre, elle se mit à pagayer plus vite, scrutant les berges des deux côtés, en quête d'un endroit où accoster. Si la pluie s'intensifiait, elle ne pourrait peut-être pas arriver jusqu'à une ville. Des nuages noirs se pressaient du côté du détroit. Elle rama deux fois plus fort pour faire avancer son canoë.

Cela ne servit pas à grand-chose. Cinq minutes plus tard, le ciel était complètement noir. Le tonnerre grondait et des éclairs striaient le ciel. Tandis que la pluie redoublait d'ardeur, un vent violent soulevait des vagues qui agitaient l'embarcation. De grandes gerbes d'eau arrosaient les bottes de Morgan.

Elle commença à frissonner. Elle saisit le sac de remèdes derrière elle et le cala entre ses pieds. Si elle le perdait, elle perdait tout.

Au travers du rideau de pluie, elle aperçut une masse sombre approchant au milieu de la rivière. Elle n'arrivait pas à distinguer ce que c'était, mais quelque chose lui disait qu'il valait mieux l'éviter. Le canoë était robuste, elle l'avait construit avec papa et maman, mais une forte rafale de biais pouvait l'envoyer s'écraser contre les rochers. Utilisant toute sa dextérité et toutes ses forces, elle essaya de se rapprocher du bord. Elle n'avait pas la moindre idée de l'endroit où elle se trouvait. A travers les torrents de pluie qui se déversaient du ciel en colère, elle ne voyait pas à plus de quelques mètres et ignorait si elle pouvait accoster sans risque. Grognant sous l'effort, elle pagaya en arrière, d'un côté puis de l'autre, essayant de ralentir sa course. Du coup, elle se mit à tournoyer sur elle-même, haletant et marmonnant :

– Par pitié, par pitié...

Elle ne voulait pas mourir avant d'avoir accompli quelque chose dans sa vie.

Elle sentit un choc et se retourna pour voir où elle avait accosté. En fait, elle n'avait pas vraiment accosté, mais elle était coincée, prise dans un enchevêtrement d'algues et de joncs. Avant toute chose, elle reprit son sac de remèdes et se l'accrocha en bandoulière pour le protéger. Il contenait également un des bons couteaux de chasse de papa. Elle sauta du canoë, se retrouvant dans l'eau tourbillonnante jusqu'à la taille, et tira son embarcation derrière elle.

Le canoë était si lourd et elle si fatiguée... Elle claquait des dents. Si seulement elle pouvait atteindre la berge, elle s'en sortirait. Elle tentait de s'en convaincre, s'efforçant d'avancer un pied puis l'autre, sentant ses bras sur le point d'être arrachés par le poids du bateau. Au moment où elle se disait qu'elle ne pourrait pas faire un pas de plus, un bâton apparut devant elle. Elle le saisit et se sentit tirée. Seigneur, que ça faisait du bien ! Une voix transperça le vacarme du déluge.

– Je tiens le canoë, vous pouvez le lâcher, je vais l'attacher. Lâchez! Mais lâchez donc!

Elle distinguait à peine une silhouette vêtue d'un long ciré. Elle ne posa aucune question, lâcha le canoë et se laissa traîner jusqu'à la berge. Jamais la terre ferme ne lui avait paru si accueillante. Elle grimpa sur la rive à quatre pattes et dut faire un effort colossal pour s'y hisser. Puis elle aida son sauveteur à monter le canoë sur la berge et à l'attacher à un arbre. Ils travaillèrent vite et avec efficacité, sans échanger un mot. Une fois le bateau hors de danger, Morgan se rendit compte qu'elle sanglotait. De grosses larmes coulaient le long de ses joues trempées.

– Merci, monsieur, dit-elle entre deux hoquets. Je ne sais pas ce qui vous a amené sur la berge par un temps pareil, mais vous m'avez sauvé la vie.

– Je vous ai vue depuis le poste de vigie installé sur mon toit, répondit une voix féminine. Enfin, il m'a semblé vous voir. Entre le vent et la pluie, je ne distinguais qu'une ombre. Un instant je vous voyais, l'autre il n'y avait plus personne. Enfin, je me suis dit : « Grace, ma fille, tu ferais bien d'aller y jeter un coup d'œil. Si c'est un fantôme, tu le sauras bien assez tôt, mais si c'est une pauvre âme prise dans la tempête, tu es sûre de gagner le paradis pour avoir sauvé une vie! »

Elle éclata de rire sous le regard ahuri de Morgan. Une femme, une dame, avait eu le courage de descendre jusqu'à la berge avec une perche, en plein orage, pour l'arracher au fleuve en délire.

– Eh bien, j'ai de la chance que vous m'ayez aperçue, madame...

La femme lui prit le bras, l'entraînant à l'écart du fleuve.

– Docteur. Docteur Grace Chapman, de Chester, Connecticut. Pour vous servir. Et vous?

– Morgan Wellburn. Je viens des collines qui surplombent East Haddam.

– Les collines d'East Haddam... Attendez... Autrefois, il y avait une famille de guérisseurs indiens qui vivait là-haut. Vous les connaissez?

– Assez, oui, c'est ma famille. On vit toujours là-haut.

Le médecin marchait à longues enjambées. Morgan avait du mal à la suivre, surtout avec la pluie qui lui cinglait le visage.

– Attention à ces grosses racines, là. Ici, on tourne à droite, puis il y a une sorte de sentier, hurla le médecin pour se faire entendre au-dessus du vacarme. Ma pauvre petite, vous êtes trempée. Accrochez-vous à mon manteau. On va bientôt arriver, n'ayez crainte!

Morgan obéit sans un mot, baissant la tête. Puis le vent changea brusquement de direction, déchirant les nuages en lambeaux et révélant un morceau de lune. La pluie cessa presque aussitôt.

Le médecin s'arrêta et dévisagea Morgan. Morgan la dévisagea en retour, et ce qu'elle vit lui plut. Le docteur Grace Chapman paraissait un peu plus jeune que maman ou, en tout cas, moins usée, avec une épaisse chevelure nouée lâche sur la nuque. Elle était grande, plus grande que Morgan. Elle semblait forte et gentille. Morgan la trouva très belle.

– Vous m'avez l'air épuisée. Nous y sommes presque, c'est juste de l'autre côté de ce pré. Il faut vous sécher avant que vous n'attrapiez la mort! Depuis combien de temps vous débattiez-vous dans ce fleuve avant que je vous aperçoive?

– Je ne sais pas. Je ne sais même plus à quelle heure je suis partie. J'étais tellement en colère...

Sa voix se brisa. La femme la regarda un instant d'un air intrigué, puis sourit.

– Ce devait être une sacrée dispute pour que vous risquiez votre vie ainsi. Bah! Peu importe, vous n'avez pas besoin de m'en dire plus. Allez, encore quelques pas.

Il faisait assez sombre, mais le docteur Grace marchait d'un pas assuré. Enfin, une fenêtre allumée apparut comme un phare dans la nuit.

– Voici ma maison, annonça-t-elle. Elle ne paie pas de mine, mais elle est à moi.

La maison qui se dessinait dans la faible lueur de la lune parut immense à Morgan : une grande masse carrée de deux étages, avec un poste de vigie sur le toit bordé par une rambarde en fer forgé.

– Venez. Vous n'aurez qu'à rester chez moi pendant un jour ou deux. Il faudra au moins ça pour vous sécher! Ensuite, nous verrons.

Elle éclata de nouveau de rire. Elle semblait rire beaucoup, ce qui plut à Morgan.

Le vent, devenu bénéfique, poussait les derniers vestiges de l'orage au loin. Tandis qu'elles suivaient une allée en dalles de pierre, Morgan se rendit compte qu'elle ressentait quelque chose qui ressemblait à de la joie. Une femme médecin! Elle avait toujours voulu en rencontrer. Et en voilà justement une, surgie de nulle part tel un bon esprit pour l'arracher au fleuve et l'inviter chez elle.

Le docteur Grace la fit entrer dans une petite pièce aux murs en pierres brutes, couverts de crochets et d'étagères. Après avoir suspendu son ciré et son chapeau trempés, elle décrocha une jupe et un châle épais et les tendit à Morgan.

– Ils sont probablement trop grands, mais ils sont secs et chauds. C'est le principal pour le moment, non?

Elle prit une serviette sur un autre crochet pour s'essuyer le visage.

– Tenez, essuyez-vous bien. Lorsque vous vous serez changée, passez par cette porte-là. Elle donne sur la cuisine. C'est là que je serai, en train de vous faire réchauffer une bonne soupe bien chaude. Cela devrait vous remettre d'aplomb.

Morgan se débarrassa avec joie de ses vêtements trempés. Elle suspendit son sac de remèdes à un crochet. Mais où mettre ses loques dégoulinantes? Elle les laissa en tas sur le sol, se frotta avec la serviette et enfila les vêtements secs. Dans la cuisine, une bonne odeur de bouillon de bœuf flottait dans l'air chaud, accompagnée du parfum des herbes suspendues à sécher aux poutres du plafond. Grace, parée d'un grand tablier, coupait des tranches de pain.

– Je parie que vous avez le ventre vide.

– Je meurs de faim!

85

– Asseyez-vous à table, je vais vous servir.

– Docteur Chapman...

– Tout le monde ici m'appelle docteur Grace.

– Docteur Grace, que dois-je faire de mes vêtements mouillés? Ils sont en train de former une flaque dans l'entrée.

– Laissez-les. Il y a un trou d'évacuation dans le sol. Malin, non? Demain, Mme Wainwright, ma gouvernante, vous les nettoiera. Pour le moment, asseyez-vous et mangez tant que c'est chaud. Je veux vous voir reprendre des couleurs.

Rien ne lui avait jamais paru aussi délicieux que cette soupe sombre, pleine d'orge, de champignons, de légumes verts et de morceaux de viande. Morgan fit de son mieux pour rester polie, mais c'était si bon et elle avait tellement faim qu'elle ne put s'empêcher de s'empiffrer. D'un autre côté, elle sentait qu'elle n'avait pas trop besoin de se soucier des bonnes manières avec le docteur Grace, qui semblait elle aussi avoir bel appétit.

– Ainsi vous venez de cette famille de guérisseurs d'East Haddam. Vous êtes guérisseuse aussi?

– Oui.

– Alors c'est une bonne chose que je vous aie tirée du fleuve. Les guérisseuses se font rares de nos jours. Ces médecins! Ils sont tellement entichés de leur nouvelle théorie microbienne qu'ils en oublient l'art de la médecine. Ils me traitent d'« irrégulière », vous savez! Pour eux, je ne suis pas assez scientifique pour être un vrai médecin, vous vous rendez compte? Encore une petite tranche? Goûtez cette confiture de pêches que j'ai faite l'année dernière. Allez-y, mangez! Si je ne me trompe pas, il me reste une demi-tarte dans le garde-manger.

– Parlez-moi encore... je veux dire : de la médecine. Papa m'a toujours dit que c'étaient les dames qui lui avaient sauvé la vie pendant la grande guerre. Il a entendu parler de femmes médecins, mais il n'en a jamais rencontré. Oh, il sera tellement content quand je lui raconterai...

Sa voix se brisa quand elle se souvint soudain qu'elle était partie de chez elle et ne pourrait rien raconter à son père.

Le docteur Grace posa une main sur la sienne, rien qu'un instant.

– Votre père m'a l'air d'un monsieur très sensé. Mais qu'en est-il de sa fille, hein ? Qu'est-ce que vous pouviez bien faire au milieu du fleuve en plein orage ?

– Je... je me suis disputée avec ma mère.

– Ah ! ça, je connais.

– Pourquoi, vous avez une fille, vous aussi ?

Le docteur Grace se mit à rire. Pourtant, Morgan n'avait rien dit de particulièrement drôle.

– Non, mais j'ai eu une mère, ce qui revient un peu au même, non ? Je suis veuve de guerre. Mon mari est mort très jeune lors de la guerre de Sécession, et je n'ai jamais songé à me remarier depuis. D'abord, je n'en ai pas eu le temps, puis je me suis soudain retrouvée trop vieille pour avoir des enfants. Je n'allais sûrement pas épouser un de ces vieux veufs qui cherchent une femme pour s'occuper de leurs enfants, faire la cuisine et le ménage ! Oh, non, pas Grace Chapman ! Pardonnez-moi, je suis une incorrigible bavarde. Vous devez être épuisée. Je vais vous laisser aller vous coucher.

Elle fit mine de se lever de table, mais Morgan la retint précipitamment :

– Oh non, je vous assure, docteur Grace ! J'adore vous écouter parler. De toute manière, je ne pourrais pas fermer l'œil, je suis trop énervée.

– Oui, je connais ça, moi aussi. Je passe souvent des nuits entières à penser, à ressasser des choses auxquelles je ne peux rien changer.

Elle sourit avant d'ajouter :

– Votre père vous a dit que des infirmières lui avaient sauvé la vie ? Je le crois sans peine. Je songe souvent que mon mari ne serait pas mort si on lui avait donné les soins appropriés. Plus d'hommes sont morts sous les tentes des hôpitaux que sur le champ de bataille, vous le saviez ?

– C'est exactement ce que dit papa.

Le docteur Grace se mit à rire.

– Eh bien, votre papa a raison. Ces crétins avec leurs doses héroïques de calomel! Peu leur importait que ça tue leurs patients et, croyez-moi, il en a fait des ravages, le calomel, pendant la guerre! Tout ce qui comptait pour ces médecins, c'était d'avoir l'impression de faire leur devoir.

Elle ricana encore, avant de demander :

– Vous avez entendu parler de Samuel Thompson?

– Non.

– Il avait sa propre méthode pour soigner les gens, un peu comme celle que les vôtres utilisent depuis toujours...

Morgan, qui sentait ses paupières se fermer, luttait pour garder les yeux ouverts. Le docteur Grace s'en aperçut.

– Je vous raconterai tout sur Sam Thompson demain. Pour le moment, il est temps d'aller vous coucher. Ce sont les ordres du médecin. Nous parlerons demain. Il se pourrait que j'aie besoin d'une guérisseuse dans mon cabinet... Nous verrons. Mais pour l'instant, hop, en haut!

Le lit était moelleux et les draps sentaient le frais. Morgan se blottit sous l'édredon, essayant de faire le clair dans sa tête. Une femme médecin, une vraie, une gentille, une qui aurait peut-être besoin d'une guérisseuse. Elle lui avait appris que la ville la plus proche s'appelait Chester. Chester. C'était un nom chaleureux et accueillant. Dans une ville appelée Chester, où une femme pouvait être un vrai médecin, y aurait-il une place pour Morgan Wellburn? Là-dessus, elle s'endormit.

DEUXIÈME PARTIE

Morgan Wellburn

Le docteur Grace Chapman

Silas Grisham

6

Octobre 1882

Quel plaisir de vivre dans la grande maison du docteur Grace! Qu'il faisait bon s'asseoir dans un fauteuil à bascule sur la terrasse (rien à voir avec celui de la cabane dans la clairière!) et boire son thé en contemplant le jardin, la pelouse, les fleurs sauvages et les arbres aux branches lourdes! Dans quelques jours, ce serait la Toussaint. Bientôt, toutes les feuilles seraient tombées et un petit vent glacé soufflerait sur le jardin, mais pour le moment c'était l'été indien, chaud et doré. L'herbe devant la maison, entretenue par deux vieux moutons, était encore verte.

Morgan était heureuse ici. Certes, elle faisait encore des cauchemars la nuit, hantés par des images de poursuites, de cachettes, d'individus sans nom la traquant. Elle se réveillait le cœur palpitant. Mais au bout de quelques minutes la vision s'estompait. Dès qu'elle ouvrait les yeux et regardait autour d'elle dans sa jolie petite chambre, une chambre à elle toute seule, avec deux fenêtres, un secrétaire, un étroit lit à baldaquin recouvert d'un dessus-de-lit en patchwork rouge et bleu, elle se sentait inondée de plaisir. Si elle avait été destinée à passer toute sa vie dans une petite clairière au milieu des bois, pourquoi ses parents l'auraient-ils envoyée à l'école? Elle savait qu'elle les avait trahis en s'enfuyant ainsi, mais ils s'en sortiraient. Après tout, Annis Wellbum n'était-elle pas connue jusqu'à Springfield dans le Massachusetts comme la meilleure sage-femme au monde? Todd était bon chasseur. Ils n'avaient plus à la nourrir et à l'habiller, ce qui était un poids en moins pour eux. Ils s'en sortiraient, même sans les « miracles » de Becky.

Quoi qu'il en soit, Morgan aimait cette maison, avec ses beaux meubles qui sentaient bon la cire et l'huile de citronnelle, ses lourdes tentures en brocart, sa théière et ses coupes en argent que Mme Wainwright astiquait une fois par semaine. C'était une maison remplie de merveilles : le grand miroir en pied dans la chambre du docteur Grace, l'horloge de son grand-père avec son balancier étincelant oscillant sans cesse et sa grosse clef à l'arrière pour la remonter, les petites cuillères en argent, les draps en lin, les rideaux en dentelle, les chandeliers en cuivre !

Morgan ne put s'empêcher de rire en se souvenant de la manière dont Lizzie l'avait regardée de haut sous prétexte que ses parents possédaient un tapis turc dans le salon et un ensemble de plats ornés de fleurs. Le docteur Grace avait trois services entiers, chacun avec les petites et les grandes assiettes, les tasses, les saucières, les soupières et les saladiers. La réserve de vaisselle du docteur Grace semblait tout bonnement inépuisable. Le petit presbytère du révérend Bushnell, autrefois si grand et élégant aux yeux de Morgan, lui paraissait à présent ridicule à côté de la grande maison blanche du docteur Grace sur Liberty Street. Le jardin faisait un hectare, assez pour accueillir un petit verger, des carrés d'herbes aromatiques, des massifs de fleurs et, bien sûr, un jardin de simples où cultiver les plantes pour les remèdes. Ce dernier était devenu... comment avait dit le docteur Grace, déjà ?... le « territoire » de Morgan. Son propre territoire ! Le docteur Grace avait insisté, Morgan ayant travaillé avec les plantes médicinales toute sa vie. « Tu me diras ce qu'il faut y planter d'autre et ce qui n'est pas nécessaire. Ce sera ta responsabilité, Morgan. »

Morgan continua de boire son thé à petites gorgées sans cesser de se balancer et agita la main en direction du conducteur d'une carriole de foin qui passait devant la maison. Celle-ci se dressait non loin de la route, à l'ombre de deux grands pins, un de chaque côté de la porte d'entrée, et d'un petit taillis de bouleaux. A l'arrière se trouvaient une remise pour ranger la voiture, une vieille cuisine d'été et des abris pour les poules et les oies. Morgan et Grace trouvaient tout ce dont elles avaient besoin sur place. Elles achetaient leur lait et leur fromage à la ferme des Bailey, un peu plus bas sur la route. Naturellement, Grace était souvent payée en nature, tout comme Annis. De nombreux patients n'avaient pas de liquidités, mais cousaient de nouveaux rideaux pour la chambre du médecin ou offraient des œufs frais, un cochon ou de nouveaux fers pour Patsy, la jument.

Comme la maison se trouvait sur la route menant au ferry de Hadlyme, il s'écoulait rarement une demi-heure sans que passe une carriole, une voiture ou un cavalier. Tout le monde saluait de la main, car tout le monde connaissait le docteur Grace. A présent, ils commençaient à connaître également Morgan Wellbum et la saluaient aussi, ce qui la comblait de plaisir. Elle ne s'était jamais rendu compte à quel point les Wellbum étaient isolés dans leur petite clairière cachée, ni à quel point elle avait été seule jusqu'alors. Mais tout cela était terminé maintenant. Elle avait une nouvelle vie.

Pendant des jours, un ciel gris et terne avait déversé une pluie ininterrompue. Même la lumière qui filtrait par les fenêtres semblait sale. Les patients entraient chez le médecin en dégoulinant, se plaignant de rhumatismes et de catarrhes. La salle d'attente, à l'avant de la maison, était remplie de bruits de toux. Mais aujourd'hui le ciel était blanc et lisse comme un œuf, et la lumière claire et forte. Morgan prit une grande bouffée d'air matinal. Soudain, une odeur de brûlé lui chatouilla les narines. Juste ciel! Elle avait mis deux grosses marmites de préparations médicinales à mijoter sur le feu et les avait oubliées. Elle rentra précipitamment dans la maison et courut le long du couloir qui menait à la cuisine. Comme il fallait s'y attendre, le bouillon de sureau noir avait débordé, et un sirop épais grésillait en fumant sur le poêle bouillant. Morgan attrapa les grosses pinces et repoussa la grosse marmite vers le fond du poêle. Fort heureusement, les dégâts étaient mineurs, et il n'y avait pas trop de sureau perdu.

Le sirop de sureau noir était excellent contre la grippe. Or le docteur Grace lui avait dit que la saison de la grippe n'allait pas tarder à arriver. « Entre décembre et mars, c'est là qu'elle frappe. Je ne sais pas pourquoi, personne non plus, d'ailleurs. Mais c'est comme ça. Il va nous falloir des litres et des litres de sirop de sureau, alors tu peux t'y mettre dès maintenant. »

Contre la grippe, Annis utilisait toujours de l'huile de serpent ou des infusions d'achillées mille-feuilles, mais si le docteur Grace avait dit « sirop de sureau », Morgan ne demandait qu'à apprendre. Après tout, le docteur Grace était un vrai médecin, elle.

Morgan était encore en train de nettoyer le dessus du poêle quand Mme Wainwright entra par la porte de service, fronçant le nez.

– Qu'est-ce que tu as encore fait à mon poêle que je venais de nettoyer? grogna-t-elle. Pouah! Ça empeste! Pourquoi le docteur Grace s'obstine-t-elle à utiliser ma cuisine pour ses décoctions infâmes! Il y a un endroit parfait pour ce genre de chose au fond du jardin. Mais, bien sûr, qui se soucie de mon avis?

Tout en râlant, elle s'activait dans la cuisine, sortant des bols et des cuillères, ouvrant des fûts pour s'assurer qu'il ne lui manquait rien pour préparer le repas.

Il avait fallu un certain temps à Morgan pour s'habituer au flot ininterrompu des lamentations de Mme Wainwright. A présent, elle savait qu'il ne fallait pas les prendre au sérieux : c'était sa manière à elle de faire respecter son territoire.

– C'est juste un peu de sirop de sureau qui a débordé, répondit Morgan. Je suis sûre que, quand vous aurez la grippe cet hiver, il vous paraîtra aussi délicieux que la plus délicate des eaux de lavande.

– La grippe, moi? Jamais! Je veille toujours à bien me nourrir, et sainement!

Morgan lança un coup d'œil vers le tour de taille et le triple menton de la gouvernante. Pour bien se nourrir, on pouvait lui faire confiance!

– Qu'y a-t-il dans la seconde marmite?

– Du jus de myrtille et d'aubépine.

– Ah! ça oui, j'en prendrais volontiers. L'hiver venu, les rhumatismes me tuent. Bon, fais bien attention à tout, Morgan, et surveille tes marmites, je tiens à mon poêle!

Elle s'affaira dans la cuisine, rajoutant du bois dans le fourneau. On était lundi, jour de la lessive et du pain. Une fois le poêle bien chaud, elle ferait bouillir de l'eau pour laver le linge et mettrait sa pâte à cuire. Morgan poussa ses marmites vers le fond du poêle pour les laisser mijoter sans la gêner.

– Vous voulez que je vous aide à faire la pâte à pain, Mme Wainwright?

– Non, ma petite, je peux me débrouiller toute seule. En plus, je vois le vieux Leatherman qui arrive. Que Dieu bénisse sa pauvre âme! Il a sans doute faim. Il reste un morceau de fromage du Vermont dans le garde-manger et une miche de pain de la semaine dernière. Tu devrais aussi lui apporter quelques pommes. On en aurait pourtant bien besoin pour faire une tarte, mais à quoi bon parler à des sourdes!

Morgan prépara un panier, poursuivie par le caquetage de la gouvernante. Elle était impatiente de connaître enfin le vieux Leatherman. On lui avait raconté un tas d'histoires à son sujet mais, depuis qu'elle vivait ici, il n'était encore jamais passé à la maison. Il se dirigea vers la porte de service, tout de cuir vêtu, tel qu'on le lui avait décrit. Il fronça les sourcils et la dévisagea d'un air méfiant. On aurait dit une bête sauvage prête à prendre la fuite.

– Bonjour, mon ami! Je suis ravie de vous voir de retour!

Grace s'était approchée si silencieusement que Morgan sursauta. Le vieux Leatherman ne répondit pas, mais tendit au médecin une fleur qu'il venait de cueillir dans son jardin. Personne d'autre qu'elle n'avait de si gros rudbeckia. Le docteur Grace le remercia comme s'il lui avait offert un diamant. Morgan poussa le panier vers lui. Il prit le pain et le fromage, qu'il rangea dans sa gibecière en cuir, puis les pommes. Sans même un petit signe de remerciement, il tourna les talons et s'éloigna vers le portail du jardin.

– Je me demande d'où il vient, dit Morgan. Et comment il est devenu vagabond.

– On se pose tous les mêmes questions, répondit le docteur Grace. Le pauvre! Le moins que l'on puisse faire, c'est lui donner de quoi manger.

Morgan poussa un soupir ému. C'était une raison de plus d'aimer la ville de Chester, capable de prendre dans son cœur un parfait inconnu. Quelle chance elle avait eue d'atterrir dans cet endroit!

Au même instant, un cavalier déboula au coin de la maison. C'était l'un des ouvriers de la fabrique de mèches et de vrilles d'Otis Marshall. Il était en nage.

– Docteur Grace! cria-t-il. Venez vite! Mme Marshall est au plus mal! Elle est chez Bradley, près de la crique, à la réunion du Club de jardinage.

– Est-ce qu'elle saigne?

L'homme devint cramoisi, mais hocha néanmoins la tête.

– On arrive!

L'homme repartit au grand galop, tandis que le docteur Grace se précipitait dans la maison pour chercher sa sacoche de médecin.

– Morgan! lança-t-elle. Attelle Patsy. Tu viens avec moi!

Morgan courut chercher la jument. Elle adorait aller en ville. Elles grimpèrent dans le boghei, Grace fit claquer son fouet, et la vieille jument se mit en branle, prenant la route qui menait chez Bradley.

– Il n'y a rien de plus imbécile qu'un vieil imbécile, grogna le docteur Grace. Otis Marshall devrait se contenter de ses deux filles et cesser de vouloir un fils à tout prix! C'est la troisième fausse couche d'Eleanor en trois ans. Mais crois-tu qu'il s'en soucie? Ah, les hommes et leur obsession de produire un mâle!

Elle fit claquer ses lèvres de dépit.

Morgan avait entendu parler d'Otis Marshall. C'était un homme important, le trésorier de la Ligue agricole et mécanique de Chester. Leur foire annuelle s'était tenue le mois

96

précédent, les 27 et 28 septembre, à l'hôtel de ville. Morgan y était allée, ayant économisé dix cents pour payer l'entrée. C'était une foire merveilleuse. On y venait de toutes les villes voisines. Otis et sa femme Eleanor y avaient été très présents. Habillés de leurs plus beaux vêtements, ils étaient passés de salle en salle pour serrer des mains et échanger quelques amabilités avec tout le monde. Ils étaient très riches, naturellement, mais très gentils. Le docteur Grace l'avait présentée en déclarant : « Ma nouvelle collègue, Mlle Morgan Wellburn. » Ils lui avaient serré la main, déclarant qu'ils étaient ravis de faire sa connaissance. Ils n'avaient même pas demandé de quel coin perdu elle était tombée.

Otis était âgé, aussi âgé que le docteur Grace, et chauve comme un hibou, mais Eleanor était une jeune femme rondelette et souriante. Elle n'avait pas trente-cinq ans. C'était sa seconde épouse, la première étant morte en couches après avoir attendu dix ans avant de tomber enceinte. A présent, c'était au tour de sa deuxième femme d'avoir des difficultés. Morgan avait entendu Otis parler du fils qu'il souhaitait tant : « Autrement, à quoi bon m'être autant échiné pour monter mon affaire ? »

S'accrochant à son siège pour ne pas être éjectée de la voiture à chaque virage trop abrupt, Morgan cria :

– Pourquoi certaines personnes tiennent-elles tant à avoir des garçons ?

– Tu ne sais donc pas que, dans beaucoup d'endroits, les femmes n'ont pas le droit de posséder des biens fonciers ? Elles ne peuvent pas hériter de leur père.

– Mais pourquoi ? A mon avis...

Morgan s'interrompit et retint son souffle tandis que le docteur Grace négociait un autre virage encore plus brutalement. L'espace d'un instant, le boghei s'inclina dangereusement, ne roulant plus que sur une roue, puis Patsy accéléra le pas et la voiture se redressa.

– Tu disais ? reprit le docteur Grace comme si de rien n'était.

Tout le monde en ville savait qu'il valait mieux dégager la route quand approchait le boghei du docteur Grace. Certains avaient même osé lui en parler mais, comme elle l'avait dit à Morgan : « Je leur ai répondu : « Le jour où je viendrai vous soigner en urgence, vous voulez que je roule au pas ? » Ça leur a cloué le bec ! »

– Je disais que, chez les Indiens, ça ne se passe pas comme ça, reprit Morgan. Dans ma famille, ce sont les femmes qui héritent du don de guérir. Il leur vient directement de Bird. C'était une *moigu*... comme un chaman. Les filles ne pouvaient pas être des guerrières, mais elles comptaient autant que les garçons.

Elle réfléchit un moment avant de poursuivre :

– C'est bien nous qui faisons les enfants, non ? Vous ne croyez pas qu'on devrait nous estimer supérieures aux hommes ?

Le docteur Grace se mit à rire. Elles déboulèrent en trombe dans la rue principale. La haute maison de Bradley apparut au loin. Il y avait de hautes piles de planches de bois sur le côté, et un groupe d'ouvriers discutaient et se montraient quelque chose du doigt. Daniel Bradley était en train de faire des travaux pour transformer ce lieu de réunion en immeuble d'habitation, ce qui n'était guère apprécié en ville. Toutefois, le Club de jardinage continuait de s'y réunir. Grace fit claquer sa langue. Patsy s'arrêta devant le bâtiment.

– J'ai lu quelque part qu'il y a très longtemps, quand la grossesse était encore un mystère et un miracle, on vénérait non pas un dieu mais une déesse, déclara le médecin. Mais dès que les hommes ont compris qu'ils y étaient eux aussi pour quelque chose...!

Elle rit de plus belle.

– Ça n'a pas été facile de m'imposer en tant que médecin, Morgan. Mais la situation s'est améliorée. Je te parie que, d'ici cinquante ans, il y aura des centaines de femmes médecins, voire des milliers !

J'en ferai partie ! pensa Morgan, ravie par cette vision.

Le docteur Grace se précipita dans la bâtisse, annonçant qu'elle n'en aurait que pour une minute ou qu'elle reviendrait avec Eleanor.

– Reste ici, Morgan, comme ça je n'ai pas besoin d'attacher Patsy. Elle n'a qu'à brouter l'herbe sur le bord de la route.

Morgan descendit du boghei pour s'étirer les jambes, puis caressa les flancs de la jument en lui murmurant des paroles affectueuses. Le cheval sembla les comprendre et frotta son chanfrein contre son cou. Cela fit rire Morgan. Le soleil commençait à être haut dans le ciel. Il allait faire beau, mais moins chaud et humide que pendant tout l'été. La population de Chester l'avait sans doute senti, car les rues se remplissaient de carrioles et de flâneurs. Des enfants jouaient un peu plus bas dans la rue, courant après une balle, un chien ou un camarade.

Tandis qu'elle les observait, leurs cris joyeux se muèrent en interpellations railleuses. Morgan aperçut une femme, ou plutôt une jeune fille, descendant la rue. Sa démarche était étrange et néanmoins familière. Il y avait quelque chose dans ce port de tête... Naturellement! Elle lui rappelait Becky. Lorsqu'elle s'approcha, Morgan se rendit compte qu'elle parlait seule ou à quelque interlocuteur invisible. Elle avait déjà surpris des messes basses au sujet d'une certaine « Mariah la folle », mais personne ne semblait disposé à lui en dire plus long. « Elle a une araignée dans le plafond », avait simplement résumé Mme Wainwright, pourtant intarissable sur n'importe quel sujet.

Les enfants chantaient en la suivant de loin :

– *C'est Mariah qui n'a plus sa tête! Elle la cherche, elle la cherche comme une bête!*

Comme elle ne semblait ni les voir ni les entendre, ils se rapprochèrent au pas de course. L'un d'eux saisit une pierre et la lui lança. Le projectile l'atteignit dans le dos. Elle se retourna, le visage déformé par la colère :

– Arrêtez! hurla-t-elle.

Riant de plus belle, les enfants se mirent à ramasser des cailloux autour d'eux et à les lui lancer. Mariah ne prit pas la fuite.

Elle resta plantée là, les bras croisés sur sa poitrine, comme si cela suffisait à la protéger.

Le sang de Morgan ne fit qu'un tour. Elle se précipita vers la jeune fille et vint se placer devant elle, criant aux enfants :

– Vous n'avez pas honte ? Comment pouvez-vous être aussi cruels ? Vous ne voyez pas qu'elle ne peut pas se défendre ?

L'espace d'un instant, le groupe resta bouche bée. Puis un garçon rétorqua :

– De quoi je me mêle ? T'es sa mère ? T'es sa sœur ?

– Ne sommes-nous pas tous les enfants de Dieu ? répliqua Morgan en se surprenant elle-même. Allez-vous-en ! Laissez cette malheureuse tranquille. Ce n'est pas de sa faute si elle est comme ça.

Les enfants battirent en retraite. Morgan était stupéfaite par sa propre réaction et plutôt contente d'elle-même. Mais sa surprise redoubla lorsque Mariah fit volte-face et lui cracha à la figure, déversant sur elle un chapelet d'injures telles que Morgan n'en avait jusque-là entendu que dans la bouche des ivrognes.

– Ne t'approche pas de moi, sale squaw, ou je te crève les yeux !

Là-dessus, elle lui décocha un coup de pied dans le tibia et s'enfuit en courant.

Morgan se frotta la jambe, se disant : « Exactement comme Becky. » Pourtant, maman lui avait dit que les esprits qui s'étaient emparés de sa sœur étaient conduits par une âme très en colère, celle d'un ancêtre qui n'avait sans doute pas reçu les rites funéraires qu'il méritait. Elle avait toujours cru que les membres de sa famille étaient prédisposés à tomber sous l'emprise des esprits, bons ou mauvais. Aussi, lorsqu'elle avait entendu parler de Mariah, elle n'avait pas fait le rapprochement avec Becky. Une famille blanche, anglaise, pouvait-elle être visitée par des esprits péquots ? C'était peu probable. Mais peut-être qu'il ne s'agissait pas d'esprits... du moins pas entièrement.

Ses pensées furent interrompues par une main sur son épaule.

– Viens, dit le docteur Grace. J'ai renvoyé Eleanor chez elle dans sa propre voiture. Peut-être que, si elle reste tranquillement allongée dans son lit, elle gardera celui-ci.

Elles grimpèrent dans le boghei et prirent la route du retour.

– Qu'est-ce qui se passe, Morgan ? demanda le médecin au bout d'un moment. Il y a quelque chose qui te chiffonne, ça se voit comme le nez au milieu de la figure.

– Cette fille... Mariah la folle...

Morgan lui raconta ce qui s'était passé. Lorsqu'elle eut terminé, le docteur Grace fit la grimace et répondit :

– Certaines personnes ne sont que des ignares et feraient mieux de réfléchir avant de parler devant leurs enfants. Quant à Mariah... c'est une triste histoire. Lorsqu'elle était plus jeune, elle était aussi normale que toi et moi. Puis, soudain, elle s'est mise à avoir peur de tout, à entendre des choses que personne d'autre ne pouvait entendre... Je ne sais pas comment décrire ça.

– Je sais, dit lentement Morgan.

Elle hésita un instant. Devait-elle lui raconter ? Puis elle se lança :

– Ma sœur... elle est pareille. Sauf que les gens croient qu'elle entend des anges. Ils parcouraient des kilomètres pour venir la voir, pour qu'elle pose les mains sur eux et leur dise ce qu'ils devaient faire.

– J'ai entendu parler de cette fille. Tu dis que c'est ta sœur ? C'est très intéressant. Si ça ne t'ennuie pas, j'aimerais que tu m'en parles plus en détail un jour. Je prendrai des notes. Tu veux bien ?

– Bien sûr, mais... Vous croyez vraiment que ma sœur entend parler les anges ?

– C'est possible. Comment le savoir ? Cela dit, son comportement me rappelle beaucoup cette maladie de l'esprit qu'on appelle *dementia praecox*... Oh, non, attends... J'ai lu récemment qu'ils lui avaient trouvé un nouveau nom : *schizophrénie*.

Une maladie de l'esprit. Ils n'avaient jamais envisagé que Becky soit tout simplement malade. Mais cela tenait debout. Si

101

Becky entendait des anges, elle entendait également des voix terrifiantes, des voix qui l'incitaient à vous bondir dessus, à vous traiter de tous les noms ou à se blottir dans un coin en marmonnant. Parfois aussi elle redevenait la Becky d'autrefois et parlait à nouveau normalement.

– Vous croyez que ma sœur souffre de cette *dementia praecox*? Ou de cette autre chose?

– Je ne peux pas le dire sans l'avoir vue ou sans en savoir plus à son sujet, mais c'est possible. Je suis pratiquement sûre que c'est ce dont souffre cette pauvre Mariah. Quand j'étais plus jeune, j'ai vu plusieurs patients comme elle à Philadelphie, ainsi que dans les hôpitaux de Boston et de Syracuse. Ils étaient tous atteints de *dementia praecox*.

– Depuis que je suis petite, on m'a appris que les esprits visitent les gens de ma famille et que nous avons le pouvoir de leur parler ou, du moins, de les entendre. Ces derniers temps, j'ai commencé à en douter mais... J'ai un arrière-arrière-arrière... oh, je ne sais plus jusqu'où il remonte... qui se mettait à trembler des pieds à la tête quand un esprit le visitait. Sa sœur parlait elle aussi aux esprits et a fini par aller vivre seule dans la forêt avec eux. Puis il y a aussi eu Quare Auntie...

– Qui ça?

– C'est comme ça qu'on l'appelait, mais elle avait un vrai nom. Je ne connais pas son nom chrétien, mais dans la langue des anciens elle s'appelait Small Sparrow. Elle vivait dans les bois et parlait aux esprits. De temps en temps, elle venait chez nous pour demander à manger ou pour nous prédire l'avenir. Elle était très laide, toute noire et pleine de croûtes, avec les cheveux sales et emmêlés. Maman disait toujours qu'elle avait des pouvoirs magiques et savait guérir... Je le croyais aussi...

Elle s'interrompit. Le mot « magique » lui paraissait soudain... Elle ne savait pas trop, mais elle était persuadée que le docteur Grace ne pourrait jamais y croire.

– Ils sont sûrs à propos de cette *dementia praecox*? insista-t-elle. Sûrs qu'il s'agit bien d'une maladie?

– A dire vrai... personne n'est sûr de rien. On ne sait pas vraiment d'où ça vient. Mais beaucoup de gens l'ont observée...

– En somme, il pourrait quand même s'agir d'esprits.

Le docteur Grace se mit à rire.

– En effet, pourquoi pas? D'esprits ou d'autre chose...

Elle guida le boghei dans la cour, faisait s'arrêter Patsy d'un claquement de langue. Tandis qu'elles ramenaient la jument dans son écurie, Morgan se souvint du but de leur visite:

– Mme Marshall perdait-elle vraiment du sang?

La mine du médecin se renfrogna.

– Oui. J'espère que ce n'est pas une nouvelle fausse couche. Elle a déjà réussi à mener deux grossesses à terme.

– Je pourrais lui donner un petit quelque chose, proposa Morgan. Pour garder son bébé. Ça marche à tous les coups.

Grace fit entrer Patsy dans son box et referma la porte derrière elle.

– Pourquoi pas? répondit-elle. Après tout, je me plains toujours que les médecins soi-disant «réguliers» ne laissent aucune chance aux alternatives à leurs sacro-saintes «méthodes scientifiques». Ils ont détruit le mouvement hygiéniste, se moquant de nos idées nouvelles. Nous voulions que les gens se lavent régulièrement, fassent des exercices quotidiens, se mettent au soleil et cessent d'avoir peur de l'air, de la nuit, de l'humidité et des courants d'air... Ils se sont battus comme des diables contre toutes nos idées, puis ils les ont reprises et les ont fait passer pour les leurs!

Elle se mit à rire, avant de reprendre:

– Je ne veux pas être coupable de m'opposer à une bonne idée simplement parce qu'elle n'est pas de moi. Mais, quand on donnera ta potion à Eleanor Marshall, on lui dira que c'est un tonique. Comme ça, personne ne nous accusera de sorcellerie!

Le docteur Grace avait prononcé ces mots sur le ton de la plaisanterie, mais Morgan pensa: *Et si c'en était vraiment? Qui peut dire le contraire...? Et puis, quelle importance, si ça marche?*

7

Juin 1883

Couché sur la table d'auscultation du docteur Grace, le jeune Will Bryant hurlait à la mort. On ne pouvait guère le lui reprocher! Il avait grimpé sur un arbre pour récupérer son chat, sans songer qu'une branche capable de supporter le poids d'un animal de cinq kilos ne tiendrait peut-être pas sous celui d'un garçon de neuf ans. La branche, le chat et son sauveteur s'étaient effondrés dans un grand fracas. Si le chat avait aussitôt bondi sans une égratignure, il n'en allait pas de même pour le malheureux Will, qui ne pouvait plus se tenir sur sa jambe cassée. Ses frères aînés l'avaient porté chez le médecin cinq minutes plus tôt. Will, pâle comme un linge, avait crié et pleuré à chacun de leurs pas tandis qu'ils le déposaient dans la salle d'attente remplie de femmes et d'enfants.

Morgan était chargée d'accueillir les patients. Quand elle entra dans la salle d'attente, elle comprit tout de suite qu'il s'agissait d'une urgence.

— Je crois qu'il vaut mieux faire passer Will tout de suite, annonça-t-elle à ceux qui patientaient.

— Ne vous en faites pas, Morgan, lui dit Sarah Cromwell, qui venait comme chaque mois pour ses crampes. Nous pouvons attendre. On dirait que sa jambe est cassée, non?

— Oui, ça en a tout l'air.

Parfois, on se demandait ce que toutes ces personnes venaient faire chez le médecin. La plupart d'entre elles savaient assez bien se soigner toutes seules lorsque leurs maux n'étaient ni trop compliqués ni trop incompréhensibles. Mais toutes adoraient Grace. On venait la voir pour tout et n'importe quoi. La plupart de ses patients étaient des femmes et des enfants. Des femmes enceintes. Des femmes qui voulaient tomber enceintes. Des femmes qui étaient tombées enceintes sans le vouloir. Des enfants qui s'étaient cassé quelque chose ou entaillé un pied en courant sans chaussures. Des bébés en bonne santé. Des bébés malades. La salle d'attente était toujours pleine de bruits, de cris, de messes basses et de commérages.

– Je suis prête à attendre un an pour un rendez-vous avec le docteur Grace, déclara Sarah Cromwell. Elle a changé ma vie. Parfaitement! Et ce rien qu'en me démontrant que l'allopathie ne soignait pas mes étourdissements comme il le fallait. « Ouvre donc tes fenêtres, Sarah », c'est ce qu'elle m'a dit! « Prends plutôt un bon bouillon de bœuf. Tu as besoin de forces, pas de te faire saigner! » Elle est allée droit dans ma cuisine et m'a préparé du foie grillé avec des légumes frais. Dès le lendemain, je me sentais déjà mieux!

Il y eut un murmure d'approbation dans la salle, comme chaque fois que Sarah racontait son histoire, ce qu'elle ne manquait pas de faire à chaque visite.

– Anémique! Voilà ce que j'étais. Et toutes ces saignées ne faisaient que me rendre plus malade encore.

Une autre femme s'y mit à son tour. Elle était allée voir un autre docteur, un « régulier », parce que... eh bien, à dire vrai, toutes ses amies y allaient. C'était pour ses crampes. Certains mois, elle pouvait à peine sortir du lit. Mais après une ou deux purges – « C'est fou ce qu'ils tiennent à leurs purges, non? » – elle était revenue droit chez le docteur Grace.

Ce fut au tour de la vieille Mme Foster de s'en mêler.

– Une infusion de gingembre, voilà ce qu'il vous faut pour vos crampes.

– Certes, ça, c'est le vieux remède de chez nous, si je puis me permettre, madame Foster. Mais Mlle Morgan ici présente m'a confectionné une de ses préparations, on appelle ça de la racine de squaw. Une merveille! Vous savez ce qu'on dit au sujet des guérisseurs indiens...

105

Au même moment, le docteur Grace appela Morgan pour qu'elle vienne tenir Will pendant qu'elle lui remettait l'os en place. Morgan se précipita avec soulagement. Elle ne tenait pas à ce qu'on lui pose trop de questions sur ses origines, de peur qu'on fasse le rapprochement avec la fille qui s'adressait aux anges. Apparemment, tout le monde à Chester avait entendu parler de Becky, même si tous ne connaissaient pas son nom et ignoraient où elle vivait. Quelque part près d'East Haddam, c'était tout ce qu'ils savaient, au-dessus du théâtre de M. Goodspeed. Morgan ne voulait pas qu'on pense qu'elle avait des pouvoirs magiques. On la regardait déjà comme si elle avait un don particulier. Elle savait qu'elle avait l'esprit de guérison en elle, mais ce n'était pas de la magie. C'était uniquement l'enseignement de sa mère, ainsi qu'une aptitude particulière avec laquelle elle était née. Les tribus indiennes utilisaient la plupart de ces remèdes depuis la nuit des temps, c'était ce que sa mère lui avait toujours dit. Toutes les plantes et les herbes dont elle se servait dans ses préparations poussaient un peu partout, et n'importe qui pouvait les cueillir. Mais peu de gens réussissaient à les utiliser. Ils préféraient confier leurs problèmes à un expert.

Dès que ses frères l'avaient amené, Morgan avait donné à Will quelque chose pour soulager la douleur. Il n'était pas encore tout à fait calmé mais, au moins, ses cris s'étaient mués en gémissements et on s'entendait parler. Morgan posa les mains sur ses épaules et se pencha pour lui chuchoter à l'oreille :

– Ecoute, Will. Ça va faire un peu mal, mords ce morceau de cuir. Le docteur Grace n'a pas sa pareille pour remettre les os en place, tu sais. Il n'y en a plus pour longtemps.

Elle appuya fermement sur ses épaules et fit un petit signe de tête au médecin. Un des frères tenait la jambe au-dessus du genou.

– Tiens-le bien, Sam, ordonna le docteur Grace. Je vais tirer!

Au moment où elle le disait, elle le fit. Will ouvrit la bouche pour crier, mais elle le prit de court en déclarant :

– Voilà, voilà, c'est fini!

– C'est fini? répéta le garçon, interloqué.

– Mais oui, dit Morgan. Maintenant, le docteur va te fixer une attelle et tu pourras rentrer chez toi.

– Morgan, prépare un flacon de ton mélange à la belladone pour que Will l'emporte avec lui.

– Je viens juste d'en faire.

Morgan se précipita dans l'office, où elle avait son propre placard de remèdes. Toutes les plantes et les herbes nécessaires pour faire ce que Mme Wainwright appelait toujours le « bazar de Morgan » venaient de son jardin près de la porte de service. Elle versa une dose d'analgésique dans un flacon et le boucha soigneusement. Quelques gorgées de cette potion assommeraient la douleur... et le jeune Will par la même occasion.

En ressortant de l'office, elle aperçut Silas Grisham aidant sa mère à descendre de leur carriole. La pauvre Mme Grisham, qui n'avait pas l'air dans son assiette, boitait méchamment. Lorsqu'elle approcha, Morgan remarqua qu'elle avait un gros bleu au coin du visage et un œil enflé. Elle attendit un instant, espérant croiser le regard de Silas... Ils étaient devenus bons amis ces derniers temps... Mais celui-ci était concentré sur sa mère. Il semblait inquiet.

Dès que les fils Bryant furent partis, Morgan annonça au docteur Grace :

– Mme Grisham s'est encore fait mal. Ça a l'air grave, cette fois.

Le docteur Grace pinça les lèvres et poussa un petit soupir exaspéré.

– Cette pauvre femme n'arrête pas de tomber dans les escaliers ou de se cogner contre les meubles, poursuivit Morgan.

Elle trouvait que les accidents à répétition de Mme Grisham étaient étranges et savait que le docteur Grace était du même avis. Mais elle avait beau essayer, elle n'avait jamais pu lui arracher le moindre commentaire à ce sujet.

– Je verrai d'abord Mary Bardwell, répondit le médecin. Elle ne va pas tarder à accoucher et elle est plus costaud qu'un cheval. Il n'y en aura pas pour longtemps. Ensuite, tu m'amèneras Mme Grisham.

Elle prononça le nom de Mme Grisham sur un ton maussade. Plus intriguée que jamais, Morgan fit ce qu'on lui demandait. Lorsqu'elle alla chercher Mary Bardwell, celle-ci lui adressa un grand sourire. Morgan lui avait évité une fausse couche quelques mois plus tôt. De retour dans la salle d'attente, Morgan annonça :

– Madame Grisham, le docteur Grace vous recevra juste après.

Aucune des autres femmes ne releva la tête ni ne se tourna vers l'intéressée. Pourtant, toutes la connaissaient.

Silas murmura quelque chose à l'oreille de sa mère, puis suivit Morgan hors de la salle.

– Seigneur! dit-il à voix basse. Cette fois, elle s'est vraiment fait mal. Il... elle... s'est tordu la jambe. Sa cheville a doublé de volume. J'ai vainement essayé de lui enfiler sa botte. Elle a dû venir en chausson.

– Ne t'inquiète pas, le docteur Grace va lui arranger ça, le rassura Morgan.

Elle devait lutter contre la tentation de poser la main sur son avant-bras et celle, encore plus forte, de le serrer contre elle pour le réconforter. Elle était amoureuse de lui, mais aurait préféré mourir plutôt que de le laisser paraître. Ils s'étaient rencontrés dans le pré, où elle dressait l'inventaire des plantes qui poussaient autour de Chester. Ce jour-là, Silas cherchait des fossiles. Dès qu'elle lui parla de ses préparations, il voulut tout savoir au sujet des plantes médicinales. Il était passionné d'histoire naturelle. Il étudiait le droit avec le juge Jenkins à Deep River, parce que son père voulait qu'il devienne avocat au lieu de travailler à la forge. Jered Grisham était le forgeron de Chester. Mais Silas lui avoua qu'il n'aimait pas vraiment le droit et aurait préféré faire comme elle : découvrir les vertus curatives de chaque plante, réaliser de petits croquis de chacune d'entre elles et les décrire pour pouvoir les retrouver dans la nature. En fait, son rêve était de parcourir le monde et de découvrir des plantes et des animaux que personne dans le Connecticut n'avait jamais vus. «Comme Charles Darwin», expliqua-t-il. Elle hocha la tête d'un air entendu, bien qu'elle n'eût pas la moindre idée de qui était ce M. Darwin.

Morgan trouvait Silas merveilleux, bien différent de tous les jeunes écervelés qui passaient leur temps à se pavaner en montrant leurs muscles. Elle espérait qu'il deviendrait célèbre un jour et qu'il découvrirait de nombreuses plantes.

Elle aperçut Mary Bardwell qui s'apprêtait à partir.

– Emmenons ta mère voir le docteur, Silas. Ensuite, nous irons dans la cuisine. Tu n'as pas très bonne mine, je te donnerai un petit remontant.

– Tu n'aurais pas quelque chose pour donner du courage à un homme, par hasard? demanda-t-il amèrement. Non, laisse tomber... Oublie ce que je viens de dire. J'aide maman et je te rejoins à la cuisine.

Mme Wainwright était rentrée chez elle pour préparer le dîner de son mari, aussi avaient-ils la cuisine pour eux tout seuls. Morgan fit chauffer un bouillon de bœuf pour Silas, qu'il but sans appétit ni plaisir. Puis il reposa lourdement son bol sur la table en bois.

– J'ai dix-sept ans, Morgan, soupira-t-il. Dix-sept ans! Je suis un homme adulte. Je devrais être capable de... de... Pourquoi je n'y arrive pas?

Il s'interrompit et laissa tomber son poing sur la table.

– Silas, qu'est-ce qui t'arrive? Je ne t'ai jamais vu dans cet état.

– Je ne peux pas te le dire. Je le voudrais bien mais... je ne peux pas.

Il se mit à arpenter la pièce, les poings enfoncés dans ses poches. Morgan l'observait, tiraillée entre l'inquiétude et l'admiration. C'était le plus beau garçon qu'elle ait jamais vu : grand et mince, avec un visage fin, des yeux profondément enfoncés dans leurs orbites dont les coins se plissaient lorsqu'il souriait, des cheveux noirs et soyeux qui formaient une mèche bouclée lui retombant devant un œil. Il la rejetait sans cesse en arrière, mais elle retombait toujours au même endroit. Il portait généralement des lunettes, qui lui valaient quelques sarcasmes de la part de ses camarades. Ils l'appelaient « Quat'zieux ». Cela énervait Morgan au plus haut point, car cela lui rappelait les surnoms dont on l'avait affublée toute sa vie. Mais Silas lui assurait que cela ne lui faisait rien.

— J'ai appris il y a longtemps à enfouir mes sentiments au plus profond de moi. Là où personne ne peut les atteindre.

Ce n'était pas le cas aujourd'hui.

— Quoi qu'il arrive, Silas, tu sais que je ne dirai rien.

— Oui, je le sais. Ce n'est pas... Bon sang !

Il laissa échapper un soupir saccadé et chargé de douleur.

— Morgan, il la bat sans arrêt ! Il la frappe encore et encore, et elle se recroqueville devant lui, à implorer son pardon ! C'est horrible à voir, Morgan. Cette fois, il l'a carrément jetée au pied des escaliers de la cave. J'ai voulu m'interposer, mais il m'a soulevé de terre comme si je ne pesais pas plus qu'un chaton !

Sa voix se brisa et il détourna la tête, déglutissant avec peine.

— Il m'a dit : « Surveille tes manières, mon garçon, ou c'est toi le prochain ! » Puis il m'a laissé retomber comme un paquet de linge sale et s'est mis à rire. Mon propre père, Morgan ! J'avais envie de saisir le tisonnier dans la cheminée et de le frapper, mais maman hurlait au pied de l'escalier, criant qu'elle ne pouvait plus se relever. Sa jambe était tordue. J'ai dû aller l'aider, il le fallait !

Morgan lui saisit les deux bras. Il semblait sur le point de s'effondrer sur le carrelage ciré de Mme Wainwright.

— Bien sûr, Silas ! Tu as bien fait. Tu verras, le docteur Grace va arranger ça.

— A quoi bon ? Il la bat dès qu'il est mécontent. « Mécontent », c'est son propre terme. Il suffit d'un rien, que la viande ne soit pas assez cuite ou qu'elle lui lance un regard en coin. Et, lorsqu'elle est enceinte, c'est encore pire.

Il baissa la tête pour cacher les larmes qui lui montaient aux yeux.

– Je suis sûr que c'est à force de se faire tabasser qu'elle fait sans arrêt des fausses couches. C'est une vraie brute, Morgan. J'aurais dû le tuer pour qu'il arrête de lui faire du mal.

– Chut, Silas, il ne faut pas penser à ça.

Morgan était horrifiée, mais non pas surprise outre mesure. Amelia Grisham avait beaucoup trop d'« accidents ». Personne ne pouvait être maladroit à ce point ! Morgan savait également que Mme Grisham avait fait plusieurs fausses couches au fil des ans. Silas était fils unique, et tout le monde en ville avait entendu Jered Grisham fulminer en public, répétant que sa misérable femme était incapable de mener une grossesse à terme.

– Est-ce qu'il t'a jamais... battu ? demanda-t-elle.

Les épaules de Silas s'affaissèrent.

– Bien sûr.

– Tu te défends ?

– Une fois. Je lui ai lancé un seau à la figure. J'ai pris une sacrée raclée ! J'avais dix ans à l'époque. Le docteur Grace est venue me soigner à la maison. Il l'a accueillie et lui a serré la main en lui disant qu'une bande de garçons m'était tombée dessus pour la seule raison que je portais des lunettes. Je me souviens qu'elle a répondu, en parlant très fort, que dans ce cas il faudrait prévenir la police et lui donner le nom des coupables. Papa a balbutié une réponse, et elle s'est levée et l'a regardé droit dans les yeux en disant : « Ecoute-moi bien, Jered, parce que je ne te le dirai pas deux fois. Je ne veux plus jamais voir ce garçon dans cet état, tu m'entends ? Autrement, je serai obligée de faire intervenir un juge de Hartford ou de Middletown. Tu as compris ? » Il a répondu : « Tu crois que tu peux te permettre de me parler sur ce ton parce que tu es médecin ? » Elle a dit : « Parfaitement ! Et tu sais que personne ne met en doute la parole d'un médecin, tu vois ce que je veux dire ? » Après ce jour, il m'a fichu la paix. Mais je préférerais qu'il s'en prenne à moi plutôt qu'à maman. Elle est à bout de forces ! Et moi aussi.

– Il y a des tas d'hommes comme lui, Silas. Ton père n'est pas le seul. Ma mère... elle était guérisseuse, tu sais... Elle avait trois ou quatre patientes qui étaient battues par leur mari. Elle leur disait toujours de partir, d'emmener leurs enfants et d'aller se cacher dans la forêt, comme notre famille.

– Ta famille se cachait dans la forêt? Mais pourquoi?

Aïe! Elle avait toujours soigneusement évité toute allusion à ses origines.

– C'est une longue histoire. Je te la raconterai une autre fois.

– Mais...

– Pour le moment, pensons à ta mère. Pourquoi ne le quitte-t-elle pas?

Il serra les poings.

– Je n'en sais rien. J'ai beau y réfléchir, je ne la comprends pas. Elle me dit toujours que c'est moi qui devrais partir.

– Pourquoi restes-tu?

Son cœur se serra. S'il quittait Chester, elle en mourrait. Il la dévisagea, horrifié.

– En la laissant seule avec lui? C'est impossible!

– Ta mère n'est pas complètement sans défense, tu sais, Silas.

Elle hésita un instant, puis lui raconta ce que le docteur Grace lui avait dit.

Amelia Grisham avait l'habitude de commander des produits abortifs dont elle trouvait les noms dans des annonces passées dans les journaux : « Régulateur féminin », « Gouttes périodiques », « L'Ami de la femme », « Pilules contre l'aménorrhée ». « *Bien que parfaitement inoffensives, même pour les constitutions les plus délicates, il est essentiel de s'assurer de son état avant la prise,* CAR UNE FAUSSE COUCHE SERAIT INÉVITABLE », cita Morgan.

– C'est qu'ils ne peuvent pas dire franchement à quoi servent les pilules, l'avortement étant mal vu, selon le docteur Grace. Il y avait autrefois une faiseuse d'anges qui habitait près de Willingworth. Elle aidait les femmes à avorter et tout le monde le savait. Puis une jeune fille est morte. La femme a été arrêtée, conduite jusqu'à Hartford, puis jugée.

– Mais si Dieu donne un bébé, il ne faut pas aller contre sa volonté, dit Silas.

Ce que les hommes pouvaient être naïfs!

– Tu n'as pas idée du nombre de femmes qui mettent discrètement fin à leurs grossesses, répondit Morgan. D'après le docteur Grace, rien que dans le coin il y a un avortement pour dix naissances. Le docteur m'a aussi raconté qu'un jour ta mère a commandé un instrument pour avorter qu'elle a utilisé une fois. Mais le docteur Grace s'est fâchée parce qu'elle aurait pu y rester. Tu crois qu'elle l'aurait jeté? Penses-tu! Elle l'a donné à une amie. Qui était ravie de l'avoir, crois-moi!

– Soit, elle a mis un terme à ses grossesses. Mais ça ne change rien... Lui est toujours là! Qu'est-ce que je peux faire contre lui?

Il gémit et enfouit sa tête entre ses mains.

– Ne t'inquiète pas, on trouvera bien une solution, le consola Morgan.

Une vague idée germait déjà dans sa tête.

Vers trois heures de l'après-midi, ses consultations terminées, Grace enfila son bonnet et ses gants, et déclara qu'elle sortait un moment avec le boghei.

– Je serai de retour pour le dîner, annonça-t-elle.

A son expression, Morgan comprit qu'il valait mieux ne pas lui poser de questions, mais elle était sûre que cela avait un rapport avec la mère de Silas.

Il faisait presque nuit lorsque Silas revint voir Morgan. Il était venu à pied, lui expliqua-t-il, parce que son père avait sellé leur cheval et était parti au galop, Dieu savait où. Le jeune homme était encore plus bouleversé que dans l'après-midi.

– Le docteur Grace est allée le trouver pour essayer de le raisonner. Elle est allée à la forge cet après-midi et a dû lui passer un sacré savon parce qu'il est rentré fou furieux à la maison. Il a attrapé maman et lui a tordu le bras dans le dos si fort que j'ai entendu un « crac ». Il lui a fait jurer qu'elle n'irait jamais plus chez cette « prétendue bonne femme de médecin ». Il était évident que maman avait le bras cassé, aussi, quand je l'ai vu s'apprêter à partir, je lui ai demandé : « Qu'est-ce que tu comptes faire pour son bras, papa ? Tu ne peux pas la laisser comme ça ! – Ah non ? qu'il m'a répondu. Qui va m'en empêcher ? Elle n'a que ce qu'elle mérite. Ça lui apprendra à aller pleurnicher chez cette vieille fille qui se prend pour un docteur. La prochaine fois, elle ira voir un vrai médecin ! » Je suis désolé, Morgan, mais c'est ce qu'il a dit. « Elle ira consulter dans un cabinet où officient des hommes, des vrais, qui savent ce qu'on doit supporter nous autres avec toutes ces bonnes femmes ! »

Grace ricanait quand elle entendait parler des « cabinets de médecins, les vrais ». Elle disait toujours : « Depuis quand évalue-t-on la qualité des soins médicaux en fonction du tarif du médecin ? C'est ridicule ! Soit l'état du patient s'améliore, soit il se dégrade ! » Elle ne supportait pas l'idée que plus un médecin en faisait, plus il se faisait payer. « C'est ce qu'on appelle la médecine héroïque, Morgan, avait-elle expliqué. C'est un concept qui me dépasse complètement. Ils utilisent simplement le remède le plus puissant qui leur tombe sous la main. Et tu sais ce que c'est ? Du calomel ! Pendant la guerre de Sécession, ils ont dû en administrer des tonnes. De grosses doses pour les cas graves, des doses plus faibles pour les troubles chroniques. Ils se fichaient pas mal du problème en question ! » Quand elle en arrivait là, Grace avait déjà le visage tout rouge. « Le seul problème, avec le calomel, c'est qu'il tue le patient ! » Non, Grace n'avait pas une haute opinion des cabinets de médecins hommes, et elle supportait encore moins qu'on parle de « vrais » médecins.

Jered Grisham forcerait sans doute sa femme à voir un « vrai » médecin le lendemain mais, ce soir du moins, elle avait besoin qu'on s'occupe d'elle.

– Je vais aller remettre le bras de ta mère en place, annonça Morgan.

– Non ! S'il revenait brusquement ? S'il levait la main sur toi, je ne me le pardonnerais jamais !

Le cœur de Morgan se mit à battre plus fort lorsqu'elle entendit ces paroles.

– Dis-moi ce qu'il faut faire, poursuivit Silas. Je soignerai moi-même son bras. Demain, quand il sera parti au travail, tu pourras passer la voir si tu veux.

– D'accord.

Elle lui expliqua lentement et en détail comment réaligner les os et les bander pour que le bras ne reste pas tordu. Puis elle lui donna un flacon d'analgésique.

– Mais, avant tout, précisa-t-elle, fais-lui boire une bonne dose de whisky. Dis-lui que je serai là demain matin sans faute.

Morgan se présenta à la porte de service des Grisham le lendemain matin de bonne heure. Le forgeron était devant sa forge dès l'aube pour faire partir les feux. Les fermiers lui amenaient leurs chevaux à ferrer et leurs outils à réparer dès le début de la matinée. Plus tard, c'était le tour des femmes avec leurs casseroles et leurs poêles à réparer ou les crochets à fabriquer. Il serait occupé jusqu'à l'heure du dîner.

La mère de Silas était manifestement terrorisée. Elle lançait sans cesse des regards à la ronde pour s'assurer que son mari n'était pas de retour. Elle raconta à Morgan qu'elle avait dit à son mari qu'elle n'irait jamais voir un médecin homme. Il lui avait répondu : « Puisque tu ne veux pas aller voir un allopathe, tu n'as qu'à te soigner toi-même avec les pilules que tu achèteras à l'épicerie. »

– Je sais que le docteur Grace déteste ces médicaments tout préparés, déclara-t-elle à Morgan. Mais qu'est-ce que je peux faire ? Il a dit que je ne devais plus aller la voir, et je ne peux pas lui désobéir.

Elle se mit à pleurer. Pendant ce temps, Morgan examina son bras. Silas avait fait du bon travail.

– Je vous en prie, Morgan, reprit Mme Grisham entre deux sanglots, surtout ne dites rien de tout cela à personne et n'allez pas le dénoncer. Vous voyez ce qui arrive quand on essaie de m'aider ? Personne ne peut rien pour moi. Je ne suis bonne à rien. Je ne sais pas pourquoi. Quand j'étais plus jeune, j'étais plus maligne. A l'école, j'ai toujours été bonne élève. Mais aujourd'hui... je ne sais pas... je ne sais plus rien faire correctement. Je n'arrive même pas à réfléchir.

– Ne dites pas que vous n'êtes bonne à rien, madame Grisham. C'est faux. N'écoutez pas ce que vous dit votre mari. Il cherche à vous faire douter de vous-même. Si vous voulez...

Morgan hésita. Pouvait-elle lui faire confiance ? Mme Grisham était loin d'être sotte. Elle était gentille. Mais, face à son mari, elle devenait sans défense et paralysée de peur. Néanmoins, elle avait été institutrice avant que Jered Grisham l'emporte dans son tourbillon, après une cour fulgurante. Elle était encore jolie, malgré son teint pâle et son air inquiet. En outre, c'était la mère de Silas, et Morgan était prête à tout pour que celui-ci lui prenne encore la main et lui sourie tendrement.

– Ecoutez, madame Grisham. Dans ma famille, il y a beaucoup de chamans et de sorcières. J'ai cette amulette que je porte sur moi...

Elle tapota son corsage.

– Elle est dans ma famille depuis la nuit des temps. Elle possède des pouvoirs magiques. Une de mes ancêtres était *moigu*... C'est le mot indien pour une sorcière guérisseuse. Cette amulette lui appartenait.

Elle baissa le ton avant d'ajouter :

– Elle peut pourchasser une personne pour moi. Je connais les incantations et je sais préparer des offrandes avec du tabac indien... Il en pousse dans la région. Je pourrais en emporter dans un petit coin secret, en brûler un peu et lui jeter un mauvais sort. A votre mari, je veux dire.

Mme Grisham devint encore plus pâle. Elle posa sa main sur celle de Morgan, mais ne répondit pas. Elle fixait Morgan droit dans les yeux, semblant ne plus respirer.

– Ou encore, reprit Morgan, je pourrais aller chercher un peu de poussière de cimetière et l'apporter ici. A moins que vous ne préfériez me donner un vêtement lui appartenant que j'emporterai dans un cimetière. C'est sans doute ce qu'il y a de plus simple. Une chemise de nuit peut-être...

L'espace d'un instant, Mme Grisham eut un air horrifié, puis plein d'espoir. Cela faisait peine à voir. Soudain, il y eut des pas à l'extérieur. Son visage se ferma et devint totalement neutre.

– Excusez-moi, murmura-t-elle.

Elle se leva et se mit à s'affairer dans la cuisine, préparant le déjeuner de son mari alors qu'il était encore très tôt. Morgan eut de la peine pour elle.

Lorsque le forgeron entra, Morgan fut frappée par sa grande taille. Il était tout en muscles et avait les mêmes yeux enfoncés que Silas, sauf que les siens étaient mauvais comme ceux d'un serpent.

– Qui êtes-vous? demanda-t-il en l'examinant des pieds à la tête.

– Une amie de Silas qui habite en ville, monsieur Grisham.

– Vous êtes bien grande pour une fille. Où est donc Silas?

– Chez le juge Jenkins, Jered, comme toujours à cette heure-ci, répondit Mme Grisham.

– Ah, c'est vrai, c'est vrai.

Il a la bouche si froide que du beurre n'y fondrait pas, pensa Morgan. Il croyait sans doute qu'elle allait partir, mais elle resta fermement plantée là, persuadée que, dès qu'elle aurait le dos tourné, il ferait goûter de sa grosse paluche à sa femme. Morgan aurait voulu lui tordre son gros cou de taureau.

– Je suis juste passé voir comment se remettait ma petite Amelia, déclara-t-il.

Il tendit la main et serra le bras de sa femme, lui arrachant un cri de douleur.

– Pas terrible, conclut-il. Peut-être finiras-tu par m'écouter et par aller voir un vrai docteur!

Il se tourna vers Morgan avec son faux sourire.

– C'est la femme la plus maladroite à dix comtés à la ronde, je vous jure! Il suffit de lui souffler dessus pour qu'elle tombe!

Morgan resta de marbre, mais elle l'aurait tué. Un terrible goût de sang et de bile lui remonta dans la gorge.

Elle s'excusa rapidement et partit. Son plan prenait forme. En traversant le jardin, elle s'approcha des cordes à linge et vola une grande chemise. Elle ne pouvait être qu'à lui, non seulement en raison de sa taille, mais aussi parce qu'elle était parsemée de petits trous de brûlures, sans doute à cause des étincelles de la forge. Morgan roula la chemise en boule et la glissa sous son bras. Elle l'emporterait au cimetière sans rien dire à personne. Elle allait jeter à ce Jered Grisham un sort qu'il n'était pas près d'oublier.

8

Juillet 1883

Grace s'adossa à l'embrasure de la porte, permettant au soleil de l'après-midi de lui caresser le visage. Les dames n'étaient pas censées laisser la moindre tache de rousseur ou le hâle le plus discret troubler leur teint de lis blanc, mais après la vie qu'elle avait menée elle avait décidé qu'elle n'avait rien d'une dame. Le fait d'être médecin l'exemptait d'un bon nombre des règles de la bonne société. D'une certaine manière, cela revenait à être asexuée. Tout compte fait...

Elle s'aperçut qu'elle était en train de s'assoupir et se secoua. Ses consultations étaient terminées pour la journée. L'été, lorsque les enfants étaient libres de courir, de grimper aux arbres, de nager et de se faire mal, la salle d'attente était toujours pleine. Mais il y avait encore du ménage à faire. Grace était fatiguée. Elle avait été réveillée en pleine nuit par un tambourinage contre la porte : le père affolé d'un bébé malade. Elle n'était rentrée qu'après le lever du soleil.

Rouvrant les yeux, elle tenta de se concentrer sur Morgan qui hachait des feuilles de plantain non loin de là sur la terrasse.

– Jered Grisham a été pris d'une forte fièvre, annonça-t-elle à la jeune fille. C'est arrivé d'un seul coup, et je ne réussis pas à la faire redescendre. Il délire. Il est tellement malade qu'il ne se rend même pas compte que c'est moi qui le soigne. Amelia n'a confiance en personne d'autre. Elle dit que, s'il ouvre les yeux et paraît soudain avoir retrouvé sa lucidité, je dois prendre mes jambes à mon cou.

Cela la fit rire.

– Elle me connaît pourtant assez pour savoir que je n'en ferai rien. Je n'ai pas peur de Jered Grisham, surtout dans son état actuel! Il est plus faible qu'un nouveau-né. S'il n'était pas costaud comme un bœuf, je dirais qu'il n'en a plus pour longtemps.

Morgan était devenue pâle comme un linge. Que se passait-il? Ces derniers temps, elle s'était mise à disparaître le soir, prétextant qu'elle avait besoin de prendre l'air, de faire de l'exercice ou de regarder les étoiles. Grace n'avait aucune objection à ce qu'elle sorte le soir. Elle avait bien remarqué les regards de biche qu'elle lançait à Silas Grisham. Mais quelque chose lui disait que ce n'était pas une amourette qui la faisait vagabonder dans la nuit.

– Plus pour longtemps? dit enfin Morgan d'une voix étranglée.

– J'ai déjà vu ce genre de maladie. Elle se produit toujours en été mais, généralement, elle ne s'attaque qu'aux enfants. Elle entraîne parfois une paralysie. Je connais une fille dans l'Essex qui vit aujourd'hui dans un fauteuil roulant. La maladie lui a pris ses jambes. Toutefois, je n'avais jamais vu un cas aussi fulgurant et aussi violent.

Elle observa le visage de Morgan. Celle-ci était nettement troublée.

– Silas t'a dit quelque chose à propos de son père?

– Non. Enfin... il m'a dit hier qu'il était couché avec de la fièvre, mais il n'a pas précisé qu'il délirait ou quoi que ce soit...

Morgan parlait à toute allure. Grace aurait beaucoup donné pour pouvoir lire dans ses pensées.

– Autrefois, mon père était souvent malade...

Si elle s'imaginait que Grace ne se rendait pas compte qu'elle tentait de changer de sujet...

– Il était costaud et malin, mais il avait parfois des crises brutales et des maux de tête. Maman et moi avions beau essayer de le soigner, il n'y avait rien d'autre à faire qu'attendre que ça passe. Le pire, c'était quand sa jambe droite lui faisait mal. Il a été blessé par les rebelles pendant la grande guerre.

– La grande guerre! s'exclama Grace. Ce n'est pas comme ça qu'il faut l'appeler, Morgan. Il n'y avait pas de grandeur là-dedans. C'était une guerre civile. Les frères se battaient contre leurs frères. C'était terrible. Oh oui, les jeunes gens croyaient que c'était une grande aventure, comme nous tous, au début, je suis bien forcée de le reconnaître. Quel spectacle c'était! Tous ces beaux jeunes hommes impatients de revêtir leur uniforme et de mourir pour la Confédération!

– La Confédération! Mais...

– J'habitais dans le Sud quand le premier coup de canon a retenti. Je venais juste de me marier...

– De vous marier?

La mine éberluée de Morgan était comique à voir.

– Oui, de me marier. Je sais que je dois te paraître plus vieille que Mathusalem, mais j'ai été une jolie jeune fille un jour et l'épouse heureuse de Jedadiah Chapman, fils du révérend Chapman et de madame, de Curtis dans l'Ohio. Jed était venu rendre visite à un cousin à Philadelphie, et ma famille était amie de celle de ce cousin. A l'époque, je m'appelais Grace Henderson, de Philadelphie, fille du docteur John Henderson et de sa femme Emma, sœur de John Thomas. J'avais dix-huit ans et je débordais de vie. Jed et moi nous sommes retrouvés voisins de table lors d'un dîner...

Elle se mit à rire.

– A dire vrai, ce dîner avait lieu dans la maison de mes parents. Ma mère avait décidé de nous présenter, juste pour voir « ce qui se passerait ». Pauvre maman! Elle n'aspirait qu'à me savoir mariée au plus tôt parce que papa m'emmenait toujours à l'hôpital. Je faisais les visites avec lui, et il m'expliquait tout ce que je voulais savoir, c'est-à-dire absolument tout dans les moindres détails.

Morgan s'essuya les mains et vint s'asseoir à ses côtés sur le banc.

– La vue du sang ne me faisait même pas tressaillir, encore moins tourner de l'œil, comme cela aurait dû être le cas d'une

121

jeune fille convenable. C'est pour ça que, selon ma mère, il était urgent que je me fiance avant que ma réputation ne soit définitivement souillée !

« ... Comme j'étais une gentille fille docile, je lui ai fait le plaisir de tomber amoureuse de Jed Chapman. Mais, lorsqu'on lui a annoncé que l'on comptait se marier à la Noël puis descendre s'installer à Memphis dès le début de la nouvelle année, ma mère s'est effondrée, en larmes. Je lui ai dit : " Mais, maman, c'est ce dont tu as toujours rêvé pour moi ! " Elle m'a répondu : " Oui, mais je ne pensais pas que ton mari allait t'arracher à nous si rapidement et t'emmener jusque dans le Tennessee ! " Maman prononçait " Tennessee " comme si c'était une sorte de maladie honteuse.

« ... Quoi qu'il en soit, en janvier 1862, M. et Mme Jedadiah Chapman étaient installés à Memphis, dans la grande maison en brique rouge des parents de monsieur. C'était une demeure remplie de jolies choses : des figurines en porcelaine, des miroirs dorés, des meubles en acajou sculpté importés d'Angleterre, toutes sortes de superbes tapis et de tentures en velours, et même un piano ouvragé en ébène sur lequel jouaient les dames. Mais peu de livres. C'est une des premières choses que j'ai remarquées en arrivant. Et aucune partition de Bach pour le piano, juste des airs légers pour danser ou chanter. Ma belle-mère, Mary Martha, et les sœurs de Jed, Sally et Cissie, étaient belles et toujours élégantes. C'était le genre de femmes qui auraient reçu l'approbation de ma mère. Elles étaient réservées, gloussaient avec délicatesse et cancanaient allégrement. Une ou deux fois, j'ai fait allusion à mes visites à l'hôpital avec mon père. Elles m'ont aussitôt suppliée de me taire. " Oh, Grace, mère ne s'en remettra jamais si elle t'entend parler de ces horreurs ! " De fait, les rares fois où elle m'a entendue, elle s'est éventée énergiquement et a demandé à un des esclaves de lui apporter un verre de porto pour lui calmer les nerfs !

« ... C'était un monde très différent de celui dans lequel j'avais grandi, Morgan. Mais j'aimais tant Jed que rien d'autre n'avait d'importance. Puis, soudain, il s'est enrôlé dans le régiment d'Israël Fellowes pour aller au combat. Cela ne faisait pas deux semaines que nous étions à Memphis. Il y régnait alors une grande ferveur patriotique. Tous les jeunes hommes voulaient aller se battre pour défendre la Confédération et leurs terres. Un grand nombre des riches planteurs du Sud montaient leurs propres régiments privés, qu'ils équipaient entièrement et entraînaient. Celui de Jed s'appelait les « partisans de Fellowes », et tous mouraient d'impatience à l'idée de se rendre sur le champ de bataille. Pour ce qui est de mourir, ils ont été servis. Jed fut parmi les premiers... Mais bien sûr, ça, c'était beaucoup plus tard.

« ... Le général Grant remonta le cours du Tennessee et, le 6 février 1862, il n'était plus qu'à six kilomètres de Fort Henry, c'est-à-dire à deux pas de chez nous. Naturellement, le régiment de Jed s'est précipité pour se joindre aux forces du général A.S. Johnston et défendre le fort.

« ... Je suis restée à la maison avec les femmes : ma belle-mère, mes deux belles-sœurs – qui à elles trois n'avaient pas l'intelligence d'une poule – et les esclaves. J'étais sur les nerfs, ne supportant pas de rester oisive. Dans ma belle-famille, contrairement à la mienne, avoir de l'instruction et un esprit aiguisé était considéré comme une excentricité qu'il valait mieux cacher aux yeux du monde. On me donnait des coups de pied sous la table pendant les dîners dès que j'avançais une opinion personnelle, puis on s'exclamait que les femmes des Etats du Nord étaient vraiment originales. Jed parti, je n'avais plus personne à qui parler, personne pour me serrer dans ses bras, me regarder dans les yeux et me dire que j'étais le monde entier à moi toute seule... Personne pour m'aimer, ni à aimer.

« ... Je n'avais rien d'autre à faire que prendre le thé avec d'autres commères, me faire confectionner des robes, organiser des goûters. Nous épluchions tous les journaux pour avoir des nouvelles de la guerre. Je fus donc au courant lorsque nos troupes se retirèrent de Fort Henry, le laissant sans défense.

« ... Au cours des dix jours qui suivirent, les forces rebelles ne firent rien pour arrêter l'avancée de Grant. De fait, elles décidèrent d'abandonner également Fort Donelson. Tous les hauts gradés s'enfuirent par bateau pendant la nuit, laissant le général Buckner avec onze mille cinq cents soldats. Buckner demanda à Grant quelles étaient ses exigences et, à sa grande surprise, puisque Grant et lui avaient été bons amis à West Point, Grant répondit qu'il n'en avait aucune, hormis une " reddition inconditionnelle et immédiate ". A la consternation de tous, Buckner accepta, et Grant reçut ainsi onze mille cinq cents prisonniers, quarante canons et, plus important encore, des vivres. Il était horriblement difficile alors d'approvisionner les troupes en marche ; même nous autres, cloîtrées que nous étions dans une grande demeure de Memphis, savions cela !

« ... Tu peux imaginer ma joie et mon soulagement quand j'ai enfin reçu une lettre de Jed, qui se trouvait à Murfreesboro. Je la connais encore par cœur. " *Ma chère épouse. Je t'écris en regrettant de ne pas avoir de meilleures nouvelles à t'offrir. Nous nous trouvons sous le commandement du général Johnston, espérant pouvoir nous joindre aux forces de Beauregard à Corinth d'ici un ou deux jours. Nous sommes très déçus par la reddition et l'abandon de deux de nos forts. J'aimerais parfois comprendre ce qui se passe dans la tête des généraux, mais tel n'est pas mon destin et il faudrait déjà que j'en rencontre un... "* J'ai lu cette partie à voix haute pour les autres puis, après avoir parcouru rapidement ce qui suivait, j'ai marmonné que le reste était d'une nature plus personnelle, ce qui a fait glousser mes belles-sœurs tandis que ma belle-mère s'éventait de plus belle.

« ... A présent que nous savions où se trouvaient les partisans de Fellowes, nous nous jetions sur le journal tous les jours. Nous lisions les informations à voix haute et suivions les événements sur une grande carte du Tennessee que nous avait achetée le père de Jed. Lorsque Grant envoya six divisions à Shiloh, les hommes de Johnston, dont mon Jed, marchèrent sur les forces de l'Union. Je traçais sa route au crayon et priais pour mon mari...

– Je ne t'ennuie pas trop avec mon histoire, Morgan ? s'interrompit soudain Grace.

Elle avait oublié à quel point elle se souvenait de tout. A présent, les souvenirs affluaient.

– Non, non ! Papa me racontait lui aussi des histoires, sauf que pour lui il s'agissait de sales rebelles, bien sûr. Oh, pardon ! Je voulais seulement dire que c'est intéressant d'entendre la version de la partie adverse. Le plus bizarre, c'est que vos deux histoires se ressemblent beaucoup.

– Qu'est-ce que tu veux ! Quand tu es trempé, que tu as froid et faim, et que tu crains pour ta vie à chaque instant, peu importe de quel côté tu te trouves. C'est la même chose. Enfin, toujours est-il que, le 7 avril, les forces de l'Union passèrent à l'attaque. Leurs troupes étaient toutes fraîches. A quatre heures de l'après-midi, les hommes de Johnston battirent en retraite, ce qui était une très mauvaise nouvelle pour nous, les femmes, qui attendions à la maison. Le même jour, une île sur le Mississippi fut prise par les forces de l'Union. Cela signifiait que la voie vers Memphis par le fleuve était ouverte. Tu ne peux pas imaginer les cris et les lamentations qui ont retenti dans la maison Chapman ce soir-là...

« ... Quant à moi, je n'en pouvais plus. J'avais lu que, dans le Nord, des femmes quittaient leur foyer et même leurs enfants, quand elles en avaient, pour aller soigner les soldats blessés et malades. Mais pas à Memphis ! Pas chez nous ! Chez nous, tout n'était que panique et hystérie. " O Seigneur ! Que va-t-il advenir de nous ? Qu'allons-nous devenir ? " beuglait ma belle-mère. Ce à quoi mon beau-père répondait en marmonnant : " Allons, allons, ma chère, allons ! " C'était alors au tour de mes belles-sœurs d'enchaîner : " Nous allons êtres violées, voilà ce qui va nous arriver, mère ! Ils vont nous tuer. Les hommes du général Grant vont défoncer la porte et nous abattre, puis voler tout ce qu'il y a dans la maison. Tu sais comment sont les Yankees ! Oh, pas toi, Grace ! "

Ce souvenir la fit rire.

– Suivait alors la litanie des hurlements : " Mon argenterie ! Mes bijoux ! Mon trousseau ! " Ça, c'était Cissie, qui projetait de

125

se marier avec Abel Carter dès qu'il rentrerait de la guerre. S'il rentrait! Pour ma part, j'étais bien décidée à ne pas rester là à endurer leurs pâmoisons et leurs pleurnicheries.

« ... J'ai longuement réfléchi. Après tout, j'étais une femme du Nord, non? Que faisais-je là à tricoter des chaussettes et à écouter cette bande de dindes hystériques? Mais que pouvais-je faire d'autre? Puis j'ai pris ma décision : j'irais jusqu'à Shiloh retrouver Jed, puis je m'occuperais de panser les soldats blessés. J'en savais autant que la plupart des médecins. Je pouvais être très utile.

« ... Une fois ma décision arrêtée, je n'ai pas perdu de temps. Je suis partie cette même nuit, quand tout le monde était endormi.

– Vous n'avez pas eu peur? demanda Morgan. Une femme, seule, la nuit, en pleine guerre?

Grace réfléchit un instant, l'air amusé.

– A dire vrai, je n'étais pas exactement une femme seule dans la nuit, Morgan. J'ai coupé mes cheveux jusque sous les oreilles comme un garçon. Etant grande, avec une voix assez grave, je pouvais passer pour un adolescent dont la voix n'avait pas encore fini de muer.

– C'était très courageux de votre part! dit Morgan, admirative.

– Sans doute mais, sur le moment, je n'ai pas vraiment pris conscience du danger. Je savais juste que je devais faire quelque chose et je ne voyais pas d'autre solution. J'ai cherché une tenue de cavalier et un chapeau à larges bords dans la garde-robe de Jed. Comme j'avais peu de poitrine, il m'a été facile de l'aplatir avec un linge. Un autre noué autour de la taille tenait mon pantalon. Je me suis regardée dans le miroir, plutôt satisfaite. « Comment allez-vous, jeune homme? » me suis-je dit en imitant de mon mieux l'accent traînant du Sud et en effleurant le bord de mon chapeau. J'étais très contente de moi. J'ai fait un charmant sourire au jeune homme dans le miroir et l'ai baptisé Beau. Il serait le jeune frère de Jed.

« ... Je me suis faufilée dans la maison. Le plancher craquait sous mes semelles et mon cœur battait à se rompre. Personne n'a bronché. Je me suis glissée dans la cuisine et je suis sortie par la porte de service. Heureusement, j'avais attrapé une cape au vol dans l'entrée, car il faisait frais. Chaque nouveau pas dans le noir me rendait un peu plus sûre de moi. Le temps que j'arrive dans l'écurie, j'étais prête pour la grande aventure. En fait, je me sentais vraiment comme un jeune homme. Je me suis choisi un bon cheval, l'ai sellé et suis partie au galop vers Shiloh.

« ... Toutefois, lorsque j'y suis arrivée, j'ai découvert que l'armée de Johnston était déjà partie vers le nord, pour la Virginie. Le champ de bataille de Shiloh était jonché de blessés, d'agonisants et de cadavres. La puanteur était insoutenable. Même mon cheval s'est mis à ruer. J'ai dû l'attacher à un arbre pour pouvoir errer sur le champ de bataille, priant pour ne pas apercevoir le visage de mon aimé, son regard bleu brouillé par la fièvre ou pis encore. J'ai entendu un râle et je me suis arrêtée pour voir si je pouvais faire quelque chose pour ce malheureux. Mais je n'avais rien sur moi, pas même une bouteille d'eau. J'ai entendu des voix et j'ai tendu l'oreille, espérant avoir des nouvelles des hommes de Johnston. Un soldat, trop jeune pour porter une barbe, comme la plupart d'entre eux, gisait, mort, un chiot dans les bras. Deux hommes blessés tentaient de convaincre le petit chien de les suivre, mais ils avaient beau le cajoler, le chiot pleurait, gémissait et retournait sans cesse se blottir dans les bras inertes du mort. J'avais envie de pleurer, mais je ne pouvais pas me le permettre. Si je me laissais aller à mes sentiments, j'étais perdue.

« ... J'ai remarqué trois grandes tentes qui devaient faire office d'hôpital de campagne. Je suis entrée dans la première et j'ai retenu mon souffle. Elle était bondée. L'odeur était atroce et l'air rempli de cris et de gémissements. La plupart des blessés avaient été déposés à même le sol, car les rares lits de camp étaient réservés aux mourants et à ceux qui déliraient. Il faisait sombre mais, après une minute ou deux, j'ai commencé à distinguer deux ou trois femmes portant des turbans, leurs tabliers maculés de boue, de sang et de Dieu sait quoi d'autre.

Elles allaient d'homme en homme, cherchant à savoir ce dont chacun avait besoin. J'ai donc décidé de faire de même, et je me suis promenée sous la tente, examinant chaque patient, croisant les mains dans le dos comme le faisait mon père lors de ses visites, essayant d'avoir l'air d'un médecin habitué des lieux.

« ... En m'approchant de l'un des lits de camp, j'ai vu une femme en train d'envelopper le moignon d'un amputé dans une couverture sale. " Pardon, madame, ai-je dit en prenant ma voix la plus mâle possible. Dans le cas d'une plaie ouverte, il ne faut utiliser que du linge et des bandages propres. " J'étais morte de peur en attendant sa réaction, pensant être démasquée, mais elle a simplement incliné la tête et répondu : " Je suis désolée, docteur, mais nous n'avons pas assez d'eau pour laver le linge. "

« ... J'étais ravie ! Ça marchait ! Aussi, je me suis jetée dans mon rôle avec passion : " Pas assez d'eau ! ai-je dit. Mais nous sommes entourés de rivières et de ruisseaux ! – Nous n'avons aucun récipient pour la faire bouillir, et pas d'esclaves pour les porter. Lorsque nous demandons de l'aide en ville, ils nous crachent dessus. Ils nous prennent toutes pour des traînées qui suivent les soldats. Tout ce que nous pouvons faire, c'est nous assurer que chaque homme reçoit un peu d'eau à boire, un peu d'eau-de-vie et un coin où s'étendre. Depuis le blocus fédéral, nous n'avons plus aucun médicament. Nous faisons ce que nous pouvons mais ce dont nous avons besoin, ce sont des médecins. C'est Dieu qui vous envoie ! – Pas tout à fait, ai-je répondu. Mais je peux vous aider. Où se trouve la ville la plus proche ? "

« ... Elle m'a indiqué le chemin. Je suis remontée sur mon cheval et je suis allée faire du porte-à-porte, ramassant des casseroles et du linge pour les bandages jusqu'à ce que je sois trop chargée pour pouvoir en porter davantage. Les gens de la ville me promirent d'apporter tous les lits de camp sur lesquels ils mettraient la main. Tout en revenant au camp, je me suis dit : " Puisqu'ils m'ont prise pour un médecin, je resterai médecin. " De toute manière, j'en savais déjà plus que beaucoup d'entre eux. Assez pour comprendre que l'amputation que j'avais vue sous la tente avait été très mal faite. Elle était déjà infectée. Je me jurai d'appliquer des compresses chaudes sur le moignon pour essayer d'en extraire le pus mais, à en juger par l'état du malheureux, il était sans doute déjà trop tard. Compte tenu de la crasse régnant sous cette tente, je n'aurais pas été surprise d'apprendre que le chirurgien lui avait coupé le bras avec une hache sale, voire avec l'épée souillée du soldat. Je retrouvais là la même ignorance contre laquelle mon père se battait dans son hôpital. Ce que j'avais vu sous cette tente m'avait fait bouillir de rage. Les hommes tombaient comme des mouches, non pas à cause des combats, mais à cause de mauvais soins, voire de l'absence de soins. Pour ne rien arranger, ce blocus ridicule ne faisait aucune différence entre les médicaments et la contrebande de guerre! C'était monstrueux!

« ... Lorsque je revins sous la tente, je fus accueillie avec chaleur et soulagement par les volontaires épuisées. Il y avait également un chirurgien volontaire, un certain Charles Gillis. Sa présence ébranla tout à coup ma confiance en moi, et j'eus un mal fou à maîtriser ma nervosité en lui répondant. Cependant, il se montra très gentil et me remercia pour tout le matériel que j'avais apporté. "Nous avons besoin de tout ce sur quoi nous pouvons mettre la main, m'expliqua-t-il. Même si je ne suis pas sûr que cela suffise. Beaucoup souffrent d'insolation, de dysenterie, des oreillons, de la diphtérie, de la varicelle... – Mais ce sont des maladies infantiles!" m'écriai-je, sidérée.

« ... Il esquissa un sourire amer. "En effet, répondit-il. Beaucoup de nos petits Sudistes viennent de campagnes isolées dont ils n'étaient jamais sortis jusqu'à la guerre. A présent, toutes ces maladies infantiles contre lesquelles ils ne sont pas immunisés se propagent dans leurs rangs. Cela signifie qu'ils sont incapables de se battre pour un temps, mais au moins ils n'en meurent pas. Ce qui provoque les morts, et il y en a beaucoup trop, ce sont la saleté et les mauvaises conditions d'hygiène. Sans parler des amputations, acheva-t-il avec une grimace. – Tous les chirurgiens veulent amputer, dis-je. C'est comme ça qu'ils ont été formés. – C'est vrai, répondit-il. Je suis chirurgien moi-même. Mais de là à couper un membre parce que c'est plus rapide et facile à soigner qu'une infection! C'est un véritable meurtre. Il n'y a plus personne à qui je puisse donner mon avis à présent, à part vous!"

« ... Il se mit à rire. Il me faisait penser à Jed, pas physiquement, même s'il portait lui aussi des lunettes qui lui adoucissaient le regard, mais par sa bonne humeur communicative. "Au fait, docteur, reprit-il. Je ne sais même pas comment vous vous appelez. – Chapman, répondis-je. Beau Chapman." Je le regardai droit dans les yeux, même si j'étais assez gênée de lui mentir. "Docteur Chapman, vous êtes la réponse à mes prières. Non, ne vous inquiétez pas pour ces garçons, là-bas. Ils s'en remettront, ils n'ont que la rougeole! Quant à ceux-ci, ils ont les pieds en sang pour avoir marché trop longtemps pieds nus. Celui-ci a été piétiné par son propre cheval, effrayé par un coup de canon. Mais en voici un qui m'inquiète bien plus. Il a été atteint à la jambe. Ce n'était pas trop grave, sauf qu'un imbécile a décidé de la lui amputer au lieu d'essayer de retirer la balle. A présent, vous voyez le résultat! L'infection a fait enfler le membre jusqu'à l'aine. Mais... qu'est-ce qui vous prend?"

« ... J'avais laissé échapper un cri malgré moi. Le patient à la jambe amputée n'était autre que mon mari, mon beau Jed. Enfin, il n'était plus si beau. Il était couvert de vermine et puait la charogne. Ses yeux ouverts fixaient le vide. Je ne pouvais rien dire, rien faire sans me trahir. Je voulais me laisser tomber à genoux, prendre mon cher mari dans mes bras et verser toutes les larmes de mon corps. Mais je ne pouvais pas! "Ah! Mon m... frère! m'écriai-je, soulagée que mon esprit bouleversé ait encore quelques réflexes. C'est mon frère Jed!"

« ... Je me sentis enfin libre de pleurer. Même le plus courageux des hommes a le droit de pleurer sur son frère. Je m'agenouillai près de lui en disant : "Docteur Gillis, je vous en prie, faites apporter de l'eau chaude et un linge propre. " Je ne sais combien de temps il fallut à Gillis. Le temps s'était arrêté. Jed essayait de parler, mais seul un râle rauque sortait de sa bouche. " De l'eau-de-vie! réclamai-je. Vite, par ici! " J'humectai ses lèvres d'eau-de-vie et en versai un peu entre ses lèvres, l'observant qui déglutissait avec gratitude. Lorsque Gillis revint avec un linge fumant, je lavai le visage de Jed. Les larmes coulaient le long de mes joues. " Je hais cette guerre! " me mis-je à hurler en tenant la main de Jed.

« ... J'aurais tant voulu que ses yeux se posent sur moi et qu'il sache que je l'avais retrouvé, mais il n'était plus conscient... En m'agenouillant à ses côtés, j'entendis avec horreur sa respiration se faire de plus en plus laborieuse. Il n'arrivait plus à inspirer assez d'air. Je l'ai regardé mourir, sans pouvoir rien faire, sans même pouvoir soulager ses souffrances. Puis je renversai ma tête en arrière et laissai éclater mon chagrin. Personne ne sembla le remarquer, ni trouver ma réaction étrange. Quand je me calmai enfin et que j'eus séché mes larmes, je me rendis compte que le docteur Gillis et un autre chirurgien se tenaient à mes côtés. " Je suis navré... " dit l'autre homme. Puis Gillis m'expliqua : " Nous avons besoin de déplacer votre... frère à l'extérieur. Il y a des blessés qui doivent être mis à l'abri de la pluie. " Ses yeux bruns étaient doux derrière ses lunettes. " Bien sûr ", ai-je dit. Bien sûr, puisque Jed était mort. Mort! Ma vie venait de basculer à jamais.

Morgan observait Grace immobile, fascinée par son récit, le regard humide de sympathie.

– Je ne sais pas où j'en ai puisé la force, poursuivit Grace, mais je me souviens d'avoir aidé à enterrer Jed, puis d'avoir récupéré ses lunettes et sa bible. Je les ai toujours. Quelqu'un avait volé sa montre de gousset et sa bonne paire de bottes en cuir. Je ne désirais plus rien d'autre que quitter ce lieu et rentrer chez moi. Je ne pensais plus à Memphis, je peux te l'assurer! J'étais résolue à tout faire pour rentrer chez mon père et ma mère à Philadelphie, quitte à en mourir.

– Vous faisiez toujours semblant d'être un homme et un médecin?

– Oui, bien sûr. J'ai suivi l'armée de Johnston vers la Virginie, au nord. Quelqu'un m'avait volé ma monture à Shiloh mais, après quelques jours de marche, j'ai trouvé un autre cheval qui broutait dans un pré. J'ai longé les colonnes désordonnées de soldats qui marchaient vers Pittsburg Landing, à l'est. Ils étaient persuadés qu'ils allaient repousser les troupes de l'Union dans le fleuve et emporter la victoire. C'était alors la deuxième semaine d'avril. Peu après, le général Buell arriva avec des troupes fraîches et prit la tête des Sudistes. Lorsqu'ils battirent en retraite vers Corinth, je leur faussai compagnie. Entre-temps, j'avais récupéré de meilleurs vêtements. Sur un mort. Oui, je sais, Morgan, mais tout le monde en faisait autant. J'avais une veste en daim, des culottes en cuir et un chapeau. J'aurais pu venir de n'importe où. Aussi, j'ai cessé d'imiter l'accent du Sud et j'ai traversé la ligne de démarcation de l'Union à la recherche de mon vrai frère : John Thomas Henderson, du cinquième régiment de Pennsylvanie. Je pris un nouveau nom : George Henderson, chirurgien, et me joignis à la première troupe d'unionistes que je croisai.

« ... La Virginie était splendide, Morgan, avec de vastes fermes paisibles, des champs d'orge et de blé qui poussaient comme s'il n'y avait jamais eu de guerre. Fini les marécages, les voies mal tracées et impraticables. Là-bas, les routes étaient en parfait état. L'Union prenait au passage le bétail dont elle avait besoin et le faisait paître avec ses chevaux dans les prés. Nous nous servions directement en fruits et en légumes dans les vergers et les potagers, et ce n'était pas ça qui manquait! De temps à autre, nous montions le camp et envoyions des éclaireurs pour savoir où en était l'armée ennemie. Le reste du temps, nous avancions, laissant derrière nous les malades et les blessés avec des médicaments et des provisions. Je fus souvent tentée de rester en arrière pour m'occuper d'eux, mais je tenais à rentrer chez moi vivante. Aussi, je me contentais de faire ce que je pouvais sur place, puis je reprenais la route.

« ... Tout le long du chemin, il y avait des morts et des moribonds. Toutes sortes de bâtiments étaient réquisitionnés pour accueillir blessés et malades : étables, églises, entrepôts, écoles, tribunaux. Nous travaillions tous dur pour les sauver, mais la plupart mouraient quand même. Au bout d'un moment, il fallait se durcir le cœur ou mourir de chagrin.

« ... En juillet, nous arrivâmes devant un hôpital de campagne à Savage's Station. McClellan y ayant établi son quartier général, l'endroit grouillait de monde et d'activité. Norfolk et Portsmouth – ce sont deux villes de Virginie – étaient tombées sans effusion de sang, et la plus grande partie de la Virginie était à présent sous le contrôle de l'Union.

Grace s'interrompit un instant, revoyant la scène dans sa tête. Cela faisait longtemps, très longtemps, qu'elle ne s'était pas autorisée à évoquer ces souvenirs. Elle les avait refoulés dans un recoin profond de son esprit, là même où elle conservait son amour pour Jed Chapman.

– Savage's Station n'était qu'une petite bicoque. Les blessés et les malades étaient allongés tout autour sous les arbres et dans vingt grandes tentes montées dans le jardin. Le docteur John Swinbume était responsable des soins médicaux. Je me présentai, sous le nom de George Henderson, bien sûr, et lui offris mon aide en tant que chirurgien. « Ravi de vous avoir parmi nous, jeune homme, me répondit-il, même si on avait davantage besoin de vous il y a deux semaines. Nous avons justement des renforts qui arrivent. Le docteur Albert Baunot, de Pennsylvanie, est en route avec un contingent de chirurgiens et d'infirmiers. Vous serez le bienvenu parmi eux, j'en suis sûr. Nous n'avons jamais assez de médecins. » Oh, Morgan, je crus que mon cœur allait s'arrêter! J'avais déjà rencontré le docteur Baunot dans l'hôpital de mon père à Philadelphie. C'était un bon ami à lui. Ils avaient fait leurs études ensemble, et il était venu plusieurs fois dîner chez nous. Allait-il me reconnaître et me renvoyer? Ou, pis encore, me dénoncer et faire de moi la risée de tous? De toute manière, je ne pouvais plus reculer. Alors je répondis que je serais ravie de rencontrer le docteur Baunot et demandai ce que je pouvais faire en l'attendant. La réponse était simple : tout.

« ... J'ai travaillé dur, Morgan ! Et pas seulement à soigner les malades. Tout le monde mettait la main à la pâte. Il fallait faire la lessive, creuser des tombes, nourrir les bêtes, soigner les blessés et prononcer les oraisons funèbres. Comme nous avions peu de médicaments, nous utilisions des remèdes de grand-mère. De l'écorce de cornouiller contre la fièvre, de l'écorce de styrax bouillie dans du lait contre la dysenterie, de l'écorce de houx à mâcher contre la toux...

« ... A Savage's Station, j'ai rencontré la célèbre Mme John Harris, qui soignait, écrivait des lettres et faisait tout un tas de choses formidables pour les soldats malades ou agonisants. Ils l'adoraient et personne n'aurait jamais osé la traiter de " femme à soldats " !

– Mais le docteur Baunot ? s'impatienta Morgan. Que s'est-il passé à son arrivée ?

– Il a débarqué un beau jour avec sa troupe d'infirmiers, d'assistants, et ses carrioles de provisions, et n'a pas eu une seule minute à me consacrer. Une fois, j'ai bien cru que j'étais cuite ! J'étais occupée à recoudre l'épaule d'un soldat. Je lui avais extirpé plusieurs balles et avais soigneusement nettoyé la plaie. J'étais en train de le bander quand le docteur Baunot est arrivé par-derrière. Il s'est arrêté pour me regarder faire. Ensuite, il s'est éloigné de quelques mètres, puis est revenu sur ses pas. Je me suis dit : " Ça y est ! "

« ... Il m'a dévisagée attentivement. Je sentais une sueur froide me couler dans le dos. Toutefois, je l'ai regardé droit dans les yeux. J'étais persuadée qu'il allait pointer un doigt accusateur vers moi et hurler que j'étais un imposteur ou, pis, une femme travestie. Il m'a regardée longuement, puis a secoué la tête comme s'il pensait : " Non, ce doit être mon imagination. " Il m'a dit : " Pardonnez-moi. Poursuivez votre tâche, docteur. Au fait, beau travail ! " Puis il est parti. Après ça, j'ai compris que je n'avais plus rien à craindre. Personne ne me démasquerait. J'avais envie d'éclater de rire, mais je ne pouvais me le permettre. Toutefois, j'avais eu un peu trop chaud et, quelques jours plus tard, je quittai le camp, déclarant que je devais retrouver mon frère.

134

« ... Mais il s'était passé quelque chose d'important en moi, Morgan. J'avais grandi. Il n'y a rien de tel qu'une guerre pour vous dépouiller à jamais de votre innocence. Plus important encore, je savais que je devais m'inscrire à l'école de médecine dès mon retour. Je voulais être médecin, un vrai médecin, parce que j'étais née pour ça.

– Oh, docteur Grace, s'exclama Morgan, les yeux brillants, vous croyez que moi aussi je pourrai devenir médecin un jour?

– Bien sûr! Je ne vois pas ce qui t'en empêcherait. Tu as d'excellentes prédispositions. Je dirais même que tu as un don.

– Vraiment? Vous n'imaginez pas ce que ça me fait de vous l'entendre dire, docteur. Vous, tout particulièrement! Attendez un peu que je le dise à Silas!

– Je suis sûre qu'il sera ravi que tu lui parles de tes rêves! dit Grace avec une pointe d'ironie.

Elle ajouta intérieurement : *J'espère que tu lui diras aussi ce que tu fais toutes les nuits avant que tu ne t'attires de sales histoires.*

Morgan était une enfant secrète, mais il n'était pas nécessaire d'être un génie pour deviner que cette fille, qui avait grandi dans un monde de chamans, de sorcières et d'esprits, ne sortait pas la nuit uniquement pour prendre l'air et admirer les constellations. Non, elle faisait de la magie, Grace en était persuadée. Mais quel genre de magie? Là était la question.

9

Août 1883

– Papa est en train de mourir, annonça Silas.

– De mourir?

La gorge de Morgan se noua, mais elle parvint à garder une voix calme.

– Mais... je croyais... tu m'avais dit que ce n'était qu'une simple fièvre!

– Ça va de mal en pis. Tu te souviens qu'il ne pouvait plus remuer les jambes? A présent... on l'entend parfois qui cesse de respirer et on se dit : «C'est fini!» Puis il fait un bruit bizarre, et sa poitrine se soulève à nouveau. C'est effrayant à voir.

Morgan faisait de son mieux pour paraître attentive, mais elle n'écoutait plus. Ça avait marché! Elle avait réussi! Sauf qu'à présent elle n'était plus aussi fière. Réciter des incantations pour jeter un sort était une chose. Apprendre que M. Grisham était paralysé et ne pouvait pratiquement plus respirer en était une autre, d'autant plus quand on en était responsable.

Elle avait su avant même de retrouver Silas ce soir-là que son père était au plus mal. Le docteur Grace se rendait deux fois par jour chez les Grisham pour voir si elle pouvait faire quelque chose pour Jered. Parfois, elle emmenait Morgan.

Ce matin-là, elle avait demandé :

– Tu n'aurais pas quelque potion magique dans ton sac de remèdes, par hasard? Je ne sais plus quoi faire.

Elle avait utilisé le mot «magique». Cela avait donné la chair de poule à Morgan. C'était terrible de devoir garder un tel secret. Elle avait vraiment envie de demander de l'aide au docteur Grace, mais elle n'osait pas. Maman l'avait mise en garde. « Ne t'avise pas d'utiliser des sorts si tu ne sais pas parfaitement les maîtriser ! » *Mais pourquoi me suis-je crue si maligne !* se lamenta-t-elle intérieurement. Elle en avait tant voulu à M. Grisham ! A présent, qu'avait-elle fait ? Elle ne savait même pas comment annuler le sort. Si seulement elle pouvait remonter le temps jusqu'au jour où elle avait volé cette chemise !

Mais on ne pouvait pas faire marche arrière. Il fallait qu'elle se creuse la tête et cherche dans ses souvenirs quelque chose qui pût inverser le sort qu'elle avait jeté. Elle réfléchirait dès qu'elle serait de retour à la maison. Pour le moment, c'était une superbe soirée. Le ciel commençait tout juste à virer au bleu sombre. Une étoile pâle brillait déjà dans le ciel. Et puis elle était en compagnie de Silas, ce qui était un bonheur suprême. Chaque instant passé avec lui était des plus précieux. Le pré dans lequel ils marchaient sentait bon les fleurs et la terre. Chaque être vivant était gorgé de vie. C'était la partie de l'été qu'elle préférait, juste avant le temps changeant de la fin août, avec sa chaleur moite qui se déposait comme une couverture sur toute la campagne. Silas lui tenait la main et, toutes les deux ou trois secondes, se tournait vers elle avec un sourire. Elle savait ainsi qu'il avait cessé de penser à son père, lui aussi.

Elle le désirait tant que son corps tout entier était embrasé. Elle trépignait d'impatience. Elle aurait voulu courir, courir, courir vers leur cachette, en jetant ses vêtements n'importe où. Mais Silas aimait cette attente. Il disait que cela faisait monter le plaisir. Aussi, ils marchaient nonchalamment, s'arrêtant pour caresser un cheval, cueillir un bouquet de fleurs, admirer un couple de cardinaux donnant la becquée à leurs petits. L'anticipation rendait Morgan fiévreuse. Ils se dirigèrent vers un taillis de trembles puis, juste derrière, vers la mare. C'était là leur coin à eux, où ils étaient sûrs d'être tranquilles. La mare étant petite et remplie de tortues, personne ne venait y pêcher

et les enfants ne s'y baignaient jamais. Ils n'y avaient jamais
rencontré quiconque, ni aperçu le moindre signe du passage
de quelqu'un. La première fois, ils avaient fait l'amour dans les
hautes herbes qui bordaient la mare. Mais ils y étaient revenus
si souvent que toute la partie au bord de l'eau où ils aimaient
s'allonger était aplatie. Heureusement, il restait des endroits où
l'herbe était encore assez haute, à l'écart des berges et à l'abri
du regard des promeneurs éventuels.

Silas paraissait calme et serein mais, dès qu'ils atteignirent
leur petit coin à eux et que plus personne ne pouvait les voir, il
se métamorphosa. Il l'attira à lui et l'embrassa voracement, for-
çant sa langue entre ses lèvres, la serrant si fort qu'elle pouvait
sentir son excitation. Il retroussa ses jupes, déboutonna son
pantalon, le souffle court entrecoupé de petits grognements de
plaisir. Il la déshabilla hâtivement et caressa sa peau nue, le
regard embué de désir, puis il ôta ses propres vêtements pour
qu'elle puisse toucher la sienne. S'embrassant, se serrant l'un
contre l'autre, ils tombèrent à genoux. Puis il la coucha sur le
dos. Elle poussa un cri et lui agrippa les fesses, l'attirant à elle.
Elle était tellement emportée par le tourbillon de ses sensations qu'elle ne savait même plus à qui appartenait la bouche
qui l'embrassait. Elle savait juste qu'elle le désirait, maintenant! Elle n'avait plus la moindre gêne, même quand elle
s'entendit crier : « Plus fort, plus fort ! » Même quand elle
s'entendit le supplier : « Encore ! Encore ! » Elle sentit Silas se
raidir, puis aller et venir de plus en plus vite. Une minute plus
tard, il explosa en elle en criant, puis s'effondra, haletant et
souriant.

Avant Silas, peu d'hommes s'étaient intéressés à elle. Peut-
être était-ce aussi bien ainsi. Car à présent elle était disponible,
sans alliance au doigt, ni même la promesse d'une bague, perdant la tête dès l'instant où Silas posait une main sur elle,
ouvrant la bouche pour recevoir ses baisers comme un oiseau
affamé, une fièvre brûlante montant entre ses cuisses.
Comment se faisait-il qu'elle aime autant ça, au point d'en
rêver la nuit, au point de ne plus pouvoir penser à rien d'autre
de la journée?

Elle se disait qu'elle aimait Silas. Se pouvait-il que ce ne soit qu'un feu de paille? Naturellement, Silas ne l'aimait peut-être pas vraiment. Dès leur premier baiser, il avait voulu la posséder. Il aurait dit n'importe quoi, fait n'importe quoi pour ça. Elle en était consciente. Mais elle? Etait-elle condamnable ou non?

Aujourd'hui, Silas était particulièrement affectueux, l'embrassant sur la gorge, sur les lèvres, sur le bout du nez, lui murmurant à quel point elle était douce, jolie, merveilleuse. Comment pouvait-elle songer un instant qu'elle avait tort de l'aimer?

– Silas, hésita-t-elle, je crois qu'il serait temps que tu viennes me voir au grand jour. Personne ne sait qu'on est... amis.

– C'est que... je ne sais pas, Morgan. Peut-être qu'on ne devrait pas trop presser les choses.

– Qu'est-ce que ça veut dire?

Il détourna le regard et s'écarta, faisant mine d'avoir une crampe et de devoir étirer sa jambe.

– Alors? insista Morgan.

– C'est que... papa est toujours sur mon dos pour que je fasse mes études et tout ça...

– Il n'y a aucun mal à ça.

Au bout d'un moment, elle ajouta :

– Tu ne me dis pas tout.

– Eh bien... Bon sang, Morgan, ne me regarde pas comme ça! Ce n'est pas moi qui dis que tu es une sang-mêlé et que personne ne sait d'où tu viens!

Morgan sentit un courant glacial l'envahir.

– Le docteur Grace sait d'où je viens.

– Oui, je sais que c'est idiot mais, en même temps... tu ne peux pas le lui reprocher. C'est mon père et je suis son fils unique. On ne peut pas lui reprocher de vouloir que je me trouve une fille riche qui pourra m'offrir un bon cabinet d'avocat, où je pourrai m'asseoir derrière un grand bureau en acajou et porter un col blanc et une cravate, sans avoir à faire des courbettes et à lécher les bottes du premier venu avec trois sous en poche. Oh, Morgan, pardonne-moi d'avoir dit ça! Ne te détourne pas de moi. Je ne fais que te répéter ce que dit mon père. Tu sais que je ne pense pas comme lui, mon amour.

Il se pencha sur elle et l'embrassa tendrement, mais elle était encore sous le choc de ce mot : sang-mêlé. Il lui restait en travers de la gorge. Qu'en était-il de sa haine de son père? Pourquoi se mettait-il soudain à citer cet homme qui battait sa femme et le maltraitait?

– Pardonne-moi d'avoir dit « sang-mêlé », chuchota-t-il. C'est un terme de papa, je le déteste.

Il lui mordilla le lobe de l'oreille, l'attirant à lui, caressant son dos et ses cuisses, lui disant qu'elle était belle, que sa peau était douce, que ses lèvres étaient tendres. Elle se laissa aller. Il était si bon d'oublier tout le reste et de ne sentir que leurs deux corps fusionnant...

Le temps qu'ils se soient à nouveau épuisés, elle lui avait presque pardonné. Elle se demanda tout de même combien de gens en ville la traitaient de « sang-mêlé ». Cela ne s'arrête-rait-il donc jamais?

– Morgan?

– Hum?

– Tu m'aimes, n'est-ce pas?

– Bien sûr que je t'aime! Sinon je ne serais pas ici... comme ça.

– J'ai... Il faut que je te dise quelque chose. Tu promets de ne jamais le répéter? Tu le jures?

Elle hocha la tête. Ils se redressèrent, enfilant leurs vête-ments. Discuter sérieusement nécessitait d'être habillé.

– Morgan, je ne suis pas vraiment triste que mon père soit en train de mourir. Bien sûr, je suis désolé qu'il souffre autant. Le docteur Grace a dit à maman qu'il étouffait lentement. Ça doit être horrible. Mais il n'a jamais eu un mot gentil pour moi, et tu sais comment il traite ma mère. A mon avis, s'il a été frappé, c'est la volonté de Dieu. Et, si Dieu veut qu'il meure, je n'ai pas de raison d'être triste.

Elle était justement en train de penser à la même chose et fut si heureuse qu'il en ait parlé que les mots lui échappèrent...

– Non, ce n'est pas la volonté de Dieu, Silas.

– Qu'est-ce que tu veux dire?

Devait-elle aller jusqu'au bout? Il venait de lui faire un aveu. Il avait confiance en elle. Elle devait lui accorder sa confiance à son tour. C'était ça, l'amour : une question de confiance.

– C'est moi, déclara-t-elle.

– Comment ça, « toi »? Qu'est-ce que tu racontes?

– Un jour, j'étais avec ta mère, quand il a fait irruption dans la maison. J'ai vu à quel point elle avait peur de lui, comment il l'obligeait à se montrer servile et le regard cruel qu'il posait sur elle. Même un loup ne regarde pas sa proie de cette façon, Silas. Dans ma famille, on a notre propre manière de traiter ce genre d'homme.

Il serra sa main, qu'il tenait dans la sienne, écarquillant les yeux.

– J'ai pris une de ses chemises qui pendait dans la cour et je l'ai emportée au cimetière. Je l'ai déchirée en six morceaux que j'ai enterrés séparément. Puis j'ai fait brûler du tabac, du tabac indien, tu sais, c'est le seul qui marche bien, et j'ai récité plusieurs formules, juste pour être sûre.

Elle ne savait pas trop à quoi s'attendre, mais certainement pas à être hissée brutalement sur ses pieds.

– Finis de te rhabiller, ordonna-t-il d'une voix sèche. Je veux que tu m'y emmènes.

Le ton de sa voix l'inquiéta.

– Silas?

– Dépêche-toi! Il fera nuit d'ici quelques minutes et je veux voir l'endroit où tu as fait ta magie indienne!

Ils coururent vers le vieux cimetière, traversant avec fracas un bois de sapins. Il faisait presque nuit lorsqu'ils arrivèrent. Elle sentait que Silas était effrayé. Quelle drôle de religion que le christianisme, où les croyants avaient peur de leurs propres parents morts! Ils durent marcher courbés en deux pour retrouver les traces noires des petits foyers où elle avait brûlé le tabac. Elle ne distinguait plus les traits de Silas et ne pouvait savoir ce qu'il ressentait. En dépit de l'obscurité, elle savait exactement où elle avait enfoui les morceaux de chemise et déterra rapidement une manche.

– Lorsque j'ai dit à ta mère que je pouvais l'aider, tu aurais vu son visage ! Il était plein d'espoir !

– Menteuse ! cracha-t-il.

Il avait approché son visage si près du sien qu'elle sentit une pluie de postillons sur son front.

– Mais je ne mens pas, je t'assure !

– Si, cette fois, tu mens ! Tu vas effacer ce maudit sort tout de suite ! Enlève-le ! Enlève-le !

Il lui attrapa les épaules et la secoua comme un prunier.

– Ce que tu as fait est païen ! C'est contre l'Eglise, contre Jésus... contre Dieu ! C'est... du satanisme !

– Satan ! Satan n'a rien à voir avec ma religion !

– Parce que tu appelles ça une religion ! Ce n'est qu'un ramassis de rites de sauvages ! Papa a raison quand il dit que vous autres les Indiens vous n'êtes que des bêtes !

Morgan voulut lui prendre la main, mais il la repoussa. Elle tenta de le convaincre, lui rappelant qu'il lui avait dit lui-même qu'il haïssait son père, qu'il voulait sauver sa mère. Tout en parlant, elle se mit à pleurer.

– Ton père bat ta mère, Silas. Il l'a poussée dans l'escalier de la cave. Il l'a projetée contre le mur. Il lui a cassé un bras et une jambe. Si j'ai fait ça, c'était pour aider ta mère !

– Annule ce sort que tu lui as jeté ! Annule-le tout de suite !

Il lui faisait si peur qu'elle n'arrivait plus à penser. Il était hors de lui. Elle n'aurait jamais dû le lui dire. Sans cesser de sangloter, elle balbutia :

– Je... je ne sais pas comment enlever un sort, Silas. J'ai seulement appris à en jeter. Mais je vais...

Le coup surgit des ténèbres, l'atteignant en plein visage et la projetant en arrière. Elle trébucha contre une pierre et tomba à la renverse. Elle sentit la chaleur de son corps tandis qu'il se penchait sur elle, haletant de rage. Elle se recroquevilla, se protégeant le visage des bras, mais il n'y eut pas de second coup. Il s'écarta.

Elle se releva. Tout un côté de son visage la brûlait, et ses oreilles bourdonnaient étrangement. Elle n'arrivait pas à croire ce qu'il venait de faire. Le doux et gentil Silas qui voulait étudier la botanique. *Il est exactement comme son père!* Morgan recula prudemment. A présent, elle pouvait le voir, formant une silhouette noire sur le fond sombre de la nuit.

– Je m'en vais, annonça-t-elle en prenant la voix autoritaire de sa mère. Je rentre chez moi et tu ferais mieux de ne pas me suivre, Silas Grisham. N'oublie pas que je connais des sorts et des formules magiques. Dorénavant, garde tes distances.

Elle tourna les talons et sortit du cimetière. Son cœur battait à se rompre. Elle marchait lentement, guettant les bruits de pas derrière elle. Soudain, il se mit à courir et ses bras se refermèrent sur elle, la serrant. Elle poussa un cri, puis se rendit compte qu'il tremblait et que ses bras n'essayaient pas de la retenir. Il s'accrochait à elle en pleurant. Elle sentait ses larmes dans son cou. Elle parvint à se dégager de son étreinte désespérée et à se retourner.

– Pardonne-moi, pardonne-moi, sanglota-t-il. Je ne sais pas ce qui m'a pris. Je suis désolé. Je t'aime, je t'aime. Ne me quitte pas. Je t'en prie, ne me quitte pas. Je ne le ferai plus jamais, je te le promets.

Elle était soulagée et heureuse. Elle avança ses lèvres, et il les prit avec frénésie, les suçant et les mordillant. Il tira sur ses vêtements. Ils se laissèrent tomber à genoux. *Il m'aime*, pensa Morgan. *Ce n'était qu'un instant de folie, rien de plus.*

Il l'aimait, et rien d'autre n'avait d'importance.

10

Avril 1884

C'était une Péquot... Elle était belle, très grande avec la peau
mate, sa robe en daim d'un blanc éblouissant, tout comme le
grand oiseau perché sur sa tête. Elle en avait après Morgan.
Mais pourquoi ? se demanda Morgan. *Qu'est-ce que j'ai fait
pour qu'elle fonce sur moi avec une telle détermination ?* Morgan essaya de marcher à reculons, mais elle ne savait plus...
C'était étrange. Lorsqu'elle se tourna pour prendre ses jambes
à son cou, elle découvrit qu'elle ne savait plus courir non plus.
Elle resta clouée sur place, regardant la femme qui avançait
droit vers elle, manifestement très en colère.

Morgan se réveilla en sursaut, le cœur battant, la transpiration ruisselant entre ses omoplates et sous ses seins. Ce n'était
pas la première fois qu'elle rêvait de l'Indienne et de son
oiseau blanc. Elle l'avait reconnue : c'était son ancêtre, Bird.
Ce ne pouvait être qu'elle. Qui d'autre ? Depuis la mort de
Jered Grisham, l'été précédent, Bird lui était souvent apparue
en rêve. Elle était porteuse d'un message, et Morgan pensait
savoir ce qu'il signifiait : « Tu as abusé de la magie de tes
ancêtres, celle que tu as reçue à ta naissance. »

Morgan ouvrit les yeux. L'espace d'un instant, elle se
demanda où elle était. Le soleil matinal ne brillait pas par la
fenêtre de sa chambre. Elle n'était pas dans sa chambre à
l'étage, mais lovée en chien de fusil dans le fauteuil à bascule
du petit salon. Il faisait encore nuit. Elle était seule dans la maison depuis deux jours. Le docteur Grace était à Boston pour la
semaine, séjournant chez un de ses amis médecins qui voulait

lui faire visiter sa nouvelle unité chirurgicale et l'emmener à plusieurs conférences sur des sujets divers.

En son absence, Morgan était chargée de s'occuper des patients, rôle dont elle n'était pas peu fière. Mais c'était épuisant. Elle s'était assise dans le fauteuil pour une minute afin de reprendre son souffle après le départ du dernier patient de l'après-midi. Elle avait dû s'endormir aussitôt.

Lorsque les rêves avaient commencé, Morgan avait promis à Bird d'une voix très forte qu'elle n'aurait plus jamais recours à la sorcellerie. Pourtant, son ancêtre continuait de lui apparaître depuis presque un an. Que voulait-elle d'autre? Morgan était prête à tout pour la renvoyer dans le monde des esprits. Mais que faire? Elle ne pouvait tout de même pas ressusciter Jered Grisham!

Elle n'aimait pas se souvenir de la façon dont celui-ci était mort. Cela avait été horrible. Le malheureux avait d'abord été incapable de déglutir, puis de respirer. Elle avait tout vu, accompagnant le docteur Grace à son chevet tous les jours. Elle l'avait observé qui luttait pour inspirer quelques bouffées d'air. Elle avait vu ses yeux exorbités par la peur et la douleur, et senti ses propres entrailles se liquéfier de terreur. Elle avait eu beau se répéter qu'il avait mérité de souffrir, le fait d'être responsable d'une agonie si lente et si pénible, même celle d'un homme aussi mauvais que lui... non, elle ne tenterait plus jamais une telle chose!

Le fait que le docteur Grace pense qu'il s'agissait d'une maladie parfaitement naturelle ne la soulageait en rien. « C'est plutôt rare, avec cette maladie, mais cela arrive, avait déclaré le médecin. Il n'y a pas grand-chose à faire, sinon prier. Ça ne change rien, mais ça ne peut pas faire de mal. »

Le docteur Grace essaya de remonter dans le temps, tentant d'établir un lien entre l'épidémie de fièvre qui s'était abattue sur Chester, affectant surtout les enfants, et le moment où Jered Grisham avait commencé à se plaindre de douleurs. « C'était avant ou après le pique-nique organisé par la paroisse? » demanda-t-elle à Morgan.

Morgan savait que c'était après, car, lors du pique-nique à Waterhouse Pound, Silas et elle s'étaient éclipsés dans un coin reculé des bois et avaient failli se laisser surprendre par un groupe de gamins en pleine chasse au trésor. « Après le pique-nique », répondit-elle. « Ah, très intéressant ! » dit le docteur Grace sans toutefois expliquer pourquoi.

Morgan croyait que Silas lui serait reconnaissant de les avoir libérés, sa mère et lui, de la terrible tyrannie de Jered Grisham. Enfin, « reconnaissant » n'était peut-être pas le mot juste... Mais ces derniers temps il se montrait étrange et distant. Elle savait qu'il était amer. Il avait dû cesser d'étudier le droit et reprendre la forge afin que sa mère ne meure pas de faim. Il lui en voulait pour cela aussi.

Mais ces événements n'avaient pas mis un terme à leurs escapades dans les bois. A dire vrai, il semblait plus que jamais rechercher leurs rencontres. Il débarquait souvent en plein milieu de journée, laissant un employé garder la forge, et la suppliait de le suivre. « Silas, tu ne vois donc pas qu'il y a des patients ! – On n'a qu'à traverser la route pour aller dans l'écurie, insistait-il. Il n'y en a pas pour longtemps. »

Elle céda une fois, prétextant des crampes d'estomac pour s'absenter, mais elle eut ensuite tellement honte d'avoir menti au docteur Grace que, la fois suivante, elle tint bon : « Non, Silas. Et ne me demande plus jamais ça, car je refuserai. Un point, c'est tout. Pas quand il y a des patients qui attendent. »

Elle ne comprenait pas comment il pouvait à la fois avoir envie d'être tout le temps avec elle, puis lui tourner le dos ou lui envoyer des regards mauvais. Elle n'arrivait pas à aborder avec lui le sujet de son père. Elle aurait voulu qu'il la comprenne. Mais ses traits se durcissaient et il prenait un air hargneux. Aussi, elle ne régla jamais cette question avec lui, même si elle y pensait sans cesse... et en rêvait. Elle ne pouvait s'empêcher de se demander si Silas avait parlé du sort à sa mère. Amelia se montrait polie avec elle, mais n'était plus chaleureuse comme autrefois.

Morgan tomba enceinte. Naturellement, elle savait ce qu'il fallait faire. Silas fut furieux quand elle lui annonça qu'elle attendait un enfant et parut soulagé quand elle lui apprit qu'elle s'en était débarrassée. Lui qui disait toujours qu'on ne devait jamais refuser ce que Dieu offrait ! Elle aurait aimé en parler à sa mère. Annis Wellburn aurait compris tout de suite ce qui se passait : elle n'avait pas sa pareille pour voir ce qui se cachait derrière les réactions des gens. Mais sa mère n'était pas là, et Morgan ne comptait pas retourner à la cabane dans les collines. Elle savait simplement que la réaction de Silas ne lui plaisait pas. Pas du tout. Si elle s'était écoutée, elle se serait entendue dire : *Débarrasse-toi de lui. Il ne t'apportera rien de bon.* Elle en était consciente. Mais il était si bon de se sentir une jeune fille comme les autres, courtisée par un jeune homme... Après avoir été une paria pendant tant d'années, elle n'était pas encore prête à abandonner la sensation d'être désirée. En outre, même si cela la mortifiait, elle aimait ce qu'ils faisaient dans les bois tout autant que lui. Dès qu'elle l'apercevait, elle était prête. « On dirait que tu es tout le temps en chaleur, disait-il en riant. En tout cas, ce n'est pas moi qui m'en plaindrais ! Pas quand j'ai trouvé le paradis sur terre ! »

Seigneur ! Il n'allait pas tarder à revenir et à gratter à la porte de service. La veille, elle avait pratiquement dû le pousser hors de son lit juste avant l'aube. On aurait dit qu'il cherchait à se faire prendre. Si quelqu'un les surprenait, ce serait elle que l'on montrerait du doigt et que l'on vilipenderait, pas Silas Grisham. Elle se promit que, s'il ne se montrait pas plus prudent, elle ne le laisserait plus entrer. Mais elle savait que ce n'étaient que des vœux pieux. Elle aurait été bien incapable de se refuser à lui.

Juste avant de partir pour Boston, Grace lui avait expliqué qu'elle aimerait qu'elle reste avec elle au cabinet et devienne son associée. Elle lui avait dit qu'elle l'enverrait à la faculté de médecine pour apprendre ce dont elle avait besoin. Morgan était aux anges. Devenir l'associée du docteur Grace ! Elle avait compté annoncer la nouvelle à Silas dès qu'elle le verrait. Une fois médecin, elle gagnerait assez d'argent pour lui acheter une bonne affaire. Il détestait la forge, le travail manuel, la chaleur et la crasse. Il serait ravi d'apprendre qu'il serait bientôt libre. Mais, avec le docteur Grace partie et la maison tout à eux, il n'avait eu qu'une seule chose en tête et ce n'était pas la conversation. Aussi, il ne savait toujours pas.

Elle mangea le ragoût que lui avait préparé Mme Wainwright et se coupait une tranche de génoise quand on frappa bruyamment à la porte. Ce n'était pas le petit grattement habituel de Silas. Otis Marshall se tenait sur le perron, l'air très soucieux.

– Le moment est arrivé, mademoiselle Morgan. Eleanor m'a demandé de venir vous prévenir au plus vite.

Morgan courut chercher sa sacoche, se lava les mains et saisit au vol un châle en laine. Le boghei attendait devant la maison. Elle grimpa dans la voiture, et le cheval partit immédiatement au trot.

C'était un accouchement laborieux. Le bébé avait la tête trop grosse pour la frêle carcasse d'Eleanor. La malheureuse souffrait le martyre, même si elle faisait de son mieux pour réprimer ses cris. Lorsqu'elle commença à faiblir, à bout de souffle, Morgan se rendit compte qu'il fallait trouver une autre solution, et vite. Elle donna à Eleanor une potion pour soulager la douleur, puis lui ordonna de sortir de son lit et de s'accroupir.

– Quoi? Comme une squaw? s'offusqua Eleanor. Oh, pardon, Morgan! Ce n'est pas ce que je voulais dire. Vous m'avez surprise.

– Comme une Indienne, reprit Morgan. Ça facilitera le travail, je vous assure.

Moins d'une heure plus tard, poussant des cris à la fois de douleur et de triomphe, Eleanor Marshall tenait la tête de son bébé dans ses mains et Morgan put tirer l'enfant hors du ventre de sa mère. Le petit crâne cabossé était couvert de sang et de mucus, mais c'était un beau garçon. Elle le retourna, la tête en bas, pour vider ses narines et sa gorge, lui donna une petite tape, et il se mit à crier.

En l'entendant, Otis accourut aussitôt.

– Mais qu'est-ce que tu fais par terre, Eleanor? s'écria-t-il.

– Ne vous occupez pas de ça, répondit Morgan. Vous feriez mieux de l'aider à se recoucher. Ensuite, je vous présenterai votre fils.

– Un fils! Dieu soit loué!

– Otis, je t'en prie! Aide-moi à me relever, je suis trop faible pour le faire toute seule.

– Mon Eleanor chérie, bien sûr! Tiens, ma douce, laisse-moi te border. Voilà. Et maintenant, mademoiselle Morgan, je suis prêt à voir Otis Junior.

– Mais je croyais que nous étions d'accord pour Henry! protesta Eleanor. Oh, et puis tant pis, Otis Junior si tu veux...

– Otis Henry! déclara le nouveau papa d'un air triomphal. Otis Henry Marshall.

Quand elle rentra enfin chez elle, tout Chester savait déjà qu'Eleanor Marshall avait enfin donné un héritier à son mari. Morgan pouvait à peine garder les yeux ouverts. Elle ne pensait plus qu'à dormir.

Abrutie de fatigue, elle monta l'escalier, ôta ses vêtements et se laissa tomber sur son lit. Si Silas venait frapper à la porte de service, elle ne l'entendrait sûrement pas. Il serait fâché. *Bah, tant pis!* se dit-elle avant de s'endormir.

Lorsqu'elle se réveilla, elle s'étira voluptueusement, assez satisfaite d'elle-même. Elle était parvenue à mettre cet énorme bébé au monde et à sauver la mère par-dessus le marché. Otis Marshall lui avait baisé la main. Il l'avait qualifiée d'*héroïne*. Il avait raison! Frissonnant légèrement dans l'air frisquet du petit matin, elle fit sa toilette et s'habilla.

Elle allait être médecin, un vrai médecin! Le docteur Morgan mit sa jupe bleue et son chemisier blanc à lavallière bleue. Le docteur Morgan enfila ses bottines en cuir cirées, puis descendit dans la cuisine se préparer du bacon, des œufs et une pile de toasts. Elle était affamée.

La nuit suivante, peu après minuit, Morgan fut réveillée par des cris affolés devant la maison. Elle ouvrit une fenêtre et se pencha au-dehors.

– Qu'est-ce que c'est? cria-t-elle.

– Venez vite! hurla Otis Marshall. Otis Junior est en train de mourir! Il faut faire quelque chose!

Silas était couché sur le dos dans le lit, ronflant bruyamment. Morgan courut s'habiller, puis revint le secouer.

– Silas! Réveille-toi! Il faut que j'aille d'urgence chez les Marshall. Dès que je serai partie, sors de la maison discrètement. Silas, tu m'entends? Surtout, ne te rendors pas!

Il grogna et roula sur le côté. Agacée, elle tourna les talons, saisit sa sacoche et dévala l'escalier.

Elle grimpa en selle derrière Otis et s'accrocha à sa ceinture, tandis qu'il partait au grand galop. Tout en chevauchant, il lui expliqua la situation. Une de ses sœurs avait accidentellement piqué le bébé avec une aiguille le matin. La minuscule plaie avait saigné et saigné. Ils lui avaient appliqué des toiles d'araignée, comme Morgan le leur avait appris, et cela avait fini par s'arrêter. Mais à présent, il devenait de plus en plus faible, alors que rien n'était arrivé. Rien du tout. Certes, il était tombé de son lit à un moment où sa mère avait le dos tourné, mais il ne pouvait s'être fait mal puisqu'il avait atterri sur une pile d'oreillers.

– Il braillait de toutes ses forces et, soudain, il s'est arrêté et a commencé à faire une drôle de tête. Elles sont toutes folles d'inquiétude à la maison. Mais je leur ai dit : « Mlle Morgan a des mains de guérisseuse. Elle va le remettre d'aplomb en un rien de temps. » Pas vrai, mademoiselle Morgan?

A dire vrai, elle en doutait. Le docteur Grace ne rentrerait que le lendemain matin. Morgan aurait aimé qu'elle soit déjà là. Elle devrait se débrouiller seule. Elle pourrait peut-être donner du sassafras au bébé. Cela rafraîchissait le sang... mais pouvait aussi avoir l'effet inverse, on ne savait jamais. Ce qui fonctionnait sur une personne avait parfois un effet néfaste sur une autre. Tout le monde savait ça. Cela dépendait également de la lune, si elle était croissante ou décroissante. Elle se souvenait vaguement avoir entendu parler de gens qui saignaient pour un oui ou pour un non, mais ignorait quel était leur problème et comment les traiter.

Effectivement, le petit Otis n'avait pas l'air dans son assiette. Il avait le teint grisâtre. Ses petits membres étaient mous et inertes, enflés par endroits et couverts d'ecchymoses. Il avait également des bleus sur le torse et le dos, ce que ne justifiait pas le fait d'être tombé sur une pile d'oreillers. Morgan était déconcertée. Rien de ce que lui avaient appris sa mère et le docteur Grace ne pouvait aider cet enfant. Il ne saignait plus, mais paraissait exsangue. Pis encore, il semblait faiblir à vue d'œil. La seule explication qui lui venait à l'esprit était qu'on lui avait jeté un sort. Mais qui pouvait en vouloir à un nouveau-né que ses parents avaient attendu si longtemps?

Et si c'était elle qui était porteuse de mauvaise magie? Non, impossible. Elle ne devait pas penser des choses pareilles. Elle mit le bébé dans l'eau chaude, puis dans l'eau froide. Elle massa ses petits membres, ce qui le fit crier et pleurer. Pendant tout ce temps, elle le voyait continuer de s'affaiblir. Finalement, il mourut. Elle se tourna en larmes vers les parents pour le leur annoncer.

La douce et aimable Eleanor devint méconnaissable, se transformant en furie, traitant Morgan de « sale sauvage » et la martelant de coups de poing.

– Ta sale race ne sait que tuer des enfants! Tuer de petits enfants innocents! hurlait-elle.

Otis parvint à l'écarter et à la maîtriser. Il ne dit pas un mot, mais se contenta de la retenir et de la laisser crier. Morgan était sous le choc. Elle était profondément blessée, mais ne trouvait pas le courage de se défendre. Elle sortit de chez les Marshall et reprit à pied le chemin de la maison du docteur Grace. Quelques minutes plus tard, Otis la dépassa au grand galop, manquant de la renverser, filant en direction de la ville. Lorsque Morgan atteignit enfin la maison, il y avait déjà un attroupement, criant et vociférant. Quelques-uns lui lancèrent des pierres, dont une l'atteignit à l'épaule.

– Tueuse d'enfants! entendit-elle. Sorcière indienne! Sale squaw! Sang-mêlé!

Où étaient donc tous ceux qu'elle avait soignés depuis son arrivée? Elle avait soulagé des rhumatismes, aidé à des naissances, remis des os en place et fait tomber des fièvres. Et à présent elle n'était plus qu'une sale squaw et une sorcière? Hier encore, ils se bousculaient dans la salle d'attente, impatients qu'elle s'occupe d'eux. Aujourd'hui, ils étaient prêts à la lapider. Elle ne s'était jamais sentie aussi meurtrie de sa vie. Elle entra dans la maison et passa toute la nuit à pleurer dans le rocking-chair du petit salon. Au bout d'un long moment, la foule se lassa de crier et de s'agiter devant les fenêtres, et se dispersa.

Le lendemain matin, abattue et trahie, Morgan attela le boghei et descendit à l'embarcadère pour aller chercher le docteur Grace. Généralement, elle trouvait fascinante l'atmosphère affairée des docks : les marins qui déchargeaient les navires, les hommes s'interpellant bruyamment, les passagers endimanchés débarquant sur les quais, les gens criant au revoir à leurs parents qui embarquaient. Mais aujourd'hui elle avait les viscères noués par une vague appréhension. Elle avait de nouveau rêvé de son ancêtre, mais ne se souvenait d'aucun détail.

Grace dut percevoir quelque chose dans son attitude car, dès qu'elle fut à portée de voix, elle lança :

– Morgan, que se passe-t-il?

Morgan ouvrit la bouche et s'effondra, en larmes. Le docteur Grace la rejoignit et lui prit la main.

– Je conduirai le boghei, annonça-t-elle. Pendant ce temps, raconte-moi tout.

Lui décrire les tristes événements de la veille fut un grand réconfort. Morgan en était arrivée au moment où rien ne semblait pouvoir sauver le petit Otis lorsqu'elles abordèrent le grand virage avant la crique. Une foule était rassemblée au milieu de la route, juste devant la forge de Silas. Morgan cessa de parler, saisie par la peur.

Amelia Grisham, les traits pâles mais déterminés, s'avança vers le boghei, les obligeant à s'arrêter.

– Docteur Grace! cria-t-elle. Nous vous aimons tous et nous n'avons rien contre vous. Mais vous devez vous débarrasser de cette sauvage avant qu'elle nous tue tous.

152

– Qu'est-ce que vous me racontez là ? demanda le médecin d'une voix parfaitement neutre. Combien de bébés avons-nous vus mourir sans que l'on puisse rien y faire ?

– Ce n'est pas la même chose, répliqua Amelia.

Elle pinça les lèvres avant d'ajouter :

– Je sais de quoi je parle. Je ne peux pas en dire plus parce qu'il y a parmi nous des oreilles innocentes, mais cette jeune fille est une sorcière ! On vous aura prévenue.

– Foutaises ! s'énerva le docteur Grace. Vous devriez avoir honte de propager de telles âneries, Amelia Grisham !

Elle fit claquer les rênes, et la voiture se remit en branle. Derrière elles, les insultes fusèrent :

– Sorcière ! Sale squaw ! Fille de Satan !

– Ne les écoute pas, Morgan. Ils ne savent plus ce qu'ils disent. Amelia leur a monté la tête. Tu sais comment ils sont en Nouvelle-Angleterre ! Ils adorent dénicher une sorcière derrière chaque buisson.

Elle parlait sur un ton léger, comme si de rien n'était, mais Morgan était terrassée. Comment pouvaient-ils avoir changé si rapidement à son égard ? C'était terrifiant. Et Silas... Où était-il pendant que sa mère l'accablait d'insultes ?

Morgan fut dispensée de recevoir les patients.

– Juste pendant quelques jours, précisa le docteur Grace. Le temps que toutes ces idioties soient oubliées.

Morgan passa la journée dans sa chambre, essayant vainement de lire. Elle ne cessait de ressasser les mêmes pensées. Elle lançait également des regards vers la fenêtre, attendant de voir si Silas se montrerait. La nuit était presque tombée quand elle entendit son cheval. Elle était assise devant la maison, sur la terrasse, enveloppée dans un châle. La soirée était belle et relativement chaude, mais elle se sentait glacée jusqu'aux os.

– 'soir, Morgan, lança-t-il.

Il ne s'approcha pas, restant au pied des marches.

– Bonsoir, Silas.

– Euh... je suis désolé... pour ce qui s'est passé.

Il marqua une pause, s'attendant sans doute à ce qu'elle réponde que c'était déjà oublié. Mais ce n'était pas oublié. Elle ne dirait rien tant qu'elle ne saurait pas dans quel camp il se trouvait.

– Ma mère... elle... elle est au courant au sujet de... tu sais quoi.

Morgan supposa que « tu sais quoi » signifiait le sort qu'elle avait jeté à son père.

– Ta mère a toujours été au courant, Silas. Je lui avais expliqué exactement ce que je pouvais faire. Elle ne m'a pas expressément demandé de le faire, mais elle ne m'a pas traitée de sauvage non plus.

– C'est que... Morgan...

Il se dandinait sur place, embarrassé.

– Ecoute... reprit-il. Une fois que les gens se sont fait une idée sur quelqu'un, il n'y a plus moyen de les faire changer d'avis. Or... ils se sont fait une idée sur toi.

– Tu partages leur avis?

– Non, je ne les crois pas... enfin, je ne crois pas tout ce qu'ils racontent. Mais, Morgan... tu as des pouvoirs que les gens normaux n'ont pas. Je me demande si tu ne m'as pas jeté un sort à moi aussi pour que j'aie toujours autant envie de toi.

Il poursuivit en chuchotant :

– En ce moment même, je n'ai qu'une envie en tête, c'est de te prendre dans mes bras, de t'emporter dans l'écurie et de...

– Oui, je sais ce dont tu as envie, dit Morgan sèchement. Moi aussi, j'en ai envie.

– Eh bien alors? dit-il, retrouvant soudain son assurance. Qu'est-ce qu'on attend? Morgan, je ne tiens plus en place tellement je te désire.

– Je sais mais, avant, dis-moi une chose, Silas. Tu m'aimes? Est-ce que tu as l'intention de m'épouser un jour?

– Eh bien... il faut que... euh... Comment veux-tu que j'en parle à maman en ce moment, vu ce qu'elle pense? Sois raisonnable, Morgan. Il faut qu'on attende. Cela dit, ça ne nous empêche pas de nous voir...

– La nuit? Dans le noir?

154

C'était étrange à quel point elle se sentait soudain loin de lui et de tout ce qu'il disait.

– Enfin, jusqu'à ce que les choses se calment. Allez, viens, Morgan. J'ai tellement envie de toi, ça me tue. Ça me brûle de partout comme à la forge.

Sa voix était rauque de désir.

Morgan se leva de son fauteuil et s'approcha de lui. Aussitôt, il l'enlaça, posant une main sur ses fesses, l'autre cherchant ses seins. Ses lèvres entrouvertes se plaquèrent contre les siennes avec ardeur, et il gémit doucement. Morgan ne sentait rien. Elle s'écarta de lui.

– Non, Silas.

– Que... qu'est-ce que tu veux dire?

– Je veux dire : non. C'est fini, Silas. Fini! Tu te moques de moi depuis le début. Je m'en rends compte à présent. Tu ne m'aimes pas!

– Bon sang, Morgan! C'est la deuxième fois que tu tues quelqu'un. Si je te contrarie un jour, tu vas m'ensorceler, moi aussi?

– Continue à dire des âneries pareilles et tu peux en être sûr!

Elle ne fut pas surprise outre mesure quand il la gifla.

– Tel père, tel fils! dit-elle doucement.

Il émit un grognement sourd. Elle sentait qu'il luttait contre l'envie de la frapper à nouveau et pensa : *Vas-y, Silas. Fais-le donc! Je veillerai à ce que tu le regrettes longtemps!* L'instant suivant, il pivota sur ses talons et partit en courant.

Morgan rentra dans la maison, les joues en feu, le cœur palpitant. Sa place n'était plus ici. Elle croisa le docteur Grace au pied des escaliers. Celle-ci s'apprêtait à monter se coucher.

– C'était Silas? demanda-t-elle simplement.

Morgan éclata en sanglots.

– Vous avez vu à quelle vitesse ils se sont tous retournés contre moi, me considérant comme une garce au sang mêlé? C'est ce qu'ils ont toujours pensé, derrière leurs beaux sourires et leurs mercis. Au fond d'eux-mêmes, ils se disaient : « Elle sait faire de la magie. Elle ne vaut pas mieux qu'une sauvage. Elle n'est même pas chrétienne. Elle n'est pas des nôtres. C'est pour ça qu'elle est mauvaise. C'est une sorcière!» Je vous jure que j'ai fait tout ce que j'ai pu pour sauver le bébé de Mme Marshall. Il était en bonne santé quand il est né. Je ne lui ai rien fait de mal!

– Je le sais. Je sais aussi que tu t'es démenée pour le sauver. Des bébés meurent, Morgan, sans que la médecine y puisse rien. Ne t'inquiète pas pour ça, d'accord? C'est une tempête dans un verre d'eau. D'ici une semaine ou deux, ils se seront calmés et tout sera oublié.

– Oublié? Moi, je ne pourrai jamais oublier!

Elle courut le long du couloir, traversa la cuisine et se précipita sur la route, sans entendre les cris du docteur Grace. Elle devait s'en aller d'ici, partir loin de toute cette haine, loin de *lui*. Le plus loin possible.

11

Avril et mai 1884

Lorsqu'elle fut trop fatiguée pour aller plus loin, Morgan s'écarta de la route et s'assit au pied de l'arbre le plus proche. Elle ignorait où elle était et s'en fichait. Trop furieuse contre Chester, et surtout contre ce lâche de Silas Grisham, elle n'avait pas fait attention à la direction qu'elle prenait. Elle devait se trouver sur la route de Deep River. Cela n'avait aucune importance. N'importe quel endroit valait mieux que Chester. Heureusement qu'elle portait toujours son châle en laine. La nuit était fraîche et humide. Elle serra l'étoffe contre elle et s'adossa au tronc, sachant d'avance qu'elle ne fermerait pas l'œil de la nuit.

Elle avait tort. Quand elle rouvrit les yeux, l'aube commençait à poindre. Une brume lumineuse flottait dans l'air. Elle avait encore vu Bird en songe, un rêve chargé d'avertissements et de supplications. Mais elle avait beau essayer de s'en souvenir, les détails lui échappaient, s'estompant rapidement jusqu'à ce qu'il ne lui reste plus qu'une vague odeur en tête, celle-là même restant indéfinissable. Un peu plus loin dans le bois, elle trouva un petit ruisseau dans lequel elle se débarbouilla et se mouilla les cheveux pour les lisser. Sans miroir ni brosse, pas de chignon. Aussi se fit-elle une tresse épaisse qui retombait librement dans son dos. Les gens croyaient que c'était la coiffure habituelle des squaws, mais Annis lui avait toujours dit que les femmes péquots nouaient leurs cheveux en arrière, en queue de cheval, ou les laissaient libres.

C'était une journée douce et sereine, avec quelques nuages seulement, striant le ciel, une journée parfaite pour marcher. Elle s'enfonça dans la forêt, ramassant des champignons pour son petit déjeuner. Malheureusement, il lui faudrait se passer de sa tasse de thé. Elle aurait tant aimé se blottir sous la couette dans sa chambre... Si seulement elle pouvait revenir une semaine en arrière, quand elle croyait qu'elle deviendrait un jour un vrai médecin et peut-être même la femme de Silas Grisham. Si elle savait si bien jeter des sorts et faire de la magie comme ils le croyaient, comment en était-elle arrivée là, à errer dans les bois, essayant de décider de ce qu'elle devait faire d'elle-même, pendant qu'ils étaient tous confortablement installés dans leurs petites vies tranquilles?

Que devait-elle faire? Il serait facile de rentrer chez elle et de continuer comme si rien ne s'était passé. Le docteur Grace avait probablement raison. L'affaire serait oubliée dès qu'un autre scandale éclaterait. Le docteur Grace la protégerait, et personne n'oserait la traiter trop mal. Mais était-ce une façon de vivre? Devoir toujours surveiller ses moindres faits et gestes, être sans cesse sur le qui-vive, en attendant que quelqu'un se souvienne des morts et les remette sur le tapis... Non. Morgan ne pouvait l'accepter. Elle devait partir loin de Chester. Les larmes lui montèrent aux yeux à l'idée de quitter le docteur Grace, sa jolie maison, Mme Wainwright et tout le reste. Grace était devenue une seconde mère. Morgan allait devoir la quitter à son tour. Mais, cette fois, elle n'avait plus la rage en elle pour la pousser en avant. Juste un grand vide.

Morgan essuya ses larmes et rassembla son courage. Ce n'était pas le moment de se laisser aller. Elle ferait ce qu'elle avait à faire. D'abord, elle rentrerait à Chester et annoncerait sa décision au docteur Grace. Il fallait qu'elle emporte sa sacoche de remèdes, et le docteur Grace la laisserait sûrement prendre une robe ou deux, ainsi que quelques biens : ses jolies chemises de nuit, le beau miroir et la brosse à cheveux en étain qu'elle avait reçus à Noël.

Elle ne connaissait pas très bien les sentiers qui sillonnaient la forêt, ni même les routes mieux tracées. Elle suivait un chemin qu'elle crut reconnaître mais, au bout d'un moment, se rendit compte qu'elle ne sentait plus la proximité du fleuve. Elle bifurqua vers l'est, s'orientant grâce au soleil. Tout à coup, elle se souvint du canoë. Elle devait vérifier qu'il ne fuyait pas ou n'avait pas pourri par endroits. Comment n'y avait-elle pas pensé plus tôt ? C'était encore le meilleur moyen pour se rendre dans une autre ville.

Bientôt, elle se rendit compte qu'elle était allée trop loin. Elle sentait à nouveau la présence du fleuve, mais n'apercevait toujours pas les maisons des alentours de Chester. Elle avait dû marcher vers le sud sans s'en rendre compte et approchait à présent de Deep River. Elle entendit du bruit au loin : un concert de cris et de cloches qui retentissaient comme si c'était la fin du monde. Puis elle sentit une odeur de... de viande grillée ? Pas vraiment. C'était une odeur qui mettait très mal à l'aise. Etait-ce la même que dans son rêve ? Elle pressa le pas. Lorsqu'elle arriva à l'entrée de la ville, elle aperçut trois adolescentes de quatorze ou quinze ans, blotties les unes contre les autres, plongées dans une conversation animée.

– Excusez-moi. Que se passe-t-il ?

– Oh, mademoiselle, c'est affreux, affreux !

– Un des gros bateaux...

– C'est un bateau à vapeur, Maggie. Un des gros bateaux à vapeur a explosé.

– Explosé ? Mais... comment ?

La fille qui paraissait la plus mûre des trois prit la parole :

– La chaudière a explosé. Le bateau était sur le point d'accoster. Tous les passagers étaient sur le pont, cherchant des yeux leurs parents qui les attendaient sur le quai, quand... boum ! Tout à coup, il y a eu des flammes sortant de partout !

– Des passagers ont pris feu. Ils criaient, criaient... Oh, c'est affreux ! Sur les quais, tout le monde court dans tous les sens en hurlant et en se lamentant.

– Il faut que j'aille voir si je peux aider ! C'est par là ? demanda Morgan en pointant un doigt vers l'est.

– Oui, mademoiselle. Mais ils ne vous laisseront pas approcher. On a essayé et ils nous ont chassées. Ils nous ont dit de rentrer chez nous.

Morgan dévisagea plus attentivement la plus mûre, une petite blonde. Elle avait un regard intelligent. Morgan prit alors un ton plus autoritaire :

– Vous vouliez aller sur les quais pour regarder, demanda-t-elle, ou vous comptiez les aider ?

– Je voulais savoir si on pouvait faire quelque chose, mais ils n'ont...

– Ils n'ont pas voulu vous laisser passer, je sais. Mais je suis... médecin. Je suis le docteur Wellburn. Je suis sûre qu'ils me laisseront leur donner un coup de main. Si tu m'y conduis, je te ferai passer pour mon assistante. Quant à vous deux... ça risque de ne pas être très beau à voir. Vous êtes sûres de vouloir venir aussi ?

Les deux adolescentes la remercièrent et déclinèrent son offre. Morgan fit un signe à la blonde, et elles se mirent en route d'un pas rapide vers le port de Deep River.

– Je m'appelle Jane Morgan, dit la jeune fille.

– Et moi, Morgan Wellburn, dit Morgan en riant. Avec un nom en commun, on devrait faire une bonne équipe !

En chemin, elles croisèrent des curieux qui avaient vainement tenté de s'approcher de l'embarcadère et d'autres qui avaient réussi mais avaient battu en retraite parce qu'ils s'étaient sentis mal. La foule devenait de plus en plus dense, les gens tournaient en rond, ne sachant ni où aller ni quoi faire. S'arrêtant devant un petit groupe, Morgan posa quelques questions afin de savoir à quoi s'attendre.

Un frisson glacé lui parcourut l'échine quand elle entendit le nom du bateau : *Water Bird*. C'était l'un des trois vapeurs qui assuraient la liaison entre Hartford, Brooklyn et New York, les deux autres s'appelant *Water Witch* et *Water Queen*. Ce devait être là le sens du rêve qu'elle avait si vite oublié ce matin. Elle était destinée à trouver cet oiseau d'eau blessé. N'était-ce pas son nom dans la langue des anciens ? Une étrange effervescence lui remonta dans la poitrine. Pour une raison ou une autre, son avenir dépendait de ce qui allait se jouer ici aujourd'hui même.

Elle apprit que quatre marins au moins avaient été grièvement brûlés, ainsi que plusieurs passagers.

– Le médecin dit que c'est sans espoir, lui affirma un homme hors d'haleine. Il n'arrête pas de les enduire de beurre et de lard, mais ça ne fait qu'empirer. Les malheureux hurlent qu'on les laisse mourir. C'est horrible, horrible !

A mesure qu'elles approchaient du port, la puanteur devenait plus forte. A présent, naturellement, Morgan reconnut l'odeur de chair humaine brûlée. Elle frissonna. Elle eut soudain une vision de son rêve de la veille... des braises fumantes... un reflet rougeoyant sur l'eau... et cette puanteur. Donc les esprits lui parlaient, à elle aussi, mais d'une autre manière. *Il faudra que je raconte ça au docteur Grace*, se dit-elle. Puis elle se souvint qu'elle comptait quitter le docteur et se sentit soudain très seule.

Jane Morgan et elle se frayèrent un passage dans la foule. Les blessés avaient été allongés sur le quai. Un homme portant une barbe courte, l'air éreinté, était agenouillé près de l'un d'eux, hurlant qu'on lui apporte plus de graisse. Morgan savait que les brûlures devaient d'abord être traitées avec du vinaigre ou, à défaut, de l'eau froide. La boue faisait un bon onguent en attendant de trouver mieux. Le médecin ne semblait pas conscient du fait qu'il avait tout ce dont il avait besoin à portée de main, ou plutôt à ses pieds. Criant : « Laissez-moi passer, je suis médecin », Morgan parvint jusque sur le quai, traînant Jane derrière elle. Elle demanda où se trouvait le capitaine du navire. Quelqu'un pointa un doigt vers un grand blond frisé.

– Voilà le capitaine Walter Prentiss.

Morgan se dirigea droit vers lui.

– Je suis médecin, annonça-t-elle après avoir attiré son attention. Je travaille avec le docteur Grace Chapman de Chester. Je m'appelle Morgan Wellburn et je sais comment traiter les brûlures graves.

– Dieu soit loué! s'exclama le capitaine Prentiss. Le docteur Borlon a déjà fait tout ce qu'il pouvait. De quoi avez-vous besoin?

– De feuilles de plantain, tout un tas, d'écorce d'orme gluant, de vinaigre. Et de tissu, le plus léger possible, pour les pansements.

– Vous aurez tout ce qu'il vous faudra, dit le capitaine.

Il se tourna vers un petit groupe de matelots.

– Vous! aboya-t-il. Cette femme est médecin. Apportez-lui tout ce qu'elle vous demandera.

Elle donna ses instructions, et ils partirent à toutes jambes.

Morgan se sentit soudain très calme. Elle parcourut le quai, s'arrêtant devant chaque blessé, notant mentalement l'étendue de leurs brûlures. Elle n'avait jamais rien vu de pareil sur un corps humain encore en vie. Elle retroussa ses manches et s'agenouilla pour les examiner de plus près. Par endroits, la peau avait complètement disparu. Elle s'attela à la tâche, réclamant de l'eau chaude pour en asperger l'écorce d'orme, qui était apparue comme par magie tout comme les feuilles de plantain. Le mélange forma rapidement un mucilage poisseux avec lequel elle put enduire les brûlures les plus graves. Les plus superficielles pouvaient être rincées au vinaigre et à l'eau froide. Avec les feuilles de plantain, elle confectionna des cataplasmes. Jane resta à ses côtés, suivant ses instructions. L'air était empli de cris et de gémissements, mais Morgan les entendait à peine. Elle était concentrée sur sa tâche, et tout le reste n'existait plus.

Un homme se contorsionnait et gémissait d'une manière pitoyable, la moitié du visage carbonisée. Elle pouvait à peine le regarder mais, lorsqu'elle s'efforça de le faire, elle comprit qu'il n'avait aucune chance de survie. Il lui fallait un puissant analgésique.

– Jane, va demander au capitaine son eau-de-vie la plus forte.

La jeune fille partit en courant et revint avec une bouteille. Tout en lui murmurant des paroles réconfortantes, Morgan versa un peu d'alcool dans la gorge du mourant, puis une deuxième ration plus généreuse, puis une troisième. Au bout de quelques minutes, ses gémissements se firent plus faibles. Elle ne pouvait rien de plus pour lui. Elle se redressa et passa au blessé suivant. A ses côtés, Jane était de plus en plus pâle. Morgan se rendit compte qu'elle n'allait pas tarder à tourner de l'œil si elle restait plus longtemps sur le quai.

– Jane, tu m'as été d'un grand secours, mais je voudrais que tu rentres chez toi à présent. Tu as besoin de t'allonger un peu.

– Si... si vous êtes certaine de ne plus avoir besoin de moi.

– Tu es très gentille, Jane, et tu m'as déjà aidée plus que tu ne le crois. Pars, maintenant.

Une fois seule, Morgan fut entièrement absorbée par les blessés. Elle s'agenouilla auprès d'eux, passant de l'un à l'autre sans se relever.

– Vinaigre! ordonna-t-elle.

Une cruche apparut dans sa main.

– Tissu!

Elle traita toutes les plaies au vinaigre. Les cris et les gémissements des victimes redoublèrent, mais elle savait que cela les aiderait à cicatriser.

– Apportez-moi un seau d'eau froide. Vous n'avez qu'à le puiser directement dans le port.

Elle se souvint soudain que le docteur Grace insistait toujours sur la propreté quand il s'agissait de traiter des plaies ouvertes. Or il n'y avait pas de plaie plus ouverte qu'une brûlure profonde. L'eau du port était-elle suffisamment propre? Si seulement le docteur Grace était avec elle!

– De l'eau froide? Pour quoi faire?

La voix, mâle et caustique, était venue de quelque part au-dessus de sa tête. C'était l'autre médecin, la toisant de haut comme si elle avait été une apparition.

– Pour les brûlures, monsieur.

– Oh, pour les... Mais ce n'est pas là le traitement correct pour les brûlures, mademoi...

– Docteur, corrigea-t-elle avec une telle véhémence qu'il recula d'un pas.

– Excusez-moi, made... euh, docteur. Mais vous avez sûrement appris que les brûlures...

– ... réagissent beaucoup mieux à l'eau froide et au vinaigre qu'au beurre ou à toute autre matière grasse, qui ne font que cuire les chairs un peu plus.

– Peut-on savoir où vous avez appris ça ?

Au point où elle en était, autant mettre le paquet.

– A l'école de médecine de Geneva, dans le nord de l'Etat de New York, dit-elle avec un aplomb qui la surprit elle-même.

C'était là que le docteur Grace avait fait ses études.

– Avec tout le respect que je dois à l'école de Geneva, c'est une absurdi...

– Docteur, intervint le capitaine Prentiss, vous avez reconnu vous-même avoir déjà essayé tout ce que vous pouviez. Pourquoi ne pas laisser faire cette jeune femme ? Elle semble s'y connaître. C'est tout de même mieux que de les regarder mourir.

Le médecin émit un grognement sourd et s'éloigna d'un pas lourd.

– Pas franchement sympathique, observa le capitaine. Ne vous occupez pas de lui. Vous faites du très bon travail. Je n'ai jamais vu une jeune femme aussi infatigable. Tenez, laissez-moi vous aider à déplacer ce grand gaillard...

Il resta à ses côtés, s'occupant des corvées mineures, courant ici et là pour donner des ordres à son équipage. Il cria à ses hommes de s'activer au lieu de rester plantés là à se lamenter sur la catastrophe. Il tint le mucilage sur un morceau de bois plat pour que Morgan puisse le prendre plus facilement et l'étaler sur les plaies. Il porta les seaux d'eau et le vinaigre. Il lui tendit un à un les cataplasmes de plantain. Enfin ce fut terminé, pour le moment du moins. Morgan se redressa et marcha sur le quai pour se dégourdir les jambes, le capitaine à ses côtés.

– Vous êtes très habile de vos mains, déclara-t-il avec une moue admirative. Ma fille était comme vous. Elle s'appelait Verity.

164

– Où est-elle?

– Avec les anges. Elle est morte il y a quelques années de la rougeole. Elle aurait eu vingt ans cette année... A peu près votre âge.

Elle faillit répondre qu'elle n'en avait que seize, puis se rendit compte qu'elle ne pouvait avoir déjà achevé ses études de médecine. Elle se contenta donc d'acquiescer vaguement.

En faisant demi-tour sur le quai et en se tournant vers l'est, en direction du détroit, elle constata avec stupeur que le ciel s'était obscurci. L'étoile du Nord brillait déjà dans toute sa solitude. Le capitaine demanda qu'on apporte des lanternes. Son équipage les alluma et les déposa près des victimes, une à la tête, l'autre aux pieds. Il fallait encore changer quelques cataplasmes. Un des passagers, un homme d'âge mûr qui avait tenté de sortir les plus faibles et les plus âgés du brasier infernal, avait rendu l'âme.

– Celui-ci montera droit au ciel, murmura le capitaine en ôtant son chapeau et en inclinant la tête. Vous voyez, Morgan, ces brûlures sont plus graves que d'autres parce que, quand une chaudière explose, elle ne projette pas que des flammes mais également de la vapeur. A dire vrai, je crois bien que la vapeur est ce qui fait le plus de dégâts.

Il conseilla à Morgan de retourner en ville pour se chercher une chambre pour la nuit, mais elle refusa de quitter les blessés. Elle accepta néanmoins un gobelet de l'eau-de-vie qu'il gardait sur lui dans une flasque, ainsi que du pain et du fromage. Puis elle s'assit, adossée à un poteau, sur le quai. La nuit était remplie de bruits de souffrance, mais une bonne partie des blessés put dormir, ne serait-ce que d'un sommeil peu profond et agité. Les récits de guerre de son père et du docteur Grace lui revinrent en mémoire. Elle fredonna *Greensleeves, Barbry Allen, Black is the Color, puis Greensleeves* à nouveau. Les marins autour d'elle qui connaissaient les airs l'accompagnèrent. Quelque part entre deux strophes, elle s'endormit et ne se réveilla qu'au lever du soleil le lendemain matin. Elle avait rêvé de Grace, penchée sur elle, posant une couverture sur ses épaules.

165

La matinée était brumeuse. De fait, elle avait bien une couverture drapée autour des épaules. Morgan l'avait intégrée dans son rêve. Elle se demanda ce qui l'avait réveillée, puis entendit un souffle laborieux non loin. Elle bondit sur ses pieds et balaya du regard les douze patients qui restaient. Le bruit venait du jeune homme qui avait perdu une grande partie de son visage. Au moment où elle s'approcha de lui, il cessa soudain de respirer. En l'examinant, elle constata que ses narines, et probablement sa gorge, s'étaient refermées lorsque les plaies avaient séché. Le malheureux était mort asphyxié. Morgan prit ses mains brûlées entre les siennes et pleura. Il était le fils de quelqu'un, peut-être le frère ou l'amoureux de quelqu'un. Il n'avait guère plus de dix-sept ans.

Quelqu'un s'agenouilla près d'elle et posa doucement une main sur son épaule. Elle se retourna et vit le docteur Grace. Elle sanglota de plus belle. Attirant Morgan à elle, le docteur Grace la laissa pleurer tout son soûl jusqu'à ce qu'elle soit épuisée, au point de ne plus laisser échapper qu'un faible gémissement.

— Comment m'avez-vous retrouvée ? demanda enfin Morgan en essuyant ses larmes du revers de la manche.

— La moitié de la ville est partie à ta recherche, mais personne ne savait quelle direction tu avais prise. Ils ont passé toute la région au peigne fin. J'ai cru devenir folle d'inquiétude. Puis j'ai entendu parler de cette catastrophe, et je suis venue prêter main-forte. C'est là que je t'ai trouvée, faisant ce que tu sais si bien faire.

Le docteur Grace resta avec elle près d'une semaine. Elles prirent une chambre dans une auberge de Deep River, où on leur servait également leurs repas. Tout d'abord, il fallut déménager les blessés du quai pour les protéger des intempéries. On était presque en mai et les arbres étaient en fleurs, mais il faisait encore frais et il pleuvait souvent. Les victimes devaient être abritées.

— Morgan Wellburn les a tous sauvés sauf deux, les plus gravement atteints, déclara le docteur Grace au capitaine. Il ne s'agit pas à présent que les survivants meurent faute d'un toit. Essayez de trouver une salle, même une grange fera l'affaire, n'importe quel endroit où l'on peut installer une infirmerie de fortune.

Il dénicha une vieille étable qui menaçait de s'écrouler mais qui avait néanmoins quatre murs et un toit. Les bons citoyens de Deep River fournirent des draps, des couvertures, des châles et de la vaisselle. Plusieurs femmes offrirent leur aide, parmi elles la jeune Jane Morgan. Bientôt, l'étable fut transformée en petit hôpital de campagne, grouillant d'activité et résonnant de voix féminines. Le capitaine passait régulièrement, s'assurant qu'il ne leur manquait rien ou apportant un énorme panier rempli de sandwichs et de fruits. Le capitaine Prentiss était un homme plein de ressources, avec un esprit vif, et Morgan remarqua que le docteur Grace semblait l'apprécier énormément. Mais ses sourires et ses attentions s'adressaient principalement à Morgan, qui avait l'âge d'être sa fille. Cette dernière devait terriblement lui manquer.

Occupée comme elle l'était, Morgan ne vit pas le temps passer et, bientôt, tous les blessés furent suffisamment rétablis pour rentrer chez eux. Les quatre membres d'équipage qui avaient été brûlés voulaient repartir avec leur capitaine dès que la chaudière serait réparée, mais il refusa.

– Je vous reprendrai à mon prochain passage, mes garçons. Pour le moment, rentrez chez vous et soignez-vous.

D'autres marins furent engagés et une nouvelle cargaison montée à bord. Par un bel après-midi, le capitaine entra dans l'étable, à présent déserte, que Morgan et le docteur Grace finissaient de nettoyer.

– Nous appareillons demain matin, annonça-t-il. Morgan, vous avez accompli de véritables miracles. S'il y a quoi que ce soit que je puisse faire pour vous, dites-le-moi.

Elle n'hésita pas une seconde.

– Emmenez-moi, où que vous alliez.

Le visage tanné du capitaine se fendit d'un large sourire.

– Nous allons dans le port de Brooklyn. Je vous y emmènerai avec plaisir.

Morgan se tourna vers le docteur Grace, qui la dévisagea comme si elle venait de la gifler.

– Oh, docteur, ne croyez pas que je ne vous aime pas. Vous savez tout ce que vous représentez pour moi. Je suis profondément désolée, mais j'ai beaucoup réfléchi. Rentrons à la maison et je vous raconterai tout. Je pense qu'une fois que je vous aurai expliqué vous conviendrez qu'il vaut mieux que je m'en aille.

Le docteur Grace détourna la tête, mais pas avant que Morgan ait vu les larmes dans ses yeux. Il lui était très difficile de causer de la peine au docteur Grace après tout ce que celle-ci avait fait pour elle.

– Si vous n'êtes pas d'accord, je resterai avec vous un peu plus longtemps.

– Ma chère Morgan, bien sûr que je t'écouterai. Et, te connaissant, je suis sûre que je comprendrai pourquoi tu tiens tant à partir.

Même si vous ne le comprenez pas, vous ne direz rien, pensa Morgan. *Vous ne direz jamais rien pour m'empêcher de partir si c'est ce que je veux.* Tout en pensant cela, elle se rendit compte que la grande maison blanche de Chester était devenue sa maison désormais et que, si elle le voulait, elle pourrait y revenir. Cela renforça encore sa détermination.

Elle serra fort le docteur Grace contre elle.

– Merci, murmura-t-elle.

Puis, se tournant vers le capitaine :

– Je rentre chez moi ce soir, mais demain matin, à la première heure, vous pouvez compter sur moi. Je serai prête.

Et prête, elle serait. Prête à partir la tête haute, le regard fixé vers l'avant, vers le détroit de Long Island, le port de Brooklyn et, ensuite, Dieu savait où !

12

Mai 1884

Le voyage jusqu'à Brooklyn prenait généralement moins d'un jour et une nuit.

– Vingt-trois heures, indiqua le capitaine avec sa précision habituelle.

Quand on lui demandait l'heure, il donnait également les minutes et les secondes. Cela dit, il tint à indiquer que ce voyage-ci demanderait peut-être un peu plus long-temps.

– Après l'accident, je ne veux pas courir de risques inutiles. Une fois qu'on a vu sa chaudière exploser, on ne peut plus naviguer sans craindre que cela se reproduise.

– Mais on ne peut rien faire contre les accidents, répliqua Morgan. Si on passait sa vie à les redouter, on ne ferait plus rien. Un accident est toujours possible.

– C'est vrai, Morgan, l'expérience nous rend prudents. C'est d'ailleurs ce qu'on attend d'un capitaine, non? Je suis sûr que les réparations tiendront. Quoi qu'il arrive au *Water Bird*, je peux toujours hisser les voiles et le faire accoster sans trop de difficultés. Mais, après ce qui s'est passé, les passagers sont un peu nerveux, aussi je vais un peu plus lentement que d'habi-tude. De toute manière, nous sommes déjà très en retard, et quelques heures de plus ou de moins ne feront pas grande dif-férence. Encore heureux que je ne transporte pas de denrées périssables, des ananas par exemple. Ma cargaison serait pour-rie à l'heure qu'il est.

– Des ananas! répéta Morgan, impressionnée.

– Oui, répondit fièrement le capitaine. Il nous arrive d'aller jusque dans les Caraïbes chercher un fret d'ananas, d'oranges ou de cannes à sucre. Le port de Brooklyn est le centre du commerce des fruits. Vous verrez quand nous y serons. On y trouve de tout, en provenance des quatre coins du monde. Des citrons, des raisins, des bananes, des figues, des dattes, toutes sortes de noix... ah! et des oranges succulentes!

Morgan n'avait jamais goûté une orange. Elle regrettait qu'il n'y en ait pas dans la cargaison, car elle n'aurait eu qu'un mot à dire pour qu'on lui en serve une. Le capitaine était décidément très entiché d'elle, même s'il essayait de se maîtriser. Il la regardait avec le même air que Silas quand il était pressé de la coucher dans l'herbe près de la mare. Un homme de son âge! Morgan avait du mal à le croire, mais cela sautait aux yeux.

– Tout ce que nous transportons cette fois, ce sont des rondins de bois et des tuiles du Vermont, ainsi que nos bonnes vieilles briques rouges du Connecticut.

Morgan bougea légèrement, et la main du capitaine tomba de son épaule. Il était bel homme, avec des cheveux blonds bouclés et une barbe impeccablement taillée. Morgan trouvait ses cheveux magnifiques, mais il était vraiment trop vieux. Sa fille aurait eu vingt ans, c'est-à-dire quatre de plus qu'elle. Morgan aurait peut-être dû lui avouer son âge véritable...

– C'est une cargaison très lourde, et je tiens à ce que mes passagers voyagent l'esprit tranquille. Aussi, nous naviguerons plus lentement que d'habitude.

C'était la troisième fois qu'il le lui expliquait. Morgan se dit qu'elle allait devenir folle s'il le lui répétait encore.

Ainsi, il leur faudrait un jour et demi pour atteindre leur destination. Morgan avait hâte de voir à quoi ressemblait Brooklyn – elle savait que c'était plus grand que Deep River ou East Haddam, dont le port pouvait accueillir jusqu'à quatre ou cinq navires à la fois! Elle estima qu'il y en aurait au moins dix dans celui de Brooklyn. Elle avait du mal à contenir son impatience. Dix gros bateaux à vapeur comme celui sur lequel elle était, tous amarrés au même endroit! Le capitaine lui avait dit que la ville de Brooklyn était très grande et très belle, avec des maisons de six étages. Elle l'imaginait difficilement. C'était plus haut que la plus haute des granges qu'elle connaissait.

D'un autre côté, malgré son impatience, la vie sur le navire lui plaisait. Il était plus luxueux que tout ce qu'elle avait vu jusqu'à présent, à l'exception peut-être du théâtre de M. Goodspeed. Sa chambre, le capitaine l'appelait une « cabine privée », était plus somptueuse que tout ce qu'on pouvait trouver à Chester, à Deep River, voire à Middletown et à Hartford. En tout cas, cela dépassait de loin le luxe de la maison du docteur Grace. Morgan se souvint combien elle avait été impressionnée par la « richesse » du médecin en arrivant à Chester. Pour elle, sa maison avait représenté le comble du luxe, et jamais elle n'en dirait du mal car tout y était ravissant. Mais les cabines privées du *Water Bird*, c'était quand même autre chose ! Il y en avait trente et une, toutes de tailles différentes, certaines communiquant par de petites portes, de sorte que toute une famille, y compris la grand-mère, pouvait voyager ensemble. Le capitaine lui dit que chaque cabine était tapissée d'une couleur différente. La sienne était vieux rose, avec un épais tapis de Bruxelles, des tentures en velours et des rideaux en brocatelle de satin. Il y avait des chaises en bois de rose, un lit en alcôve fermé avec des rideaux à franges, des tables en bois de rose surmontées de plateaux en marbre, le tout poli, ciré et épousseté chaque jour. Elle-même se sentait belle dans sa cabine privée, comme une vraie princesse.

Le capitaine lui proposa de venir marcher avec lui sur le pont quand il aurait du temps libre.

– Je vous ferai faire le grand tour, Morgan.

Naturellement, elle accepta. Elle n'avait encore jamais mis les pieds sur un bateau à vapeur, et l'occasion n'allait sans doute pas se représenter de sitôt. Elle voulait tout voir.

Il adorait parler de son *Water Bird*, expliquant à Morgan que la carène était construite avec les plus beaux spécimens de chênes blancs, de noyers, de caroubiers et de cèdres, que la quille était taillée dans du chêne blanc et du sapin jaune et blanc de première qualité. Rien de cela ne signifiait grand-chose pour Morgan, mais elle poussait des ah! et des oh! extatiques car tout lui paraissait merveilleux.

– Ses gréements sont tous en cuivre et en fer galvanisé jusqu'au moindre boulon. C'est le navire le plus rapide sur ce fleuve. Tenez, regardez cette pièce de quincaillerie, n'est-ce pas qu'elle a été joliment moulée?

Lorsque la main du capitaine s'enroula autour de son bras, Morgan détourna la tête pour qu'il ne voie pas son sourire amusé. A l'heure du dîner, elle savait que le *Water Bird* mesurait quatre-vingt-trois mètres de long, que sa traverse mesurait dix mètres, que sa cale faisait deux mètres cinquante de profondeur et pouvait transporter jusqu'à huit cent soixante-cinq tonnes.

Avant l'explosion de la chaudière, ils avaient fait escale devant tous les grands hôtels qui bordaient le fleuve : le Griswold Inn d'Essex et, bien sûr, le Gelston House de Goodspeed's Landing. Toutefois, le seul que Morgan vit fut le dernier palace sur le Connecticut, le Fenwick Hall de Saybrook Point, où huit passagers embarquèrent.

– Maintenant que nous n'avons plus besoin de débarquer de passagers à Greenwich pour attraper la diligence de New York, nous allons mettre le cap droit sur le port de Brooklyn. Et là...

Il sourit d'un air énigmatique.

– Vous verrez un spectacle inoubliable.

– Quoi donc, capitaine?

– Dans la mesure où nous sommes devenus bons amis, Morgan, ne croyez-vous pas que vous pourriez m'appeler Walter? C'est le nom que mon père et ma mère m'ont donné le jour de ma naissance, et j'aurais grand plaisir à vous l'entendre prononcer.

– Naturellement, Walter, si cela vous fait plaisir.

Elle attendit qu'il réponde à sa question puis, comme rien ne venait, elle répéta :

– Quel est donc ce spectacle inoubliable que je vais voir?

172

– Hum... spectacle? Ah oui! Mais l'arrivée dans le port de Brooklyn, pardi! On l'appelle la huitième merveille du monde... Vous connaissez les sept autres, bien sûr...

A dire vrai, elle ne les connaissait pas. Il faudrait qu'à la première occasion elle cherche dans une encyclopédie. Le docteur Grace l'avait toujours encouragée à le faire en disant : « Je pourrais te le dire, mais les choses qui restent vraiment en mémoire sont celles qu'on a apprises par soi-même. »

Elle doutait que le capitaine eût une encyclopédie à bord, aussi se contenta-t-elle de hocher la tête d'un air entendu. Elle essaya de deviner à quoi ressemblait cette « merveille », mais le capitaine refusa de lui en dire plus afin de lui ménager la surprise.

Un dîner sophistiqué fut servi dans la grande salle à manger, avec du rôti de bœuf froid, des poissons frais, des pommes de terre au four et un plat d'accompagnement qu'elle n'avait encore jamais goûté, de petites pommes macérées dans du vinaigre. Elle n'arrêtait pas de s'en resservir, jusqu'à ce qu'elle sente tous les regards tournés vers elle. Les gens se demandaient sans doute combien de pommes au vinaigre elle pourrait se fourrer dans la bouche. Les joues en feu, elle fit semblant d'examiner celle qui se trouvait dans son assiette, puis demanda sur un ton ingénu :

– J'étais en train de me demander avec quelles épices elles ont été préparées.

L'instant d'après, toute la tablée était occupée à discuter clous de girofle, gingembre et curry, et plus personne ne faisait attention à elle. A son grand soulagement, elle put finir tranquillement son assiette.

Si elle devait se lancer seule dans le monde, il allait falloir qu'elle entre dans le moule, qu'elle surveille ses manières et qu'elle apprenne à ne plus se faire remarquer. Ces gens du beau monde semblaient froncer les sourcils devant toute réaction trop enthousiaste ou spontanée. Apparemment, la chose à faire était de paraître blasé de tout, comme si on avait déjà tout vu, tout fait, tout goûté. Ça, elle saurait y parvenir. Il lui suffirait d'imiter Molly, une jeune femme élégante assise en face d'elle de l'autre côté de la table. Molly, Mary de son vrai nom, était pâle et mince. Elle poussait la nourriture dans son assiette du bout de sa fourchette et avait à peine avalé quelques bouchées. A tout ce qu'on lui disait, elle répondait : « Ah, vraiment? » ou « Vous m'en direz tant! » Les jeunes femmes n'étaient peut-être pas censées avoir d'opinions. Là, ce serait plus difficile à jouer. Morgan avait toujours eu un mal fou à ne pas dire ce qu'elle pensait.

Après le dîner, tandis qu'elle se tenait sur le pont avec le capitaine, bavardant, goûtant la brise du soir et contemplant les vagues qui se formaient de chaque côté de la proue, elle demanda :

— Capitaine Prentiss, tout le monde me regardait comme une bête curieuse pendant le dîner. Je suppose que c'est parce que je me suis gavée de pommes au vinaigre et qu'ils me trouvaient mal élevée. Mais elles étaient si délicieuses! J'ignorais que ça ne se faisait pas.

— Mal élevée? Mais au contraire, Morgan, vous avez fait honneur à la personne qui les avait préparées.

Il se pencha plus près d'elle, avant d'ajouter :

— Je croyais que vous deviez m'appeler Walter?

— Excusez-moi, Walter. Mais cette jeune fille, Molly, elle n'a pratiquement pas touché à son assiette et elle vient de New York.

Il se mit à rire.

— Les jeunes filles de New York s'imaginent peut-être que la maigreur est élégante, mais ce n'est pas mon cas. Vous voulez mon avis, Morgan?

— Oui.

— N'essayez pas de changer. Vous êtes adorable telle que vous êtes.

Morgan sursauta. Elle ne savait plus quoi dire. Pis encore, elle se sentait devenir cramoisie. Elle espérait qu'il ne s'en rendait pas compte dans l'obscurité.

— Pardonnez-moi, Morgan, je vous ai offensée, dit-il après un moment.

174

– Non, non, je ne suis pas offensée du tout, mais...

– Mais vous ne souhaitez pas mes attentions. Je comprends. Je suis veuf depuis six ans. C'est long. J'avais une vie conjugale heureuse mais, depuis que ma chère femme m'a quitté...

Il s'interrompit. Dans un élan de sympathie, Morgan posa une main sur son bras.

– Je suis vraiment navrée, Walter.

Avant qu'elle ait pu réagir, il l'attira à elle et posa ses lèvres sur les siennes. D'abord prise de court, Morgan se surprit à répondre à son étreinte, laissant leurs deux corps se fondre l'un dans l'autre, ouvrant les lèvres. C'était si bon, cette intimité, cette ardeur. Elle était seule au monde, partant vers l'inconnu. Il lui serait facile de dire oui au capitaine, de devenir sa femme, d'être aimée et choyée.

Et enfermée, mise en cage, contrainte de se plier aux conventions, de rester cloîtrée à la maison. Prise de panique, elle s'écarta, le repoussant.

– Ma chère Morgan, je vous demande pardon. Vous avez sûrement remarqué... combien je vous admire. Vous êtes si... forte.

Il recula d'un pas, lui montrant la paume de ses mains comme pour lui signifier : « Voyez comme je garde mes distances. »

– Je vous en prie, ne m'en veuillez pas. C'était plus fort que moi. Je vous assure qu'à aucun moment je n'ai voulu abuser de votre jeunesse et de votre bonté. Mais vous étiez si jolie, là, sur le pont, si grande, si solide, comme une figure de proue... Je me suis laissé emporter. Dites-moi que nous sommes encore amis.

– Bien sûr, répondit Morgan, mais rien que des amis. Je suis trop jeune pour me marier et...

– Et ?

Elle eut une brève vision de Silas, si douloureuse qu'elle la chassa aussitôt.

– Rien, dit-elle. Je ne suis pas encore prête à penser au mariage, c'est tout.

175

– J'espère que vous m'écrirez une fois que vous serez installée. J'aimerais vous rendre visite lorsque je ferai escale à New York ou à Brooklyn. Cela vous paraît-il acceptable ? Je veux simplement m'assurer qu'il ne vous arrive rien. Une jeune femme seule dans cette grande ville...

– Ne vous inquiétez pas pour moi, capitaine Prentiss. Je suis médecin et sage-femme, je me débrouillerai très bien toute seule, je vous l'assure.

Il détourna la tête. Elle l'avait blessé. Une fois de plus. Elle se demanda si elle apprendrait jamais le tact. Au bout d'un moment, il annonça qu'il était temps d'aller dormir :

– Parce que je compte bien vous réveiller tôt demain matin pour vous montrer la huitième merveille du monde !

Elle fut soulagée de constater qu'il avait retrouvé son entrain habituel.

Comme promis, Walter Prentiss toqua à la porte de sa cabine à l'aube.

– Nous entrons dans le port, Morgan, venez vite !

Elle était déjà lavée et habillée, s'étant réveillée bien avant les premiers rayons du soleil, palpitante d'excitation. Elle savait que la journée serait bonne, parce qu'elle avait encore rêvé de Bird. Son ancêtre avait hoché la tête et l'oiseau blanc avait battu des ailes sans pour autant quitter le sommet de son crâne. Cela voulait sûrement dire qu'elle avait pris la bonne décision.

Morgan se précipita sur le pont et resta bouche bée. Deux grandes tours en pierre grise aux immenses arches gothiques s'élevaient dans les airs telles des cathédrales flottantes. Entre elles, on apercevait une route suspendue, traversant le ciel, sur laquelle couraient des voitures et des chevaux ! C'était extraordinaire !

Derrière elle, le capitaine émit un petit rire.

– Voici le grand New York et le pont de Brooklyn, chère Morgan. Est-ce que ce n'est pas une merveille ?

C'était plus que cela encore. Morgan ne pouvait pas répondre. Il y avait tant à voir de part et d'autre du navire ! De hauts bâtiments, serrés les uns contre les autres, se bousculaient sur la berge, semblaient sur le point de basculer dans le fleuve d'un instant à l'autre. Une centaine de cheminées déversaient leurs volutes noires dans le ciel. Le fleuve lui-même était rempli de bateaux de toutes sortes. Elle tournait la tête dans tous les sens, essayant de tout voir en même temps. De petits chaluts, crachant de la vapeur et faisant retentir leur corne, tiraient des barges. Des voiliers, leurs grandes voiles déployées, s'apprêtaient à affaler. Des bateaux à vapeur comme le *Water Bird*, certains plus petits mais d'autres plus gros encore, allaient et venaient. Les bateaux à aubes, lui expliqua le capitaine, étaient des ferries qui faisaient la navette entre New York et Brooklyn. Le billet coûtait deux cents. Il lui montra d'autres navires : des clippers de Californie, des cargos de la Compagnie des Indes et, du côté de New York, des péniches qui avaient descendu tout le canal Erié. Ici et là, tels des insectes sur le sol de la forêt, de petites embarcations s'affairaient entre les grandes, des barques, des chaloupes et des skiffs. Il était incroyable qu'elles ne se rentrent pas dedans ou ne se fassent pas couper en deux par les gros navires.

Le pont de Brooklyn ! Il est juste au-dessus, obscurcissant le ciel ! Le bateau glissa sereinement sous la masse imposante. Morgan tordait le cou dans tous les sens, émerveillée, courant d'un bord à l'autre en s'exclamant :

– Regardez ça ! Et ça ! Et ça !

Lorsqu'ils eurent passé le pont, elle se retourna et vit qu'il y avait des gens qui marchaient dessus. *Dès qu'on sera à terre, je traverserai le fleuve sur le pont de Brooklyn*, se promit-elle. Elle n'avait pas de mots pour décrire son enchantement.

– Je vois que vous aimez le port de Brooklyn, rit le capitaine Prentiss.

Il l'observait, amusé par son excitation. Bah ! il pouvait toujours la regarder, elle s'en souciait peu. Elle adorait cet endroit ! Elle adorait le fleuve, le pont, les hauts immeubles et les centaines de gens qu'elle apercevait dans les rues qui menaient aux berges.

– Ça vous change de Deep River, n'est-ce pas, Morgan? Sur cette petite île, Bedloe's Island, les Français vont ériger une grande statue, une femme, paraît-il, qui symbolisera la liberté. Vous voyez les canons, là-bas? C'est Staten Island, prête à défendre New York et Brooklyn en cas d'attaque.

– Qui voudrait attaquer New York et Brooklyn?

Le capitaine éclata de rire.

– Je me pose la même question, Morgan. Mais il faut toujours s'attendre au pire, pas vrai?

Lentement, le *Water Bird* commença à tourner vers son quai. Il y avait un immense hangar sur lequel était peint en grosses lettres : « Embarcardère numéro un ». Morgan apercevait des hommes armés de crochets s'alignant le long du quai.

– Ce sont des débardeurs, expliqua le capitaine. Ils cherchent à se faire engager pour décharger la cargaison.

– On est à Brooklyn?

C'était difficile à dire. Brooklyn et New York se ressemblaient tant!

– Oui. Le quartier au-dessus du port, là-haut sur la colline, s'appelle Brooklyn Heights. Il paraît que c'est très agréable, et on m'a dit qu'on y trouvait de nombreuses pensions pour les jeunes hommes et les jeunes femmes qui travaillent. J'en ai pour environ une heure ici. Si vous voulez m'attendre, je serai ravi de vous y conduire...

Une heure? Elle ne pourrait attendre si longtemps. Ses pieds la démangeaient de descendre du bateau et d'explorer les rues de Brooklyn Heights.

– Non, non merci, capitaine. Merci pour tout. J'ai trop hâte de me mettre en route.

La journée était belle, fraîche et étincelante. Morgan se sentait des ailes. Il y avait tant de vie partout! Tant de navires! Tant de gens! Cet endroit était un rêve. Elle avait enfin trouvé un lieu où elle pourrait se sentir chez elle, elle en était sûre. Cette fois, se promit-elle, elle ne partirait plus.

13

1884 et 1891

La bouche grande ouverte, les yeux écarquillés, s'emmêlant les pieds, Morgan se fraya un chemin dans la foule au pied de Fulton Street. Elle manqua de se faire renverser par les dizaines de carrioles surchargées et par les messagers qui couraient vers le ferry. Elle était bousculée, poussée, tiraillée dans tous les sens. Apparemment, ce n'était pas le moment d'admirer l'architecture. Les gens de Brooklyn parlaient un drôle d'anglais... quand ils parlaient l'anglais. Comment allait-elle trouver son chemin dans une telle cohue? Elle lança quelques « s'il vous plaît? » dans l'espoir d'arrêter un passant et de lui demander la direction de State Street, une rue où, selon le capitaine Prentiss, elle trouverait facilement un logement, mais les gens passaient trop vite. Personne ne s'attardait. Enfin, elle se planta devant un garçon qui tirait une carriole et lança d'une voix forte :

– S'il vous plaît!

– Oui, mademoiselle?

Il s'arrêta enfin, mais son corps était tendu, prêt à reprendre sa course.

– S'il vous plaît, où se trouve State Street?

– C'est tout là-haut. Remontez Fulton Street... Par là, dit-il en pointant un doigt. Vous ne pouvez pas la rater.

Il repartit aussitôt.

Grouillante de piétons et de bruits, la longue pente raide ressemblait à une fourmilière géante. Morgan ne se laissa pas démonter. Elle avait l'habitude des collines, et il y avait tant à voir. Enfin, Fulton Street décrivit une courbe et s'aplatit. Elle devait être arrivée au sommet, à Brooklyn Heights. La rue était bordée de boutiques et de bureaux. La circulation y était étourdissante. Carrioles bâchées, berlines, fiacres, toutes sortes de véhicules allaient et venaient rapidement dans les deux sens. Elle s'arrêta et demanda à un monsieur âgé qui lui paraissait aimable si elle était dans la bonne direction pour State Street.

– Tout à fait, répondit-il. Vous la trouverez un ou deux pâtés de maisons après la mairie.

Ce devait être le grand bâtiment blanc surmonté d'un dôme doré qui dominait tous les autres.

Brooklyn Heights était un joli quartier plein d'arbres, mais les maisons ne ressemblaient en rien à ce qu'elle avait vu jusqu'ici. C'étaient des boîtes carrées de trois ou quatre étages, toutes pareilles et toutes alignées par groupes de deux ou trois. La plupart avaient des marches menant à une porte d'entrée surélevée. Pourquoi diable n'avaient-ils pas mis la porte au niveau du sol ? Toutes étaient ornées de rambardes et de grilles en fer forgé noir, mais aucune n'avait de jardin.

En croisant une jeune femme en tablier et coiffe blanche poussant un bébé dans une drôle de petite voiture équipée de grandes roues, elle demanda à nouveau si elle était bien dans la direction de State Street.

– Encore deux pâtés de maisons, répondit la jeune femme.

Elle baissa les yeux vers le sac et la sacoche de remèdes de Morgan.

– Vous cherchez une pension ? demanda-t-elle.

– En effet. Je viens juste d'arriver à Brooklyn.

– Lorsque vous arriverez sur State Street, tournez à droite et descendez vers le fleuve. Cherchez la boutique juste après le numéro 12. La propriétaire est une amie, Catherine Enright. Dites-lui que c'est Maureen qui vous envoie.

Sa gentillesse réconforta Morgan, qui commençait à se sentir petite et perdue. Cette ville était si grande et si étrange

180

qu'elle en avait la tête qui tournait. D'un autre côté, elle était fascinée. Cela n'avait rien à voir avec Chester ou East Haddam. Les rues étaient pavées et tellement longues qu'elles ne semblaient pas avoir de fin.

Elle tourna dans State Street et commença à redescendre vers le port. Elle apercevait la forêt de mâts au pied de la colline. « M'y voilà », marmonna-t-elle en elle-même. Elle balança son sac sur son épaule et chercha le numéro 12. A son grand désarroi, de nombreuses portes n'avaient même pas de numéro ou, quand il y en avait un, il ne correspondait à rien. Elle aperçut deux numéros 58, un de chaque côté de la rue, et le numéro suivant était le 48...

Les maisons étaient toutes identiques, chacune avec son porche et son escalier bordé de rampes en fer forgé. Elles étaient jolies. Parfois une boutique ou un local professionnel les séparait. Elle lança un coup d'œil vers ce qui lui parut être une sorte de bureau et vit des hommes assis derrière des pupitres écrivant dans la lumière sale qui filtrait par les fenêtres couvertes de poussière. Suivaient une pension de famille et l'échoppe d'un ébéniste. Elle hésita à entrer pour demander s'ils connaissaient Catherine Enright. Elle ne tenait pas à passer pour une péquenaude. Plus loin, vers le pied de la colline, il n'y avait plus que des bars et des saloons, par dizaines! Plusieurs véhicules manquèrent de la renverser. Les trottoirs étant bondés, elle dut marcher dans le caniveau débordant d'eau sale. Elle passa devant l'atelier d'un forgeron et détourna les yeux pour ne pas penser à Silas et à tout ce qu'elle avait laissé derrière elle. Elle ne voulait plus y songer. Elle entamait une vie nouvelle, elle allait devenir quelqu'un, et ce n'était pas le moment de pleurnicher sur un garçon.

Son sac devenait de plus en plus lourd. Elle avait l'impression de marcher depuis des heures, et toujours aucun signe du numéro 12. Elle se demandait si elle n'avait pas pris la mauvaise direction quand, presque au bout de la rue, elle vit une épicerie avec une grande vitrine. Derrière le comptoir se trouvait une jeune femme rondelette avec une épaisse masse de cheveux noirs noués sur le sommet du crâne. Etait-ce Catherine Enright? Un panneau sur la porte indiquait « Ouvert » mais elle hésita, soudain intimidée. La jeune femme releva les yeux et lui fit signe d'entrer. Avec un soupir de soulagement, Morgan poussa la porte et demanda :

– Je suis bien au numéro 12?

– Oui, mam'zelle, Catherine Enright pour vous servir. Vous n'êtes pas du coin, n'est-ce pas?

– En effet, dit Morgan en riant. Je viens juste de débarquer. Je viens de Deep River, dans le Connecticut. Une jeune femme a eu la gentillesse de me donner votre adresse... Elle a dit qu'elle s'appelait Maureen.

– Elle a bien fait. Posez donc vos affaires et dites-moi ce que je peux faire pour vous.

– J'aurais besoin d'une chambre. Pour y habiter.

– Vraiment? Il se trouve que j'en ai une de libre à l'étage. Elle a été libérée ce matin même, par Lizzie Coyle, une couturière qui est partie vivre de l'autre côté du fleuve, à Manhattan, pour être plus près de ses clientes. Vous voulez monter la voir, mademoiselle... euh...?

– Wellburn. Morgan Wellburn.

– Morgan? Comme la Morgane du roi Arthur?

– Oui, répondit Morgan ravie. Exactement. Quand je suis née, mes parents attendaient un garçon. Quand il a vu que j'étais une fille, mon père a dit : « C'est pas grave, on l'appellera Morgan quand même. »

– Vous m'en direz tant! En tout cas, c'est un joli prénom. Mais... dans la légende, Morgane n'était-elle pas une sorcière?

Les yeux de Catherine Enright se plissèrent de malice.

– Je ne sais pas si je tiens vraiment à louer ma chambre à une sorcière, mademoiselle Morgan.

– Morgane était une fée, une sorcière blanche... et dans ma famille il n'y a que de bonnes sorcières.

– Vous m'en direz tant! répéta Mme Enright en se signant. Elle semblait plus admirative qu'effrayée.

– Je suis à moitié indienne, expliqua Morgan. Ma mère m'a raconté qu'elle descendait directement de deux *moigu*... des guérisseuses.

– Et vous... mademoiselle Morgan? Vous êtes en train de me dire que vous êtes une... comment vous avez dit déjà, *moigou*?

Morgan se mit à rire.

– Non, pas vraiment. Mais j'ai suivi deux années d'apprentissage chez un vrai docteur.

– Un docteur! Par exemple! Vous savez mettre au monde les bébés?

– Bien sûr.

– A la bonne heure! Nous n'avons plus de sage-femme dans le coin depuis que Maggie Malone est morte de la tuberculose. La petite Annie Carrigan va accoucher d'un jour à l'autre. Elle habite juste au coin de Furman Street, au-dessus du saloon. Vous allez pouvoir vous mettre au travail sans tarder. Oui, je suis sûre que vous ferez parfaitement l'affaire. Suivez-moi.

Elle retourna la pancarte sur la porte de la boutique, indiquant « Je reviens de suite », et dénoua son tablier. Ouvrant une porte au fond de la salle, elle fit signe à Morgan de lui emboîter le pas.

Elles grimpèrent trois étages sans que Catherine Enright cesse de parler.

– Je suis veuve, vous savez, bien que je n'aie que vingt-huit ans. Ce sont les oreillons qui m'ont pris mon mari, c'est aussi bête que ça. Vous vous rendez compte? Un grand gaillard qui n'avait jamais été malade de sa vie! Il était presque rétabli, mais son cœur a lâché, comme ça, d'un coup. Ça m'a tellement chagrinée que j'en ai fait une fausse couche. Du coup, je n'ai même pas un petit avec moi pour me tenir compagnie.

Elles atteignirent enfin le dernier étage. Morgan était presque à bout de souffle, mais pas Catherine Enright. Ouvrant grand la porte d'une petite chambre sous les toits, elle poursuivit :

– Ce ne sont pas les prétendants qui manquent. C'est que j'ai mon propre commerce et un peu d'argent de côté, alors

183

vous imaginez si je suis un bon parti ! Mais je n'ai pas encore trouvé l'homme qu'il me faut. Alors, j'attends. Ça vous plaît ? C'est un peu petit, mais il y a deux fenêtres, un dessus-de-lit tout neuf et ce coffre qui contiendra facilement toutes vos affaires. Qu'est-ce que vous en pensez ?

Morgan trouvait surtout la logeuse très sympathique.

– Eh bien... madame Enright...

– Cat, c'est comme ça qu'on m'appelle. Cat Enright. Et vous m'obligeriez en m'appelant comme ça aussi.

– Oui, madame, je veux dire : Cat. Elle me plaît. Je la prends.

– A la bonne heure ! Redescendez avec moi, je vais vous préparer une tasse de thé, et vous pourrez me raconter comment vous avez fait tout le chemin depuis le Connecticut pour atterrir à Brooklyn Heights.

De retour au rez-de-chaussée, la bouilloire était à peine posée sur le feu qu'une petite fille fit irruption dans la boutique.

– Cat ! Cat ! Ça a commencé ! Le bébé arrive !

– Déjà ? s'exclama Cat. Regarde, Mary Clare, cette jeune femme va habiter ici et, tu sais quoi, elle est sage-femme ! Est-ce que ce n'est pas formidable ?

Sans avoir le temps de souffler, Morgan fut entraînée à Furman Street, dans le petit trois-pièces des Carrigan. Elle mit l'enfant au monde cette même nuit, une jolie petite fille dodue. Quatre ou cinq femmes se trouvaient autour du lit, commentant ses moindres gestes. Elles s'étonnaient de voir Morgan se laver sans cesse les mains, une des précautions que le docteur Grâce lui avait apprises. Elle leur expliqua que la fièvre de naissance était souvent due à des mains ou à des instruments sales. Elles hochèrent la tête et prirent des mines intéressées, mais elles ne semblaient guère convaincues. Toutefois, elles durent bien reconnaître que la nouvelle venue connaissait son affaire. Elle avait de bonnes mains et savait cajoler le bébé pour le faire sortir du ventre de sa mère. Lorsque l'enfant, qui s'appellerait Maeve, fut bien installée contre le sein maternel, une voisine invita toute l'assemblée à dîner dans sa cuisine. Ce soir-là, Morgan rencontra beaucoup de monde, car le bruit s'était rapidement propagé que le dernier-né des Carrigan avait été mis au monde par une nouvelle sage-femme demeurant chez Cat Enright. Il était presque minuit quand elle monta enfin se coucher. Elle était si épuisée qu'elle dormit jusqu'au lendemain après-midi.

Bientôt, Morgan connaissait tous les habitants de son pâté de maisons, surtout les autres pensionnaires du numéro 12 de State Street : Anne Cushing, une veuve ; Bridgit McNulty, une orpheline de dix-sept ans qui travaillait pendant la journée dans une grande maison d'Orange Street ; et Timothy Mahon, l'imprimeur boiteux. Elle fit le tour de son quartier pour se familiariser avec son nouvel environnement. Au coin de Furman et de State Street, il y avait un bar, tout comme au coin de State et de Columbia Street. Un peu plus loin sur Furman Street, il y en avait deux autres. Ça buvait sec dans le quartier. On y voyait beaucoup de beuveries et de bagarres. Lorsque certains hommes se soûlaient, ils rentraient chez eux et frappaient leur femme et leurs enfants. Morgan était bien placée pour le savoir, car elle fut rapidement appelée à soigner les habitants du quartier. Ses patientes parlèrent d'elle à leurs amies et, bientôt, elle devint célèbre dans toute la classe ouvrière de Brooklyn Heights, de Cobble Hill et plus particulièrement d'Irishtown, près du port maritime de Brooklyn, où les petites maisons étaient entassées les unes sur les autres le long de rues mal pavées et où les égouts débordaient sans cesse.

Chez ces pauvres gens, elle se faisait très peu payer, parfois pas du tout, et rentrait souvent chez elle avec, comme honoraires, quelques miches de pain, un tablier cousu à la main, voire juste une promesse. Ses patients ne tarissaient pas d'éloges à son sujet. Ils disaient qu'elle faisait des miracles, car elle connaissait des techniques de soins dont ils n'avaient jamais entendu parler. Personne ne se souciait de ses manières étranges. Ils ne savaient qu'une seule chose : ce que Morgan Wellburn faisait pour eux était efficace et elle avait du cœur.

La première fois que Morgan vit Della Blessing, c'était au coin de la rue, près de chez Cat. L'enfant s'appuyait sur une béquille de fortune et tendait sa main libre devant elle en disant :

— Un penny pour une pauvre infirme.

Elle avait de grands yeux couleur de rivière et d'épais cils recourbés. Le reste de son visage était caché sous la crasse. Quant à la couleur de ses cheveux, elle était impossible à deviner. Ils étaient sales, emmêlés et grouillants de poux.

Naturellement, Morgan fouilla dans sa poche et donna trois cents à la petite. Elle fut remerciée par un sourire éclatant.

— Oh! Merci, madame. Merci.

— Quel âge as-tu? demanda Morgan.

L'enfant était petite et menue, mais ce pouvait être dû à un retard de croissance provoqué par le manque de nourriture. Toutefois, quand elle répondit : «Trois ans», Morgan n'en revint pas. Ce n'était qu'un bébé! Qui pouvait laisser une si petite créature mendier seule dans la rue?

Ce soir-là, chez Cat, autour de la table du dîner, Morgan déclara :

— Il me semble que je n'avais jamais vu cette petite auparavant.

Il y eut un bref silence, puis Cat déclara :

— C'est Della Blessing. Autrefois, les Blessing habitaient sur Columbia Square. Ils avaient disparu, comme ça, sans prévenir. Il semble qu'ils soient revenus.

— Cette enfant est couverte de bleus et de croûtes. Elle doit tomber beaucoup.

Les autres pensionnaires échangèrent des regards en coin, puis Cat émit un petit rire dépité.

— «Tomber»? Ça m'étonnerait. Ce sont sans doute ses frères et sœurs qui la battent. C'est une vraie honte. Mais que pouvons-nous y faire?

— Mais leurs parents le leur permettent?

— Voyons, Morgan, tu sais bien comment c'est! Le père passe ses journées sur les quais à espérer se faire engager pour

186

décharger un bateau, ce qui n'arrive pas souvent. La mère travaille à la pièce toute la journée et la moitié de la nuit. La plupart du temps, tous deux sont trop épuisés pour voir quoi que ce soit. La pauvre petite a un pied bot, et les autres enfants passent leur temps à se moquer d'elle, à la pousser et à la bousculer.

Bridgit McNulty, petite créature timide qui ne disait jamais un mot plus haut que l'autre, explosa soudain :

– Comment va-t-elle s'en sortir? C'est ce que j'aimerais savoir! Je croyais qu'ici c'était l'Eldorado et qu'on allait tous devenir riches. Un ramassis de mensonges, voilà ce qu'on nous a fait avaler. Cette malheureuse n'a que trois ans, elle est à moitié morte de faim, et elle passe ses journées debout sur sa seule jambe valide à mendier des pennies!

Là-dessus, elle devint écarlate et replongea le nez dans son assiette.

– Je soignerai ses blessures et ses bleus, dit doucement Morgan. Par la même occasion, je vais essayer de lui faire prendre un bain. Tu veux bien lui préparer un morceau de pain, du fromage et un bout de viande sur une assiette, Bridgit?

La jeune fille acquiesça en rougissant encore plus. Puis chacun offrit un peu du contenu de son assiette et déclara qu'il aimerait bien faire quelque chose pour aider la petite. Quelques pennies peut-être? Ou une vieille chemise presque sans accroc? Les gens étaient foncièrement gentils, se dit Morgan. Il était simplement dommage qu'ils aient besoin qu'on les pousse de temps en temps.

Les Blessing habitaient Furman Street, non loin de la pension de Cat. C'était une rue ouvrière typique, où trop de gens vivaient dans trop peu d'espace. Il n'y avait pas assez de travail sur les docks, et beaucoup trop de bars. Morgan y avait pas mal de patients. Depuis qu'on faisait appel à elle en tant que guérisseuse, infirmière et sage-femme, rien de ce qui se passait dans ces foyers miséreux ne lui échappait. Elle voyait bien que tout le monde travaillait dur, les enfants y compris, sans pour autant pouvoir manger à sa faim. Les jeunes étaient pâles et maigres, les femmes toujours enceintes ou en train d'allaiter.

Morgan savait qu'une femme pouvait limiter le nombre de ses grossesses. Annis lui avait expliqué que, dans l'ancien temps, les femmes de sa tribu n'avaient jamais plus de deux ou trois enfants. « Tu crois peut-être que c'est un hasard si je n'ai eu que toi et Becky ! »

Mais, lorsque Morgan suggérait à ses patientes épuisées qu'avec moins de bébés leur vie serait sans doute un peu moins dure, elles riaient de sa naïveté et rétorquaient qu'elles n'avaient pas à discuter ce que Dieu leur donnait. La triste vérité était que, comme seul un bébé sur quatre environ survivait, certaines ne voyaient pas en quoi une grossesse de plus pouvait les gêner.

Pendant les trois années qui suivirent, Morgan et ses copensionnaires veillèrent à ce que la petite Della soit suffisamment nourrie, quand ses frères et sœurs ne lui volaient pas sa nourriture. Tim Mahon, l'imprimeur, qui s'y entendait en menuiserie, lui fabriqua une béquille rembourrée pour que son aisselle blessée puisse cicatriser. La mère de Della, Rose, vint les trouver un jour pour les remercier. La fillette était son portrait craché, jusqu'à la pâleur de sa peau, mais il y avait quelque chose d'absent dans le regard de Rose. Morgan lui donnait des médicaments, mais elle oubliait toujours de les prendre. Elle ne semblait jamais savoir où se trouvaient tous ses enfants. Cat Enright soutenait que c'était à cause de l'alcool. « Elle sirote en cachette, celle-là, j'en donnerais ma main à couper. » Mais Morgan pensait que c'était surtout le manque de nourriture. La malheureuse était plus maigre qu'une ombre.

Pocharde ou pas, la pauvre Rose semblait poursuivie par la malchance. Elle tomba enceinte plusieurs fois et fit fausse couche sur fausse couche, chacune accompagnée de terribles hémorragies. Elle était si souvent malade qu'elle n'arrivait pas à coudre la quantité de pièces qu'on lui demandait. Son mari,

Connor, fut tué lors d'une bagarre sur les docks. La diphtérie emporta ses trois autres enfants. Puis, un jour, Della entra en boitillant dans l'épicerie. De grosses larmes coulaient le long de ses joues. Elle demanda à voir le « docteur Morgan ». Une voisine envoya son fils la chercher. Elle était occupée à soigner la plaie purulente d'une patiente et arriva au pas de course dès qu'elle le put.

– On doit aller vivre de l'autre côté du fleuve, sous le grand pont, sanglota Della. Il y a du travail à la pièce, là-bas. Mais je ne veux pas y aller. Je ne vous reverrai plus jamais, ni vous, ni Tim, ni Bridgit, jamais! Qu'est-ce que je vais devenir? Les autres enfants vont me faire tomber, se moquer de moi et m'appeler la boiteuse.

Morgan était inquiète. Par-dessus le marché, Rose était encore enceinte. « Le cadeau d'adieu de Connor », avait-elle déclaré lors d'un de ses rares élans d'humour. Sa grossesse ne se passait pas bien, elle était beaucoup trop maigre. Mais que pouvait-on y faire? Au moins, elle vivrait là-bas avec une amie, Joan, une autre veuve avec deux petits enfants. Les temps étaient durs. En joignant leurs efforts, les deux femmes pourraient peut-être s'en sortir. Aussi, la mère et la fille déménagèrent.

Un mois avant la date prévue pour l'accouchement, Morgan apprit que Rose, prise d'une forte fièvre et perdant du sang, réclamait Mlle Wellburn. Elle savait que Rose vivait dans un quartier malfamé, mais rien ne l'avait préparée à ce qu'elle vit. Le grand bâtiment se trouvait juste sous la première pile du pont. Elle pénétra dans des ténèbres puantes. Hormis pendant quelques minutes un peu avant midi, aucun rayon de soleil ne filtrait jamais dans l'immeuble. Elle dut crier pour que quelqu'un vienne lui montrer le chemin. Un gamin arriva en courant, portant une torche. Tout en la guidant, il lui expliqua que leur seule source de lumière était l'éclairage électrique du pont et des rues voisines, la nuit. Morgan se sentait comme une taupe, avançant à tâtons dans le noir le long de couloirs suintants. Au bout de quelques minutes, ses yeux s'accoutumèrent à l'obscurité et elle commença à distinguer certains détails. Lorsque l'enfant alluma une chandelle du bout de sa torche, elle découvrit une pièce minuscule, avec un petit poêle et une machine à coudre placée sous une fenêtre aveugle. Dans un coin se trouvaient une table, une chaise bancale et un vieux matelas sur lequel gisait Rose Blessing. Elle adressa un faible sourire à Morgan. Soudain, cette dernière sentit quelque chose s'agripper à sa jambe et manqua de tomber à la renverse. C'était Della. Elle avait l'air affamée, avec les joues creuses et les yeux profondément enfoncés dans leurs orbites.

Morgan fit un effort pour maîtriser ses émotions et sa voix. Elle s'agenouilla auprès de Rose en disant à Della :

– Ne t'inquiète pas, je vais m'occuper de ta maman.

La fièvre de Rose n'était pas très forte, mais la malnutrition l'avait considérablement affaiblie et elle saignait toujours abondamment des suites de sa fausse couche. Morgan voulut faire bouillir un peu d'eau, mais il n'y avait plus de charbon.

– Le loyer coûte cinq dollars et le seau de charbon douze cents, lui expliqua Della. Les bons mois, quand maman travaille vraiment dur, elle arrive à gagner jusqu'à dix-neuf dollars.

– Si je pouvais coudre plus vite, je gagnerais plus, murmura Rose. Mais je suis toujours malade, et c'est dur quand on n'a rien mangé depuis plusieurs jours.

Pendant qu'elle faisait la toilette de Rose et s'efforçait de l'installer plus confortablement, Morgan apprit d'autres détails. Et plus elle en apprenait, plus elle sentait sa colère monter. Tous ceux qui vivaient dans ce terrible endroit dormaient le jour et travaillaient la nuit, utilisant les lumières du pont pour économiser les bougies. Ils cousaient des salopettes à un dollar la douzaine.

– C'est un travail dur, très dur. Il faut travailler quatorze heures d'affilée pour finir douze pièces dans la journée. Joan y arrive, mais elle est forte, elle.

Il était rare que Rose parvienne à gagner son dollar quotidien. La plupart du temps, elle ramenait tout juste soixante-six cents par jour.

Morgan envoya l'un des fils de Joan chercher de la nourriture et de la bière.

– Essaie de trouver des pommes, ordonna-t-elle. Achète aussi du pain, du fromage, des pommes de terre, du thé, du charbon. N'oublie pas le charbon! Fais vite, s'il te plaît.

Elle lui donna deux dollars en priant pour qu'il ne s'enfuie pas avec. Puis, le voyant revenir les bras chargés de commissions, elle eut honte d'elle-même et lui donna une pomme pour lui tout seul.

Les larmes coulaient le long des joues de Rose tandis que Morgan lui faisait boire du thé à la cuillère et lui donnait du pain trempé dans la bière. Elle avait perdu presque toutes ses dents, et ses gencives irritées étaient à vif.

– Il n'y a plus que le fleuve pour soulager les gens comme moi, dit-elle d'une voix faible. Cette vie ne vaut vraiment pas la peine d'être vécue.

– Je vous aiderai. Rose, la réconforta Morgan. Vous ne devez pas baisser les bras. Pensez à votre petite Della.

– Prenez-la avec vous. Moi, je ne suis plus bonne à rien.

– Maman, ne dis pas ça! s'écria Della. Ne dis pas ça.

La tête de Rose roula sur le côté et elle perdit connaissance.

– Ne crois pas que tu vas t'en tirer comme ça! grommela Morgan.

Elle secoua doucement Rose puis, la portant et la traînant à moitié, la sortit de son taudis, la petite Della boitillant à ses côtés. Une fois dans la rue, elles prirent le chemin du dispensaire de Hester Street.

On était samedi, jour saint chez les juifs, ce qui signifiait que le dispensaire était pris d'assaut. Les patients faisaient la queue dans l'escalier et jusque dans la rue. Morgan pensa d'abord attendre leur tour, mais Rose, qui s'était quelque peu ranimée en chemin, commençait à s'effondrer. Elle avait le regard plus vitreux que jamais. Il n'y avait pas de temps à perdre.

191

– Suis-moi, Della.

Serrant fermement Rose par la taille, Morgan se fraya un chemin entre les patients en criant :

– S'il vous plaît, laissez-nous passer. Je suis médecin et cette femme est en train de mourir.

Elles parvinrent toutes les trois miraculeusement en haut des marches sans que personne les ait bousculées ni repoussées.

Malgré la foule, la salle d'attente était calme. Les patients étaient répartis sur des bancs de différentes couleurs. A l'autre extrémité de la salle, dans un espace protégé par une rambarde métallique, un médecin distribuait des tickets numérotés de la même couleur que les bancs. Morgan était déjà venue et savait que le rouge signifiait chirurgie, le bleu médecine générale, le jaune soins des oreilles et des yeux, le gris maladies des femmes et des enfants, le vert soins dentaires. Ceux qui en avaient les moyens payaient dix cents ; pour les autres, c'était gratuit.

Morgan, qui tenait toujours Rose, aussi molle qu'une poupée de chiffon, était désormais la deuxième de la file. L'homme devant elle dut payer ses dix cents.

– C'est une honte ! tonna-t-il. C'est le gouvernement qui devrait payer pour nous garder en vie ! Dieu sait qu'il nous prend jusqu'à notre dernier souffle !

Une vague de rire se répandit dans la salle. L'homme sortit quand même les pièces de sa poche, discuta un moment avec le médecin, puis reçut un ticket vert.

Morgan dut demander à Della de sortir dix cents de son porte-monnaie. Elles se virent attribuer un ticket gris. Elle traîna ensuite Rose jusqu'à un banc gris et s'y laissa tomber avec un soupir de soulagement. Rose avait beau être menue et frêle, Morgan se demanda combien de temps elle aurait encore pu la porter. Quinze minutes plus tard, elles furent admises dans une des salles de consultation.

La pièce ne comptait qu'une table derrière laquelle le médecin était assis, deux ou trois chaises en bois et plusieurs instruments rangés près d'une bassine d'eau. Une infirmière, portant un petit bonnet amidonné et un tablier blanc, se tenait à côté. Des mèches blondes s'échappaient de son bonnet, ses vêtements étaient froissés et la poche de son tablier déchirée. Elle avait un regard doux et intelligent. Elle examina d'un air songeur les trois personnes qui entraient. Le médecin leva également les yeux vers elles, avec une irritation non dissimulée. Morgan devina ses pensées. Pourquoi avait-on attendu si longtemps avant de lui amener cette femme manifestement à l'article de la mort ? Il saisit un stylo et leur fit signe de s'asseoir. Il s'apprêtait à noter les antécédents médicaux de Rose quand la porte s'entrouvrit et une autre infirmière pointa la tête :

– Docteur, vous pouvez venir un instant ? C'est une urgence, une artère sectionnée. Un accident du travail.

– Infirmière Apple, remplissez le dossier de cette patiente, ordonna le médecin avant de disparaître.

– Parce que ça, ce n'est pas une urgence, peut-être ? lâcha l'infirmière sur un ton acerbe. Enfin... Nom ?

Morgan lui donna le nom, l'âge et la nationalité de Rose, qui, selon Della, était anglaise.

– Tu ne sais pas où elle est née, par hasard, ma petite ? demanda l'infirmière.

– Je l'ai entendue parler de Liverpool.

– Ça me suffira. Ce qui importe, c'est ce dont elle souffre.

– De malnutrition, déclara Morgan, de grossesses à répétition, de trop de travail et de manque d'espoir. Vous verriez où elles sont obligées de vivre ! Ce n'est pas humain. Des immeubles comme ça ne devraient pas exister.

– Je sais bien, soupira l'infirmière. Mais il faut quand même que j'écrive ce dont elle souffre.

– J'imagine que vous ne pouvez pas écrire « manque d'espoir »...

Della, qui était restée silencieuse mais attentive, déclara soudain :

– Maman s'est remise à boire. Elle essaie de ne pas exagérer, mais elle dit que ça tue la douleur.

193

– Je ne crois pas que ce soit le genièvre qui ait mis ta maman dans cet état, dit gentiment l'infirmière.

Elle se tourna vers Morgan d'un air interrogateur.

– Elle a récemment fait une fausse couche, expliqua Morgan. Ce n'est pas la première... mais elle a dû perdre beaucoup de sang.

Elle lui raconta toute l'histoire, où elle avait rencontré Rose Blessing et comment Della l'avait envoyé chercher.

– Je suis venue aussi vite que j'ai pu, mais j'ai trouvé Rose dans l'état où vous la voyez à présent. Elle n'avait rien mangé depuis plusieurs jours et ne tenait plus debout. Le temps que j'arrive...

L'infirmière l'interrompit d'un petit signe de tête.

– Vous n'y êtes pour rien. Tout cela est dû à la négligence des autorités. C'est une honte. Je ne comprends pas comment la ville de New York peut laisser ses habitants mourir de faim sans rien faire...

Son visage était rouge de colère.

– Un jour, tous les opprimés de cette terre, ceux que personne ne veut voir ni entendre, se soulèveront et demanderont des comptes à ceux qui ont délibérément choisi d'être aveugles et sourds...

Elle s'interrompit brusquement, l'air abattu.

– Excusez-moi, reprit-elle. A force de travailler dans ce dispensaire, je deviens obsédée par tous ces malheureux. J'ai tendance à me laisser enflammer par certaines injustices. Je vous demande pardon.

– Non, non, ne vous excusez pas, s'empressa de répondre Morgan. Je suis d'accord avec vous. Je suis guérisseuse et sage-femme. Je travaille surtout auprès d'immigrants pauvres. Moi aussi, je me demande souvent pourquoi il y a tant de misère autour de nous.

L'infirmière reprit son examen attentif de Rose, griffonnant des notes sur un papier, tout en parlant :

– Ce que je supporte le moins, c'est de ne pouvoir rien faire pour les aider. Bien sûr, je peux toujours panser leurs blessures superficielles, soulager un peu leurs douleurs physiques. Mais pour changer leur vie il faudrait que j'aille à l'université et que je devienne travailleuse sociale.

– A l'université!

– Pourquoi, vous pensez que je suis trop vieille? Après tout, je n'ai que vingt-quatre ans.

Morgan sourit. Elle en avait vingt-trois et savait qu'on la considérait déjà comme une vieille fille.

– Non, vous n'êtes pas trop vieille. J'admire les femmes qui font de vraies études. Je suis contente de rencontrer enfin quelqu'un qui pense comme moi. Mes patients disent tous que s'ils sont malades c'est la volonté de Dieu ou bien qu'ils n'ont pas eu de chance. Ils haussent les épaules et acceptent leurs épreuves comme si cela coulait de source. Quant aux riches qui vivent dans mon quartier, ils rétorquent qu'il y a toujours eu des pauvres et que c'est dans l'ordre des choses.

Pour la première fois depuis leur rencontre, l'infirmière esquissa un sourire, révélant deux petites fossettes qui la rendaient presque jolie.

– Vous devriez venir dans mon quartier. Il est plein de gens aux idées originales. Il y a toujours un rassemblement quelque part contre une injustice ou une autre. Moi-même, je fais partie d'un groupe qui milite pour mettre un terme à la traite des Blanches.

Morgan haussa des sourcils surpris.

– Il s'agit de jeunes immigrantes qui débarquent à New York en croyant y trouver une nouvelle vie. Elles sont la proie de beaux parleurs qui leur font signer des contrats les vendant pieds et poings liés à des employeurs peu scrupuleux qui ont tous les droits sur elles... quand ce n'est pas pire! Vous et moi, nous avons de la chance. Nous avons des compétences qui nous valent un minimum de respect. Mais regardez cette malheureuse couchée ici, réduite à mourir de faim pour sauvegarder sa dignité.

Elle se tourna vers Della, qui était tout ouïe.

– Ne t'inquiète pas, ma puce. Nous allons faire notre possible pour remettre ta maman d'aplomb.

Se tournant à nouveau vers Morgan, elle reprit :

– Le groupe auquel j'appartiens a été créé par une assistante sociale, une socialiste. Il y en a beaucoup comme elle dans mon quartier.

Morgan, qui ignorait ce qu'était une socialiste, n'osa pas le demander. Elle était très impressionnée par l'infirmière, sa sophistication et son savoir. Dire qu'elle n'avait qu'un an de plus qu'elle ! Décidément, il lui restait beaucoup à apprendre.

– De quel quartier s'agit-il ? demanda-t-elle.

– Greenwich Village. Vous n'y êtes jamais allée ?

Morgan rougit.

– C'est tout juste si je connais Brooklyn.

– Venez donc déjeuner avec moi demain. Je vous dirai comment faire. Non, mieux que ça, je viendrai vous chercher au terminus du trolley à Manhattan, et nous irons à pied ou en fiacre. On ira manger au Brevoort. C'est copieux et pas cher. Je vous montrerai le quartier. Autant vous prévenir : certains coins risquent de vous retourner l'estomac. Il y a des maisons closes, des guinguettes malfamées, des bars louches et des ivrognes plein les rues, même pendant la journée. Tous les jours, il arrive des bateaux entiers d'Italiens, de Français et d'Espagnols.

Sa voix s'était considérablement animée. Pendant tout ce temps, ses mains s'affairaient, pansant les entailles et nettoyant les plaies sur les jambes et le dos de Della.

– Ma pauvre chérie, on dirait que tu n'arrêtes pas de tomber !

Reprenant sa conversation avec Morgan, elle enchaîna :

– Tout est en train de changer dans le Village. De nombreux artistes y emménagent. En plus, on n'est jamais dérangé par la circulation, il y a trop de rues sinueuses, de contre-allées et d'impasses. Tiens ! Revoilà enfin le médecin. Au fait, je m'appelle Adélaïde. Adélaïde Apple.

– Morgan Wellburn.

– Ravie de vous connaître, Morgan Wellburn. Alors... ça vous dit de visiter Greenwich Village et de rencontrer mes amis ?

196

– Vous pensez! Je... je viens d'un petit hameau dans le Connecticut et... j'ai hâte de vous retrouver dans le Village et de voir des choses nouvelles.

– Je crois que ça va vous intéresser, conclut Adélaïde. Qui plus est, j'ai l'impression que nous allons bien nous entendre, vous et moi.

14

1891, Greenwich Village

Adélaïde était ravie, le soleil semblait au rendez-vous. En se réveillant ce matin-là au son de la pluie, elle avait bondi hors de son lit et s'était précipitée à la fenêtre. Le temps allait s'éclaircir. Il devait s'éclaircir. Elle voulait que ce soit une journée parfaite. Lorsqu'elle arriva au terminus du trolley vers onze heures, le soleil brillait et les flaques d'eau rétrécissaient, dégageant de la vapeur en séchant. Morgan était déjà là. Sa nouvelle amie. Adélaïde sentit des ailes lui pousser.

– Qu'est-ce que tu aimerais voir ? demanda-t-elle une fois les salutations d'usage échangées.

– Je ne sais pas... Tout !

– C'est qu'il y a tant à voir ! Viens ! Et fais attention où tu mets les pieds.

Elles se dirigèrent vers l'ouest.

– J'ai entendu dire que le Village était en train de devenir un refuge pour les artistes, les écrivains et tous les libres penseurs, déclara Morgan. Est-ce qu'on en verra aujourd'hui ?

– Sans doute pas là où on va. A moins que tu en aies vraiment envie. Je peux t'emmener où tu veux.

– Non, non. C'est ton quartier. Je me demandais simplement... A quoi les reconnaît-on ?

– Eh bien... Beaucoup se laissent pousser les cheveux longs, très longs. Ils s'habillent de manière étrange. Ils portent n'importe quel vêtement qu'ils enfilent n'importe comment. Mais on ne verra probablement pas de bohémiens... C'est comme ça qu'on les appelle, ne me demande pas pourquoi.

Généralement, ils ne sortent jamais des quelques rues où ils vivent, voire de leurs immeubles. Il y en a un qu'on appelle la « maison du Génie » parce que tous ceux qui y habitent sont des artistes ou des écrivains.

– La maison du Génie? Qui l'a baptisée comme ça?

– Je n'en sais rien. Sans doute eux-mêmes.

– Naturellement!

Elles pouffèrent de rire.

– On devrait emménager dans un immeuble et le baptiser la « maison de la Médecine », plaisanta Morgan.

L'idée séduisit Adélaïde.

– Où habites-tu en ce moment? demanda-t-elle.

– Dans la pension de Cat Enright sur State Street à Brooklyn Heights. J'adore Cat et je m'entends très bien avec les autres pensionnaires mais... même si c'est très pratique, j'avoue que je me sens à l'étroit dans ma chambre minuscule. Ce n'est pas fait pour une géante comme moi.

– Les Amazones étaient grandes, répliqua Adélaïde, et elles gouvernaient le monde.

– Merci, c'est gentil. Je ne voulais pas avoir l'air de me plaindre. Mes patients renversent toujours leur tête en arrière pour me regarder et disent : « C'est-y pas que vous êtes une grande plante! » Ça ne me gêne pas. A vrai dire, c'est même un avantage. Ils ont peur de me désobéir!

– Oh, mais je suis sûre que tu ne ferais... Ah, pardon, c'était de l'humour. Je ne suis pas très douée pour ça.

– Mais tu es douée pour soigner, Adélaïde. Tu sais écouter tes patients.

Adélaïde se sentit rougir. C'était une de ses malédictions.

– Moi aussi, je suis un peu à l'étroit, dit-elle pour changer de sujet. Ces derniers temps, j'envisage... d'acheter une maison.

– Une vraie maison? Mais ça doit coûter très cher.

– J'ai de l'argent. Beaucoup. Ne crois pas que j'essaie de me donner des airs. C'est ma grand-mère qui m'a légué une jolie somme dans son testament.

– Une maison! soupira Morgan. Ma grand-mère à moi ne m'a laissé qu'une amulette.

Adélaïde se demanda si c'était une autre plaisanterie et, dans le doute, ne releva pas.

– Quand deux personnes achètent une maison ensemble et partagent les frais... commença-t-elle.

Elle se réprimanda intérieurement. Ce n'était pas parce que Morgan Wellburn lui plaisait beaucoup que l'inverse était également vrai.

Elle préféra changer à nouveau de sujet.

– Il y a quelques années, ces rues étaient très calmes. C'était vraiment comme un village, petit et paisible. Mais aujourd'hui...

Aujourd'hui, les rues grouillaient de nouveaux immigrants. Des Allemands et des Irlandais, des Italiens et des Espagnols... Tous traînaient derrière eux des familles nombreuses et bruyantes, des odeurs puissantes de cuisines inconnues et un brouhaha polyglotte incompréhensible. Les maisons particulières, autrefois élégantes, étaient devenues des taudis où s'entassait tout ce petit monde, avec du linge miteux séchant à chaque fenêtre et des femmes accoudées aux rebords observant les trottoirs remplis de carrioles de vendeurs de rue et envahis de hordes d'enfants.

– Autrefois, c'était un quartier respectable, déclara Adélaïde en haussant la voix pour se faire entendre tandis qu'elles jouaient des coudes pour se frayer un passage vers Washington Square. Des familles aisées s'envoyaient des bristols pour se convier à prendre le thé.

Elle se mit à rire.

– A présent, c'est plein d'étrangers bruyants, de pensions pour célibataires, d'ateliers pour artistes affamés, de brasseries! Il y en a qui déplorent le déclin de Greenwich Village, mais j'adore toutes les idées nouvelles qui arrivent de partout et le fait que toutes les règles anciennes aient disparu. C'est fantastique, non?

Morgan, qui était restée silencieuse et ne savait plus où regarder, éclata de rire.

– Adélaïde, tu m'as fait peur. J'ai cru un moment que tu faisais partie de ceux qui pleurent sur la disparition de l'ordre ancien! Moi aussi, ça me plaît. Parle-moi encore de tout ce qui se passe de nouveau.

Rassurée par cette réponse, Adélaïde prit la main de Morgan et la serra, puis la lâcha presque aussitôt. Autrefois, dans sa pension de jeunes filles, elle avait été très proche d'une de ses camarades. Ça avait mal fini. Depuis, elle se tenait sur ses gardes.

Avant d'atteindre l'âge de quatorze ans, Adélaïde Apple avait appris à ne plus se regarder dans un miroir. Elle avait souvent surpris sa mère en train de l'observer, hochant la tête d'un air navré et soupirant qu'il était vraiment dommage qu'Adélaïde ait tout hérité des Apple plutôt que des Bernstein. « Mais ce n'est pas grave, ma chérie. Tu auras ta part d'héritage et tu n'es pas sotte. Ne crains rien, tu t'en sortiras très bien. » Mais, imaginant que la beauté était tout, Adélaïde fut persuadée qu'elle n'arriverait jamais à rien.

Ce fut un miracle, donc, quand Bonnie Metzger la choisit pour amie, elle, Addie Apple le gros boudin. Bonnie était menue et pétillante. Elles étaient toutes deux nouvelles à l'école pour jeunes filles de Goodman, un pensionnat du comté de Westchester. Elles s'assirent côte à côte pendant la présentation de la rentrée, et Bonnie ne cessa de lui chuchoter à l'oreille pendant tous les discours. La directrice ne ressemblait-elle pas à un bouledogue? Avec tout le travail qu'on leur promettait, quand trouveraient-elles le temps de s'amuser? Si le latin était une langue morte, comment se faisait-il que le professeur de latin soit toujours vivant? Addie ne trouvait-elle pas M. Goodman terriblement bel homme?

Personne ne lui avait jamais demandé son avis auparavant. Aucune autre fille n'avait jamais échangé des messes basses avec elle ni partagé des fous rires. Quelle merveilleuse sensation! Adélaïde était sous le charme. Dès ce jour, elle fut entièrement dévouée à Bonnie.

Pendant un mois ou deux, elles furent inséparables. Pour les repas, les jeunes filles étaient installées à des tables de huit. Addie et Bonnie s'asseyaient toujours ensemble. « Je dépends de toi, lui dit un jour Bonnie. Tu sais toujours obtenir ce que tu veux. » Elle envoyait souvent Addie demander du rab de dessert ou des serviettes supplémentaires. « ... Parce que toi on t'écoute », justifiait-elle. Elle l'envoyait également voir la directrice pour lui demander des faveurs. Addie y allait volontiers, fière et ravie.

Elles faisaient leurs devoirs ensemble dans la bibliothèque, puis montaient ensemble dans les chambres, généralement dans celle de Bonnie, où elles parlaient pendant des heures. C'était Bonnie qui parlait. Addie se contentait de l'écouter tout en lui brossant ses épaisses boucles noires. Elle adorait la manière dont les mèches lui caressaient les mains en s'enroulant autour de ses doigts, et le sourire béat de Bonnie. Cette dernière insistait : « Tu es la seule à savoir me démêler les cheveux sans me faire mal, Addie. »

Addie lui parla de la déception de sa mère devant son manque de charme. Elle lui confia que son père n'aimait pas la présence d'enfants dans la maison et que c'était pour cela qu'on l'avait envoyée au pensionnat de Goodman. Un soir, elle lui avoua qu'elle n'avait jamais eu de vraie amie. Puis, dans un élan d'enthousiasme, elle déclara : « Je t'aime, Bonnie. Je t'aime même plus que mes parents ! » Là-dessus, elle l'enlaça et l'embrassa.

A compter de ce jour, Bonnie cessa de s'asseoir à côté d'elle dans le réfectoire. Elle ne lui demanda plus de l'aider à faire ses devoirs de géométrie ou de latin. Elle ne supplia plus Addie de commencer ses rédactions, elle qui avait toujours tant d'idées. Elle fit comme si Addie n'existait pas, ne répondant pas à ses billets dans lesquels elle lui demandait ce qu'elle avait bien pu faire. Elle se mit à marcher main dans la main avec Emma Diamond, qui était idiote et prétentieuse, mais superbe. Les deux filles passaient leur temps à chuchoter et à glousser. Souvent, elles regardaient du côté d'Addie et gloussaient de plus belle. Adélaïde, noyée dans son chagrin, était toujours au bord des larmes. Elle perdit l'appétit.

Un jour, en montant l'escalier tête baissée, elle bouscula quelqu'un. Elle s'excusa en relevant la tête et vit Emma

Diamond, immobile, qui la dévisageait d'un air narquois. « Ce que tu peux être maladroite, Adélaïde Apple ! Pas étonnant que ta mère ne puisse pas te voir en peinture et que ton père ne te supporte pas à la maison ! Pas étonnant que Bonnie ait envie de vomir quand tu essaies de l'embrasser ! »

Emma avait parlé à voix basse pour que personne d'autre ne puisse l'entendre. Puis elle s'écarta, poussa Adélaïde et dévala l'escalier en riant aux éclats. Bonnie la suivait, pouffant de rire. Le bruit de leurs voix résonna dans la cage d'escalier.

Addie se sentit envahie par un vague de chaleur, puis par un froid glacial. Bonnie Metzger avait raconté tous ses secrets ! Elle avait parlé à l'autre peste de son baiser. Bonnie l'avait trouvé dégoûtant et ridicule. C'était trop terrible, trop humiliant ! Adélaïde se mit à trembler et fut prise d'une envie de crier. Un tourbillon s'empara d'elle. Elle ne pouvait rien faire pour l'arrêter. Cette trahison... Leurs rires... C'était insoutenable.

« Vous ! hurla-t-elle. Toutes les deux ! Toi, Bonnie, et toi, Emma ! Vous n'êtes que des garces ! De sales traîtresses ! » Au pied de l'escalier, deux têtes se retournèrent dans un même mouvement, leurs visages flous levés vers elle.

Pleurant à chaudes larmes, Adélaïde grimpa quatre à quatre le reste des marches et se précipita dans sa chambre en claquant la porte derrière elle. Elle se jeta à plat ventre sur son lit, martelant l'oreiller de coups de poing dans un vain effort pour passer sa frustration. Au bout d'un moment, on frappa à la porte en appelant son nom. C'était la voix de Bonnie. Adélaïde ne répondit pas. Elle n'entendit pas la porte s'ouvrir. Elle sentit une main sur son épaule et se retourna. Bonnie était penchée sur elle et disait : « Je t'en prie, Adélaïde. Mme Goodman dit que tu vas te rendre malade. S'il te plaît, calme-toi. »

A travers ses paupières enflées, Addie dévisagea celle qui avait été son amie de cœur. Les boucles brunes et les lèvres pleines de Bonnie lui paraissaient méchantes et laides. Addie se redressa, saisit une poignée de ses cheveux et tira de toutes ses forces, secouant la tête de Bonnie d'avant en arrière. « Vipère ! hurla-t-elle. Traîtresse ! »

Quelqu'un parvint enfin à séparer les deux adolescentes, qui hurlaient. La directrice appela le docteur Hurd, un médecin de la région qui venait au pensionnat pour les cas urgents. Il déclara qu'Adélaïde souffrait d'hystérie. « C'est typique des jeunes filles qui font trop travailler leur tête. »

Addie savait qu'elle n'était ni hystérique ni surmenée. On la renvoya quand même chez ses parents en lui disant qu'elle pourrait revenir le trimestre suivant si elle promettait de se comporter comme une jeune fille convenable et de contrôler sa tendance à l'hystérie.

Naturellement, elle avait refusé de retourner au pensionnat. Comment aurait-elle pu, après avoir été humiliée publiquement? Sa chère maman ne comprenait rien à rien. « Ce qu'il faut faire, ma chérie, c'est marcher la tête haute et les défier de penser du mal de toi. — On n'a qu'à lui trouver un précepteur, voilà tout, trancha son père. Puisqu'elle n'est pas douée pour la vie en communauté, il ne sert à rien de la forcer. »

Adélaïde savait qu'elle s'entichait facilement d'autres femmes et que cela les rebutait parfois. Elle devait faire très attention à ne pas effrayer Morgan Wellburn. Celle-ci lui plaisait vraiment. Elle était grande et avait belle allure. Elle était exotique. Si seulement Addie pouvait lui ressembler! Elle deviendrait une meneuse au lieu de toujours devoir suivre les autres.

– Viens, je vais te montrer Bleecker Street, déclara-t-elle. Il y a encore une quinzaine d'années, c'était une rue élégante et très à la mode, bordée de belles demeures. Maintenant... Viens, tu verras par toi-même.

Bleecker Street était vraiment épouvantable, même en plein jour, sale, grouillante, puante. Au coin de Bleecker et de Thompson Street, on pouvait à peine avancer entre les dizaines de carrioles des marchands et leurs clients qui se bousculaient. Morgan était sidérée. Elle n'avait jamais rien vu de pareil à Brooklyn Heights.

– On trouve de tout! s'émerveilla-t-elle. De la nourriture...
des vêtements... de la literie... des casseroles... Tout et
n'importe quoi!

– Un peu plus loin dans la rue, il y a d'autres... euh... articles
à vendre, d'un autre genre.

Morgan resta bouche bée tandis qu'elles passaient devant
des dancings, sans parler des portes des bordels où des filles
outrageusement fardées et poudrées, mais très succinctement
vêtues, attendaient langoureusement, adossées aux murs et
aux réverbères, fumant de petits cigares et lançant des regards
lascifs aux hommes qui défilaient devant elles. Tous les dix
mètres ou presque, un panneau proposait « Sensuelles Sensations de France » ou « Les Secrets du Sérail ». Dans une allée
coincée entre deux bars, elles virent un homme au visage cras-
seux – c'était plutôt un garçon, il ne devait pas avoir vingt ans –
introduisant une seringue dans son avant-bras. Devant l'air
ahuri de Morgan, Adélaïde expliqua :

– Sans doute un morphinomane. Ils sont assez nombreux,
apparemment.

Pendant qu'elles avançaient, des vendeurs de tout poil,
hommes, femmes, enfants, leur proposaient des lacets, des
oranges, des fleurs, des cure-dents. Morgan s'arrêta et donna
un penny à une petite fille qui vendait des boîtes d'allumettes.

– C'est affligeant, dit-elle. Aucun être humain ne devrait être
réduit à une telle misère. Quand j'étais petite, nous étions
pauvres, mais j'allais au moins à l'école. Ces enfants-là...

– ... sont perdus d'avance? devina Adélaïde. Tu sais, la
grande majorité d'entre eux n'atteindra jamais l'âge adulte.
Oui, c'est affligeant.

D'un signe du menton, elle lui indiqua un groupe un peu
plus loin.

– Tu vois ces garçons, là-bas? Ce sont sans doute des pick-
pockets. Surveille ton sac.

Des éclats de voix les firent presser le pas pour voir ce qui
se passait. Une vieille femme gisait sur le trottoir, gémissant,
tandis qu'un garçon d'une dizaine d'années, tenant une

bicyclette, l'insultait en disant qu'elle s'était jetée sous ses roues et avait abîmé son outil de travail.

– J'ai déjà vu cette scène-là, déclara Addie. Pendant que tout le monde s'agglutine pour regarder ce qui se passe, ses petits copains font les poches des curieux. Hé, toi, là-bas, avec la casquette verte ! Je t'ai vu !

Le garçon à la casquette verte fila aussitôt. Le monsieur corpulent qui s'était tenu à côté de lui se palpa les poches en fulminant, puis se mit à crier : « Police ! Police ! » Tous les regards se tournèrent vers les deux jeunes femmes, et Adélaïde se sentit devenir cramoisie. Elle se maudit d'avoir crié ainsi. Elle ne voulait surtout pas rougir comme une idiote devant sa nouvelle amie.

– Bravo ! lui dit Morgan. Le gamin s'est sans doute enfui avec le portefeuille du monsieur mais, au moins, il ne volera plus personne dans l'immédiat.

Elle fut interrompue par les cris de la vieille femme encore assise sur le trottoir.

– Eh quoi ? Tout le monde est là à regarder, mais personne ne lèverait le petit doigt pour secourir une vieille femme renversée par ce vaurien !

Morgan lança un regard amusé à Addie, puis elles se précipitèrent pour l'aider à se relever.

– Calmez-vous, madame, lui dit Morgan de sa voix ferme. Je suis médecin et mon amie est infirmière. Vous êtes entre de bonnes mains.

Elle examina rapidement les légères contusions de la vieille dame, puis déclara qu'elle n'avait rien de bien méchant. Addie l'épousseta avec son mouchoir blanc. Elle entendait des murmures dans la foule :

– Une femme docteur... Tu as déjà vu ça, toi ?

Addie regarda droit dans les yeux ceux qui venaient de parler, fière d'être l'amie d'une personne si compétente.

Elles reprirent leur promenade.

– On forme une bonne équipe, toi et moi, annonça Morgan. C'est vraiment agréable d'être en compagnie d'une autre femme qui ne tourne pas de l'œil devant le moindre bobo.

Ravie, Adélaïde avoua :

– Je craignais d'avoir commis une erreur en t'emmenant visiter ces bas-fonds.

– Pas du tout. Tout cela est nouveau pour moi, mais la plupart de mes patients sont très pauvres, eux aussi, comme cette femme que j'ai conduite au dispensaire, Rose Blessing et sa fille Della. Je me demande combien de temps encore elles parviendront à survivre. J'ai peur pour elles. Je sais aussi qu'il y en a des centaines d'autres dans le même cas.

– Des milliers, rectifia Adélaïde.

– Mais tu es toujours prête à porter secours aux autres, toi aussi. J'ai admiré la manière dont tu avais fait fuir ce jeune voleur. Je suis sûre que, pour un peu, tu l'aurais coursé et terrassé.

Elles échangèrent un sourire. Adélaïde n'arrivait pas à y croire. Morgan la voyait forte et courageuse, tout comme elle voyait Morgan. Elle-même ne s'était jamais considérée ainsi. Pourtant, c'était vrai qu'elle perdait sa timidité dès qu'il y avait un tort à redresser ou une injustice à dénoncer. Mais personne ne lui avait encore jamais fait remarquer ce trait de caractère.

– J'aimerais beaucoup assister à une réunion avec toi, dit Morgan. Tu sais, le groupe qui se bat contre la traite des Blanches...

– L'Association pour la protection des jeunes femmes.

– C'est ça. Tu voudrais bien m'y emmener? Tu crois qu'ils m'accepteraient?

Adélaïde serra les deux mains de Morgan. Cette fois, peu lui importait ce qui se passerait, elle ne lâcherait pas prise.

– Bien sûr! répondit-elle, ravie. On a toujours besoin de nouveaux membres.

Son cœur battait à se rompre. Morgan avait dit juste, elles formaient vraiment une belle équipe. Peut-être deviendraient-elles de vraies amies. Peut-être n'était-elle plus seule au monde et ses longues années de solitude étaient-elles terminées.

TROISIEME PARTIE

Morgan Wellburn

Docteur Alexander Becker

Birdie Grace Becker

Adelaïde Apple

15

Juillet 1904, New York

Morgan était sortie précipitamment. Elle n'avait plus qu'à
espérer n'avoir rien oublié. En passant devant une des boutiques de Fulton Street, elle lança un regard vers son reflet
dans la vitrine. Tout allait bien. Elle était parfaitement dans
l'air du temps. Le style romantique à la Gibson Girl faisait rage,
et ce n'était pas Morgan qui s'en serait plainte. Elle portait un
chemisier et une jupe longue retenue par une épaisse ceinture. Ses cheveux étaient coiffés en un chignon flou rassemblé
sur le sommet du crâne et, naturellement, elle portait un chapeau et des gants. Sa vieille sacoche de médecine en cuir
jurait un peu avec l'ensemble, mais elle ne s'en serait séparée
pour rien au monde. Elle portait toujours l'amulette en coquillage que lui avait donnée sa mère, coincée entre ses seins, qui
était censée lui porter chance. Elle l'espérait. En tout cas,
c'était une antiquité.

Elle était plutôt satisfaite de son allure, mais... elle n'était
plus toute jeune. Trente-six ans, c'était un âge avancé pour une
femme célibataire. Elle avait décidé de ne pas s'en inquiéter.
Silas, il y avait longtemps, lui avait donné une bonne leçon.
Elle ne se mettrait plus jamais en position d'être secrètement
méprisée. Elle savait bien qu'elle était trop grande, trop brune,
trop sûre d'elle, qu'elle avait un nez trop prononcé et que son
regard trop franc mettait les hommes mal à leur aise. Elle leur
flanquait tout bonnement la frousse ! C'était ainsi. Elle était une
guérisseuse respectée, notamment parmi les communautés les
plus pauvres, même si elle figurait comme « infirmière » dans

l'annuaire du *Brooklyn Eagle*. Elle aurait dû aller à la faculté de médecine, comme le lui répétait toujours le docteur Grace, mais elle n'en avait jamais eu le temps. Il y avait tant à faire! De toute manière, quelle différence? Jamais un patient n'avait demandé à voir son diplôme.

Elle prit le trolley pour traverser le pont, appréciant la brise qui soufflait à travers le wagon ouvert. Même après toutes ces années, la vue sur le pont l'impressionnait toujours autant. Elle tenta vainement de lisser ses vêtements froissés. Le haut col amidonné de son chemisier commençait à ramollir sous la chaleur. De longues mèches s'étaient échappées de son chignon et chatouillaient sa nuque. Elle sortit deux petits peignes en écaille de son sac et tenta de remettre un peu d'ordre dans sa coiffure. Cela n'avait pas grande importance, après tout. Elle allait à un accouchement, pas à un bal en tenue de soirée. Elle avait trouvé un billet d'Adélaïde lui annonçant qu'il y avait un problème au 45, Ludlow Street. Le « Fais vite! » griffonné en bas du morceau de papier l'avait extirpée de chez elle en pleine chaleur de l'après-midi.

Une fois dans Manhattan, elle sauta du trolley et remonta la rue d'un pas leste. Le numéro 45 était un immeuble. Elle gravit les marches deux par deux, comme à son habitude. Pourquoi les urgences se produisaient-elles toujours au cinquième étage? Une fois sur le palier, elle était hors d'haleine et moite. On avait laissé la porte entrouverte, et elle entendit une voix familière à l'intérieur : Adélaïde. Elle longea un couloir, passa la tête dans l'entrebâillement d'une porte et appela :

– Addie?

Celle-ci sortit en courant d'une autre pièce à l'arrière. Il n'y en avait que deux, toutes deux sombres et, à en juger par les cafards dans la première, crasseuses.

– Morgan! Enfin! Je suis contente que tu sois là. La pauvre fille fait ce qu'elle peut, mais le bébé ne veut pas naître. Je crois que c'est une présentation par le siège. J'ai palpé son ventre, et je n'en suis pas sûre mais le bébé me paraît tourné du mauvais côté.

Des murmures leur parvenaient de l'autre pièce, ponctués d'une toux faible.

– Le travail a commencé depuis près de vingt-quatre heures, poursuivit Adélaïde. La pauvre petite est épuisée. Le bébé aussi, sans doute. Lorsque je l'ai écouté il y a quelques minutes, son cœur battait moins fort.

– Je n'aime pas beaucoup le son de cette toux non plus, déclara Morgan. Elle a peut-être la tuberculose.

– C'est aussi ce que je pense. Elle est vraiment faible. J'ai bien peur...

Morgan posa une main sur l'épaule de son amie. Comme si son poste d'infirmière ne lui suffisait pas, elle se rendait tous les samedis dans le Lower East Side pour travailler bénévolement au dispensaire de Hester Street, où affluaient toujours les immigrants les plus pauvres. Ce devait être le dispensaire qui l'avait envoyée au chevet de cette femme, si l'on pouvait parler de chevet dans le monstrueux taudis où elle vivait.

– A nous deux, nous allons faire en sorte qu'elle survive, la réconforta-t-elle. Est-ce qu'il n'en a pas toujours été ainsi?

Depuis qu'elles s'étaient rencontrées, treize ans plus tôt, elles travaillaient souvent ensemble. Elles étaient les meilleures amies du monde et les fières propriétaires d'une belle maison à Brooklyn Heights.

– Allons voir ce que tu en penses, répondit Adélaïde en l'entraînant dans la chambre.

Adélaïde souffla sur les mèches qui lui couvraient les yeux. Elles retombèrent aussitôt. Elle était toujours décoiffée, déboutonnée. Les ourlets de ses jupes étaient toujours décousus. Elle était si blonde que ses cils étaient à peine visibles. C'était une petite femme ronde qui paraissait toujours dans les nuages. Elle avait néanmoins un esprit fin et vif, et le cœur sur la main, toujours prête à défendre les opprimés. S'il lui manquait quelque chose, c'était le sens de l'humour. Elle ne comprenait jamais la plaisanterie, ce que Morgan déplorait parfois. Mais celle-ci n'avait jamais regretté sa décision d'acheter une maison avec elle. De toute manière, ni l'une ni l'autre ne se marierait probablement jamais.

En entrant dans la pièce, Morgan eut un mouvement de recul. Un homme, très blond, très élégant, était assis au chevet de la femme, lui tenant la main et lui murmurant des paroles de réconfort. Morgan sentit la moutarde lui monter au nez. Ce devait être le père de l'enfant! Il n'avait donc aucune honte! En tant que membre de l'Association pour la protection des jeunes femmes, elle avait déjà vu des dizaines de cas de ce genre. Un homme riche, probablement marié, séduisait une pauvre immigrante qu'il engrossait. Il n'avait rien à faire ici.

– Nous n'avons pas besoin de vous, monsieur, dit-elle d'une voix sèche. Je suis médecin. Je vais m'occuper d'elle.

Adélaïde, qui était en train d'humidifier un linge pour le mettre sur le front de la patiente, se mit à rire.

– Morgan, permets-moi de te présenter le docteur Becker, Alexander Becker. Alex, voici mon amie, Morgan Wellburn, dont je vous ai parlé.

Morgan resta sans voix. Un médecin! Elle se reprit rapidement et s'apprêtait à lui présenter ses excuses lorsque leurs regards se croisèrent. Elle se retrouva plongée dans des yeux d'un bleu intense comme elle n'en avait encore jamais vu. Son cœur se mit à battre un peu plus vite. Elle balbutia quelques excuses, puis se plongea dans l'examen de sa patiente, l'interrogeant sur sa grossesse. A l'intérieur, elle était en ébullition. Enfin! Après tous ces prétendants, ces amants, ces peines de cœur et même ces périodes de désespoir, c'était enfin arrivé! L'homme auquel elle était destinée se tenait devant elle. Elle n'osait plus le regarder, même si elle en mourait d'envie. Ils étaient faits l'un pour l'autre, elle en était sûre, mais comment allait-elle l'en convaincre?

Alex Becker s'était toujours considéré comme un homme maître de ses pensées et de ses émotions. Pourtant, il venait d'être précipité dans un abîme de stupeur. Tout cela à cause de cette grande femme aux cheveux noirs et au regard aussi profond et insondable que l'océan qui l'avait transpercé.

Il fallait qu'il la connaisse! Dans tous les sens du terme. Il devait la tenir dans ses bras, apprendre ce qui se cachait derrière ce regard serein et pénétrant. Il devait sonder son esprit et son cœur, afin de... de... Doux Jésus, on aurait dit un collégien amouraché! Il avait trente-quatre ans et était un médecin respectable. Qui plus est, un fils de bonne famille, comme on dit. Il n'était pas du genre à succomber à un coup de foudre. D'ailleurs, il n'était pas du genre à tomber amoureux, point. C'était ridicule et, d'ici quelques instants, il allait sûrement retrouver toutes ses facultés.

– Oui, bien sûr, Adélaïde, marmonna-t-il. Votre amie... Morgan.

Sa gorge sécha, et il poursuivit dans un croassement :

– Morgan Wellburn, la sage-femme.

Wellburn... C'était un nom anglais. Pourtant, elle n'avait pas l'air d'une Anglaise. Elle avait l'air... Il n'en savait rien. Il n'avait jamais vu une femme pareille. Elle était grande et large d'épaules, sa chevelure aussi noire et lustrée que du jais. Elle pouvait avoir du sang chinois, ou arabe, ou persan, mais avec ces hautes pommettes et ce nez fier... C'était la créature la plus belle qu'il ait jamais vue. *Morgan Wellburn, sage-femme...*

Il reprit la parole, racontant qu'Adélaïde lui avait chanté ses louanges, prêt à dire n'importe quoi pourvu qu'elle continue à le regarder dans les yeux. Elle rougit légèrement, puis reprit son air professionnel, posant des questions détaillées au sujet de la pauvre Margaret. La patiente gisait, à bout de forces, sur son lit étroit, tandis que son utérus se contractait et se dilatait en vain. Le bébé était complètement retourné. Alex expliqua qu'il avait déjà essayé le forceps et tenté diverses manipulations, tout comme Adélaïde. Rien n'y faisait. Si Morgan ne pouvait rien faire non plus, l'un des deux mourrait, la mère ou l'enfant, voire les deux. Il se leva et lui offrit sa chaise. Se tenant tout à côté d'elle, il lui glissa :

– Je vous en prie, faites votre possible. Si vous restez impuissante comme nous, je crains le pire.

Alex l'observa tandis qu'elle retroussait ses manches et prenait le relais. Elle ne faisait pas d'histoires et ne se donnait pas des airs. Elle était vigoureuse et sûre d'elle, et elle avait de bonnes mains, fortes et adroites, des mains de chirurgien. Sauf que, bien sûr, une femme ne pouvait pas être chirurgien. Il la contempla, muet d'admiration, tandis qu'elle examinait la mère et le bébé. Elle était vraiment très compétente.

Cela faisait des heures qu'il se débattait avec cette présentation par le siège... Puis, voilà qu'elle débarquait, lui ordonnant de quitter la pièce. Il en était resté bouche bée. D'habitude, c'était lui qui donnait les ordres. Lorsqu'il s'était retourné et avait croisé son regard, il avait presque laissé échapper un cri. Il avait pensé : *Ça, c'est une vraie femme! Une femme que je pourrais aimer!* Sans qu'un seul mot soit prononcé, il avait senti un courant passer entre eux. Il en aurait mis sa main au feu.

Reprends-toi, on croirait ton père! pensa-t-il avec une certaine amertume. Maximilien Becker, héritier de l'entreprise maritime Becker, était un libertin reconnu, un bon vivant, un mondain. Il dilapidait la fortune familiale au jeu et en femmes. Tout le monde savait que Max Becker avait les poches percées et la braguette toujours ouverte. La mère d'Alex, elle, préférait fermer les yeux sur sa collection de maîtresses, chanteuses de music-hall, actrices et autres demi-mondaines.

Alex ressemblait beaucoup à son père, ce qui ne l'enchantait guère. C'étaient tous deux de beaux hommes, mais ce cher papa avait éclusé un peu trop de bouteilles de porto au fil du temps et, à cinquante-cinq ans, commençait à avoir un air avachi, avec des yeux injectés de sang, un ventre en expansion constante et un double menton. Officiellement, il était président de la Becker Trading Company Import-Export, même s'il y mettait rarement les pieds. On s'était attendu à ce qu'Alex prenne un jour la relève mais celui-ci s'intéressait peu au commerce. Il avait bataillé dur pour aller en faculté de médecine. Heureusement, pour une fois, sa mère avait été de son côté.

Morgan Wellburn avait calmé la patiente. Elle lui massait doucement le ventre, lui parlant d'une voix apaisante. Les yeux de Margaret se fermèrent progressivement.

– C'est bien, dit Morgan. Je veux que vous vous reposiez un moment. Ensuite, nous essaierons autre chose. Pour le moment, vous êtes trop fatiguée. Reposez-vous, dormez... Voilà, c'est ça... C'est bien.

Il n'en croyait pas ses yeux. Au bout de quelques minutes, Margaret s'était endormie, ses yeux remuant rapidement de gauche à droite sous ses paupières.

Morgan se retourna sur son tabouret et s'étira.

– Le travail s'est interrompu, annonça-t-elle. Le corps sait quand arrêter ses efforts. Le problème, c'est que nous ne savons pas l'écouter.

Elle se tourna vers lui et demanda :

– Vous êtes obstétricien?

– Généraliste. Mais, quand je descends dans le Lower East Side, je sers parfois de gynécologue et d'obstétricien.

– Alex est un ange, intervint Adélaïde. Il vient chaque semaine au dispensaire de Hester Street et fait avorter les femmes qui ne veulent pas de leur enfant. Il ne se fait même pas payer.

Alex lui adressa un regard suppliant. Il n'y avait rien de plus embarrassant que cette accumulation d'éloges.

– Il y a tellement de maris qui ont pris la poudre d'escampette... expliqua-t-il à Morgan. Comment un homme peut-il abandonner une femme qu'il a un jour aimée au point de l'épouser, la laissant sans ressources, seule avec leurs enfants? Nous savons tous ce qui se passe ensuite. Les enfants finissent dans un orphelinat et les femmes... Je trouve ce genre de comportement impardonnable.

– Oui, c'est très triste, convint Morgan. Le problème, c'est que les hommes émigrent généralement en premier et vivent seuls pendant de longues années avant d'avoir assez d'argent pour faire venir leur femme et leurs enfants. Ils tombent amoureux d'une autre...

Elle s'interrompit en rougissant. Il se demanda si cette gêne soudaine signifiait qu'elle avait eu elle-même un de ces malheureux immigrants pour amant. Il se sentit... agacé? Non,

217

jaloux. *Jaloux!* Il avait de la peine à comprendre ce sentiment absurde.

– Je ne crois pas à cette forme d'amour, lâcha-t-il sèchement avant de rougir à son tour. Enfin... peut-être que c'est vrai, après tout... ils tombent amoureux. Mais ça ne les excuse pas. Ces hommes ne réfléchissent pas aux conséquences de leurs actes. Mademoiselle Wellburn, vous n'imaginez pas le nombre de jeunes femmes livrées à elles-mêmes. *Forward*, le quotidien juif, publie des photographies d'hommes qui ont ainsi trahi leur famille. Elles font la première page. Pour ma part, je fais ce que je peux.

– Je suis sûre que vos patientes vous en sont très reconnaissantes.

– Elles l'adorent! déclara Adélaïde. Les patientes de son cabinet privé aussi. Tu sais, Morgan, Alex travaille aussi à l'hôpital Bellevue, et non pas à la clinique du Mont-Sinaï comme on aurait pu s'y attendre. Même s'il vient d'une famille fortunée, il préfère soigner les pauvres. C'est merveilleux, n'est-ce pas?

– Adélaïde, je vous en prie, vous exagérez! protesta Alex en riant.

Puis il ajouta à l'intention de Morgan :

– Adélaïde adore me passer de la pommade. Ne l'écoutez pas.

– Oh, mais si! Je l'écoute toujours, répondit Morgan d'un air énigmatique. Alors vous travaillez à Bellevue. C'est un hôpital formidable. Très à l'avant-garde, non?

– Il travaille nuit et jour, Morgan. Je me demande comment il tient.

Adélaïde en faisait vraiment trop, mais il avait cessé de s'en soucier. Il ne pouvait détacher son regard de celui de Morgan, avec ses yeux clairs si inattendus dans un visage au teint cuivré. Elle était exotique, comme une princesse des Mille et Une Nuits. *Je t'en prie, calme-toi!* se sermonna-t-il. *N'oublie pas que tu es médecin et en présence d'une patiente.*

Il lui parla alors de Bellevue où, en tant que médecin, il voyait défiler tous les problèmes médicaux du monde. C'était

218

le lieu idéal pour apprendre son métier, pour affronter les cas les plus divers. Il était enthousiaste et passionné par son travail, mais ce n'était pas là la vraie raison pour laquelle il travaillait autant, accourant au moindre appel au secours. La vérité, c'était qu'il ne voulait pas se laisser le temps de réfléchir, ayant chassé toute émotion, tout amour, tout désir et même toute amitié de sa vie.

Son besoin de se perdre dans le travail était en partie motivé par celui d'échapper à sa mère, Hester Wollheim Becker, Hettie pour ses amies, et *maman*, prononcé à la française comme dans les hautes sphères, pour son fils. Ils étaient toujours à couteaux tirés, elle et lui. Elle voulait le voir marié, comme tout fils de bonne famille. Elle voulait qu'il lui donne un petit-fils qui serait son héritier et une belle-fille qu'elle puisse malmener. Elle ne le laissait pas en paix. De fait, c'était là un des défauts principaux de Hester Becker : elle ne laissait jamais rien ni personne en paix. Une fois qu'elle avait une idée en tête, elle la ressassait, peaufinant sans cesse ses arguments jusqu'à la reddition inconditionnelle ou la fuite de ses opposants. La méthode de survie d'Alex consistait à mettre le moins possible les pieds à la maison, multipliant les missions bénévoles et se noyant dans la médecine.

Les Becker vivaient dans un vaste appartement de douze pièces qui occupait tout le sixième étage d'un grand immeuble moderne et luxueux de Riverside Drive, près de la Centième Rue. Le hall d'entrée était immense et rempli de statues de marbre, au point qu'Alex le comparait souvent au Parthénon. Même si l'ensemble avait de l'allure, il méprisait cette débauche de luxe. Il préférait de loin leur ancienne maison en bas de la Cinquième Avenue mais, ces appartements étant le dernier cri parmi la bonne société, *maman* se devait naturellement d'y habiter. Elle connaissait le bottin mondain sur le bout des doigts et surveillait les moindres faits et gestes des autres membres de son cercle restreint, afin de toujours les surpasser.

Pourquoi restait-il chez des parents qui l'agaçaient au plus haut point, jouant le rôle du fils modèle et dévoué ? Par inertie, sans doute. Chez ses parents, tous ses besoins étaient satisfaits sans qu'il ait besoin d'y penser. Il avait toujours du linge propre, des draps frais, de la nourriture à profusion, de bons livres et des domestiques qui accouraient au moindre claquement de doigts. Il détestait devoir penser à tout cela. Quand l'appel de sa libido se faisait pressant, il existait tout un tas de maisons huppées à New York pour les messieurs trop délicats pour aller se souiller dans les bordels des bas quartiers. Il n'avait pas besoin de plus de tendresse que cela. Il avait depuis longtemps rangé toutes ses émotions au grenier, où elles prenaient la poussière.

Margaret remua en gémissant. Morgan reprit aussitôt les choses en main.

– Je vais avoir besoin de vous deux, annonça-t-elle. Margaret, tout ira bien, je vous le promets.

Elle l'encouragea à se lever.

– C'est très bien. Le docteur Becker et Mlle Apple vont vous aider en vous soutenant de chaque côté. Ne pensez plus à rien d'autre qu'à votre enfant, qui va naître bientôt. Ne vous inquiétez pas. Nous vous tenons fermement.

Ils firent ce que Morgan leur demandait, tandis qu'elle continuait à débiter un flot de paroles rassurantes.

– A présent, nous allons vous aider à vous balancer de droite à gauche, Margaret. Ne craignez rien. Cela va aider votre enfant à se retourner dans votre ventre.

Alex n'avait jamais rien vu de semblable. Cela lui paraissait d'une absurdité totale, mais il retint sa langue. Elle semblait tellement sûre de ce qu'elle faisait! Adélaïde et lui aidèrent Margaret à se balancer d'un pied sur l'autre. C'était incroyable. Quelques minutes plus tôt, elle lui avait paru à bout de forces. A présent, elle avait cessé de geindre, et il l'entendait respirer profondément. Pendant ce temps, Morgan était agenouillée devant elle, manipulant doucement le bébé, lui parlant, l'encourageant à se tourner.

Il était tellement pris par la scène qu'il sursauta lorsque la sage-femme déclara :

– Ça y est! Je crois qu'il est prêt.

Presque aussitôt, Margaret poussa un cri, puis se mit à gémir tandis que son ventre se contractait. La dernière étape du travail venait de commencer. Alex n'en croyait pas ses yeux. Avec ses techniques étranges, Morgan était parvenue à remettre le bébé en position pour la naissance.

– Vite! s'écria Morgan. Allongez-la sur le lit.

Ils s'exécutèrent aussitôt. Margaret poussa un cri lorsque le sommet du petit crâne apparut. Puis le reste suivit d'un seul coup. Le bébé sortit si rapidement qu'Alex et Morgan eurent à peine le temps de rattraper le petit corps gluant.

– C'est un vigoureux petit gaillard! s'exclama Morgan.

Elle nettoya la bouche du nouveau-né, lui vida les narines, puis le renversa tête en bas. Quelques secondes plus tard, il se mit à crier.

– Mon bébé! s'extasia Margaret, en larmes. Laissez-moi le tenir.

– Il est un peu contusionné par la dure épreuve qu'il vient de traverser, déclara Morgan. Mais il est en parfaite santé. Ecoutez-moi ces braillements!

Margaret la remercia entre deux sanglots.

– J'étais sûre qu'on y passerait tous les deux. Que Dieu vous bénisse, sage-femme! Que Dieu vous bénisse!

– Qu'il bénisse plutôt votre enfant, je n'ai fait que mon travail. Maintenant, écoutez-moi attentivement. Je vais vous envoyer une femme de ménage pour qu'elle nettoie cet appartement de fond en comble. Mais, si vous voulez que votre fils fête son premier anniversaire, il faudra le garder propre. Vous m'avez bien comprise?

– Oui, madame.

– Faites toujours bouillir votre eau, quel que soit l'usage que vous en faites. Lavez-vous les mains dès que vous avez touché quelque chose de sale. Et buvez beaucoup de bière, ça favorisera la montée de lait.

Adélaïde s'affairait dans la pièce, ouvrant les placards et fouillant les étagères.

– Il n'y a rien à manger, conclut-elle. Je vais aller lui acheter quelque chose.

Alex lui tendit de l'argent, qu'elle prit sans discuter. Manifestement, ce n'était pas la première fois.

Une fois Adélaïde sortie, un profond silence tomba dans la chambre. Ce fut Alex qui le rompit.

– Mademoiselle Wellburn...

– Je vous en prie, appelez-moi Morgan.

– Morgan. Je n'avais jamais vu cette... cette technique que vous avez utilisée. C'est miraculeux. D'où la tenez-vous?

– De ma mère, répondit-elle.

Elle lui adressa un sourire énigmatique.

– Je vous en prie, ne vous moquez pas de moi. J'aimerais beaucoup l'apprendre. Il y a tant de bébés qui meurent en...

– Je me ferai un plaisir de vous l'enseigner. Je l'ai vraiment apprise de ma mère, qui l'avait apprise de la sienne, et ainsi de suite. Ma mère est en partie indienne.

– Indienne? Vous voulez dire Indienne d'Amérique?

– Oui, Péquot. Autrefois, ils régnaient sur tout le Connecticut. C'est de là que je viens. A présent, bien entendu...

Elle haussa les épaules.

Il la fixa. C'était vraiment une drôle de journée! Morgan était légèrement débraillée et des mèches noires se défaisaient de son chignon, mais à ses yeux elle était magnifique. Une Amérindienne. Bien sûr! Voilà à quoi elle ressemblait. Voilà pourquoi elle connaissait d'anciennes techniques d'accouchement qui étaient bien plus avancées que tout ce qu'on lui avait appris à la faculté de médecine. Il voulait la revoir. Non, il *fallait* qu'il la revoie.

– Pourriez-vous m'apprendre cette technique... et d'autres si vous en connaissez? demanda-t-il.

Ils se dévisagèrent longuement, puis il tendit la main. Elle la prit et il sentit quelque chose... comme un courant électrique... passer entre eux. Il ne voulait plus la lâcher. Il ne s'était pas senti ainsi depuis... S'était-il jamais senti ainsi?

– Vous n'aurez qu'à me dire quand ça vous arrange, et je vous enseignerai tout ce que ma mère m'a appris. Elle m'a mise au monde toute seule, accroupie sous un arbre. S'accroupir, c'est ce qu'il y a de mieux. Sauf si, comme aujourd'hui, la mère est trop épuisée.

– Vous êtes vraiment une femme hors du commun.

– Je suppose que c'est un compliment et je vous en remercie mais, docteur Becker...

– Oui?

– Pourriez-vous me rendre ma main? Moi aussi, j'aimerais beaucoup que vous m'appreniez vos méthodes.

Il desserra les doigts, sentant le feu lui monter aux joues. Il était ridicule, mais n'y pouvait rien. Il balbutia des excuses, et elle changea de sujet avec tact.

– Vous avez des enfants?

– Non, pas d'enfants, répondit-il abruptement. Je ne suis pas marié.

– Pardonnez-moi, je ne voulais pas être indiscrète.

– Ce n'est pas de l'indiscrétion. C'est juste... un sujet dont je n'aime pas parler. J'ai été marié autrefois, il y a des années de cela. Ça... ça s'est mal terminé, voilà tout.

Il détourna les yeux, chassant les souvenirs. Naturellement, ils revinrent au galop.

Il n'avait que dix-huit ans. Il était encore un gamin plein de fougue et sans cervelle. C'était une jolie blonde avec des hanches souples, des yeux doux et des seins généreux. Il la désirait comme un fou. Elle s'appelait Daisy Belmont. Les Becker étaient ravis, car son père était un cousin éloigné d'Auguste Belmont et, à ce titre, était introduit dans la meilleure société. Daisy avait dix-sept ans, un de moins que lui, et était un peu sotte. Elle se croyait amoureuse. Cela rendait ses amies jalouses et, pour ne rien gâcher, il était très beau. Et très convaincant.

« Je t'aime, lui répétait-il. Je t'adore. Je te vénère. Lorsque nous serons mariés, j'engagerai une armée de femmes de chambre pour que tu n'aies plus jamais à lever le petit doigt. Tu resteras couchée toute la journée dans notre lit à m'attendre. » Cela la faisait pouffer de rire. Tout ce qu'il disait la faisait glousser. Une fois qu'il l'eut déflorée, elle devint tout sucre, tout miel. Il lui suffisait de lui dire combien il l'aimait. Aussi, il mentit, encore et encore, et lui fit l'amour à toutes les occasions. Puis, un beau jour, elle tomba enceinte.

Il crut que *maman* allait mourir de mortification. « Pourquoi les hommes sont-ils tous aussi abjects? dit-elle en fronçant le nez de dégoût. Je ne m'attendais pas à ça de ta part, Alex. Je croyais t'avoir élevé en gentleman... »

Alex courba l'échine et essuya la longue tirade. Il ne pouvait pas la regarder en face. Il n'était déjà que trop conscient des coucheries de son père. Au moins, elle lui fit la grâce de ne pas lui lancer à la figure : « Tel père, tel fils! »

Les noces furent organisées à la hâte, et ils échangèrent leurs consentements avant que le déshonneur de la mariée ne devienne visible. Six mois après la cérémonie, Daisy Belmont Becker mourut en couches, tout comme le bébé, un petit garçon. Alex s'en estima entièrement responsable. Il l'avait séduite dans le seul but de satisfaire son plaisir. Il l'avait abreuvée de mensonges et de flatteries uniquement pour la posséder. Il ne valait pas mieux que son père, un débauché sans le moindre égard pour le sexe faible. Il avait envoyé une innocente à la mort, ainsi que son propre fils. Il se jura de ne plus jamais laisser ses bas instincts prendre le dessus. Plus jamais il ne se comporterait comme son père. Plus jamais il ne toucherait à une femme comme il faut. Quant à se remarier, il n'en était pas question.

Maman, qui n'avait pu lui pardonner d'avoir « gâché » Daisy, ne pouvait à présent lui pardonner son refus de prendre à nouveau femme.« Tu devrais avoir honte. Un homme de ton âge, encore libre! Tu es si beau que tu pourrais avoir n'importe quelle femme. Construis ta vie! Marie-toi, donne-nous des petits-enfants. Je veux voir mon petit-fils avant de mourir! »

Elle n'avait que cinquante-neuf ans et pas un seul cheveu blanc, enfin... presque. Elle débordait de vie, et ce cri d'angoisse à l'approche de la mort était comique. Mais Alex ne trouvait pas sa mère drôle.

– Je disais : « Comment Adélaïde et vous vous êtes-vous rencontrés ? »

Il sursauta et revint brusquement à la réalité.

– Cela fait des années que nous travaillons ensemble, répondit-il. Elle ne vous a jamais parlé de moi ?

– Si, bien sûr, l'« ange docteur », dit-elle avec un regard amusé. « Cet homme merveilleux qui passe tous ses samedis au dispensaire pour secourir les nécessiteux. »

Elle s'assit et l'invita d'un signe de tête à en faire autant, ajoutant :

– Mais elle ne m'avait jamais dit votre nom.

– Pourtant, elle m'a parlé de vous chaque samedi depuis qu'elle et moi avons commencé à aider les jeunes immigrantes à avorter. En citant votre nom en entier. Morgan avait l'air perplexe.

– Je me demande pourquoi elle ne vous a jamais appelé par votre vrai nom devant moi.

Il pensait le savoir. Il aimait beaucoup Adélaïde. Ils luttaient pour les mêmes causes. Elle était solide, travailleuse, intelligente, et avait une conscience sociale très développée. Elle avait l'esprit clair. Ils étaient presque toujours d'accord... et avaient en commun cette distance affective qu'ils mettaient entre les autres et eux. Naturellement, bien qu'il se fût juré de maîtriser toujours ses désirs sexuels, il ne pouvait fuir sa nature. Au fil des ans, il avait croisé des femmes qui avaient brièvement réveillé ses désirs. Mais jamais Adélaïde, pas l'ombre d'un instant. Il n'avait même jamais rien senti de sexuel émanant d'elle. De son côté, elle se comportait avec lui de manière amicale, certes, intime même, mais sans l'ombre d'un flirt.

Il avait depuis longtemps compris qu'elle n'était pas attirée par les hommes. A présent qu'il les avait vues toutes les deux ensemble, il était convaincu qu'elle était amoureuse de Morgan. Son sang se glaça. Et si Morgan... ? Mais non, ce n'était pas possible. Il l'aurait senti.

Adélaïde entra au même moment, portant un panier contenant du pain, du fromage et différentes sortes de viandes séchées.

– Un commis montera d'ici peu avec un pichet de bière, annonça-t-elle.

– Addie, commença Alex, Morgan et moi nous demandions pourquoi vous ne lui aviez jamais donné le nom du formidable docteur qui pratique des avortements gratuitement.

Il lui adressa son plus beau sourire pour qu'elle ne se sente pas sur le gril.

– Le formi... Oh, vous parlez de vous? Eh bien... je ne sais pas. J'ai sûrement dû prononcer votre nom, je ne me souviens pas. C'est idiot, en effet...

Addie était décontenancée. Alex estima qu'il serait cruel d'enfoncer le clou. Il lança un regard vers Morgan et s'aperçut qu'elle l'observait. Il aurait pu parier qu'elle pensait comme lui. Il était temps pour lui de rentrer. Il avait un article important à rédiger pour une revue médicale. Mais d'abord...

– Mademoiselle Wellburn, je sais que je devrais attendre que vous m'invitiez, mais je serais très honoré si vous m'autorisiez à vous rendre visite.

Il sourit et esquissa une courbette.

Elle rougit et sourit à son tour. Il ne put cacher sa satisfaction, devinant déjà sa réponse.

– Des visites? Mais pour quoi faire? Morgan n'a pas le temps!

Ils se retournèrent tous les deux vers Adélaïde avec un air sidéré. Se rendant compte de ce qu'elle venait de dire, elle devint cramoisie et se mit à aller et venir dans la pièce, déposant le pain ici, le reprenant pour le mettre là, puis le déplaçant à nouveau, évitant soigneusement de croiser leurs regards.

De sa voix la plus calme et douce, Alex reprit :

– J'espère que Morgan acceptera de m'accorder quelques heures de son temps précieux afin que je puisse venir vous adresser mes hommages à toutes les deux un de ces soirs.

– Mais bien sûr, répondit Morgan sur le même ton. Nous serions toutes les deux ravies de vous voir, n'est-ce pas, Addie?

– Mais bien sûr, bien sûr!

– Pourquoi ne viendriez-vous pas mercredi soir? proposa Morgan. On préparera un dîner simple. Ni Addie ni moi ne sommes très bonnes cuisinières, malheureusement. Mais peut-être qu'Addie vous fera l'honneur de son célèbre blanc-manger.

Elle fixa Addie.

– Mais bien sûr, bien sûr, s'empressa de répondre cette dernière. Je ne sais ce qui m'a...

Elle se remit à s'agiter dans la chambre, son teint blanc encore embrasé. Alex parvint à arracher son regard à celui de Morgan et chercha quelque chose à dire pour calmer Addie. Finalement, elle cessa de tourner en rond et croisa accidentellement son regard. Ses yeux étaient pâles de douleur.

– Nous serons ravies de vous avoir, Alex, naturellement, dit-elle.

– Merci pour ce délicieux dîner, dit Alex en reposant sa serviette sur la table.

Selon lui, cela devait indiquer la fin du repas, mais Addie insista aimablement :

– Encore un peu de dessert, Alex? Je sais que vous avez aimé. Non? Alors un peu de thé. Je vais refaire chauffer de l'eau.

– Addie, il fait vraiment trop chaud pour boire du thé, tu ne trouves pas?

Morgan avait parlé gentiment, mais Adélaïde rougit comme si elle venait de se faire gronder.

– Bien sûr. Je... j'en fais toujours trop. C'est un de mes défauts, ma mère me le disait toujours. Je suis désolée, Alex, peut-être que...

– Si nous faisions une petite promenade, l'interrompit Alex. Nous pourrions descendre sur le port, il devrait y avoir un peu plus d'air au bord de l'eau.

– C'est exactement ce qu'il me faut, déclara Morgan. J'étouffe.

Elle agita son grand éventail japonais en papier. Il lui avait été donné des années plus tôt par un ami capitaine de navire, expliqua-t-elle.

227

– C'est lui qui m'a amenée ici, à Brooklyn Heights.

– Alors, nous devons tous lui en être reconnaissants. Vous étiez avec votre famille?

– Non, seule. J'ai habité dans une pension non loin d'ici jusqu'à ce que je rencontre Addie. C'est elle qui a eu l'idée d'acheter une maison ensemble et, comme d'habitude, elle avait raison.

– C'est une très jolie maison.

Le numéro 3 de Clinton Street était une maison en brique rouge de quatre étages, avec un escalier bordé de rampes en fer forgé accédant au porche surélevé. C'était charmant, propret, rien d'extraordinaire, mais avec une très jolie porte d'entrée et une double porte vitrée surmontée d'une fenêtre en demi-lune. A la gauche de l'escalier se trouvait une autre porte qui donnait sur le rez-de-jardin et sur les pièces où Morgan recevait ses patients. Derrière son cabinet, il y avait la cuisine et la salle à manger. Dans leur minuscule jardin, Morgan et Adélaïde cultivaient des fleurs et des plantes médicinales.

– Lorsqu'on a décidé d'acheter une maison, on a commencé par chercher du côté de Prospect Park. Mais je me suis vite rendu compte que je devais rester près de mes patients, expliqua Morgan. En outre...

Elle sourit, jouant avec sa petite cuillère.

– ... je me suis habituée au calme de Brooklyn Heights.

– Alors, on a cherché sur Clinton Street, parce que tout le monde la connaît comme la « rue des docteurs », intervint Adélaïde.

Elle faisait de son mieux pour retarder le moment, inévitable, où Morgan et Alex se retrouveraient seuls.

– Morgan aimait l'idée que, il y a un siècle, les médecins aient déjà eu leur cabinet ici.

– Jusqu'à ce qu'on découvre que la rue avait un autre surnom : l'« allée des assassins », précisa Morgan. A cause de toutes les femmes qui étaient mortes entre les mains de ces médecins.

– Néanmoins, vous y êtes, déclara Alex.

– Effectivement...

Un ange passa, puis repassa. Alex cherchait désespérément un nouveau sujet de conversation. Ils avaient déjà passé en revue le nouveau poste d'assistante sociale d'Addie à Ellis Island. Morgan avait gentiment taquiné son amie en disant : « Je ne sais pas où tu trouves le temps de tout faire. – Mieux vaut une carrière qu'un mari », avait rétorqué Addie. Cela avait jeté un froid.

Alex se leva, prenant soin de ne pas faire crisser sa chaise sur le parquet.

– Alors, qu'est-ce que vous en dites, mesdames? On se fait une petite promenade au bord de l'eau?

Il croisa le regard de Morgan et le retint. Toutefois, il devait veiller à ne pas froisser Adélaïde.

– Addie?

– Non merci. Il faut que je desserve et que je fasse la vaisselle. Enfin, je ne veux pas dire que... Non, sincèrement, je préfère rester ici et ranger un peu.

Ses joues rosirent, et elle s'éclaircit la gorge avant d'ajouter :

– Allez-y tous les deux.

Enfin, ils étaient dehors, dans la chaleur lourde du soir, seuls, ensemble. Alex était aussi nerveux qu'un gamin rendant visite à sa première dulcinée. Il aurait voulu sauter les étapes, la prendre dans ses bras, lui déclarer sa flamme et la défier de nier ses propres sentiments à son égard. Mais il ne voulait pas non plus qu'elle se mette à crier et qu'elle prenne ses jambes à son cou. Il avait une envie folle de l'embrasser. Avant que cette soirée ne touche à sa fin, il devait l'embrasser, quelles qu'en soient les conséquences.

– Pauvre Addie! dit-il.

Si Morgan lui demandait ce qu'il voulait dire par là, peut-être qu'il ne l'embrasserait pas.

– Oui, pauvre Addie, soupira-t-elle. Mais je ne comprends pas pourquoi elle se met dans cet état.

Déçu, il demanda :

– Vous ne voyez vraiment pas?

Ils se mirent à marcher. Il n'avait aucune idée de la direction qu'ils prenaient et s'en souciait comme d'une guigne tant qu'elle était à ses côtés.

– Non, je voulais dire... reprit Morgan. Je sais bien ce qui la rend nerveuse. Elle sent... que quelque chose est en train de se passer. Mais pourquoi est-elle si agitée ? Vous n'êtes pas le premier homme à me rendre visite.

– Elle sait que cette fois ce n'est pas la même chose.

Elle ne répondit pas tout de suite, et il se rendit compte qu'elle retenait son souffle.

– Peut-être, dit-elle finalement. Cette fois, c'est différent.

Il cessa de marcher et elle fit de même. Pendant un moment, ils se tinrent face à face, chacun tentant de lire dans le regard de l'autre. Mais il faisait trop sombre. Il tendit les mains vers elle et l'attira à lui, posant sa joue contre la sienne. Il émit un grognement sourd et la serra plus fort.

Morgan tourna la tête, et ses lèvres cherchèrent les siennes. Elle glissa les bras autour de son cou et lui fit pencher la tête en avant pour l'embrasser plus profondément. Elle s'écarta un instant puis, avec un petit gémissement, chercha à nouveau avidement sa bouche. Ils s'embrassèrent encore et encore, pressant leurs corps l'un contre l'autre. Ils poussèrent des soupirs, prononcèrent des paroles à peine intelligibles, murmurèrent leurs prénoms respectifs. Il avait si fort envie d'elle qu'il envisagea un instant de la renverser sur l'herbe, quelque part, n'importe où, tout de suite.

Il releva la tête, reprit son souffle et balbutia :

– Il faut qu'on parle.

Morgan se mit à rire. Il regretta amèrement de ne pouvoir distinguer ses traits dans l'obscurité.

– Cher Alex ! Parler de quoi ? Nous savons très bien ce que nous sommes en train de faire...

– Je crois que... je vous aime. Me croyez-vous ?

– Oh oui, je vous crois.

– Et vous m'aimez.

Ce n'était plus une question. Il le savait.

– Oui.

– Mais vous savez que c'est impossible. Ce genre de chose n'arrive pas, ne peut pas arriver.

Il la tenait toujours par la taille.

– Je sais, mais c'est arrivé quand même, répondit-elle d'une voix calme.

– Venez avec moi. J'ai un cabinet privé à Manhattan. Je veux... J'ai besoin de...

Il s'interrompit, ne pouvant croire ce qu'il était en train de dire. Il avait déjà du mal à croire aux baisers ardents qu'ils venaient d'échanger. Une joie pure pétillait dans ses veines comme du champagne.

– Je suis amoureux, dit-il, ravi.

– Amoureux... répéta-t-elle. Je veux te faire l'amour, Alex. Emmène-moi.

Elle se pressa contre lui, si proche qu'ils auraient pu s'aimer sur place s'ils n'avaient pas été habillés. Son parfum était envoûtant, sa bouche comme du satin.

– Je détacherai tes cheveux, murmura-t-il. Et puis...

– Emmène-moi chez toi, Alex. Emmène-moi et fais-moi l'amour.

Ils prirent un fiacre, assis l'un contre l'autre, sans dire un mot. Alex avait l'impression de respirer avec peine. Il était sûr que Morgan ressentait la même chose. Il avait la sensation de savoir tout d'elle et de lire dans ses pensées. Il imagina qu'ils étaient liés l'un à l'autre par quelque force surnaturelle, électrique, magnétique. Il ne savait pas ce que c'était, mais c'était indéniable.

Il la prit par le coude tandis qu'ils gravissaient les marches de son immeuble. Son bras tremblait d'anticipation. Il espérait qu'elle ne s'en rendait pas compte. Il parvint à maîtriser sa hâte, la guida dans le couloir. Il ouvrit la porte de son bureau et s'effaça pour la laisser passer. Puis il claqua la porte derrière lui et tendit les bras vers elle. Mais elle était déjà là, ses lèvres contre les siennes. Il l'embrassa tout en la déshabillant, cherchant à tâtons des boutonnières qui ne lui étaient pas familières. Morgan lui prit les mains, puis laissa rapidement tomber ses vêtements tandis qu'il l'observait. Elle ne le quitta pas des yeux un instant et ne s'arrêta qu'une fois entièrement nue.

Avec un gémissement de désir, Alex la serra contre lui, embrassant ses yeux, son nez, ses cheveux, ses épaules, ses seins, son ventre. Il tomba à genoux. Elle murmura :

– Alex, je t'en prie. Déshabille-toi et laisse-moi t'aimer.

Ils firent l'amour sur l'épais tapis turc, trop vite parce qu'ils avaient tant attendu. Puis ils se traînèrent sur le grand canapé en cuir qu'il recouvrit d'un drap et refirent l'amour, plus lentement et plus délicatement cette fois. Elle était délicieuse, toute douceur, soie, velours. Il délirait d'amour et de désir, de tendresse et d'appétit. Il n'y avait rien de factice en elle, aucun faux-semblant. Elle accueillit chacun de ses élans avec ardeur, répondit à chacun de ses gestes et de ses désirs. Pendant un long moment, ils restèrent collés l'un contre l'autre sans bouger, se regardant dans les yeux, s'embrassant doucement. Ils n'étaient plus que deux corps avides de se déverser l'un dans l'autre. Il n'avait jamais rencontré une femme comme elle. Et il savait, avec une certitude absolue, qu'il n'en connaîtrait jamais d'autre tant qu'il vivrait.

16

Septembre 1905

– Ecoute, Clara, dit Adélaïde pour la énième fois. Et regarde bien ma bouche.

Elle lui montra ses lèvres et articula lentement :

– De... l'eau. Voulez-vous un verre d'eau ?

Clara fronça le nez, se concentrant intensément, puis répéta avec application :

– Dé leu. Vulé-vu verrrre dé leu ?

Adélaïde poussa un soupir. Cette fille n'avait décidément pas le don des langues. De fait, elle n'était pas douée pour apprendre les bons usages de l'Amérique. Elle continuait de vouloir apporter les casseroles à table au lieu d'utiliser les plats comme on le lui avait montré. Même après que Mme Mulligan, leur nouvelle et très précieuse cuisinière, eut remporté toutes les casseroles à la cuisine et lui eut montré comment s'en servir, elle s'attendait encore à ce que chacun pioche dans le plat avec une grande cuillère. Elle posait l'argenterie en vrac sur la table pour que chacun se serve. Agnès Mulligan avait beau lui avoir montré mille fois la manière correcte de placer les couverts, Clara ne retenait rien.

– Je parler bien ? demanda-t-elle avec un grand sourire. Je faire prrrrogrès ?

C'était une charmante enfant, qui ne demandait qu'à faire plaisir. Adélaïde lui sourit à son tour et décida de laisser tomber pour le moment la leçon sur l'infinitif.

– Oui, tu fais des progrès, mentit-elle. A présent, revoyons un peu comment tu vas accueillir nos invités.

233

– Invités! dit Clara. Mossieur Backer, Môdôme Backer, Doctôrrrr Backer.

– C'est ça. Le docteur Becker et ses parents.

Elle se demanda comment Becker était devenu « Backer », alors qu'Apple était devenue « Epèle ». Puisque Clara arrivait à prononcer correctement ces deux voyelles, pourquoi ne les plaçait-elle pas au bon endroit? Heureusement qu'Adélaïde n'avait pas choisi le métier de professeur, elle serait devenue folle.

– Invités, être imporrrrtant, déclara Clara.

– Oui, nos invités sont très importants, convint Adélaïde en insistant sur les voyelles qu'elle aurait aimé que Clara entende.

C'était peine perdue, Clara n'entendait pas la différence. En l'observant, Adélaïde se demanda ce qui lui avait pris de s'apitoyer sur le sort de cette jeune fille plutôt qu'une autre. Ce n'étaient pourtant pas les jeunes filles en péril qui manquaient à Ellis Island, toutes égarées, effrayées et à la merci du premier proxénète venu. Elle n'avait jamais amené personne d'autre à la maison. Etait-ce parce que Clara était jolie et soucieuse de plaire? Elle espérait que non. Il n'était pas question de se laisser dominer par ses désirs. D'ailleurs, elle ne s'était jamais aventurée à la toucher, ne serait-ce que la main, laissant cette tâche à Mme Mulligan.

Clara habitait à la maison depuis trois semaines et, Adélaïde devait bien le reconnaître, semblait plutôt limitée. Morgan pensait que c'était dû à la barrière des langues, mais même Adélaïde, qui parlait le russe couramment, avait du mal à se faire comprendre d'elle.

Elle l'avait rencontrée à Ellis Island, quand on l'avait appelée pour servir d'interprète. La traduction était l'une de ses seules tâches rémunérées auprès de l'Association féminine d'aide aux immigrants. Elle était leur représentante à Ellis Island, comme une vingtaine d'hommes et de femmes de divers services sociaux ou associations, qui traduisaient, guidaient ceux qui en avaient besoin vers des services médicaux, expliquaient aux immigrants ce qui se passait et ce qui allait se passer ensuite, envoyaient des télégrammes, tenaient des mains, réconfortaient, calmaient... faisaient de leur mieux pour répondre aux multiples demandes qui surgissaient de partout.

L'inspecteur qui avait envoyé chercher Adélaïde pour s'occuper de Clara Optakeroff était au bord de la crise de nerfs. Le futur mari supposé de la jeune fille était venu la chercher au débarcadère et, au lieu de s'en réjouir et d'être heureuse comme il se doit, celle-ci avait paniqué. « Elle s'est mise à crier et à pleurer comme une folle, déclara l'inspecteur. Elle affirme que l'homme en question n'est pas son promis. »

Tout le monde était prêt à cataloguer la jeune fille parmi les hystériques et à la livrer pieds et poings liés au jeune homme barbu qui répétait : « Elle être ma femme », ou bien à la renvoyer en Russie sur le premier bateau. Mais Clara avait pris les mains d'Adélaïde, lui débitant à toute allure en russe : « Je ne mens pas, ma mère m'a toujours dit qu'il ne fallait jamais mentir. Cet homme n'est pas celui qui est sur la photo. Je vous le jure, madame, je vous en supplie, ne le laissez pas m'emmener... » Adélaïde avait eu la certitude qu'elle disait la vérité. « Je verrai ce que je peux faire », promit-elle.

Elle fit s'asseoir Clara dans un coin avec une tasse de thé et, lui tapotant la main, lui dit : « Calmez-vous et racontez-moi tout, je vous écoute. Montrez-moi d'abord la photo de votre fiancé. » Les sanglots de la jeune fille redoublèrent. Elle l'avait perdue. Elle l'appelait l'« image foncée ». Mais elle se souvenait bien du visage de son promis. Il était très blond avec des oreilles décollées. Elle rabattit ses propres petites oreilles des deux mains en guise d'illustration. « Des yeux clairs, répétait-elle. Madame, croyez-moi, je ne sais pas qui est l'homme qui veut m'emmener. Je ne partirai pas avec lui mais, si vous me renvoyez à Ekatrinislav, mon père me battra. Il a déjà trop de filles. »

Adélaïde examina l'homme qui attendait de l'autre côté de la grille. Il était très brun, velu, et avait l'air d'une brute. Clara disait qu'il lui faisait peur. On la comprenait aisément. Mais pourquoi cet homme viendrait-il réclamer une parfaite inconnue? D'après la douanière, il travaillait dans un élevage de poulets dans l'ouest du New Jersey. Cela faisait un sacré bout de chemin pour tenter de réclamer une fille au hasard.

Elle aurait pu aller trouver l'inspecteur et lui dire qu'elle croyait Clara. L'homme serait renvoyé chez lui, la fille serait remise sur le premier navire en partance pour l'Europe, et le dossier serait clos. Mais sa curiosité était piquée. Cette fille était si charmante, si seule, si terrifiée. Adélaïde lui apporta une autre tasse de thé, lui donna un morceau de sucre, puis lui ordonna de ne pas bouger : « Je n'en ai que pour une ou deux minutes. » Elle s'approcha de la grille et fit un signe au jeune barbu.

« Comment vous appelez-vous? » demanda-t-elle en russe. Il eut l'air surpris. « Kiril... » commença-t-il. Puis il serra les lèvres. Pas de nom de famille? s'étonna Adélaïde. Pourquoi? « Ecoutez, lui dit-elle. Je sais que vous n'êtes pas l'homme que Clara s'attendait à voir. Si vous ne voulez pas me dire ce qui se passe, ça vous regarde. Mais vous ne quitterez pas cette île avec elle. Quel est son nom de famille? Le connaissez-vous seulement? » Il dut consulter un morceau de papier. « Optakeroff. – Vous comptez l'épouser et vous ne vous souvenez même pas de son nom? Allez, vous m'avez l'air plus intelligent que ça! Maintenant, dites-moi la vérité. Et faites vite. Je suis très occupée. »

Il rougit et la fusilla du regard. Il fit mine de partir, puis se ravisa et revint. « D'accord, dit-il. Je ne suis pas l'homme qu'elle attendait. Il s'appelle Oleg Savchuck. On travaille ensemble à l'élevage. Quand Oleg a vu sa photo, elle ne lui a pas plu. – Votre ami Oleg est aveugle? Elle est très jolie. – Oui, je trouve aussi. Mais Oleg, il les aime grosses et blondes, comme sa mère. Elle, elle est très petite et brune, non? Oleg, il a jeté la photographie sur le sol. Je l'ai ramassée et je lui ai dit : « Si tu n'en veux pas, moi je la prends. » Mais il a dit non, un marché est un marché. – Alors où est-il? – Oleg, vous comprenez, il est un peu radin. Il ne voulait pas perdre une journée de salaire. »

Adélaïde dévisagea le jeune homme. Il ne lui faisait plus l'effet d'une brute. A dire vrai, sous son épaisse barbe, il était même plutôt beau. En outre, il n'avait pas les oreilles décollées. Elle envisagea de conseiller à Clara d'accepter cette substitution. Pourquoi une jeune fille seule dans un pays inconnu devrait-elle se sentir obligée d'épouser un homme à qui elle ne plaisait pas et qui, de surcroît, était radin ? Elle allait dire quelque chose à Kiril quand celui-ci reprit la parole. « Sur la photographie, elle m'a plu et, maintenant que je la vois, elle me plaît encore plus. Elle a des fossettes. Je... Oleg aime bien les fossettes. Bien qu'elle soit menue, elle n'est pas maigre, elle a l'air douce. On... il... on aime bien les femmes douces. »

Qu'est-ce que c'était que cette histoire de je-il-on ? Elle se demanda à voix haute pourquoi un dur travailleur comme Kiril acceptait de perdre une journée de salaire. Par pure amitié ? Il devait y avoir une autre raison. Kiril daignerait-il lui dire de quoi il retournait au juste ? « Mais pourquoi pas, madame ? s'indigna-t-il en fronçant les sourcils d'un air féroce. Il est donc si inhabituel que deux amis s'entraident ? Pourquoi vous méfiez-vous de moi ? Est-ce que j'ai l'air d'un menteur ? – C'est précisément ce que je suis en train de me demander, monsieur... euh... – Horoshevsky. Kiril Horoshevsky. »

Il la fixa droit dans les yeux, mais cela ne suffit pas à la démonter. Quelque chose clochait dans cette affaire, et elle ne laisserait pas Clara partir avec lui avant d'avoir compris de quoi il retournait. Il s'éloigna de la grille et fit les cent pas, les mains derrière le dos, marmonnant dans sa barbe, pesant le pour et le contre. Au bout de quelques minutes, il revint en s'éclaircissant la gorge.

« Je... il... on... » Voilà que ça lui reprenait. « Elle a été promise à Oleg, dit-il enfin. Alors il ne veut pas me la donner tout de suite. On va tous les deux veiller sur elle. » Il dévisagea Adélaïde avec un air de défi. « Mais encore...? dit-elle. Vous allez donc veiller sur elle tous les deux. Cela veut dire que vous allez tous les deux... »

Elle commençait enfin à comprendre leur plan. « Nous serons tous les deux son mari, résuma-t-il fièrement. – Je vois.

C'est une pratique courante en Russie ? demanda-t-elle sur un ton faussement innocent. – Eh bien... euh... pas vraiment. Sauf parfois loin dans les steppes ou au fond de la forêt. Enfin, c'est ce qu'on m'a dit. C'est que, madame, il n'y a pas de femmes russes dans le New Jersey, vous comprenez ? Il n'y a pas de femmes du tout, d'ailleurs. Il n'y a que des poulets. On prendra très bien soin d'elle. – Je vois, dit Adélaïde. Vous vous la partagerez. Une nuit, elle dormira dans votre lit, et l'autre nuit, dans celui d'Oleg. C'est bien ça, non ? »

Il marmonna quelque chose et recula d'un pas pour mettre plus de distance entre eux, comme s'il craignait qu'elle n'essaie de l'attraper par le col à travers les barreaux. « Je la trouve très jolie, insista-t-il. Je veillerai à ce que... – Je vois, répéta Adélaïde. Dites-moi, il y a d'autres jeunes hommes russes dans votre élevage ? » Il hocha la tête. « Je vois, dit-elle encore, maîtrisant difficilement sa voix. Une fois qu'Oleg et vous serez lassés, vous la louerez pour la nuit à vos collègues, c'est bien ça ? – Mais, madame ! Jamais ! »

Adélaïde approcha son visage de la grille et déclara sur un ton calme mais mordant : « Kiril Horoshevsky, Clara ne partira pas avec vous. Je ne la laisserai pas. Jamais. Et si vous vous approchez d'elle j'appelle la police, vous m'avez comprise ? – Mais, madame... » Cette fois, elle se mit à balbutier de rage. La colère lui faisait perdre son russe. « Ecoutez-moi bien, jeune homme. Cette petite n'a que seize ans. C'est une jeune fille. Ce n'est pas une vache ni une machine que vous pouvez vous repasser ou vendre comme un bol de bortsch ! Allez-vous-en, et que je ne vous revoie plus jamais ! » Il prit ses jambes à son cou.

Plus tard, elle déclara à Morgan qu'elle ne savait pas ce qui lui avait pris. « Parfois, je me surprends moi-même. »

S'étant débarrassée du fiancé imposteur, elle tourna les talons et retourna auprès de Clara, qui était en train de boire son thé. « Venez avec moi », lui dit-elle, encore étourdie par son accès de colère. Traînant la jeune fille par la main, elle la conduisit dans le bureau de l'inspecteur. « Ce n'était pas le bon fiancé, annonça-t-elle. Je l'ai renvoyé chez lui. »

Lorsque l'inspecteur commença à dire que Clara devait rentrer en Russie, Adélaïde l'interrompit. « J'ai décidé d'offrir un travail à cette jeune fille. – Vous, mademoiselle Apple ? – Oui, moi, monsieur McLaren. Elle est charmante. Elle fera une parfaite femme de chambre. »

Plus tard, quand elle amena la jeune fille à la maison et expliqua toute l'affaire à Morgan, elle se mit à rire. « Une femme de chambre ! C'est bien la dernière chose dont nous avions besoin ! »

De fait, femme de chambre était sans doute la dernière chose que Clara était capable de faire. Adélaïde et elle étaient assises devant la table de la salle à manger. Clara avait les mains croisées sur les genoux. Avec son visage en cœur, ses traits délicats, ses cheveux noirs tressés et enroulés en macarons de chaque côté de la tête, ses lèvres rouges et pleines invitant aux baisers, elle était vraiment à croquer... Adélaïde se ressaisit. Combien de temps lui faudrait-il encore pour apprendre à servir le thé à leurs invités ?

Morgan se tenait sur le seuil de la salle à manger, observant Adélaïde en train de s'arracher les cheveux. Elle ne comprenait pas très bien pourquoi son amie avait débarqué un beau soir, en traînant cette ravissante créature par la main, il y avait déjà quelques semaines de cela. Adélaïde avait marmonné quelque chose au sujet d'une femme de chambre, ce qui était absurde. Elles s'en sortaient très bien toutes les deux avec Mme Mulligan. Et encore, elles avaient dû revoir leur budget un nombre incalculable de fois avant de se décider à engager la cuisinière. Cela dit, maintenant que Clara était là, ce serait vraiment bien si elle pouvait apprendre à faire quelque chose pour les aider. Aujourd'hui, notamment, Morgan avait besoin de toute l'aide qu'on pourrait lui apporter. Elle ne savait pas trop pourquoi elle avait invité les parents d'Alex à prendre le thé, à moins que ce ne soit par pur masochisme.

Ils ne l'aimaient pas. Pis encore, ils faisaient comme si elle n'existait pas. La seule fois où elle les avait rencontrés, au premier entracte de *La Bohème*, c'était tout juste s'ils n'avaient pas détourné la tête quand Alex l'avait présentée. Puis ils s'étaient mis à discuter avec leur fils, ne lui adressant pas un regard. Morgan dut se tenir là, comme une potiche, aux côtés d'Alex, faisant de son mieux pour avoir l'air aimable et intéressée. Alex était manifestement gêné. Une fois qu'ils furent partis, elle comprit pourquoi.

« Ils ne sont pas au courant à mon sujet, dit-elle stupéfaite. Tu ne leur as rien dit. Ils ne savent même pas qui je suis ! » Il ne répondit pas tout de suite. Ils déambulaient lentement dans le foyer, buvant du champagne, évitant soigneusement de se regarder. « Morgan, dit-il enfin, tu ne comprends pas... Tu ne sais pas comment sont les vieilles familles juives comme la mienne... »

Cette remarque la blessa. Elle lui rappelait trop de mauvais souvenirs. « Non, Alex, c'est toi qui ne comprends pas. Tu ne comprends rien aux métisses comme moi. » Elle baissa la voix et se pencha vers lui avant d'ajouter : « Nous ne couchons pas avec les hommes qui ont honte de nous. »

Là-dessus, elle dévala le grand escalier. Il courut derrière elle, bien sûr, et la rejoignit dehors, sous la neige. Il lui jura son amour, répétant que ce n'était pas d'elle qu'il avait honte, mais de ses propres parents. Ils tremblaient tous les deux dans le froid glacial. Des gouttelettes de neige fondue luisaient dans ses moustaches. Elle pleurait, ce qui la surprit elle-même. Elle croyait en avoir fini avec les larmes déclenchées par ces insultes ordinaires. Il la prit dans ses bras, murmurant dans sa chevelure humide, embrassant son cou juste derrière l'oreille. Puis il courut au vestiaire récupérer leurs manteaux et leurs chapeaux. Ils sautèrent dans un fiacre, où ils tombèrent à nouveau dans les bras l'un de l'autre, s'embrassant avidement. Une fois dans le cabinet d'Alex, sur la Vingt-Troisième Rue, ils se laissèrent tomber sur le canapé en cuir et firent l'amour fiévreusement. En somme, cela avait été une soirée passionnée. Elle s'en souvenait encore avec un frisson de délice.

Entrant dans la salle à manger, elle déclara à Adélaïde :

– Alors, où en sommes-nous ?

– Tout va très bien, dit courageusement Adélaïde.

Morgan la dévisagea attentivement. Elle s'était donné un mal de chien pour soigner sa coiffure et sa toilette, mais l'une comme l'autre commençaient à montrer des signes d'épuisement. C'était généralement l'effet que produisait Clara quand on essayait de lui apprendre quelque chose.

– Si on laissait tomber les leçons pour aujourd'hui? proposa Morgan. Nous n'aurons qu'à demander à Agnès de servir le thé.

– Non, non, insista Adélaïde. Tout ira bien, n'est-ce pas, Clara?

– Oui, madame, répondit celle-ci avec un grand sourire. Maintenant, moi aller cousine?

L'air perplexe d'Adélaïde était comique à voir.

– Où ça? Ah! à la cuisine? Non, Clara, aujourd'hui je voudrais que tu apprennes à répondre à la porte.

– Parrrrdon?

– La porte. Oh, Seigneur! soupira Adélaïde.

Elle lui expliqua rapidement en russe ce dont il s'agissait, puis elle reprit en anglais, articulant lentement :

– Bonjour, entrez, je vous prie.

– Bonjour, entrrrrer, djé vous prrrrie.

– Très bien.

Au même instant, le heurtoir de la porte d'entrée se fit entendre. Elles se tournèrent toutes les trois vers le vestibule, mais personne ne bougea.

– Clara... dit enfin Morgan. Nos invités sont arrivés.

Il fallut quelques instants pour que Clara comprenne ce qu'on attendait d'elle, puis elle partit au pas de charge. Elles entendirent la porte s'ouvrir, puis la voix d'Alex, puis plus rien.

– Morgan, calme-toi, dit Adélaïde. Tu es en train de te tordre les mains.

Effectivement. Elle plaqua ses mains sur les pans de sa jupe et dit :

– Tu ne peux pas savoir combien je redoute ce thé!

– Ma pauvre chérie, il ne fallait pas les inviter.

241

– Je sais bien, mais ils m'ont tellement agacée l'autre soir... De toute manière, il est trop tard. Nous ferions bien d'aller au secours de Clara.

Dans le vestibule, elles trouvèrent Clara en train de faire révérence sur révérence, ayant oublié sa phrase. Morgan se précipita :

– Bonjour. Soyez les bienvenus. Entrez donc.

– Bodjour, entrrrrer, djé vous prrrrie, enchaîna Clara, ayant enfin retrouvé la mémoire.

Elle sourit aux Becker, très satisfaite d'elle-même. Hester Becker esquissa un sourire glacial, un sourcil en accent circonflexe. Elle entra, embrassant d'un regard critique tout ce qu'il y avait autour d'elle, les lèvres pincées.

Morgan n'osait pas regarder Alex, bien qu'elle sentît qu'il l'observait. En revanche, elle ne pouvait détacher les yeux de sa mère. Elle était jolie, petite et très élégante. Elle mesurait bien dix centimètres de moins que Morgan, avec une taille de guêpe et de petites mains aux doigts effilés. La plume de son chapeau retombait en s'enroulant autour de son cou. Elle déambula dans le couloir d'un pas lent de reine visitant un hospice, et Morgan crut qu'ils n'arriveraient jamais au salon. Lorsque ce fut enfin le cas, Mme Becker se tourna vers Morgan et déclara :

– Ainsi, nous nous rencontrons à nouveau, mademoiselle... euh... C'est amusant, j'avais oublié à quel point vous étiez... grande.

Elle partit d'un éclat de rire cristallin, avant d'ajouter :

– Alex, ton amie me fait me sentir si menue!

Elle se tourna brusquement vers Adélaïde.

– Et vous êtes...?

– Adélaïde Apple. Morgan et moi partageons cette maison.

– Je vois.

– *Maman*, dit précipitamment Alex. Assieds-toi donc dans ce fauteuil.

– Uniquement si tu t'assieds à côté de moi, mon fils.

– Bien sûr, si tu le souhaites.

Il lança un regard implorant vers Morgan, espérant qu'elle comprendrait, mais celle-ci sentait déjà la moutarde lui monter au nez. Cette réunion s'annonçait encore pire que prévu.

Max, le père d'Alex, inclina courtoisement le chef devant Adélaïde et Morgan, puis son regard s'attarda sur Clara. La jeune Russe, qui s'en aperçut, sourit aimablement, ravie de l'attention. Morgan l'envoya à la cuisine chercher le thé. Heureusement, Adélaïde l'accompagna, pour s'assurer sans doute qu'elle ne reviendrait pas avec des fruits au lieu du thé. Un semblant de conversation démarra, quoique laborieusement, orchestré par Hester Becker.

– Morgan. N'est-ce pas plutôt un prénom de garçon?

– C'est mon père qui m'a nommée ainsi.

– Et vous venez de...

– Du Connecticut, *maman*, s'impatienta Alex. Je te l'ai déjà dit plusieurs fois.

– C'est que nous ne connaissons personne dans le Connecticut, mon chéri. Ah si! Il y a ce merveilleux tailleur installé à Middletown. Il était autrefois au service des Wollheim. Tu te souviens, Max?

Elle n'attendit pas la réponse de son mari, ce qui était tout aussi bien dans la mesure où celui-ci était enfoncé dans son fauteuil, les yeux clos.

– Nous avons aussi de vieux amis qui rendent parfois visite à des parents là-bas, reprit Hester. Middletown... C'est la ville où se trouve l'université de Wesleyan.

Elle fit mine de ne pas entendre le « Je sais » de Morgan.

– Mais comment s'appelle-t-il donc? reprit-elle. Max, tu dois t'en souvenir. C'était un nom allemand.

Max rouvrit les yeux. Ils étaient d'un bleu intense, comme ceux d'Alex, la chaleur en moins.

– Enfin, Hettie, pourquoi veux-tu que je me souvienne du nom de ce foutu tailleur?

Une fois de plus, elle fit la sourde oreille.

– Wrubel! s'exclama-t-elle. Voilà, c'est cela, mademoiselle... euh... Il ne reçoit que des gens très bien. On me dit qu'il fait des merveilles. Connaissez-vous un tailleur du nom de Wrubel? Non? Suis-je sotte!

Elle repartit de son rire cristallin.

– Je ne vous ai même pas demandé si vous aviez déjà mis les pieds à Middletown.

Elle lança un regard en coin à Morgan, et celle-ci se rendit compte qu'elle la trouvait mal habillée. Elle portait une de ces jupes modernes qui laissaient voir les chevilles, ce que madame jugeait manifestement de mauvais goût.

Hester enchaîna ensuite sur une description de leur trajet depuis Manhattan.

– C'est la première fois que je viens à Brooklyn, annonça-t-elle. Il faut dire que, d'ordinaire, nous n'avons aucune raison d'y aller. C'est fou le nombre de rues qui ne sont même pas pavées. Nous sommes moins primitifs à New York. Lorsque nous sommes descendus du ferry, je n'en croyais pas mes yeux. Atlantic Avenue n'est qu'une route en terre battue! Heureusement qu'il y avait plusieurs fiacres qui attendaient au débarcadère, sinon je ne sais pas si j'aurais supporté toute cette poussière. Mais comment faites-vous donc, ma pauvre!

Morgan espérait qu'elle était en train de sourire. Tous les traits de son visage étaient tendus.

– D'habitude, je prends le trolley pour traverser le pont.

– Ah... fit Hester. Le trolley...

Au ton de sa voix, il était évident que le trolley était démodé depuis longtemps.

– J'ai entendu dire que la population de Brooklyn dépassait celle de New York. C'est très intéressant. Pourtant, vous n'avez pas de grands buildings comme chez nous. Vous voyez ce dont je parle, n'est-ce pas? On les appelle des immeubles d'appartements. Ils sont d'un chic! Nous habitons dans l'un d'eux, sur Riverside Drive.

Hester balaya la pièce du regard. Jusque-là, Morgan avait été fière de son élégant salon, avec son grand kilim et ses deux sofas qui se faisaient face devant la cheminée. Mais tout à coup il lui parut... nu. Ni Adélaïde ni elle n'aimaient les inté-

244

rieurs surchargés, avec des abat-jour à froufrous, des tapis d'Orient se chevauchant et des murs tapissés de tableaux du sol au plafond. Certes, c'était le style de l'époque, mais cela ne leur ressemblait pas. Chez elles, il n'y avait pas de lourds rideaux en velours bordés de franges, uniquement des volets en bois. Deux sofas et deux fauteuils douillettement rembourrés. Deux ou trois tableaux qu'elles avaient achetés dans des ventes aux enchères. A présent, en regardant autour d'elle à travers les yeux de Hester Becker, elle se posait des questions. Cette dernière dissipa bientôt ses doutes :

– C'est une charmante petite maison, déclara-t-elle. Il y a de jolis détails. Je suis sûre qu'elle sera très agréable à vivre une fois que vous l'aurez décorée.

Clara entra au même moment, portant un plateau et se mordant la lèvre inférieure d'un air concentré. Max Becker, qui était avachi dans un fauteuil et regardait par la fenêtre d'un air absent, se réveilla en la voyant apparaître. Il se redressa, lissa ses moustaches blondes et tira sur son gilet. Lorsque Clara lui versa une tasse de thé et la lui tendit, elle tremblait tellement qu'elle en renversa la moitié dans la soucoupe. Il posa une main sur la sienne et la guida jusqu'au guéridon à côté de lui, susurrant :

– Là, là, chère petite, c'est parfait.

Morgan trouva qu'il se tenait trop près de la jeune fille et gardait sa main sur la sienne beaucoup trop longtemps pour que ce soit accidentel. Au même moment, Hester Becker lui posa une autre de ses questions agaçantes, et elle dut détourner son attention.

Cette réunion était de plus en plus éreintante. Morgan faisait de son mieux pour rester polie, mais elle avait hâte d'en finir. Elle aurait aimé qu'Alex intervienne et prenne la conversation en main, mais il préférait apparemment se plier au jeu de sa mère en se bornant à dire des « absolument » et des « oui, oui », laissant Morgan seule face à cette harpie. Quant à Adélaïde, elle n'existait pas. Hester ne lui adressa pas la parole. C'était vraiment une femme insupportable et extrêmement mal élevée.

En outre, le père d'Alex était franchement répugnant. Il flirtait ouvertement avec Clara, s'extasiant devant sa maîtrise de l'anglais, lui demandant de le rejoindre devant la fenêtre pour lui commenter la vue. La vue ? Il n'y avait rien à voir dans Clinton Street sinon d'autres maisons. A quoi jouait-il ?

– Clara, pourrais-tu nous servir encore un peu de thé ? demanda Morgan plus sèchement qu'elle ne l'aurait voulu.

Lorsque Max et Clara se retournèrent, la jeune fille avait les joues roses de plaisir. Il se laissa à nouveau tomber dans son fauteuil, allongeant ses longues jambes bottées de sorte qu'elles touchent presque la jupe de la jeune Russe. Lissant ses épais cheveux blonds en arrière, il l'observait en douce.

– Clara est arrivée depuis peu dans notre pays, monsieur Becker, déclara Morgan de sa voix la plus douce. Elle comprend très mal l'anglais, et cela provoque souvent les pires quiproquos.

– Vraiment ? répondit-il, l'air encore plus intéressé.

– C'est une jolie petite chose, observa Hester. Mais il faut les surveiller à chaque instant, vous savez... ces domestiques étrangères, surtout les Orientales.

Morgan lui lança un regard noir. Peine perdue. L'autre fit de nouveau entendre son rire cristallin.

– Elles ont tendance à tomber enceintes un peu trop facilement à mon goût, poursuivit-elle comme si Clara n'était pas dans la pièce. Et, lorsque c'est le cas, il n'y a plus qu'une seule chose à faire : s'en débarrasser au plus vite.

Cette fois, c'en était trop.

– Je ne suis pas de cet avis, répondit Morgan non sans un certain plaisir. Si cela nous arrivait, je donnerais simplement à la jeune fille un peu de racine de squaw, et le tour serait joué.

Hester Becker pâlit. Elle saisit une serviette sur la table et s'éventa en toussotant :

– Doux Jésus ! Le tour ? Quel tour ? Que... que voulez-vous dire par là ?

Elle ne semblait pas avoir envie de savoir, mais Morgan ne s'en souciait plus.

– C'est que, voyez-vous, madame Becker, une infusion de racine de squaw, ou de cohosh bleu, déclenche les menstruations.

Elle crut que l'autre allait tourner de l'œil. Même son mufle de mari se leva à moitié de son fauteuil et demanda :

– Hettie, ma chère, vous vous sentez bien?

Se remettant légèrement, Hettie demanda :

– Puis-je vous demander, mademoiselle... euh... comment vous connaissez des pratiques tellement contre nature?

– Mais, au contraire, c'est on ne peut plus naturel, madame... euh... Voyez-vous, madame... euh... Il se trouve que je descends d'une sorcière algonquine.

Elle lui adressa un large sourire, avant d'enfoncer le clou :

– Dans ma famille, nous savons mieux que personne comment aider une femme à tomber enceinte et comment interrompre sa grossesse, ce qui est infiniment mieux que de l'envoyer se faire avorter chez un médecin véreux.

Adélaïde et Alex la dévisageaient fixement, l'implorant du regard. Alex secoua brièvement la tête, puis leva les yeux au ciel. Elle s'apprêtait à raconter aux Becker dans quelles circonstances elle avait rencontré leur fils quand soudain, comme si elle avait pu lire dans ses pensées, elle comprit qu'il ne leur avait jamais dit qu'il donnait des soins gratuits au dispensaire. Il avait peur de le leur dire! Elle détourna les yeux, déçue et attristée.

Alex s'empressa d'intervenir dans la conversation pour décrire à *maman* (combien elle détestait cette affectation!) le travail d'assistante sociale d'Adélaïde. Soulagée de changer de sujet, Hester se tourna vers Adélaïde, feignant d'être intéressée :

– Parlez-nous un peu de ce que vous faites, mademoiselle Apple. Je n'y connais strictement rien. Je n'ai encore jamais rencontré de travailleur social.

Adélaïde lança un regard angoissé vers Morgan, puis se lança dans le récit des aventures de la pauvre Clara à Ellis Island.

– Elle était si paniquée que les inspecteurs ont pensé qu'elle n'avait pas toute sa tête. Ils ne se rendent absolument pas compte de l'angoisse que l'on peut ressentir en arrivant dans un pays étranger dont on ne connaît pas la langue. Quand un immigrant ne comprend pas quelque chose, les inspecteurs en déduisent aussitôt qu'il est débile mental. Ils ont fait passer un test à Clara et, naturellement, elle a échoué...

– Echoué? Mais pourtant elle est ici aujourd'hui.

Elle regarda Clara comme si elle était une sorte d'insecte.

– Oui, mais ce test est absurde, reprit Adélaïde. J'ai mis les inspecteurs au défi d'obtenir de meilleurs résultats qu'elle. L'un d'eux s'est prêté au jeu, et devinez quoi?

– Je ne vois pas, murmura Hester.

Adélaïde se mit à rire.

– Il a échoué, lui aussi.

Hester Becker ne trouva pas cela amusant du tout.

– Je ne m'étonne plus qu'ils laissent entrer tout ce fretin! explosa-t-elle. Des hordes d'Orientaux venant de Russie, de Pologne ou de Lituanie! C'est scandaleux! Des gueux, tous autant qu'ils sont!

Se tournant brusquement vers Morgan, elle enchaîna :

– Et je réprouve les médecines primitives. Je suis désolée, mais il fallait que je le dise. Je ne crois qu'aux vrais médecins, éduqués à l'européenne et possédant une vraie culture scientifique. Je suppose que ces méthodes empiriques valent pour les sages-femmes, encore que... En tout cas, si je m'attendais à me retrouver dans une maison où l'on tolère le stupre et la honte!

Elle se leva, faisant la sourde oreille aux remontrances d'Alex, et annonça :

– Il est temps pour nous de partir. Alexander, Maximilien. *Maximilien* !

– Oui, ma chère, dit Max en s'extirpant péniblement de son fauteuil.

Lorsque sa femme et son fils furent sortis sur le porche, Max fit un pas en arrière et attira Morgan à l'écart, lui marmonnant des paroles confuses au sujet de... hum... les interruptions de grossesse. Les pratiquait-elle souvent et... euh... pouvait-il... euh... hum... pouvait-elle...?

Enfin, exaspérée, Morgan demanda :

– Que voulez-vous savoir au juste, monsieur Becker?

– C'est que, vous comprenez, je ne tiens pas à le crier sur les toits. En fait... si une dame... une amie... se trouvait dans... une situation embarrassante... pourrais-je vous l'envoyer?

A présent, elle comprenait parfaitement.

– Elle n'a pas besoin de traverser le fleuve et de faire tout le chemin jusqu'ici, lâcha-t-elle sèchement. Vous n'avez qu'à l'envoyer à votre propre fils. Il est au dispensaire de Hester Street tous les samedis, s'occupant précisément de ce genre de choses.

Elle referma la porte derrière lui et s'effondra, en larmes.

Adélaïde voulut la consoler, mais Morgan l'écarta.

– Je ne m'étais pas rendu compte à quel point nous étions différents, sanglota-t-elle. Tu as vu comme il est à genoux devant elle, devant cette perruche!

– Mais, Morgan, c'est sa mère.

Alex, ayant conduit ses parents jusqu'à un fiacre, revint aussitôt.

– Dieu soit loué, les voilà partis! soupira-t-il. Je suis sûr que tu seras d'accord avec moi, Morg...

Il s'interrompit en voyant son visage.

– Morgan? Que se passe-t-il? C'est mon père qui t'a dit quelque chose qui t'a choquée?

– Non, non, il voulait juste savoir si je pouvais donner de la racine de squaw à ses amies en cas de besoin.

– Le goujat! Je suis sincèrement désolé, Morgan.

– Je t'en prie.

Apparemment, Alex trouvait normales l'attitude de ses parents cet après-midi, les insultes de sa mère, les avances de son père. Pour lui, c'était une banalité. Mais Morgan sentait une colère froide monter en elle.

– Alex, ta mère...

Ses yeux se remplirent de larmes. Elle dut attendre un instant avant de pouvoir parler à nouveau.

– Ta mère a insulté Clara à plusieurs reprises. Elle a ensuite insulté son peuple, son pays d'origine. Elle a ignoré complètement une de ses hôtesses...

– Oh, Morgan, ce n'est pas grave, intervint Adélaïde. C'est toi qu'elle venait voir.

– Non, Addie! Tu n'as pas à excuser cette femme idiote, ignorante, snob, condescendante. Son comportement à ton égard, au mien et à celui de Clara est... indéfendable, impardonnable et inexcusable.

– C'est vrai, dit Alex sur un ton amusé. Mais ça n'a rien de nouveau...

– Parce que tu trouves ça drôle! Après tout, pourquoi pas? Je suis bien pire qu'une « Orientale » de Russie, n'est-ce pas? Je suis à moitié indienne, la lie de l'humanité!

– Enfin, Morgan! s'indignèrent les deux autres à l'unisson.

– Nous n'avons rien à faire ensemble, Alex, continua Morgan d'une voix étranglée. Nous appartenons à des mondes différents. Tu ne comprendras jamais le mien, et Dieu sait que je ne comprendrai jamais, jamais, le tien!

– Morgan, je t'en prie, calme-toi!

Alex lui prit la main.

– Je suis entièrement d'accord avec toi et...

– Ah oui? Tu en es sûr, Alex? Est-ce que tu hais tes parents? Parce que moi, oui! Je les déteste! As-tu seulement vu comment ta mère nous a traitées? As-tu entendu le ton condescendant de ta *maman*? C'est une femme horrible! Et ton père, tu l'as vu se lécher les babines en regardant Clara? Comme j'ai pu être stupide en croyant que nous pourrions... Notre histoire n'aboutira jamais à rien. J'ai enfin appris ma leçon et je ne te reverrai jamais!

Alex pâlit et lâcha sa main.

– Tu ne parles pas sérieusement, Morgan!

– Si, parfaitement!

– Je t'en prie, Morgan. Tu es épuisée. Je sais qu'ils ont été absolument affreux, mais cela n'a pas d'importance, parce que je...

– Cela n'a pas d'importance pour toi, peut-être, mais pour moi si. A présent, pars, s'il te plaît.

– Nous en reparlerons demain...

– Non. Je ne veux plus jamais te parler.

– Morgan, s'il te plaît...

La colère qui couvait en elle était devenue un brasier ardent. Si elle devait tout consumer sur son passage, peu lui importait!

– Je suis sincère, Alex. Tout est terminé entre nous. N'essaie pas de me revoir ni de me reparler.

Adélaïde laissa échapper un petit cri malgré elle, mais un regard noir de Morgan la fit reculer d'un pas. Morgan dévisagea froidement Alex. Elle se sentait indomptable et sans merci. Une vraie guerrière.

Elle ne savait pas très bien à quoi elle s'était attendue, mais certainement pas à ce qu'Alex parte sans un mot de plus. Ce fut pourtant ce qui arriva. Un instant, il se tenait sur le pas de la porte, le regard implorant; l'instant suivant, il avait tourné les talons et était parti, claquant la porte derrière lui.

17

Décembre 1906

– Cela fait combien de temps que tu n'as pas pris le bateau de Chester pour me rendre visite ? demanda le docteur Grace.

Elle répondit toute seule :

– Une éternité, n'est-ce pas ? En tout cas, beaucoup trop longtemps.

Elle reposa sa tasse de thé sur la table.

Morgan dévisagea sa vieille amie avec affection. Cela faisait moins d'un an, mais Grace n'était plus toute jeune et, pour elle, chaque occasion manquée comptait. Morgan la trouva soudain âgée. Ses cheveux étaient presque tous blancs et sa peau de porcelaine commençait à se rider. Elle était toujours la même, mais... plus petite et racornie. Quel âge pouvait-elle avoir ? Si elle avait dix-sept ans en 1861... Morgan tenta de calculer de tête puis capitula, comptant sur ses doigts cachés sous la table. Grace Chapman avait soixante-deux ans. Ce n'était pas si âgé. Elle avait sûrement encore de belles années devant elle.

– Et vous, cela fait combien de temps que vous n'êtes pas venue nous voir à Brooklyn ? répliqua-t-elle. La dernière fois, c'était encore une ville séparée de New York, n'est-ce pas ? Cela fait donc au moins sept, non huit, non sept ans. Je suis sûre que la dernière fois, c'était avant 1896.

– Non, cela ne peut pas faire aussi longtemps. Nous sommes allées voir *La Case de l'oncle Tom*, à l'académie de musique de Brooklyn, sur... comment s'appelle déjà cette rue où il y a tous les commerces ?

– Montague Street.

– C'est ça, Montague. Je me souviens aussi que la mairie venait de perdre sa coupole, avec sa cloche et son horloge. Il y avait eu un grand incendie.

– C'est bien ce que je disais! dit Morgan en riant. L'incendie a eu lieu en 1895. Maintenant, ce n'est plus qu'une mairie de quartier, depuis qu'on a été rattachés à la ville de New York. Ça fait donc plus de dix ans! Vous devriez avoir honte!

– Je sais, je sais. Je pense souvent à venir, mais chaque fois que je suis sur le départ un de mes patients a besoin de moi.

Elle lança un regard autour d'elle dans la cuisine.

– Vous avez fait beaucoup de travaux dans la maison. Tout est très moderne.

Morgan sourit en se souvenant de la cuisine à l'ancienne dans la maison de Chester qui, lors de sa dernière visite, n'avait pas changé d'un iota depuis le jour où elle y était entrée la première fois.

– Mme Mulligan n'arrêtait pas de se plaindre de notre vieux fourneau, alors on a commencé par le changer. Puis M. Timothy, le contremaître qui s'est chargé des travaux, s'est mis à avoir des idées. «Pourquoi ne feriez-vous pas percer des fenêtres plus grandes, vous auriez plus de lumière, non? Et si on plaçait le nouveau fourneau dans l'ancienne cheminée et qu'on installait de nouveaux placards avec des portes plutôt que ces étagères ouvertes? Et que diriez-vous d'une jolie hotte en cuivre? Et d'une longue table de travail avec un plateau en marbre pour pétrir la pâte à tarte?» Bref, ce beau parleur nous dressait chaque jour un tableau si alléchant qu'on acceptait toujours. Puis, comme les ouvriers étaient déjà là et que la cuisine était sens dessus dessous, autant y aller carrément. Voilà comment on s'est retrouvées avec ce beau fourneau à charbon équipé de trois fours, dont un four à réchauffer. Nous avons même un grand ballon d'eau chaude, que Tim a dissimulé dans un des placards. Malheureusement, pour ce qui est du reste de la maison...

– Le reste de la maison est charmant, soupira Grace. Je vois que vous avez l'électricité. Ce doit être agréable de ne pas

253

avoir à allumer les lampes à pétrole et à tailler des mèches. Pour ma part, j'en suis encore au kérosène.

Elle fixa ses mains d'un air songeur, comme si elles étaient couvertes de suif.

– Il fait si bon dans votre cuisine! Pas besoin de se blottir devant la cheminée, d'avoir le visage qui brûle pendant qu'on se gèle le dos.

Elle se mit à rire, avant d'ajouter :

– C'est Brooklyn tout entier qui semble avoir changé. J'ai été surprise de voir un nouveau pont. Comment l'appelle-t-on?

– Le Manhattan Bridge, répondit Adélaïde.

– Sans parler de toutes les nouvelles maisons! Bientôt, il n'y aura plus de place à Brooklyn.

– Ça m'étonnerait! dit Adélaïde en riant. A deux pas d'ici, il y a encore des prés et des champs. Ça vous dirait de prendre un fiacre et d'aller voir?

– Voir des champs? Mon Dieu, non! J'en vois suffisamment là où je vis. Je préférerais voir les nouveaux buildings de Manhattan, si ça ne vous ennuie pas.

Elle but une gorgée de thé et mordit dans un des biscuits posés dans une assiette devant elle.

– Mmm... Ces biscuits sont délicieux. Ne me dites pas que c'est vous qui les avez faits, Adélaïde? Morgan?

Adélaïde rit de plus belle.

– Certes non, docteur Chapman. Ni Morgan ni moi ne passons beaucoup de temps devant les fourneaux. Ce sont des biscuits russes faits par Clara, qui est passée maîtresse dans l'art de se servir du four.

Les trois femmes se tournèrent vers la jeune fille, qui était assise dans un coin, regardant par la fenêtre. Elle était tellement silencieuse que Morgan avait oublié qu'elle se trouvait dans la pièce. Clara se retourna en entendant prononcer son nom et leur adressa un petit sourire triste. Cela faisait une semaine qu'elle était ainsi, morose et absente. Ses moues boudeuses commençaient à agacer sérieusement Morgan. Plus patiente, Adélaïde répétait : « La pauvre petite, toute seule dans un pays étranger. Nous devons être des sœurs pour elle. »

Alors elle taquinait et cajolait la jeune fille, allant jusqu'à lui brosser les cheveux le soir. Il n'y avait rien d'étonnant à ce que Clara ne se comporte pas comme une femme de chambre! Elle était plutôt traitée comme l'invitée d'honneur. «Tu dois avoir une double dose d'instinct maternel, Addie, pour t'occuper de Clara et de moi comme tu le fais!» avait plaisanté Morgan un soir.

Adélaïde lui avait répondu par un sourire d'une telle tristesse qu'elle avait aussitôt regretté ses paroles. Adélaïde était-elle triste de ne pas avoir d'enfants? Elle avait toujours affirmé ne pas s'intéresser aux hommes, à l'amour ou au mariage, préférant se concentrer sur son travail. Mais peut-être... Avant que Morgan ait pu changer de sujet de conversation, le regard triste avait disparu, et Adélaïde avait retrouvé son entrain habituel. «Ce n'est pas mon instinct maternel qui est à l'œuvre, Morgan, avait-elle répliqué. C'est mon côté "assistante sociale".»

— La dernière fois que j'étais là, déclara Grace Chapman, Adélaïde s'efforçait de te convaincre de t'inscrire à la faculté de médecine. Alors, où en es-tu?

— J'espère toujours pouvoir y aller. Mais, comme vous l'avez dit vous-même, chaque fois que je suis prête, une de mes patientes a besoin de moi. Un jour, j'irai. Vraiment. Dès que j'en aurai le temps. En attendant, mes patients trouvent que je les soigne aussi bien qu'un vrai médecin. Après tout, est-ce que je n'ai pas appris le métier auprès du meilleur médecin du monde?

Grace Chapman sourit.

— Si je comprends bien, tu es très occupée?

— Trop occupée, à essayer de sauver ces pauvres femmes et leurs enfants que cette ville sans cœur laisse mourir de faim. Vous vous souvenez de cette petite infirme, Della, dont je vous avais parlé? J'ai continué à les suivre de loin, elle et sa mère. J'allais les voir une fois par mois mais, j'avais beau leur apporter toute la nourriture que je pouvais, je les trouvais chaque fois un peu plus maigres et affaiblies. Puis, un dimanche, je les ai trouvées mortes, toutes les deux, la fillette blottie dans les bras de sa mère. Gelées. Elles n'avaient sans doute plus de quoi acheter du charbon. En vérité, je n'ai jamais pu faire grand-chose pour elles, comme pour beaucoup de mes patients. Pourquoi faut-il que le mauvais sort s'acharne toujours sur les plus pauvres et les plus fragiles?

Son ton avait monté d'un cran à chaque phrase. Elle s'interrompit, le souffle court.

– Excusez-moi. Parfois, mon impuissance me rend folle de rage.

– Mais tu resteras toujours aussi impuissante, Morgan, répondit Grace, tant que tu n'auras pas de diplôme.

– Mes ancêtres étaient toutes des guérisseuses renommées, et aucune n'avait de diplôme. Ma propre mère...

– Es-tu retournée la voir?

– Je ne sais même pas si elle est encore en vie. Un jour, j'ai préparé mon sac de voyage, bien décidée à...

Naturellement, c'était un rêve qui l'avait convaincue de rendre visite aux siens. Bird se tordait les mains et se dissolvait lentement dans la brume, tandis que Morgan tentait désespérément de la retenir. En se réveillant, elle s'était souvenue que Bird avait les traits de sa mère. Ce ne pouvait être qu'un message. Elle avait décidé de se mettre en route le jour même mais, le temps qu'elle s'habille et qu'elle descende au rez-de-chaussée, puis qu'elle bavarde avec Adélaïde en prenant le petit déjeuner, le rêve s'était estompé, et le sentiment d'urgence avec lui.

– J'étais sur le point de partir, et puis... je ne sais plus ce qui s'est passé. La vie a repris son cours. Je sais que je devrais y aller, ne serait-ce que pour savoir si elle est encore en vie. Je devrais au moins lui dire au revoir, je ne l'ai jamais fait. Quand je suis partie, j'étais trop furieuse contre elle. Je n'ai jamais dit adieu à mon père non plus...

A sa grande surprise, ses yeux se remplirent de larmes.

La cloche de la porte de service retentit, et Clara bondit de sa chaise pour aller ouvrir, tout signe d'apathie envolé. Morgan et Adélaïde comprirent enfin : elle faisait la tête parce qu'elle attendait des nouvelles d'un galant. A la porte, un garçon tendit un billet en disant :

– Mlle Optak... Opakt...

Le visage de Clara s'éclaira.

Le garçon attendit un moment, espérant sans doute que Clara lui donnerait une pièce, mais celle-ci lui referma la porte au nez avant de courir hors de la cuisine. Elles l'entendirent grimper l'escalier quatre à quatre pour s'isoler dans sa chambre sous les toits.

– Un homme, dirent-elles à l'unisson.

– Je me demande lequel, médita Adélaïde.

Elle pensait aux nombreux jeunes hommes, garçons livreurs, ouvriers, menuisiers, commis d'épicier et autres qui lui faisaient les yeux doux. A moins que ce ne soit l'un des deux frères qui habitaient la maison d'à côté et qui, après un seul regard de Clara, s'étaient instantanément entichés d'elle. Le fait qu'elle ne puisse toujours pas aligner correctement deux phrases d'anglais ne semblait pas les gêner. De fait, ses longs silences et les petits regards qu'elle lançait sous ses épais cils noirs ne faisaient qu'attiser leur flamme.

Morgan savait qu'elle était tombée amoureuse de quelqu'un dont elle tenait jalousement l'identité secrète. Il était évident qu'aucun de ces garçons, aussi beaux, persuasifs et aimables fussent-ils, n'avait retenu son attention. Ils étaient tous venus lui faire la cour les uns après les autres, et aucun n'avait été invité à boire ne serait-ce qu'une tasse de thé. Pourtant, il y avait bien quelqu'un. Tous les signes étaient là. Elle était plus distraite que jamais, soupirait à longueur de journée, broyait du noir ou déambulait dans la maison comme un nuage d'orage. Puis un message arrivait à la porte de service et, comme par miracle, elle devenait gaie et sautillante comme un pinson.

Depuis quelque temps, Morgan avait de sérieux soupçons sur l'identité du mystérieux inconnu, et cela la faisait bouillir de rage. Les circonstances l'empêchaient d'intervenir, ce qui la rendait encore plus furieuse.

257

– Clara est amoureuse, expliqua Adélaïde à Grace. Enfin, c'est ce que Morgan m'a expliqué il y a plusieurs semaines. Elle est bien placée pour savoir ces choses-là.

– Que veux-tu dire? demanda Morgan en sentant ses joues rosir.

– Tu sais très bien ce que je veux dire, Morgan. C'est que, voyez-vous, docteur Chapman, Morgan est amoureuse, elle aussi, même si elle refuse de le reconnaître.

– Je ne suis plus amoureuse! démentit fermement Morgan.

– Vous voyez ce que je veux dire, docteur Chapman.

– Est-il si terrible que ça? la taquina Grace. Pourquoi le caches-tu? Il n'est pas convenable?

Morgan déglutit péniblement. Après tout ce temps, en parler était toujours aussi douloureux.

– Adélaïde fait allusion au docteur Alexander Becker, expliqua-t-elle.

– Un médecin! Mais c'est très convenable. Qu'a-t-il donc pour que tu en aies honte? Il est très laid? Il boit?

Morgan fusilla Adélaïde du regard. Celle-ci lui renvoya un regard neutre. Elle ne comprenait pas pourquoi Morgan refusait toujours de voir Alex. A dire vrai, Morgan ne le savait plus trop non plus. Par pur entêtement, sans doute, et à cause de son orgueil dévorant. Chaque fois qu'elle songeait à la dureté des paroles qu'elle avait prononcées ce jour-là, elle avait envie de pleurer. Elle s'était enfermée dans sa tour d'ivoire, telle une ridicule donneuse de leçons. Etait-ce la faute d'Alex si sa *maman* était une pimbêche qui se donnait des airs? Elle n'arrivait pas à l'oublier, même en se plongeant à corps perdu dans son travail pour ne plus penser à lui.

Elle devait une explication à Grace.

– Il vient d'une famille riche. Ce sont des juifs allemands qui méprisent tout le monde, même les autres juifs venus de Russie ou de Pologne. Ils les traitent d'«Orientaux». Alors, vous imaginez ce qu'ils ont pensé d'une sang-mêlé comme moi!

Elle s'efforça de sourire, avant d'ajouter :

– Quand j'ai compris que ça ne pourrait jamais marcher, j'ai préféré tout arrêter.

– Elle l'a chassé, docteur Chapman, alors qu'il la suppliait de le laisser s'expliquer.

– C'est vrai, Morgan? Tu as refusé de l'écouter? Je vois ça d'ici : tu es restée perchée sur ton rocher jusqu'à ce que les eaux se retirent, puis tu t'es rendu compte que tu étais toute seule, mais il était trop tard.

Grace avait parlé d'une voix douce, mais Morgan avait senti de l'ironie dans sa voix. Grace avait-elle, elle aussi, connu une situation semblable?

– Oui, Grace, oui à toutes vos questions. Oui, j'ai refusé de l'entendre et je me suis retrouvée toute seule à me demander comment j'en étais arrivée là.

– Oh, Morgan! soupira Adélaïde. Tu peux encore te raccommoder avec lui si tu le veux.

Elle se tourna vers Grace.

– Il lui écrit. Il traîne parfois devant la maison. Mais elle continue de refuser de le voir.

– Morgan, ma chère enfant, tu veux bien écouter les conseils d'une vieille bonne femme comme moi? Descends de ton piédestal et écoute ce qu'il a à te dire.

Plus rouge que jamais, Morgan s'en prit à Adélaïde.

– Je ne vois pas pourquoi tu me reproches autant d'avoir rompu avec Alex! Si je me souviens bien, ça ne t'enchantait pas, au début, quand on a commencé à se fréquenter.

– Je suis désolée si c'est l'impression que je t'ai donnée, répliqua Adélaïde. Je le connaissais depuis plus longtemps que toi et je l'avais toujours considéré comme un ami, comme un homme bon et attentionné. Peut-être... peut-être que j'ai eu peur que notre vie change. Cela dit, ce n'est pas parce que j'ai réagi comme une idiote que tu dois faire de même.

– Bien dit, Adélaïde! la félicita Grace en piochant à nouveau dans l'assiette de biscuits. Tu dois quand même reconnaître, Morgan, que tu as toujours eu tendance à prendre la fuite dès que les choses se corsaient un peu. Tu refais toujours la même erreur : tu t'enfuis et tu repars à zéro.

Elle lui prit la main doucement pour adoucir la critique.

– En tout cas, rétorqua Morgan sur un ton qui indiquait que le sujet était clos, que je sois ou non amoureuse, je ne me conduis pas comme Clara. Tenez! La voilà qui redescend. Je vous parie qu'elle va sortir.

Effectivement, Clara entra dans la cuisine d'un pas sautillant, fredonnant un air russe. Elle avait passé une nouvelle robe, d'un bleu assorti à ses yeux qui pétillaient d'excitation. Elle s'était débarbouillée et avait brossé ses cheveux. Morgan crut reconnaître des effluves de l'eau de toilette aux œillets qu'elle lui avait offerte pour ses dix-sept ans.

– Je sortir, annonça-t-elle. Promenade.

Tout en parlant, elle s'enveloppa dans la cape en laine bleue que lui avait offerte Adélaïde. L'instant suivant, elle avait disparu d'un pas léger. Elles entendirent la porte d'entrée se refermer.

– Si ce n'est pas de l'amour, ça! plaisanta Grace. En tout cas, je l'espère pour elle, parce que soit cette petite est enceinte, soit je suis vieille et sénile.

Enceinte! Morgan resta clouée sur place, mortifiée de ne pas s'en être rendu compte. Si Grace le disait, ce ne pouvait qu'être vrai.

– L'ordure! explosa-t-elle. Je savais bien que c'était lui que j'avais vu plusieurs fois en descendant du train... Et chaque fois que je l'apercevais, j'apercevais aussi Clara. Jamais ensemble, bien sûr. Il est bien trop malin! J'en ai déjà parlé à Clara mais, chaque fois, elle fait semblant de ne pas comprendre ou se met à pleurer. Or, Addie, tu sais combien il est difficile de lui parler quand elle pleurniche! Mais, à présent, j'en suis sûre. Ça ne peut être que lui. Quel monstre!

– Mais qui, Morgan? Je t'en prie, dis-le-nous!

– Max, bien sûr. Maximilien Becker.

Adélaïde blêmit.

– Quoi? Le père d'Alex?

– Oh, Addie, ce que tu peux être naïve, parfois! Oui, Max, le père d'Alex. Tu te souviens comme il flirtait avec elle le jour où ils sont venus?

– Mais... ça fait plus d'un an... Tu veux dire que ça dure depuis tout ce temps?

– C'est exactement ce que je veux dire.

– Mais, Morgan... Qu'est-ce que nous devons faire?

– Faire? Je n'en sais rien. Ou peut-être que si. Où est mon manteau?

– Morgan, nous avons de la visite! Où veux-tu aller?

– Chez Max Becker, pour lui dire ce que je pense!

Une fois dans le vestibule, elle s'arrêta, la main sur la poignée de la porte. C'était idiot d'aller chez lui : il n'y était sûrement pas. Il devait être quelque part avec cette petite gourde, en train de l'entraîner dans une chambre louée, de lui murmurer des mots doux à l'oreille tout en la déshabillant. C'était écœurant! Il aurait pu être son grand-père! Savait-elle seulement qu'elle était enceinte? Et, si oui, que croyait-elle qu'il allait lui arriver?

Morgan revint dans la cuisine et raccrocha son manteau.

– Qu'est-ce que je raconte? Ils sont ensemble quelque part en ce moment. Je ne peux rien faire.

Elle se laissa retomber sur sa chaise.

– Il va falloir attendre. Je prie simplement pour qu'elle n'espère pas garder cet enfant en imaginant que cela incitera Max à l'épouser!

Elle se tourna vers Grace et lui raconta toute l'histoire.

L'air de décembre était vif, mordant le bout du nez et formant des nuages de vapeur devant la bouche. Les pensées se bousculaient dans la tête de Morgan. Que faisait-elle dehors, dans ce froid glacial, au lieu d'être confortablement installée avec Grâce et Adélaïde devant le feu de la cuisine, buvant du café en décidant quelle pièce de théâtre elles iraient voir ce soir? La réponse était simple. Le commentaire de Grâce la veille sur sa manière de fuir toujours les problèmes l'avait piquée. Cette fois, elle ne fuirait pas. Elle irait trouver Alex pour lui raconter ce que son père avait fait et lui demander son aide. Quels que soient ses sentiments à son égard, il ne pourrait pas refuser. Comme il ne lui écrivait plus depuis plusieurs semaines, elle en avait déduit qu'il avait enfin capitulé. Et s'il la regardait froidement en lui disant : « Mais, Morgan Wellburn, j'avais cru comprendre que vous ne souhaitiez plus jamais m'adresser la parole » ? En tout cas, elle devait agir et cesser de fuir. Pour le moment, elle devait surtout hâter le pas avant que ses pieds ne gèlent.

Après un instant d'hésitation, elle prit la direction du pont. Traversant East River en trolley, elle lança un regard vers le port, toujours aussi grouillant, même en plein cœur de l'hiver, puis vers la monumentale statue de la Liberté, sa torche haut dressée au-dessus de Bedloe's Island. L'esprit en ébullition, elle la fixa un moment sans la voir. Une fois à la gare centrale, elle prit un autre trolley vers le nord de la ville, puis marcha jusqu'à la Vingt-Troisième Rue, où Alex avait son cabinet privé.

Une fois sur le trottoir en face de l'immeuble, elle fut incapable d'aller plus loin. Levant les yeux vers la fenêtre éclairée, elle pouvait voir ses cheveux blonds penchés sur des papiers ou un livre. Elle connaissait par cœur les pièces de son cabinet. Il était assis derrière son bureau, un énorme secrétaire à cylindre en chêne avec des dizaines de tiroirs et de compartiments. Il adorait ce bureau. Hester, naturellement, le trouvait vieillot pour son médecin de fils. Mais il se souciait peu de ce qu'elle pensait. Morgan et lui trouvaient Hester...

Morgan s'efforça de s'arrêter. A quoi jouait-elle ? Elle l'avait chassé. Leur histoire était terminée. Pourquoi était-elle venue ? Pour lui dire que son père avait séduit et engrossé une jeune fille innocente...

Elle savait qu'il n'en était rien. Elle était venue parce qu'Alex lui manquait. Elle l'aimait toujours. Elle pensait tant à lui qu'elle ne savait plus ce qu'elle faisait. Sa colère s'était muée en un torrent de désir. Elle avança vers la porte d'entrée et grimpa lentement les marches. Comment allait-il la recevoir ? Pendant des mois, il lui avait envoyé des billets, la suppliant de le voir, juste pour parler. Il ne pouvait pas avoir changé d'un coup...

Puis elle imagina une autre femme allongée sur le canapé en cuir matelassé, le vieux plaid d'Alex lui couvrant les genoux, lisant une de ses revues médicales ou le regardant travailler. Cette femme se levait tout doucement, ôtait tous ses vêtements, puis l'appelait d'une voix douce. Il levait alors les yeux, puis bondissait sur ses pieds, renversant sa chaise dans son impatience de la prendre dans ses bras.

Non! S'il l'avait remplacée par une autre, elle ne pourrait le supporter. Le cœur battant, elle dévala l'escalier et descendit la rue en courant, fuyant comme si tous les cerbères de l'enfer étaient à ses trousses. Elle ne vit pas Alex l'apercevant par la fenêtre et ne sut pas qu'il s'était précipité dans la rue en bras de chemise, trop tard pour savoir de quel côté elle était partie.

18

Mars 1907

Adélaïde interrompit le rapport qu'elle était en train de rédiger. Elle posa son stylo, soupira et s'écarta de son bureau. Maintenant qu'elle était chef de service, elle avait trop de travail sur les bras pour s'inquiéter de Clara Optakeroff. Morgan et elle avaient essayé de parler à la jeune fille, lui expliquant qu'elle n'était pas obligée de garder l'enfant, qu'elles pouvaient l'en débarrasser et qu'elles s'occuperaient d'elle. La pauvre sotte n'avait rien voulu entendre. Elle croyait aux flatteries de son vieux cochon d'amant. Elle n'était même pas son unique maîtresse! Il avait sans doute trois ou quatre autres jolies jeunes filles comme elle qu'il enjôlait régulièrement pour les attirer dans un lit. Pourquoi les femmes étaient-elles si stupides, se transformant en traînées dès qu'un vieux beau leur baisait la main et leur disait qu'elles étaient belles! Une fois qu'elles cédaient, qu'obtenaient-elles? Une brute velue les dominait et abusait d'elles, encore et encore. Adélaïde y avait assisté, une fois, quand elle était enfant. Elle cherchait sa nurse, Hilda. Lorsqu'elle avait ouvert la porte de la chambre de cette dernière, elle avait tout vu. Hilda et son porc, Hans, sur le lit, lui à genoux, elle les jambes posées sur ses épaules. Il riait tandis qu'elle gémissait. Adélaïde ne se souvenait plus si elle avait crié, mais Hilda avait tourné vers elle un visage hargneux et lancé : «Va-t'en! Sors d'ici, vilaine!» Hilda! Elle qui disait toujours qu'elle adorait sa petite Addie!

Bien sûr, Adélaïde avait compris ensuite qu'Hilda aimait ce que Hans lui faisait, mais cela ne l'avait jamais attirée, elle. Il était tellement plus délicieux de se blottir dans la chaleur et la douceur d'un corps de femme, de poser la main sur la peau satinée d'un sein et de sentir la pointe dure et alerte d'un mamelon...

Elle essaya de chasser ces images et demanda immédiatement pardon. C'était mal, elle le savait. Chaque soir, elle tombait à genoux et priait fiévreusement pour être libérée de ses pensées et de ses désirs contre nature. Mais Dieu ne l'écoutait jamais, il ne voulait pas entendre les prières d'une telle pécheresse. Elle n'avait cédé qu'une seule fois, lorsqu'elle habitait encore sur Grove Street, avant de rencontrer Morgan.

Théodora était beaucoup plus âgée qu'elle. Elle était danseuse. Grande et dégingandée, elle portait des pantalons et fumait de petits cigares. Elle avait une forte personnalité, et Adélaïde trouvait excitant de la fréquenter. Elle affirmait se soucier comme d'une guigne de ce qu'on pouvait penser d'elle et ne chercher que le plaisir. Elle était gentille avec Adélaïde, douce, aimante, louant ses hanches larges, ses seins lourds et sa peau laiteuse. Il était bon aussi de sentir le brasier entre ses cuisses enfin apaisé, de trouver finalement la béatitude et la paix. Elle s'était crue amoureuse et avait pensé que Teddy l'aimait en retour. Puis, un soir, en rentrant de son travail à l'hôpital Bellevue, elle avait trouvé une autre jeune femme dans l'appartement de Teddy. Teddy l'avait invitée pour une partie fine à trois, expliquant qu'elle ferait l'homme la première et qu'elles changeraient ensuite à tour de rôle. Elle avait préparé toutes sortes d'accessoires. Adélaïde les avait examinés avec dégoût, puis avait tourné les talons et quitté l'appartement pour ne jamais y revenir, pas même pour reprendre ses affaires. Elle n'avait jamais su le nom de la nouvelle fille.

C'était la seule fois où elle avait cédé à ses pulsions. On ne l'y reprendrait plus. Elle savait qu'elle devait lutter contre de telles envies. Peu après, elle avait rencontré Morgan et était tombée amoureuse. Elle avait espéré que Morgan l'aimerait peut-être en retour. Morgan était grande, comme Teddy, et avait l'habitude de commander. Mais Adélaïde comprit bientôt que Morgan aimait les hommes. Après qu'elle eut rompu avec Alex Becker, Addie avait de nouveau espéré que, peut-être... Mais non, c'était absurde. Morgan ne pouvait pas plus changer sa nature qu'elle la sienne. Elle n'aurait jamais imaginé lui parler de ses sentiments à son égard. Elle avait trop peur de dégoûter Morgan. Aussi, elle les gardait enfouis en elle.

Quelqu'un passa la tête dans l'entrebâillement de la porte.

– Chef, on vous demande au centre de transit.

– J'arrive !

Adélaïde se leva et lissa son grand tablier noir de chef de service. Elle était à présent responsable d'une grande partie des immigrants femmes et enfants. La plupart des autres chefs étaient toujours impeccables, raides et amidonnés. Adélaïde, elle, était toujours pareille, souvent décoiffée, éparpillant les épingles à cheveux dans son sillage. Elle adorait son travail. Elle avait attendu sept longues années avant d'obtenir ce poste. Après avoir décroché son diplôme d'assistante sociale en 1900, elle avait immédiatement commencé à travailler pour l'Association féminine d'aide aux immigrants. Les nouvelles venues qu'elle recevait tous les samedis au dispensaire l'émouvaient et lui avaient donné envie de travailler dans les services d'immigration d'Ellis Island, où cinq à sept mille étrangers miséreux et déboussolés débarquaient tous les jours, y compris le dimanche.

Les assistants sociaux étaient vingt-deux en tout. Comme Adélaïde avait une formation d'infirmière et s'intéressait aux maladies mentales, tout le monde venait lui poser des questions sur les déficients et les attardés mentaux. On l'appelait souvent pour examiner des immigrants. On leur faisait faire des tests simples, généralement sous forme d'images, qui, selon elle, ne servaient strictement à rien. Clara en avait fait les frais à son arrivée. Certes, ce n'était pas une lumière, mais elle n'était ni folle ni attardée mentale, simplement apeurée et ignorante.

Quoi qu'il en soit, Mlle Apple fut bientôt connue de tous les inspecteurs des douanes d'Ellis Island, ainsi que des médecins. Depuis trois ans, des hordes de pauvres gens mal préparés et ne parlant pas un mot d'anglais s'entassaient dans les grandes salles. Il s'agissait principalement de femmes et d'enfants venus rejoindre maris, pères ou frères dans le nouvel Eldorado ou de jeunes filles seules et de veuves en quête d'un mari. Il devenait alors impératif de les protéger contre les proxénètes et autres exploiteurs, des types au bagout facile qui rôdaient près des docks de Manhattan, attendant que les navettes vident leurs cargaisons humaines et cherchant des filles et des femmes seules ayant l'air perdues.

Adélaïde avait été l'une des premières à proposer ses services d'assistante sociale au Bureau de l'immigration et de la naturalisation lorsque cet emploi avait dû être créé. Le profil du poste spécifiait qu'il fallait « offrir aide et assistance selon les besoins des femmes et des enfants ». Elle comprit rapidement ce que cela voulait dire. Chaque jour, elle entendait une nouvelle histoire déchirante, menait un nouveau combat pour sauver quelqu'un, calmait et apaisait des parents affligés. Son salaire était de sept cent vingt dollars par an. Si elle se débrouillait bien, elle pouvait espérait en gagner huit cent quarante dès la deuxième ou troisième année. Elle travaillait du lever au coucher du soleil. Le centre, naturellement, était ouvert sept jours sur sept. Tous les employés avaient droit à un jour de repos. Celui d'Adélaïde était le samedi, ce qui lui permettait d'entretenir ses compétences d'infirmière au dispensaire de Hester Street.

Elle hâta le pas vers le centre de transit, sachant qu'on ne la dérangeait que pour les problèmes graves. Tous les immigrants restaient en transit pendant au moins un jour ou deux, c'était inévitable. Il y avait tant de bateaux arrivant d'Europe dans le port de New York qu'ils devaient souvent faire la queue et attendre plusieurs jours qu'il y ait assez de place sur Ellis Island pour débarquer leurs passagers. Ceux qui voyageaient dans l'entrepont étaient alors entassés sur des péniches ou des ferries, où ils attendaient encore, sans eau ni nourriture, exposés à la pluie, au vent et au soleil. Une fois sur l'île, ils faisaient la queue devant la porte principale, sous un énorme dais en métal, et patientaient à nouveau.

Une fois admis dans la grande salle d'attente, ils attendaient encore qu'on appelle leur numéro. Après tous ces jours en mer, dans des conditions parfois terribles, après tant d'espoir et si peu de sommeil, certains craquaient. C'était alors qu'on appelait les chefs de service pour traiter les cas d'hystérie. Ou pis.

Qu'est-ce qui la guettait aujourd'hui? Elle entra d'un pas leste dans le centre de transit, une grande salle ensoleillée avec un sol blanc carrelé et de grandes fenêtres palladiennes. Naturellement, elle était bondée. De l'autre côté se trouvait le service des autorisations de sortie, de sorte que les malheureux qui attendaient pouvaient observer avec envie les heureux élus ayant reçu leur permis de séjour. Ceux qui avaient dessiné les plans étaient d'une cruauté sans nom. Mais Adélaïde n'était pas architecte, comme on le lui avait rappelé chaque fois qu'elle avait émis des réserves sur la disposition des salles.

Après un bref regard à la ronde, elle comprit tout de suite pourquoi on l'avait fait venir. Trois femmes, dont une enfant d'une dizaine d'années, étaient blotties les unes contre les autres près d'une table. Elles devaient venir de Russie ou d'Ukraine, à en juger par leurs vêtements et leurs fichus. Un inspecteur se tenait auprès d'elles, visiblement à bout de patience. Dès qu'il aperçut Adélaïde, il l'appela comme si elle avait traîné :

– Ah, vous voilà enfin!

Elle remarqua au passage la manière dont la plus vieille d'entre les femmes se tourna au son de sa voix, non pas avec ses yeux mais avec toute sa tête. Elle était aveugle. Personne n'avait donc prévenu sa famille qu'elle se ferait repérer, ficher et probablement refouler?

En s'approchant, elle constata que la « vieille » n'avait guère plus de quarante ans. Sur son grand châle noir, il y avait un grand « E » marqué à la craie. Les inspecteurs placés en haut des marches l'avaient donc déjà repérée. Les nouveaux arrivants se rendaient rarement compte que l'un des hommes qui se tenaient au sommet du grand escalier qu'ils étaient obligés d'emprunter pour arriver dans la salle était un médecin chargé de noter tout ce qui lui paraissait inhabituel. Il avait dû remarquer la femme guidée par ses filles, dont l'aînée devait avoir une vingtaine d'années.

L'inspecteur, soulagé de se débarrasser du petit groupe, tendit à Adélaïde leur carte de débarquement : Anya Holub, quarante et un ans, Malka, sa fille aînée, vingt et un ans, et Tanya, sa benjamine, dix ans, en provenance de Kiev, Ukraine. Elles étaient en transit depuis deux jours, attendant une audience. Celle-ci aurait lieu dans une demi-heure, et il leur fallait une interprète. Adélaïde, sachant que les inspecteurs, surmenés et harcelés de toutes parts, commettaient souvent des erreurs de jugement quant aux facultés mentales des immigrants, se dit qu'elle tombait à point nommé.

Elle décida de s'adresser à la fille aînée, qui lui paraissait la plus dégourdie.

– Bonjour! dit-elle en anglais.

La jeune femme la regarda d'un air mauvais, mais ne sembla pas avoir compris. Cela dit, il fallait toujours essayer. Adélaïde se souvenait trop bien du cas d'un jeune homme en provenance d'Allemagne. Il était arrivé au bout de son inspection quand l'inspecteur lui avait demandé en allemand combien d'argent il avait sur lui. Le jeune homme ne comprenant pas, il avait répété sa question en italien, puis en yiddish, sans plus de succès. On avait alors appelé Adélaïde, connue pour ses dons de polyglotte. Elle avait essayé le russe, le polonais, quelques mots de tchèque, jusqu'à ce que, finalement, le jeune homme exaspéré s'écrie : « Mais, enfin, personne ne parle anglais, ici? »

Adélaïde décida de persévérer :

– Je m'appelle Adélaïde Apple, je suis ici pour vous aider.

Les trois visages étaient tournés vers elle, mais personne ne broncha.

269

– Vous comprenez l'anglais ? insista-t-elle.

Toujours rien.

– Je vois. Alors laissez-moi vous apprendre un premier mot d'anglais, poursuivit-elle en russe. « Bonjour. » C'est ce qu'on dit quand on rencontre quelqu'un pour la première fois, vous comprenez ?

Malka, la fille aînée, répondit enfin en russe :

– Combien de temps va-t-on nous garder prisonnières ici ? C'est pour ça qu'on a quitté notre jolie maison ? C'est pour ça qu'on a fui le tsar et les cosaques ? Pour être traitées comme des esclaves ?

Adélaïde tiqua devant son ton virulent. Puis elle se souvint que ces trois femmes avaient fait un long voyage, d'abord par le train, puis dans l'espace confiné et puant d'un entrepont.

– Je suis désolée qu'on vous ait retenues ici. Personne ne vous avait prévenues que des médecins sont à l'affût des cas de cécité ou d'autres infirmités ? Ceux qui arrivent aux Etats-Unis et sont incapables de travailler sont renvoyés chez eux.

– Regardez-nous ! s'énerva Malka. Nous sommes une famille. Nous n'allons pas laisser notre mère mourir de faim dans les rues ! Nous prendrons soin d'elle. J'ai vingt et un ans, et je sais lire et écrire. J'ai déjà deux sœurs en Amérique, l'une a vingt-quatre ans et est secrétaire, l'autre en a vingt-sept et est bibliothécaire. Mon père habite déjà ici. Il est fourreur et possède un grand appartement dans le Bronx avec de la place pour nous toutes. Pourquoi voulez-vous que notre mère travaille ?

– Si vous avez déjà des membres de votre famille ici, travaillant tous, pourquoi avez-vous débarqué à Ellis Island ? Pourquoi avoir voyagé dans l'entrepont ? Vous auriez dû prendre des billets de seconde classe. On vous aurait débarquées à Castle Garden et vous seriez déjà en Amérique avec le reste de votre famille !

La jeune femme fit une moue dépitée.

– Ne m'en parlez pas ! Nous avons pris le train jusqu'à Paris, puis le bateau jusqu'en Angleterre. Une fois là, ma mère, qui est radine comme pas deux, a dit : « Pourquoi gaspiller de l'argent dans des billets de seconde alors qu'on peut voyager dans l'entrepont ? La traversée n'est pas si longue, et vous êtes fortes. Ce sera toujours un peu de sous mis de côté. » Comme si on avait besoin d'argent à ce point-là !

Son ton furieux fit fondre sa petite sœur en larmes.

– Oh, cesse de pleurnicher, Tanya ! Maman est toujours prête à n'importe quel sacrifice pour épargner un rouble ! Elle ne pense qu'à ça !

Elle esquissa un petit sourire étrange avant d'ajouter :

– On devrait peut-être les laisser la renvoyer chez nous, ça lui apprendra !

La fillette s'accrocha au bras de sa mère, pleurant de plus belle. Cette dernière la repoussa d'un air agacé et se tourna vers Malka :

– Tu peux toujours cracher sur l'argent... tant que ce n'est pas toi qui paies ! Ton père sera très content quand je lui dirai combien j'ai économisé sur les billets.

Malka émit un petit rire narquois.

– Papa sera moins content s'ils ne te laissent pas entrer dans le pays.

Plus elles se disputaient, plus la petite paniquait, les suppliant d'arrêter. Enfin, Adélaïde mit un terme à leurs chamailleries.

– Assez ! lança-t-elle en russe. Ce qui est fait est fait. A présent, allons à l'audience, et je leur expliquerai la situation. Vous serez autorisées à entrer, je vous le promets. En attendant, donnez-moi l'adresse de votre père. Je vais lui télégraphier qu'il vienne vous chercher.

L'audience se déroula bien. Un peu plus tard, Adélaïde reprenait le chemin de son bureau. Elle longea le grand hall où, à longueur de journée, une interminable procession de gens faisaient la queue dans des enclos métalliques, avançant au pas, traînant sacs, malles et cartons... passant devant un examinateur, puis un autre, puis un autre encore, devant des médecins, des pointeurs de marchandises, des clercs. Un

271

inspecteur assis derrière un pupitre dominait la foule. Quand on passait devant lui, on devait donner son nom. Il vous demandait de l'épeler. S'il ne comprenait pas, on se voyait attribuer un nom mal écrit, voire un nouveau nom, pour sa nouvelle vie. Le long défilé avançait, s'arrêtait, se remettait en branle, s'arrêtait à nouveau, tout au long de la journée. Il ne semblait pas y avoir de fin à l'espoir des hommes, car c'était l'espoir qui les conduisait jusqu'ici avec leurs maigres possessions. Un inspecteur avait dit à Adélaïde qu'un jour ils avaient enregistré vingt et un mille nouveaux immigrants. A ce rythme, New York n'allait pas tarder à exploser.

Adélaïde n'était pas arrivée dans son bureau qu'une voix l'appelait déjà :

– Chef, on vous demande à la grille !

Avec un soupir, elle fit demi-tour et se dirigea vers le lieu où les nouveaux arrivants achevaient leur parcours du combattant : une grille derrière laquelle les maris, les frères et les autres parents attendaient. En s'approchant, elle entendit un tohu-bohu en yiddish. Une jeune femme, jolie mais enlaidie par un horrible *sheitl*, la perruque portée par les juives orthodoxes pour que les hommes ne les regardent pas avec désir, s'en prenait à un beau jeune homme qui attendait de l'autre côté de la grille. Il était grand, proprement vêtu, ses cheveux noirs soigneusement peignés sur le côté et les joues fraîchement rasées.

La femme, qui serrait deux enfants dans ses jupes, un garçon et une fille qui devaient avoir cinq ou six ans, tous deux d'un roux doré, vociférait :

– Jamais, tu m'entends, Moishe ! Je préfère encore rentrer au pays !

– Mais tu es ma femme ! J'ai dormi pendant un an et demi sous le comptoir de l'échoppe du tailleur pour pouvoir vous faire venir. Cesse de dire des bêtises et sors ! Nous avons un bel appartement, avec deux pièces !

– Que Dieu te pardonne d'être devenu un *goy* ! Les enfants, ne regardez pas cet homme. Ce ne peut pas être votre père.

Votre père est un bon juif portant la barbe! Cet homme est un... Yankee... un *goy*! Détournez les yeux!

– Tu ferais mieux de te regarder toi-même, Blume. Tu es une paysanne avec des vêtements de paysanne et une horrible perruque! Dans ce pays, les femmes ne cachent pas leurs cheveux, Blume! Elles les portent fièrement, dans la rue!

La jeune femme s'effondra, en larmes, et tourna les talons, heurtant Adélaïde. Celle-ci se mit à lui parler doucement en yiddish, essayant de la calmer:

– C'est difficile, je sais que c'est difficile. Je vois ce genre de chose se produire tous les jours. Votre mari aime l'Amérique et, en Amérique, les choses ne se passent pas comme dans votre *shtetl*...

Au son de ce mot, les pleurs de la femme redoublèrent.

– Mon *shtetl*! Mon père, ma mère, mes sœurs! Je les ai tous laissés derrière moi à jamais! Et pour quoi? Je ne reconnais pas cet homme!

Elle leva les yeux vers Adélaïde et pleura de plus belle.

– Qu'est-ce qu'on va devenir? Je ne veux pas rester ici avec lui! Je veux ma mère!

– Je sais ce que vous ressentez. Mais, vous verrez, sous son aspect nouveau, c'est le même homme. Il vous aime. Il a travaillé dur pour vous faire venir, vous et vos jolis enfants.

Blume rosit en entendant ces mots, même si ses larmes coulaient toujours.

– C'est terriblement difficile de tout laisser derrière soi pour partir dans un nouveau pays, enchaîna Adélaïde. Mais vous vous plairez ici. Il n'y a pas de pogroms, pas de cosaques. Vos enfants pourront aller à l'école et ça ne vous coûtera rien. La police ne vous battra pas. Au contraire, elle vous aidera.

– Vraiment?

– Moi aussi, je suis juive. Mes parents ont immigré dans ce pays.

Elle omit de préciser que le voyage avait eu lieu plusieurs générations auparavant. Mais elle était juive et descendante d'immigrants, même si sa famille était plus riche et plus éduquée.

– Regardez, poursuivit-elle. Vos enfants ont envie de voir leur *tateh*. Ils veulent connaître leur nouvelle maison. Donnez-leur une chance.

Le jeune homme n'avait pas bougé de sa place derrière la grille. Il fixait sa femme d'un air malheureux. Quant à Blume, elle ne pouvait s'empêcher de lui lancer des regards en coin.

– Allez-y, enjoignit Adélaïde. Dites-lui que vous voulez bien essayer cette nouvelle vie, pour vos enfants, et pour l'amour que vous vous portez.

Enfin, Blume se décida à retourner près de la grille. Mari et femme se touchèrent les doigts entre les barreaux. Ils parlèrent un moment, puis elle se tourna vers Adélaïde :

– Merci, madame. On va faire un essai et on verra.

Mais, à présent, elle souriait.

Adélaïde revint vers son bureau en souriant, elle aussi. Décidément, elle aimait ce travail. Elle ne savait jamais ce que la journée lui réservait. Lorsqu'elle rentrait enfin chez elle à Clinton Street, elle était si épuisée qu'elle avait à peine la force d'avaler son dîner et de garder les yeux ouverts pour lire quelques pages. Mais c'était aussi bien, car elle s'endormait dès que sa tête touchait l'oreiller, et n'était pas tourmentée par ses pensées.

19

Le même soir

Elles dînaient à la cuisine, dans le doux halo du lustre électrique. Dehors, il faisait chaud pour un mois de mars. Elles avaient laissé la porte de service ouverte pour avoir un peu d'air. La tourte à la viande était délicieuse, comme d'habitude. Mme Mulligan souffrait de rhumatismes, malgré les infusions que lui préparait Morgan. Du fait de ses genoux douloureux, elle commençait à avoir du mal à faire le ménage, mais Adélaïde et Morgan étaient convenues qu'elle resterait à leur service aussi longtemps qu'elle le désirait. Elles ne voulaient pas se passer de sa cuisine.

– Tu as eu une journée intéressante, aujourd'hui, à Ellis? demanda Morgan.

Elle avala une bouchée qui sentait bon la viande, les carottes et les pommes de terre.

– Comme toujours. J'ai dû renvoyer une folle chez elle, en Sicile, je crois. Son mari l'avait commandée à son beau-frère. «Commandée», Morgan! Comme un morceau de viande. Il ne l'avait vue qu'en photo. C'est vrai qu'elle était très belle, mais complètement folle. Elle mordait les gens.

– Seigneur! Elle t'a mordue?

– Non. Je dois avoir un don pour calmer les gens qui ont des troubles mentaux. Cela dit, certains des inspecteurs manquent singulièrement d'imagination et ne comprennent pas que, si les gens ont un air complètement abruti, c'est parfois parce qu'ils ne parlent pas un traître mot d'anglais.

Elle se mit à rire.

275

– Tu ne peux pas savoir combien de gens se mettent à parler plus fort et plus lentement aux pauvres immigrants, comme s'ils étaient sourds, alors qu'ils sont simplement dans un pays étranger...

– Cette fille... elle était comment? Je veux dire : comment se comportait-elle?

– Elle était tendue, nerveuse. Puis, tout à coup, elle se mettait à marmonner et ne semblait plus savoir où elle était. C'était étrange. Sur le ferry qui la ramenait sur l'île, elle semblait discuter avec quelqu'un, faisant des grimaces et des gestes. Pourtant, j'étais seule à côté d'elle et ce n'était pas à moi qu'elle parlait.

– Mmm... fit Morgan. Elle parlait sans doute à ses voix.

– A ses voix?

– Ou à ses esprits.

Adélaïde la dévisagea, l'air très intéressé. Morgan ne lui avait jamais parlé de Becky, ni de Quare Auntie, pas plus que de tous ceux de ses ancêtres qui entendaient des voix que les autres n'entendaient pas. Elle n'en parlait jamais à personne.

– Il y avait une fille, à Chester. On l'appelait Mariah la folle. Elle se comportait comme ta Sicilienne. Grace m'a expliqué qu'il s'agissait d'une maladie appelée *dementia praecox*. Elle a un autre nom, que lui a donné un médecin français, la... Bah, peu importe. Alors la pauvre a dû reprendre le bateau pour la Sicile?

– C'est la règle. Je trouve cela normal. Et toi, comment s'est passée ta journée?

– Ereintante. J'ai passé toute la journée au chevet d'Elizabeth Murray, qui devait accoucher de son cinquième. Je croyais que ce serait rapide, tous les autres sont nés en un tournemain, mais celui-ci ne voulait pas quitter le ventre de sa mère. Les contractions ont cessé après trois longues heures de travail. On était sur les genoux. Je rangeais déjà mes affaires, disant à Elizabeth que c'était une fausse alerte, quand elles ont repris tout à coup, encore plus douloureuses cette fois. En palpant son ventre, j'étais incapable de dire de quel côté le bébé était tourné. J'ai même cru un moment que c'étaient des jumeaux. J'étais sûre d'avoir senti deux têtes. Cette perspective a donné un regain de vitalité à Elizabeth, et elle a poussé de toutes ses forces.

Morgan fit une pause, reposant son pain beurré sur son assiette et buvant une gorgée de bière.

– Quand il est enfin né, il a bien failli déchirer cette pauvre femme en deux. Il n'a pas survécu, ce qui est sans doute aussi bien parce qu'il y avait la moitié d'un autre enfant attachée à lui, uniquement le haut du corps. Ils se faisaient face, les bras enroulés autour du corps, nez contre nez et incapables de respirer.

Adélaïde blêmit, la main sur le cœur.

– Tu sais, Addie, ce n'est pas si rare que ça. Je connais un tas d'histoires de jumeaux attachés. Il y en a eu une fois à East Haddam, à ce que j'ai entendu dire. Ils étaient reliés par une fine membrane au niveau de la hanche. J'étais petite quand c'est arrivé. La mère a supplié la sage-femme de couper la membrane, ce qu'elle a fait, et les deux bébés sont morts. Apparemment, ils partageaient au moins un organe vital. J'ai entendu d'autres histoires de monstres nés de parents parfaitement normaux. La plupart des gens n'y croient pas, mais Grace m'a raconté avoir même accouché une fois un enfant à deux têtes.

– Deux têtes! Brrrr...

– Elle a pensé que c'était contre Dieu et la nature de tuer la pauvre petite créature. Mais elle ne lui a pas donné de tape sur les fesses et l'a couchée à plat ventre, si bien que le bébé n'a jamais commencé à respirer. Quoi qu'il en soit, tu imagines dans quel état j'étais à la fin de la journée! La pauvre Elizabeth était complètement déboussolée, pensant qu'elle était punie pour avoir commis un péché quelconque. Puis, quand je suis rentrée à la maison, il n'y avait pas de feu dans la cheminée, pas de lumières, et notre dîner était encore froid dans le garde-manger. Bref, pas de Clara. Je l'ai appelée, et j'ai entendu une sorte de gémissement étouffé. Je suis montée voir dans sa chambre. Elle dormait profondément dans son lit, alors je l'ai laissée.

Morgan but une autre gorgée de bière et s'étira. Au même instant, un cri strident retentit dans la cage d'escalier, lui faisant lâcher son verre. Sans échanger un mot et sans se préoccuper des débris sur le sol, les deux femmes se précipitèrent à l'étage.

En nage, se tordant de douleur, Clara sanglotait et appelait sa mère. Il régnait une chaleur étouffante dans la petite chambre sous les toits en dépit de la fenêtre grande ouverte. Adélaïde fila chercher une bassine et des serviettes, que Morgan trempa dans l'eau avant de les poser sur le front de la jeune fille.

– Je sais, je sais, ça fait horriblement mal, dit-elle d'une voix douce. Dis-moi ce qui t'arrive exactement.

La malheureuse ne fit que gémir plus fort :

– Maman! Sauve-moi! Aide-moi! Oh, pourquoi Dieu me fait-il ça!

– Je ne crois pas que Dieu y soit pour grand-chose, marmonna Morgan.

Adélaïde se pencha et ramassa quelque chose sur le tapis.

– Morgan, regarde ça!

« Ça » était une boîte vide du « Remède féminin du docteur Belcher ».

– Clara, demanda Morgan, c'est toi qui as acheté ces gouttes périodiques?

– Non! Je n'en achète jamais! C'est Max. Max m'a dit d'en prendre et que tout s'arrangerait.

– Quand ça?

Morgan devait élever la voix pour se faire entendre au-dessus des lamentations de Clara.

– Quand Max t'a-t-il donné cette boîte? insista-t-elle.

– Aujourd'hui.

– Aujourd'hui! Ne me dis pas que tu as tout avalé d'un seul coup?

– C'est Max qui m'a dit...

– Mais il est fou! siffla Morgan entre ses dents. Il ne sait pas à quel point ces gouttes sont dangereuses?

– Il se fiche sans doute de ce qui pourrait lui arriver, déclara Adélaïde.

Morgan ferma un instant les yeux et poussa un soupir.

– Je te dirai ce que je sais quand nous serons redescendues, Addie. En attendant, Dieu seul sait quels dégâts elle a provoqués!

Elles connaissaient toutes les deux les «gouttes périodiques», les «régulateurs féminins» et autres produits abortifs que n'importe qui pouvait se procurer par correspondance. Les gouttes que Clara avait prises étaient probablement à base d'aloès et d'ellébore noir. En petites quantités soigneusement dosées, l'ellébore déclenchait souvent les menstruations. Mais de là à en prendre un flacon entier!

– Il va falloir lui administrer un émétique, déclara Morgan. Sa seule chance de survie est de vomir.

– Pauvre Clara! se lamenta Adélaïde.

– Clara, essaie de ne plus gesticuler, demanda Morgan. Tu ne fais qu'aggraver l'hémorragie.

Adélaïde remplaça les serviettes imbibées de sang qu'elle avait placées sous Clara.

– Pauvre sotte... Pourquoi n'es-tu pas venue nous trouver? Nous t'aurions aidée, comme la dernière fois.

Clara était déjà tombée enceinte à l'automne précédent. Morgan lui avait donné du cohosh bleu... mais en doses mesurées. Une fois réduit en poudre, c'était un remède très efficace. Elle en avait fait une tisane, et cela avait marché... sans douleur ni hémorragie.

– J'avais honte! sanglota Clara.

Il y avait de quoi! Mademoiselle ne voulait pas entendre une seule critique à l'égard de son «Max». Elle affirmait qu'il était l'homme de sa vie, qu'elle ne pourrait jamais en aimer un autre. Tout ça pour en arriver là : une nouvelle grossesse et une tentative d'avortement bâclée au péril de sa vie.

279

Une heure plus tard, elles étaient enfin parvenues à arrêter l'hémorragie, et Clara sombra dans un profond sommeil. Les deux femmes redescendirent à la cuisine.

– Il reste du pudding, annonça Morgan. Je crois qu'on l'a bien mérité!

De nouveau assise à table, Morgan raconta à Adélaïde tout ce qu'elle savait. Quelques mois plus tôt, Max avait loué une chambre dans un hôtel au sud de Manhattan, le Broadway Central.

– C'est donc là qu'ils se rencontrent! murmura Adélaïde.

Ils s'y retrouvaient pour faire l'amour dès qu'ils le pouvaient. Lorsque Clara comprit qu'elle était encore enceinte, elle annonça à Max que, cette fois, elle comptait garder l'enfant.

– Et lui...?

Morgan laissa échapper un rire narquois.

– Qu'est-ce que tu crois? Il lui a laissé de l'argent sur la table et il a filé. Pas même un mot d'adieu. Elle a avalé toute la boîte pour le punir, tu te rends compte! Oh, quelle capacité nous avons à nous mentir à nous-mêmes!

– La pauvre enfant, soupira Adélaïde. Il n'y a rien de pire que d'aimer sans être aimé en retour... Enfin, c'est ce qu'on dit...

Elle hésita un instant, avant de demander :

– Morgan?

– Oui?

– Je crois qu'on devrait appeler Alex Becker. Attends, ne commence pas à dire non avant de m'avoir écoutée. Il est médecin et il se sentira obligé de nous aider. Après tout, cet enfant aurait pu être... son frère ou sa sœur!

– Demi-frère ou demi-sœur, rectifia Morgan, les lèvres serrées. Et la réponse est non. Je soignerai Clara moi-même. Une fois qu'elle ira mieux, on verra ce qu'on fera d'elle.

Puis, évitant de croiser le regard d'Adélaïde, elle quitta la pièce.

C'était une journée délicieuse, un éclat de printemps au beau milieu d'un mois de pluie grise et froide. Morgan sortit de la maison avec un sentiment de soulagement. Le ciel bleu était parsemé de fragments de nuages transparents, et les crocus pointaient leur tête dans tous les jardinets devant les maisons de Brooklyn Heights. Sur les arbres, les feuilles encore fermées formaient des touches de vert tendre, et une douce odeur d'herbe fraîche emplissait l'air. Clara était enfin rétablie, même si elle souffrait toujours de son mal d'amour. Morgan se demandait parfois si elle s'en remettrait jamais. C'était pathétique de la voir pleurer sur un homme qui était parti jusqu'à Chicago pour la fuir. Ses yeux étaient toujours humides, et elle paraissait tout le temps absente. Lorsque Morgan était sortie, elle astiquait l'argenterie dans l'office sous le regard vigilant de Mme Mulligan. C'était sa première vraie tâche ménagère depuis des semaines.

Il faisait bon être en mouvement, étirer ses membres et respirer l'air frais. C'était le jour idéal pour traverser le pont de Brooklyn à pied. L'amour désespéré de Clara pour son vieux beau semblait avoir consumé tout l'air de la maison. Morgan marchait d'un pas tranquille sur les trottoirs grouillants, prenant son temps, contemplant le port affairé et remarquant à quel point il avait changé depuis qu'elle l'avait aperçu la première fois depuis le pont du *Water Bird*. La grande forêt de mâts se déboisait d'année en année à mesure que les bateaux à vapeur envahissaient le marché des transports fluviaux.

Quelques années plus tôt, sans doute juste avant le changement de siècle, un magazine avait publié le merveilleux dessin d'un artiste qui avait imaginé New York cent ans plus tard, vers 1999. Il n'y avait plus de mâts, rien que d'énormes transatlantiques aux cheminées crachant une fumée noire, et, dans le ciel, de longs aéronefs surmontés de deux étages de voiles. De hauts immeubles ressemblant à des pièces d'échecs bordaient l'île, reliée au reste de la ville par au moins une dizaine de ponts. Au premier plan, le Brooklyn Bridge était toujours le plus grand. Elle se demanda si New York ressemblerait un jour à cette image remplie d'aéronefs et de gratte-ciel.

A force de marcher, elle se retrouva sans le vouloir dans la 23e Rue, où Alex avait son cabinet et écrivait ses articles.

Elle supposait qu'il travaillait encore à l'hôpital Bellevue, toujours à la pointe de la technologie médicale et de l'expérimentation de nouveaux traitements. L'un des aspects les plus extraordinaires de Bellevue était qu'on y acceptait les malades chroniques. Alex était un médecin doté d'une conscience et d'un cœur, toujours prêt à porter secours aux pauvres, aux immigrants, aux illettrés, aux superstitieux et aux angoissés. Il les traitait tous avec la même générosité. C'était vraiment un homme hors du commun. Il lui manquait tellement qu'elle en avait littéralement mal au cœur.

Elle se tenait devant son immeuble pour la seconde fois, si près et, pourtant, si loin. Elle mourait d'envie de grimper les marches et de sonner à sa porte. Puis elle se souvint de Clara et de son comportement pathétique. *Regarde-toi ! A pleurnicher devant sa porte sans oser frapper !* Elle aurait dû s'en aller. Il n'avait probablement aucune envie de la voir après la manière dont elle l'avait traité. Il devait la détester.

Puis elle se rappela ce que son mufle de père avait fait à une jeune innocente, gâchant sa vie à jamais. La colère lui donna le courage qui lui manquait. Elle monta les marches et sonna. Lorsque Alex ouvrit la porte en bras de chemise, les cheveux hirsutes et le regard endormi, Morgan, à sa grande horreur, éclata en sanglots.

Sans perdre un instant, il l'attira à l'intérieur et la prit dans ses bras. Il la serra contre lui, embrassa ses larmes, puis embrassa sa gorge, son nez et enfin ses lèvres. Elle s'accrochait à lui comme une naufragée à une bouée. La tête lui tournait et elle pouvait à peine respirer. Elle ne savait plus qu'une chose : elle était rentrée au port. Elle se trouvait enfin là où elle devait être. Elle sentit le désir d'Alex monter et se pressa contre lui, gémissant doucement, glissant ses bras autour de son cou.

Enfin, ils s'écartèrent, tous deux hors d'haleine, et se regardèrent dans les yeux.

– Tu n'as pas changé, murmura Alex. Dieu soit loué !

– Toi non plus, tu n'as pas changé.

– Que c'est bon de te voir ! De te serrer contre moi ! Je n'ose pas te lâcher, de peur que tu disparaisses dans un nuage de fumée. Mais... il faut que je sache. Pourquoi es-tu venue ? Pourquoi aujourd'hui, ce matin, alors que j'ai rêvé de toi hier soir ? J'ai rêvé que je te faisais l'amour...

Son regard s'embua. Morgan déglutit avec peine.

– C'est ce que je compte faire très bientôt.

Il dessina lentement un trait du bout du doigt sur sa joue. Morgan frissonna. Elle avait tant envie de lui qu'elle pouvait à peine se contenir.

– Sortons du vestibule, proposa-t-il. On risque de se donner en spectacle.

Il la prit par la main et l'entraîna dans son bureau. Puis il se tint là, sans bouger ni la quitter des yeux. Lui si ardent quelques instants plus tôt. Qu'attendait-il ?

– Pourquoi es-tu venue, Morgan ?

– C'est une longue histoire.

Elle leva des yeux implorants vers lui.

– Raconte-moi. Je ne veux plus de surprises, Morgan Wellburn. On va s'asseoir sur mon canapé, comme une dame et un monsieur très convenables, et tu vas tout me raconter. Puis... je te conduirai dans mon lit et je te ferai l'amour comme jamais, je te donnerai tout ce que j'ai.

Elle lui lança un regard langoureux qui le fit rire de ravissement.

Ils prirent donc place, assis à une distance respectable l'un de l'autre, et elle lui parla de Max et de Clara Optakeroff.

– Je suis désolée de te raconter une histoire aussi sordide, Alex.

– Peuh ! Si tu savais combien je méprise cet homme. Ma mère a choisi de fermer les yeux et de faire comme si de rien n'était. Son cher Max est toujours retenu à son bureau. Mais tout le monde sait que son bureau se trouve dans n'importe quel lit où il arrive à attirer une fille. Il en a généralement cinq ou six à la fois.

– A la fois ?

– Oui, enfin, pas ensemble. Quoique, pour ce que j'en sais... il soit capable de tout. Tu me dis qu'il a vu Clara assez souvent dans cette chambre du Broadway Central? Ça ne lui ressemble pas. Elle doit avoir des talents très spéciaux... Pardonne-moi, Morgan, mais il me dégoûte. J'ai honte de dire qu'il est mon père. En fait, je le hais.

– Alors, pourquoi vis-tu chez lui?

– Je ne vis plus chez lui, mais ici. D'ailleurs, je viens d'apprendre que cette maison était à vendre et j'envisage de l'acheter.

– Pour y vivre?

– Peut-être.

Il la regarda d'un air hésitant.

– Mais pas à moins que... Bah, nous avons tout le temps d'y réfléchir. Au fait, j'ai été nommé chef du service de médecine générale à Bellevue.

Elle sentit son cœur se gonfler de fierté.

– C'est fantastique, Alex. Et vraiment mérité! Ce sont eux qu'il faut féliciter pour leur goût supérieur. Je suis si heureuse pour toi, c'est exactement ce que tu voulais.

Il lui adressa un sourire radieux.

– C'est vrai, rien ne pouvait me faire plus plaisir. Non, attends. Il y a autre chose qui me plairait encore plus. Toi. Or, à présent, te voilà revenue. Ensemble, on trouvera une solution pour la petite Clara et on la mettra à l'abri. Y a-t-il autre chose, Morgan?

– Une seule... Tu m'as tellement manqué! Si tu ne me conduis pas dans ton lit tout de suite, je repars!

Il se leva et lui prit la main.

– Ne t'inquiète pas. Je n'ai pas l'intention de perdre un instant de plus.

Plus tard, alors qu'ils étaient tendrement enlacés, épuisés et heureux, il lui demanda:

– Epouse-moi, Morgan. Les années passent trop vite, et nous n'avons plus de temps à perdre. Nous sommes tous les deux restés seuls trop longtemps.

– Mais tes parents ne le permettront jamais.

– Mes parents? Qu'ils aillent au diable! Ce que mes parents pensent de toi n'a aucune importance.

– C'est vrai?

– Je te le jure.

Il lui baisa le front en ajoutant :

– Si tu n'es pas bientôt à moi, j'en mourrai!

Plus heureuse que jamais, elle déposa un baiser sur son menton.

– Dans la mesure où les femmes de ma famille sont guérisseuses depuis la nuit des temps, je pourrais difficilement accepter de te laisser mourir.

20

Juin 1910

Bird était immobile, fixant Morgan, pleurant en silence, de grosses larmes coulant le long de ses joues. L'oiseau blanc était perché sur sa tête, figé lui aussi. Morgan remarqua qu'elle portait l'amulette en coquillage que les femmes de sa famille se transmettaient de génération en génération et un sac de remèdes jeté sur l'épaule. Bird lui fit signe d'approcher, mais Morgan ne pouvait pas bouger. Elle se mit à pleurer à son tour.

Morgan se réveilla en sursaut et se rendit compte qu'elle avait les joues trempées de larmes. Alex était penché sur elle, l'air inquiet, berçant un petit paquet de linge dans ses bras.

– Morgan ? Ça va ? Tu te sens bien ?

– Ce n'est rien. Juste un rêve. Je l'ai déjà oublié, mentit-elle.

Elle tendit les bras vers son petit miracle, sa fille de trois mois, Birdie Marlène Becker. Birdie, son « petit oiseau ». Le bébé commença aussitôt à s'agiter, ouvrant grand sa petite bouche rose. Morgan et Alex se mirent à rire.

– Du calme, mon oisillon, ne t'inquiète pas. Maman va te nourrir, la cajola Morgan.

Elle n'arrivait pas encore à croire avec quelle passion elle aimait cette enfant. Birdie était petite, rose et blanche, avec de grands yeux ronds couleur de fumée. Selon Alex, ils garderaient cette couleur ou vireraient au marron. Elle avait un nez minuscule et des cheveux soyeux roux doré. Lorsqu'elle l'avait vue pour la première fois, la pensée de Morgan avait été : *On dirait Becky !* Elle s'était ensuite efforcée de chasser cette impression. Le fait qu'elle ressemblât à Becky ne voulait pas dire...

Morgan avait choisi son premier prénom et Alex le second. Marlène était sa grand-mère paternelle. Morgan l'avait nommée Birdie en l'honneur d'une ancêtre, une sorcière indienne qui lui rendait visite en rêve pour lui transmettre des messages importants, et parce que toutes les femmes de sa famille portaient un nom d'oiseau. Hester croyait que c'était en l'honneur de sa propre mère, Bertha. Selon Alex, elle pouvait toujours penser ce qu'elle voulait. De toute façon, elle ne comprendrait jamais rien aux us et coutumes indiens.

Au bout de quelques minutes, Alex se pencha pour l'embrasser, déclarant qu'il allait être en retard pour ses visites s'il continuait à admirer ainsi ses deux femmes. Morgan l'embrassa à son tour, mais son rêve la hantait toujours. Pendant que le bébé tétait avidement, ses petits doigts pétrissant son sein, elle réfléchit à sa signification. Les larmes, le geste d'appel... Cela voulait peut-être dire qu'Annis allait bientôt mourir. Bird était venue lui ordonner de retourner chez elle avant qu'il ne soit trop tard. Ayant accouché de son premier enfant à un âge avancé, Morgan était encore fatiguée, mais elle savait avec certitude ce qu'elle devait faire : remonter le fleuve avec sa fille jusqu'à la clairière au-dessus d'East Haddam où elle était née pour dire adieu à sa mère. Soudain, des larmes lui piquèrent les yeux. Cela faisait si longtemps! Annis ne savait même pas qu'elle était grand-mère.

Alex était formellement contre ce projet. Ils étaient dans la salle à manger, prenant leur dîner. Il avait écouté Morgan attentivement, mais celle-ci avait senti le « Non! » venir alors qu'elle n'en était qu'à la moitié de son histoire.

— Tu es encore trop faible! argua-t-il. Comment vas-tu grimper en haut de ces collines avec un bébé dans les bras?

— A pied, rétorqua-t-elle malicieusement. Comme je l'ai toujours fait. Oh, Alex! Je t'en prie, ne me regarde pas avec ces yeux-là! Je t'assure que je suis assez forte. Il faut que j'y aille.

Ma mère est mourante, je le sais. Je le sens dans mes os et dans mon cœur.

– Je n'y comprends rien. Je croyais que tu te fichais pas mal de ta famille.

– Je... j'ai essayé de les oublier. Lorsque je suis arrivée à Brooklyn, c'était pour commencer une nouvelle vie. J'ai voulu effacer toute trace de mon passé. Mais je me suis rendu compte que le passé nous rattrape toujours, qu'on le veuille ou non.

– Mais comment peux-tu être soudainement sûre que ta mère est en train de mourir sans avoir reçu aucune nouvelle du Connecticut?

Adélaïde intervint, esquissant un sourire attendri.

– N'oublie pas que ta femme descend d'une lignée de sorcières. Elle sait certaines choses.

Alex se mit à rire comme si Adélaïde venait de lui raconter une bonne plaisanterie. Il s'arrêta net en constatant qu'elles étaient toutes deux sérieuses.

– Alex chéri, je te jure que je sais ce que je fais. Je ne t'ai jamais raconté toute l'histoire.

– Je dirais plutôt que tu ne m'as rien dit du tout, répliqua-t-il avec une certaine amertume.

Elle prit une grande inspiration.

– Quand j'aurai vu ma mère, je te dirai tout.

Presque tout, ajouta-t-elle mentalement.

– Tu sais que... je me suis enfuie de chez moi. A l'époque, j'avais de bonnes raisons. Mais je me rends compte à présent que c'était cruel de ma part, peut-être même que ce n'était pas utile. Mais sur le moment je pensais que c'était la seule chose à faire.

– Ils te malmenaient?

– Non, non. C'est une histoire longue et compliquée. Quand j'aurai vu ma mère...

– Tu me raconteras tout, je sais, soupira-t-il. Soit. J'imagine que, puisque tu tiens absolument à y aller, je ne peux pas te retenir. Mais, je t'en prie, envoie-moi un télégramme dès que tu seras arrivée.

Elles voyagèrent sur ce qui semblait être l'un des derniers grands bateaux à vapeur du Connecticut, le *Hartford*. Il faisait toujours la navette entre New York et Hartford, mais moins souvent que par le passé. Il était loin d'être plein. Morgan eut le loisir de bavarder avec le capitaine, qui lui déclara tristement :

– Ma foi, je crois bien que nous allons devoir bientôt fermer boutique faute de passagers. Aujourd'hui, le chemin de fer va partout, madame Becker. Et les gens adorent la nouveauté.

Il poussa un long soupir, avant d'ajouter :

– Par-dessus le marché, nous avons subi toute une série d'accidents. La chaudière du *Connecticut* a explosé, le *City of Lawrence* a coulé au large de Block Island... Le *Victory*, idem, le *Silver Star*, brûlé. Il ne reste plus que le *Hartford* et le *Middletown*. Vous pourriez bien être en train de faire votre dernier voyage sur un bateau à vapeur!

– Quel dommage, capitaine! Je vais écrire tout ça dans mon journal pour que ma fille puisse le lire quand elle sera grande.

Lorsqu'ils accostèrent à East Haddam, elle fut heureuse de voir que le théâtre de M. Goodspeed existait toujours, tout comme l'hôtel Gelston. Le jeune homme de l'épicerie centrale où elle se renseigna n'avait jamais entendu parler des Wellburn. Il demanda à ses collègues, mais aucun ne savait avec précision où se trouvait la clairière. Apparemment, personne n'y était monté depuis des lustres. L'un d'eux était même sûr qu'il ne restait plus personne de vivant là-haut.

– C'est faux, vous vous trompez! s'écria-t-elle.

Elle s'excusa. L'homme était jeune, plus jeune qu'elle. Comment pouvait-il savoir qu'il s'adressait à Morgan Wellburn, qui était partie d'East Haddam à l'âge de quinze ans? Elle cala Birdie dans son châle noué autour de ses épaules et sortit de la ville, essayant de retrouver le vieux sentier. Elle arriva bientôt dans le pré où naissaient les collines. Elle reconnut un vieil orme et, à ses pieds, les vestiges du chemin à travers la forêt qu'elle empruntait autrefois. La montée était plus pénible que lors de son enfance et, de fait, elle fut bientôt à bout de souffle, mais elle était ravie de constater qu'elle reconnaissait tous les repères du sentier à peine visible. Soudain, elle tomba sur le tronc d'arbre où Lizzie et elle avaient gravé leurs initiales des années plus tôt. *On y est presque*, pensa-t-elle. Mais c'était plus long que dans son souvenir.

Elle s'arrêta dans une petite clairière où quelqu'un avait coupé du bois et s'assit sur une souche. Elle donna le sein à Birdie, adossée à un arbre, se remémorant son enfance. Puis elle changea l'enfant, ôta ses bottines à talon et ses bas, et les glissa dans un espace creux sous une des racines de l'arbre. Elle les récupérerait au retour. Elle enleva une à une ses épingles à cheveux et noua ces derniers avec un de ses bas. Se sentant nettement mieux et plus libre, elle reprit sa marche, enjambant les troncs d'arbres et grimpant sur les rochers. La pente se faisait de plus en plus escarpée, et elle était hors d'haleine. Elle n'était plus très loin, mais elle avait si chaud qu'elle se rendit compte que si elle ne se débarrassait pas de ses vêtements de ville elle allait tourner de l'œil avant d'arriver. Elle se déshabilla, ne gardant que son caraco et ses culottes. Ils étaient en batiste légère, avec des œillets lacés de rubans de satin bleu. Elle forma un balluchon avec sa jupe et sa veste, et le glissa sous son bras. Birdie paraissait étrangement satisfaite et tranquille, ouvrant grand ses yeux solennels.

Lorsqu'elle atteignit enfin la clairière, Morgan comprit tout de suite que l'endroit était abandonné. La végétation avait envahi la cour autrefois damée par le passage incessant. Il n'y avait aucune peau de bête étendue à sécher, aucun vêtement sur la corde à linge, aucun bruit, aucune odeur d'humanité. Elle gravit les trois marches du porche et manqua de tomber à travers une latte pourrie. Elle se tordit la cheville, ce qui était de mauvais augure. Son cœur se mit à battre à toute allure.

– Maman ? appela-t-elle.

Sa propre voix tremblante la surprit.

– Maman, tu es là ?

Elle entra dans la cabane sur la pointe des pieds et resta clouée sur place. Sa mère était bien là, mais elle était morte depuis longtemps : il n'en restait plus qu'un cadavre desséché sur une étroite paillasse. A vrai dire, ce n'était plus qu'un squelette sur lequel subsistaient quelques lambeaux de peau tannée. Ses bras avaient été croisés sur sa cage thoracique.

Morgan se tint devant sa mère, berçant son enfant, laissant les larmes couler le long de ses joues. Qui avait bien pu disposer le corps si soigneusement ? Elle se retourna brusquement, se sentant observée. Becky, bien sûr. Sa sœur devait toujours être en vie, dans les parages, peut-être dans les bois, à moins qu'elle ne soit là, tout près...

Morgan sortit sur la terrasse et appela sa sœur. Pas de réponse. Annis était morte depuis longtemps. Son père aussi, sans doute. Les larmes ne cessaient pas. Elle avait trop attendu. Qu'est-ce que Bird avait voulu lui dire dans son rêve ?

Elle fit les cent pas devant la maison, pleurant sur tout ce qui était perdu à jamais. Il n'y avait plus personne en vie pour lui dire : « Je t'ai connue enfant, Morgan. Je me souviens de la première fois où tu as dépecé un lapin. Je me souviens de t'avoir raconté des histoires. » Toute son enfance avait disparu. Elle était vraiment seule.

Elle se promena dans la clairière, espérant trouver la tombe de son père, mais ne vit rien. Elle avait volontairement coupé les liens avec les siens. A présent, il était trop tard pour faire marche arrière. Elle ne pourrait plus demander pardon à Annis. Il ne lui restait plus qu'une sœur folle qui se cachait quelque part. Tout près, elle en était certaine, l'épiant derrière les arbres, les examinant, elle et le bébé. Morgan le sentait dans sa colonne vertébrale.

Elle entendit un craquement de branches et, soudain, une créature crasseuse, édentée et en haillons surgit et se mit à danser autour d'elle, chantant que la maison était hantée et que seules les sorcières pouvaient y vivre.

– La vieille sorcière est morte, mais elle parle toujours à Becky. Oh, oui ! Becky sait. Becky entend !

Elle partit d'un grand éclat de rire. C'était incroyable comme elle ressemblait à Quare Auntie. Elle parlait, riait comme elle.

Elle changea d'expression et devint soudain triste, presque normale.

– Tu ferais mieux de partir, m'dame, dit-elle. C'est dangereux par ici. C'est plein de fantômes, plein, plein.

– Qu'est-il arrivé à maman, Becky? Qu'est-il arrivé à la vieille sorcière?

– Morte, morte, morte. Becky prend soin d'elle.

– Oui, c'est ce que je vois. Mais... comment est-elle morte? Etait-elle malade? Quand est-ce arrivé? Il y a longtemps?

Peine perdue. Becky se tut et commença à reculer, fuyant le feu des questions.

– Je ne vais plus dans cette maison hantée. Becky ne va plus dans la maison hantée... Trop plein de fantômes.

Elle forma une croix avec ses bras.

– Il faut chasser les mauvais esprits. Ils viennent, tu sais... ils viennent parler à Becky.

Morgan se dit soudain avec tristesse que cette malheureuse créature était tout ce qui lui restait de sa famille. Au même instant, le bébé sortit de son sommeil paisible et se mit à crier. Morgan s'était trompée. Sa famille, à présent, c'était Birdie. Birdie, et son cher Alex, et Adélaïde Apple. En entendant les vagissements du nourrisson, Becky recula précipitamment puis, à la stupeur de Morgan, elle sourit :

– Un enfant. Tu as eu un enfant, Morgan.

Prise de court, Morgan ne savait pas quoi dire. Elle resta clouée sur place, sans voix, tandis que Becky s'approchait et se penchait sur le petit visage rose. Birdie leva les yeux vers elle et cessa de pleurer. Morgan osait à peine respirer, mais se tenait prête à réagir rapidement au cas où Becky déciderait soudain qu'il ne s'agissait pas d'un bébé mais d'une créature maléfique qu'il fallait tuer sur-le-champ. Pour la première fois, Becky regarda sa sœur dans les yeux.

– Comment s'appelle ton enfant? demanda-t-elle d'une voix parfaitement normale.

– Birdie.

– Birdie. Maman disait souvent que notre grand-mère portait un nom d'oiseau... Moi aussi...

Elle contempla sa nièce en silence. Emue et retrouvant un peu d'espoir, Morgan posa une main sur son épaule.

La réaction de Becky fut instantanée. Elle fit un bond en arrière, vociférant des insultes et menaçant de les tuer toutes les deux.

– Becky a un couteau, un couteau bien affûté. Oh, oui! Elle a déjà tué des gens! Elle vous tuera toutes les deux, vous allez voir! Je vais t'arracher le cœur et je vais le manger, sorcière!

De fait, un couteau était apparu dans sa main. Morgan se demanda où elle l'avait caché dans ses haillons.

– Ne t'approche pas de moi! Ne t'approche pas! hurla Becky en balayant l'air de sa lame devant elle.

Elle battit lentement en retraite vers la lisière de la forêt, puis disparut dans la végétation.

Morgan se laissa tomber au pied d'un arbre, les jambes coupées. Elle pressa Birdie contre son sein et attendit quelques minutes que les battements de son cœur reprennent un rythme normal. Pauvre Becky! Pauvre créature démente! Comment les gens avaient-ils pu croire qu'elle était touchée par la grâce des anges? Elle était purement et simplement folle. Elle était atteinte de *dementia praecox*. Tout comme leur tante. Cela faisait deux dans la même famille, du moins à la connaissance de Morgan... Mais qui savait combien d'autres il y en avait eu? Elle frissonna et serra son bébé encore plus fort. Et si cette terrible malédiction frappait sa pauvre petite Birdie?

– Ne t'inquiète pas, ma petite chérie, dit-elle en berçant l'enfant. Je ne te laisserai pas devenir folle. D'ici à ce que tu grandisses, on aura sûrement trouvé un remède à cette affreuse maladie mentale. Je ne permettrai jamais que cela t'arrive, je te le promets.

Elles quittèrent la clairière quelques minutes plus tard. Morgan dit en silence adieu à sa mère, à son père et à sa sœur. Elle savait qu'elle ne la reverrait jamais et qu'elle ne reviendrait plus dans cet endroit.

Tout en descendant le sentier, elle dit à l'enfant :

– On ne se rend jamais compte que, quand on quitte un endroit ou des gens, c'est parfois pour toujours. On se dit qu'il y aura d'autres occasions mais, la plupart du temps, on ne fait que se mentir à soi-même.

En chemin, elle récupéra son chapeau, ses gants et ses chaussures. Lorsqu'elle aperçut au loin les toits d'East Haddam entre les arbres, elle s'arrêta pour changer le bébé et se rhabiller. Elle secoua la poussière et les feuilles mortes accrochées à ses vêtements, et renfila ses bottines. Pour ses cheveux, il n'y avait rien à faire. Elle les cacha sous son chapeau, espérant que personne ne verrait rien.

Elle dîna avec grand appétit à l'hôtel Gelston. Elle était affamée, et jamais un poulet ne lui avait paru aussi délicieux. Elle finit tout le pain et vida deux grandes pintes de bière. La serveuse, auprès de laquelle elle se renseigna, lui apprit qu'elle trouverait sans problème un fiacre de l'autre côté du fleuve qui accepterait de l'emmener n'importe où.

– Birdie! annonça Morgan. Devine où on va? Je t'emmène chez le docteur Grace. Elle est une mère pour moi, plus que ma propre mère ne l'a sans doute jamais été. Tu vas l'adorer.

Avec le bac, elles ne mirent que quelques minutes pour atteindre l'autre rive du fleuve, où Morgan demanda où se trouvait l'écurie de louage. Le cocher parut surpris qu'elle soit prête à dépenser tant d'argent pour se rendre chez le docteur Grace Chapman à Chester. Lorsqu'ils approchèrent de la maison, il lança :

– J'espère que tout va bien, là-bas.

Elle ne lui demanda pas ce qu'il voulait dire par là. De fait, lorsque le fiacre entra dans l'allée, elle remarqua que tous les rideaux étaient tirés. Quelque chose n'allait pas. Son cœur se serra.

Une jolie jeune fille lui ouvrit la porte. A la manière dont elle était vêtue, ce n'était pas une domestique. Elle dévisagea Morgan d'un air intrigué, et cette dernière se rendit compte qu'elle était couverte de poussière. Ses vêtements étaient tout froissés par le voyage.

– Que puis-je faire pour vous, madame?

– Je m'appelle Morgan Wellb... Becker. Je suis une amie du docteur. J'habite à Brooklyn, près de New York. Mme Chapman ne m'attend pas, mais j'étais dans la région et...

– Entrez, s'il vous plaît. Le docteur espérait bien vous voir. Vous voulez que je m'occupe du bébé? Si vous désirez vous rafraîchir un peu...

– Non merci, ça ira. Mais qui êtes-vous?

La jeune fille esquissa une petite révérence.

– Margaret Grisham. Tout le monde ici m'appelle Peggy. Nous nous relayons à plusieurs au chevet du docteur Chapman...

Elle ajouta dans un chuchotement :

– C'est qu'elle est très malade, vous savez. Elle n'en a plus pour longtemps.

– Comment ça? Mais c'est impossible!

– Le docteur Walker, qui habite un peu plus loin sur la route, dit qu'il n'y a plus rien à faire. Mme Chapman est trop affaiblie par sa maladie. Mais je suis sûre qu'elle sera très contente de vous voir.

Grace Chapman était émaciée, son corps formant à peine une bosse sous les draps fins. Les larmes montèrent aux yeux de Morgan. Elle croyait n'avoir fait aucun bruit, mais Grace ouvrit les yeux. Elle tourna légèrement la tête vers Morgan et sourit faiblement.

– Morgan, dit-elle dans un filet de voix, j'espérais que tu viendrais. Qu'est-ce que tu portes dans tes bras? C'est ta fille? Oh, laisse-moi la voir.

Elle tendit une main maigre et toucha le crâne du bébé.

– Une rousse! Elle doit tenir de son père.

Morgan s'efforça de sourire.

– Pas nécessairement. Je... j'avais une sœur qui était rousse.

– Ah, oui, je m'en souviens maintenant. Tu es une vraie beauté, ma petite, et tu as très bien choisi tes parents.

Remarquant les larmes de Morgan, elle dit doucement :

– Je suis désolée, Morgan, je ne voulais pas te faire pleurer. Ne sois pas triste.

– Je n'y peux rien. Tout à l'heure, je descendrai à la cuisine et je vous préparerai une infusion pour vous aider à garder la nourriture. Vous devez reprendre un peu de poids. Je vais aussi vous faire un lait de poule, ça va vous remonter et...

– On ne peut rien y faire, Morgan. Je sais.

– On peut tout faire! insista Morgan entre deux sanglots.

– Navrée de devoir te l'apprendre mais, quand le Seigneur appelle, il faut y aller. Et il m'appelle à grands cris.

Elle émit un petit rire fin comme du papier.

– Que penses-tu de la fille de Silas? demanda-t-elle pour changer de sujet.

– Silas...? Oh, je n'avais même pas fait le rapprochement. Elle est jolie.

– Il a trois filles. Sa femme est encore enceinte, alors que je le lui ai fortement déconseillé. Mais monsieur veut absolument un garçon. Ah, les hommes!

Elles sourirent.

Grace ferma les yeux un long moment et Morgan crut qu'elle s'était endormie, mais elle dit soudain :

– Le tiroir du bureau, Morgan. Mon testament. Sors-le. Je commence à manquer d'air.

Morgan trouva le testament et approcha le fauteuil à bascule du lit. Birdie était profondément endormie, aussi la cala-t-elle confortablement au fond d'une bergère sous la fenêtre. Le testament n'aurait pu être plus simple : Grace Chapman laissait la maison et tout ce qu'elle contenait, y compris son cabinet et sa clientèle, à Morgan Wellburn Becker, sage-femme, domiciliée à Brooklyn, Etat de New York.

– Grace! Tout? C'est trop!

Elle croyait qu'il ne lui restait plus de larmes mais elle se trompait, elles revinrent de plus belle.

– J'espère que tu acceptes. Tu es un bon médecin. Cette ville aurait bien besoin de toi.

– J'aimerais accepter, Grace, mais je ne peux pas laisser Alex. Il travaille à Bellevue, où il est chef de service.

– Bien sûr, je comprends. Dans ce cas, vends tout...

Grace marqua une pause pour reprendre son souffle.

– Va à la faculté de médecine et obtiens ton diplôme pour être un médecin reconnu.

– C'est mon rêve! soupira Morgan. Mais comment laisser Alex et Birdie pour aller étudier?

Le regard de Grace se fit soudain brûlant.

– Débrouille-toi, Morgan, dit-elle d'une voix plus forte. Tu n'en auras que pour deux ans. Dieu sait que tu as déjà fait ton apprentissage! Ils t'accepteront sans histoire. Promets-le-moi, Morgan. Promets-le à une mourante.

– Ce n'est pas juste de me demander ça, vous le savez.

Morgan vit le demi-sourire au coin des lèvres de Grace.

– Je le sais, dit-elle. Mais je ne suis pas encore tout à fait morte. Alors, tu me le promets?

– Oui. Je deviendrai médecin. Je vous le jure.

– Très bien.

Grace ferma à nouveau les yeux et s'endormit presque aussitôt.

Morgan passa la nuit à son chevet, lui tenant la main. Elle était fine et légère comme une feuille morte. Elle comprenait enfin ce que Bird avait voulu lui dire en rêve.

Au cours de la nuit, Morgan nourrit et changea Birdie, allant et venant sur la pointe des pieds dans la chambre, qui n'était éclairée que par une seule bougie posée dans un coin. Lorsque les premières lueurs du jour filtrèrent entre les lattes des volets, elle ouvrit les yeux en pensant à Bird. Pourtant, elle avait beau fouiller sa mémoire, elle ne se souvenait d'aucun rêve. Il lui vint à l'esprit que son ancêtre venait toujours pour lui annoncer quelque chose, et elle se précipita vers le lit. Elle se pencha sur Grace, guettant un mouvement.

– Bien dormi?

La voix douce et faible la fit sursauter.

– Ou... oui et vous?

– Tout... maintenant... est... comme un rêve.

Les larmes revinrent, et Morgan les laissa couler.

– Morgan...

– Oui?

– Je t'aime... comme mon enfant.

Morgan sanglota de plus belle. Pourquoi se comportait-elle ainsi? Il y avait tant de choses qu'elle aurait voulu dire à Grace, des choses si importantes, et elle ne faisait que pleurer.

– Moi... moi aussi. Je vous aime. Oh, Grace, ne partez pas!

– Il le faut, répondit Grace dans un râle. Pas de... regrets... une bonne vie... surtout...

Elle marqua une pause si longue que Morgan crut qu'elle avait cessé de respirer.

– ... toi.

– Grace, Grace! Attendez! Je veux que vous sachiez. Je donne votre nom à Birdie. Birdie Grace Becker.

Grace ne répondit pas, mais esquissa un soupçon de sourire. Puis ses traits se détendirent, et Morgan comprit que l'esprit de Grace Chapman avait quitté son corps. *Son dernier geste dans cette vie aura été de sourire*, pensa Morgan, qui pleurait tant qu'elle pouvait à peine respirer.

Quelques instants plus tard, une autre jeune fille toqua à la porte. Elle roula des yeux surpris en voyant une inconnue assise en larmes sur le lit du docteur Chapman.

– Seigneur, est-ce que le docteur Grace est...

Morgan hocha la tête.

– Il y a quelques minutes. Elle est partie paisiblement, en souriant. Je suis Morgan Wellburn, une vieille amie.

– Morgan? Elle parlait souvent de vous. Vous êtes médecin aussi, n'est-ce pas?

– Bientôt, répondit Morgan, l'air songeur. Très bientôt.

21

1913 et 1914

25 août 1913
Chère mademoiselle Apple,
S'il vous plaît, chère mademoiselle, je suis prisonnière ici avec Mme Smith. Je suis pas pour travailler sur le ferme.
Ce n'est pas bon du tout. Très chaud. Des cochons, des vaches et la boue. Chère mademoiselle Apple, je vous supplie, ramener moi à la maison. Je suis très sage, je jure. J'oublie Max Becker comme j'ai promis. Je travaille dur pour vous. S'il vous plaît, mademoiselle Apple.
Clara Optakeroff.

Adélaïde secoua la tête et tendit la lettre à Morgan.

– C'est Clara, expliqua-t-elle. Elle n'est pas heureuse chez les Smith et voudrait revenir. Cela dit, son écriture s'est améliorée, même si sa grammaire laisse encore un peu à désirer.

– Nous savions déjà qu'elle n'était pas heureuse. Il n'y a qu'à lire les lettres de Mme Smith !

– Mme Smith n'a pas franchement l'air heureuse non plus, intervint Alex.

– Vous pensez tous la même chose que moi ? demanda Morgan.

– La nurse idéale ! s'exclama Adélaïde. Cela résoudrait tous nos problèmes, n'est-ce pas ?

– Je ne suis pas sûr que Clara fasse vraiment une nurse idéale, objecta Alex. Elle court un peu trop après les garçons, vous ne croyez pas ?

Il ne fit pas allusion à sa liaison avec son père. C'était un sujet que personne n'abordait à la maison.

– Bah, je crois qu'elle a retenu la leçon, dit Adélaïde. En plus, elle promet d'être sage. Je la crois.

Morgan et Alex échangèrent un regard. Il était clair qu'Adélaïde mourait d'envie de ramener Clara à la maison. Morgan n'était pas tout à fait convaincue. En dépit des promesses de la jeune Russe, elle savait d'expérience qu'il fallait du temps pour oublier un homme dont on avait été amoureuse. Or cela ne faisait pas deux ans. Clara avait-elle vraiment changé? Elle en doutait.

Plutôt que de la mettre à la porte, ce qu'Alex aurait préféré, ils avaient envoyé Clara à la campagne, surtout pour ménager Adélaïde qui, en dépit de tout, se sentait toujours responsable d'elle. Une fois au loin, la jeune Russe parviendrait sans doute à oublier « son » Max et, qui sait, rencontrerait peut-être un jeune homme bien. Alex avait alors songé à Abner et Sadie Smith, cousins éloignés de *maman* et propriétaires d'une ferme laitière près d'Albany. C'étaient des gens sains et robustes, avec deux fils jumeaux de treize ans. Leur ferme était vaste et confortable. Une fois contactée, Sadie Smith se déclara ravie d'avoir une femme de chambre à demeure et promit d'apprendre à Clara à tenir une maison. Tout cela paraissait sûr, sain et simple.

Hélas, voilà Clara qui les suppliait de la reprendre. Il se trouvait qu'ils avaient justement grand besoin de quelqu'un.

– Je suis tentée, admit Morgan en reprenant la lettre de Clara. C'est vrai qu'il nous faudrait une nurse pendant que je suis à Geneva.

Tout en prononçant ces mots, elle devait encore se pincer pour y croire : elle avait été acceptée à la faculté de médecine de Geneva et devait commencer ses cours le 6 octobre. Tout cela grâce à Grace Chapman. Après un an d'études, elle pourrait enfin s'appeler docteur Morgan Wellburn Becker. *Docteur!*

Après l'enterrement de Grace, auquel pratiquement toute la ville de Chester avait assisté, Morgan, Alex et Adélaïde étaient retournés dans la maison du médecin pour la lecture du testament, dont ils connaissaient déjà le contenu. Le frère de Grace, John, était mort pendant la guerre de Sécession, et elle n'avait aucun parent proche. Morgan choisit quelques affaires qu'elle aimait bien pour les rapporter à Brooklyn, un prie-Dieu de dame tapissé en velours pourpre, un petit bronze et une vue de Philadelphie dans un cadre doré, puis, non sans regrets et tristesse, elle mit la maison en vente. Elle fut plutôt contente quand Silas Grisham, à présent homme d'affaires prospère et propriétaire foncier à Chester, se porta acquéreur. Il paya le prix demandé sans discuter, ce qui, d'après le notaire, était un petit miracle. « Vous devez connaître des secrets de famille, plaisanta-t-il. Je pratique Silas Grisham depuis des années, et je ne l'ai jamais vu acheter quoi que ce soit sans marchander dur. – C'est sans doute parce que nous sommes de vieux amis », répondit Morgan avec un sourire.

Elle songea à Silas, corpulent et le visage rougeaud. S'il ne surveillait pas sa ligne, il risquait de mourir d'apoplexie avant d'atteindre la cinquantaine. Il avait été incapable de croiser son regard, même après toutes ces années. Mais finalement c'était son argent qui allait offrir ses études à Morgan, en une sorte de juste dénouement.

Adélaïde continua de trier le courrier.

– Tiens, dit-elle. Une lettre de Sadie Smith. Elle a dû la poster le même jour que Clara.

Elle la tendit à Morgan, qui brisa le cachet et lut l'unique feuillet.

– Juste ciel, dit-elle en riant. Il semblerait que la décision ait déjà été prise sans nous !

Elle montra la lettre aux autres.

Dimanche 24 août 1913
Ma chère madame Becker,
Je regrette sincèrement d'avoir à vous le dire, mais je crains que Clara ne nous soit plus utile. Elle devrait vraiment se marier, ce qu'elle refuse obstinément, sans que je m'explique pourquoi.

Certains des célibataires les plus prisés de la région lui ont fait la cour en vain. Par ailleurs, mes garçons ont grandi depuis son arrivée, et elle risque fort de devenir pour eux une tentation. Elle ne semble pas comprendre à quel point les jeunes hommes peuvent être impétueux. Je lui donnerai donc ses gages, moins le prix de son billet de retour, et vous la renverrai par le bateau d'Albany le 1er septembre.

Bien amicalement, Sadie Smith.

Alex n'ayant rien dit à sa mère, personne ne sut comment elle avait pu être mise au courant. Sans doute avait-elle reçu une lettre, elle aussi. Quoi qu'il en soit, le dimanche d'après, elle fit irruption dans la maison de Clinton Street, s'éventant énergiquement et annonçant qu'elle n'allait pas tarder à tourner de l'œil en raison de ses nerfs malmenés.

Alex lui apporta un verre de limonade et prit son pouls. Personnellement, il la trouvait au mieux de sa forme. Il se trouvait que, à son habitude, elle avait pris grand soin de sa coiffure et de sa toilette. Sa robe d'un blanc immaculé était entrelacée de dentelles et très étroite. Elle avait du mal à marcher dans sa jupe serrée, et Alex se demanda une fois de plus pourquoi les femmes acceptaient de torturer leur corps en se soumettant aux modes les plus absurdes et les plus inconfortables.

Mais, comme d'habitude, il n'eut guère le temps de se perdre en conjectures, sa chère *maman* déversant sur lui un torrent de paroles.

— Je me dois de dire que je suis formellement opposée à ce que cette traînée orientale serve de nurse à ma petite-fille, qui, je te le rappelle, porte le nom de ta grand-mère!

Elle essuya du bout de son mouchoir une larme imaginaire.

— Je ne suis pas seul à décider, *maman*. Nous sommes tous convenus que, pour le moment du moins, c'était la meilleure solution.

— Eh bien, vous vous trompez tous! Permets-moi de te rappeler que cette petite gourgandine ne sait s'occuper que d'une chose : son fessier! Sadie m'a rapporté les histoires les plus

scandaleuses à son sujet... Mais passons! J'insiste, Alexander.
Tu *dois* m'écouter. Ne reprends pas cette Jézabel à ton service.

Elle poursuivit dans la même veine pendant une demi-heure. Alex n'écoutait que d'une oreille, las et irrité. Où était Morgan quand il avait besoin d'elle? Avec ses patients, leur expliquant qu'elle serait de retour dans un an et que, pendant son absence, ils seraient soignés par Elizabeth McGuire, une excellente sage-femme du quartier.

Aussi laissa-t-il sa mère divaguer tout son soûl. Puis elle s'interrompit enfin et se cala contre le dossier de son fauteuil, l'air de dire : *Voilà, je t'ai dit tout ce que tu avais besoin de savoir.*

Alex sortit sa montre de son gousset.

– J'aimerais beaucoup pouvoir bavarder avec toi, *maman*, mais il faut que je sois à l'hôpital dans quinze minutes. Je te dépose en fiacre?

Sans attendre sa réponse, il se leva et lui tendit la main pour l'aider à faire de même.

Elle lui lança un regard mauvais, mais se leva à son tour.

– C'est bon, mais je n'en ai pas fini avec toi, Alexander. Il n'en doutait pas.

15 septembre 1913
Mon cher Alexander,
Puisque tu refuses de me parler au téléphone et que mes nerfs malades ne me permettent pas de me déplacer jusqu'à Brooklyn, me voilà contrainte de prendre la plume. Je souhaiterais vivement que tu reviennes sur tes objections et que tu envoies Birdie vivre avec moi pendant que sa mère est au loin à suivre ses cours. Soit dit en passant, tu me permettras de trouver bien cavalier qu'une épouse et mère juge convenable de s'en aller étudier je ne sais quoi comme si elle était une jeune célibataire! Quoi qu'il en soit, vu les circonstances, la place de cette enfant est chez ses grands-parents. Sois assuré que je saurai lui enseigner les bonnes manières et à se tenir comme une personne de son rang.

Cette fois, Alex, je n'en démordrai pas.
Ta mère qui t'aime et ne pense qu'à ton bonheur.

La « bonne d'enfant »! C'était ainsi qu'ils l'appelaient, mais plus pour longtemps si cette vieille harpie de Hester Becker parvenait à ses fins. Or elle arrivait généralement à ses fins. Hester détestait Clara. Elle voulait la faire partir et l'enlever à l'adorable Birdie. Mais Clara Optakeroff n'était pas totalement idiote, elle savait que Hester Becker se fichait bien de l'enfant. Elle la tripotait et la tiraillait dans tous les sens comme une poupée. Et, si Birdie se mettait à pleurer ou se débattait, la vieille la fusillait du regard. Si Alex savait comment sa mère traitait sa fille, il la renverrait chez elle.

Mais tout malheur avait du bon. Le seul côté positif de Hester était qu'elle venait généralement accompagnée de son mari. Max n'avait pas été prévenu du retour de Clara à Clinton Street. Lorsqu'il y était revenu la première fois, il avait failli s'étrangler. Clara avait bien remarqué qu'il en avait les mains qui tremblaient, mais elle avait su se tenir comme une dame, aimable et distante.

– Bonjour, monsieur Becker. Voici votre petite-fille qui vient vous saluer. Dis bonjour à grand-papa, Birdie.

Elle l'avait dit en soignant son accent. Elle avait fait de grands progrès. Son anglais serait bientôt parfait.

Max ne la quittait pas des yeux. Elle se pencha devant lui, faisant mine de chercher quelque chose sur le tapis, et l'entendit retenir son souffle tandis qu'il lorgnait vers son décolleté. Elle se redressa et le regarda droit dans les yeux, rentrant légèrement les épaules pour faire gonfler ses seins. Il n'y avait pas qu'eux qui étaient gonflés, ça se voyait! Elle eut envie de rire, mais s'en garda bien. Elle lui envoya un de ces petits regards en coin qui le rendaient fou et sortit du salon dans un élégant froufrou de jupes. Elle dut y revenir quelques instants plus tard, car elle avait oublié Birdie. Elle avait obtenu ce qu'elle voulait. Il était à ses pieds. Il se léchait les babines et lissait sa moustache d'un doigt, comme il faisait toujours quand il avait envie d'elle. C'était dans la poche. Bientôt, il reviendrait la chercher et ils s'enfuiraient ensemble.

Cela faisait trois mois qu'elle était rentrée de la ferme, et il ne s'était pas encore décidé. Il restait très poli, gardait sa main dans la sienne peut-être un peu trop longtemps, soutenait son regard, mais rien d'autre. Elle avait envie de hurler. Elle n'allait pas attendre qu'il ait un pied dans la tombe ! Elle avait un volcan entre les cuisses. Elle n'allait pas tarder à devenir vieille fille. Adélaïde ne cessait de lui répéter qu'il était temps de se chercher un mari. Mais elle ne voulait pas de mari. Elle ne voulait que Max, ses caresses sans fin et son portefeuille sans fond.

Clara était devenue maligne. Elle allait le rendre jaloux. Elle avait justement un admirateur, un jeune homme avec une épaisse tignasse brune et un bagout facile. Elle l'avait rencontré en faisant du lèche-vitrine sur la 14e Rue pendant un de ses jours de repos. Il s'appelait Harold Green et composait des chansons populaires. Il préparait son propre spectacle musical pour le monter à Broadway. Il était fou d'elle. Elle l'autorisa à lui rendre visite à Brooklyn, pour la plus grande joie de Mlle Apple. Elle s'arrangea pour qu'il passe la voir les jours où elle savait que Max et sa vieille harpie viendraient voir Birdie. Une fois, elle les présenta. Ce qu'elle eut envie de rire ! La tête de Max était comique. On aurait dit un taureau furieux prêt à charger. Ainsi, il tenait toujours à elle ! Il l'aimait ! Un jour, il serait à elle toute seule, elle le savait, elle en était sûre !

28 décembre 1913
Ma très chère Morgan,
Tu nous manques à tous terriblement. Quel dommage que tu n'aies pas pu quitter Geneva pour la Noël, c'est trop injuste ! Je sais qu'il est important pour toi d'obtenir ton diplôme mais, soyons honnêtes, tu sais déjà pratiquement tout ce qu'ils ont à t'enseigner et tu pourrais même leur en apprendre. Seize semaines ! Ça me paraît une éternité. Au moins, tu seras avec nous de février jusqu'en avril. Puis, en juillet, tu seras médecin

diplômé, et plus personne ne pourra te dire quoi que ce soit.
Nous serons à nouveau réunis et je pourrai te tenir dans mes
bras tous les soirs. Jusque-là, ma chérie, n'oublie pas ton tendre
mari transi.

    Alex.

    La maison était trop silencieuse. Adélaïde le sentit dès
quelle ouvrit la porte d'entrée. Elle semblait... déserte. Mais
c'était impossible un samedi après-midi. Où était Mme Mulligan? Ah oui! Chez elle, auprès de son mari malade.

    — Clara! appela-t-elle. Birdie!

    Pas de réponse. C'était étrange. Elle était rentrée tôt du dis-
pensaire. Comme il faisait beau, Clara et la petite étaient probablement parties faire une promenade. Adélaïde monta dans
sa chambre y déposer son sac et changer de souliers, puis
grimpa au dernier étage à la recherche de la nurse. Elle frappa
à la porte de cette dernière. Elle était entrouverte... et un corps
gisait en travers du lit. Adélaïde laissa échapper un cri. C'était
Max Becker, nu comme un ver, les yeux grands ouverts, le
regard fixe, les pupilles dilatées. Pas besoin d'être infirmière
pour comprendre qu'il était mort.

    Pendant une minute ou deux, elle resta calme et froide, puis
se souvint soudain que Birdie et Clara n'étaient pas là. Que
devait-elle faire? Appeler la police? Prévenir Alex à l'hôpital?
Téléphoner à Hester Becker? Non, non et non. Elle devait
d'abord retrouver Birdie et Clara. Elle devait se concentrer,
trouver où elles avaient bien pu aller.

    Tandis qu'elle se creusait la tête, on sonna à la porte. Elle
dévala les deux étages, le cœur battant, et ouvrit grand la
porte. C'était Mme Scott, la cuisinière du 5, Clinton Street, qui
— Dieu soit loué! — tenait Birdie par la main.

    — Addie! s'écria Birdie. Où étais-tu passée? Je t'ai cherchée.
Clara s'est enfuie.

    Elle tendit les bras, et Adélaïde la serra contre elle.

    — Cette fille qui travaille chez vous, Clara, a déposé l'enfant
chez moi, expliqua Mme Scott. Elle a dit qu'elle n'en avait que

pour cinq minutes, mais ça fait une heure et je l'attends toujours. Qu'est-ce qu'il y a?

– Rien, mentit Adélaïde. J'ignorais où se trouvait Birdie, mais maintenant que je le sais tout va bien. Merci, madame Scott. Clara vous a-t-elle dit où elle allait?

Mme Scott prit un air pincé.

– Ce n'est pas son genre. Elle est toujours à se donner des airs, celle-là! Elle est sans doute allée retrouver son ami le musicien, celui qui vient toujours la voir. Ginny, qui a des yeux derrière la tête, dit qu'elle a vu Clara sortir avec une valise par la porte de service. Mais ce que j'en sais, moi! C'est que j'ai du travail à faire!

– En tout cas, merci encore d'avoir veillé sur Birdie, madame Scott. Maintenant qu'elle est avec moi, vous pouvez retourner à votre travail.

Elle referma rapidement la porte. La cuisinière n'avait cessé de lancer des regards par-dessus son épaule pour voir ce qui se tramait dans la maison.

Adélaïde conduisit Birdie dans la cuisine, lui promettant du lait et des gâteaux, tout en se disant qu'elle devait appeler Alex. Elle n'en eut pas le temps, car lui aussi rentra plus tôt que d'habitude. Adélaïde sortit précipitamment du salon, où Birdie s'était endormie, enroulée dans un fauteuil devant la cheminée.

– Dieu merci, te voilà, Alex, chuchota-t-elle. Birdie dort dans le salon.

– Où est encore passée Clara?

– Chut. Suis-moi. Il y a eu... un accident.

En entendant le ton de sa voix, il la suivit sans un mot au deuxième étage. Lorsqu'il vit son père étendu, mort, il devint livide, puis rouge.

– Il n'y a de pire fou qu'un vieux fou! grogna-t-il.

Il s'agenouilla près du corps pour l'examiner.

– Mais... que crois-tu qu'il lui soit arrivé? demanda innocemment Adélaïde.

– Exactement ce que tu penses, rétorqua-t-il. Mon père a dû venir pour batifoler avec Clara, l'a suivie dans sa chambre et a

307

fait une crise cardiaque au beau milieu de leurs ébats. Tu t'imagines, mon père est mort dans les bras de Clara!

Alex redressa soudain la tête, l'air alarmé.

– Et Birdie! Ma fille était là pendant que c'est arrivé! Elle a tout vu!

– Non, Dieu soit loué, elle n'était pas là. Clara l'avait laissée chez les voisins. La petite ne savait même pas que son grand-père était dans la maison. Elle n'a rien vu.

Alex enfouit son visage entre ses mains, puis se ressaisit et se leva.

– Je l'avais pourtant prévenu qu'il buvait et mangeait trop. Il avait le teint rougeaud, tu te souviens, Addie? Cela faisait un an qu'il était mal en point. Tu crois qu'il m'aurait écouté? Penses-tu! Il aimait trop jouer à ses petits jeux avec des demoiselles qui auraient pu être ses filles. Pff!... De toute manière, il est trop tard, maintenant. Aide-moi à le rhabiller, puis nous le descendrons dans le petit salon. C'est toi qui l'as découvert, Addie. On dira que tu es allée le réveiller et que tu l'as trouvé mort. Quant à moi, je m'occupe de prévenir *maman*.

Il se mit aussitôt à s'activer, sous le regard admiratif d'Adélaïde. Les hommes semblaient capables de ranger leurs sentiments dans différents tiroirs qu'ils pouvaient ouvrir ou fermer à loisir. C'était assez extraordinaire à voir.

Quand ils eurent terminé, Max avait tout l'air d'un homme qui s'était installé sur le sofa pour une petite sieste et s'était paisiblement éteint dans son sommeil.

– Elle a laissé un mot? Tu as une idée de l'endroit où elle peut être? demanda Alex.

Adélaïde devina qu'«elle» signifiait Clara.

– Non, mais Ginny qui travaille à côté pense qu'elle est partie retrouver son pianiste.

Elle hésita un instant avant d'ajouter :

– Je ne crois pas qu'on la reverra de sitôt.

– Sans doute. Elle doit se sentir très coupable, même si elle n'y est pour rien. Il s'est détruit lui-même.

Alex poussa un soupir et descendit téléphoner à sa mère.

7 JANVIER 1914. MME ALEXANDER BECKER. 22, WILSON STREET, GENEVA, ETAT DE NEW YORK. MAX MORT HIER SOIR. STOP. CRISE CARDIAQUE. STOP. ENTERREMENT AUJOURD'HUI. STOP. TA PRÉSENCE PAS NÉCESSAIRE. STOP. NE T'INQUIÈTE PAS ET CONTINUE À ÉTUDIER. STOP. TOUT VA BIEN. STOP. TON ALEX.

6 avril 1914
Chère Morgan,
Il n'y a qu'une semaine que tu es retournée à Geneva, mais j'ai l'impression que cela fait une année. Tu nous as trop gâtés en restant avec nous près de trois mois, même si tu as passé le plus clair de ton temps à la bibliothèque médicale. Birdie demande sans cesse après toi, bien sûr, mais elle comprend lorsqu'on lui dit que sa maman est à l'école des docteurs. Elle nous écoute avidement lorsque nous lui lisons tes lettres à voix haute et exulte quand tu parles d'elle ou que tu lui envoies des baisers. Tu seras sans doute ravie d'apprendre qu'elle s'entend à merveille avec Brenda McMurphy, une jeune fille enjouée, avec une patience de sainte. Ces Mulligan semblent décidément être tous des anges. Brenda est la fille d'une des sœurs de Mme Mulligan, Joan. Elle est toujours d'aussi bonne humeur que sa tante. Quant à Birdie, elle est toujours aussi adorable, espiègle et vivante. Tu l'entendrais imiter l'accent irlandais de Mme Mulligan ! Je ne devrais pas en rire, mais je ne peux pas m'en empêcher.
Je ne sais pas où tu trouves le temps d'écrire une lettre par jour, mais nous en sommes ravis. Birdie est en train de t'« écrire » à son tour en ce moment même.
Naturellement, Hester continue de grommeler que tu devrais être auprès de ton mari et de ta fille au lieu de « perdre ton temps » dans les forêts de l'Etat de New York à jouer au docteur. Alex et moi te défendons âprement. Nous trouvons merveilleux que tu exauces le vœu de Grace Chapman, pardon, ton vœu, et celui de tous ceux qui t'aiment et veulent que tu sois heureuse.
Prends bien soin de toi et n'oublie pas que tu peux toujours compter sur moi.
Ton amie dévouée, Adélaïde.

Morgan reposa sa copie de *Principes et pratique de la chirurgie* et bâilla. Sa classe était en train d'examiner les différentes formes de hernies et de syphilis... Mais l'heure tardive et la douceur de cette soirée de mai rendaient la concentration difficile, et les mots se fondaient les uns dans les autres. Tenait-elle tant que cela à devenir chirurgien ? Sans doute pas. Avec un peu de chance, une fois qu'elle aurait fini ce dernier trimestre, elle deviendrait généraliste. « Docteur Morgan W. Becker, médecin généraliste. » Cela sonnait si bien à ses oreilles ! Lorsqu'elle commençait à s'ennuyer ferme pendant les cours magistraux, ce qui arrivait plus souvent qu'elle n'aurait osé l'avouer à ses professeurs, elle se surprenait souvent à l'écrire, encore et encore. Pendant que le professeur Van Anden dissertait sur la *materia medica*, elle en avait couvert toute une page. Elle supportait à peine de l'entendre, il était si ronflant ! En outre, elle connaissait plus de moyens que lui de soulager la douleur et de soigner les maladies.

Materia medica était le cours où l'on présentait les derniers médicaments et potions analgésiques. On n'y faisait jamais allusion à tous les remèdes qu'elle utilisait depuis des années. Les plantes médicinales étaient dénigrées comme des « remèdes de bonne femme », tout juste bons pour des culs-terreux, mais certainement pas pour un vrai médecin. Elle avait tenté de leur faire partager sa propre expérience, mais on lui avait poliment suggéré de la garder pour elle. Le professeur avait courtoisement souri en lui rappelant qu'elle était à la faculté de Geneva pour apprendre des choses sérieuses. Elle avait ravalé sa colère. Heureusement, ce crétin ne donnait qu'un seul cours, et celui-ci était presque terminé. En outre, elle devait admettre qu'elle avait appris beaucoup de choses intéressantes.

De tous les cours, chimie, chirurgie, anatomie, physiologie, pathologie, *materia medica* et obstétrique, c'était la chimie qu'elle préférait. Au moins, elle y apprenait quelque chose de nouveau. Elle appréciait particulièrement les conférences sur l'analyse des poisons, des essences et des médicaments. Son professeur, M. McDermott, avait une longue expérience d'enquêtes criminelles. Ce médecin passait le plus clair de son temps avec la police, à examiner des meurtres sordides et des cadavres mystérieux! Cela revenait presque à écouter Sherlock Holmes en personne.

Elle avait envisagé de rédiger son mémoire sur la médecine légale. Mais, lorsqu'elle l'avait annoncé dans une lettre à Alex, celui-ci l'en avait immédiatement dissuadée en écrivant : « *Ma chérie, c'est un sujet passionnant, certes, mais n'oublie pas que tu devras le défendre devant le conseil des doyens. Pourquoi ne pas choisir un domaine que tu connais sur le bout des doigts? Puis-je te suggérer de présenter plutôt différentes méthodes d'accouchement? Tu en sais plus sur le sujet que la plupart de tes professeurs.* »

Elle avait suivi son conseil. De fait, lors de son retour à la maison pendant les mois de printemps, ils avaient passé de longues heures ensemble à mettre son mémoire en forme. Elle en était très fière et avait hâte de le soutenir et de répondre à tous les arguments. Alex et elle avaient ri en imaginant la réaction des vieux professeurs conservateurs quand elle leur décrirait comment accoucher accroupie! Mais elle avait la science, et les lois de la gravité, de son côté. Ils seraient obligés de lui donner son diplôme. En outre, sous peu, tous les hôpitaux de New York utiliseraient cette technique. Du moins, elle en était persuadée. Alex avait arqué un sourcil dubitatif en déclarant : « Les médecins ne sont pas des révolutionnaires, ma chérie. Mais tu devrais quand même tenter de l'enseigner, bien sûr! » C'était bien son intention. Elle n'avait jamais été du genre à capituler devant les difficultés.

1ᵉʳ juillet 1914
Mon cher Alex,
Hourra! J'y suis parvenue! J'ai réussi à tous mes examens et j'ai soutenu mon mémoire avec succès, ce qui a pris plusieurs heures. Je recevrai mon diplôme de généraliste lors de la cérémonie de fin de cycle, le 10 juillet. Tu es cordialement invité à y

assister. *J'ai encore du mal à y croire! A présent, je peux recevoir n'importe quel patient, travailler dans un hôpital et me faire inscrire au registre sous le titre de médecin au lieu d'infirmière! Comme j'aimerais que Grace soit encore là pour voir ça! Peut-être me regarde-t-elle avec un sourire depuis le paradis. J'en ai parfois l'impression.*

Tous les cours étant terminés, je prendrai le train pour Manhattan après-demain, et nous pourrons tous revenir plus tard pour la cérémonie.

Oh, mon tendre Alex, j'ai hâte de te serrer dans mes bras, de baiser tes lèvres si douces et de me blottir contre ton corps que j'aime tant! Cela fait trop longtemps. Je t'aime à la folie. Tu es tout pour moi. Mais je te dirai tout ça bientôt de vive voix. Embrasse Birdie et Addie pour moi.

Ton adorée,
Docteur Morgan Wellbum Becker.

22

Octobre 1918

Alex n'avait jamais été aussi épuisé de sa vie. Il se redressa devant le lit de son patient et s'étira. Il voyait trouble. Ses yeux étaient secs et enflés. Il n'avait pas dormi depuis plus de vingt-quatre heures. Il commençait ses journées à sept heures, faisait ses tournées, recevait des patients jusqu'à six heures du soir, s'accordait une courte sieste, puis reprenait le travail. La nuit passée, il avait été l'un des rares médecins de garde et, effectuant l'aller-retour entre les différents services, il n'avait pas fait sa sieste. S'il ne se reposait pas bientôt, il risquait de commettre une erreur fatale, de négliger un détail essentiel ou d'oublier un patient qui aurait pu être sauvé. Resterait-il encore quelqu'un de vivant lorsque ce cauchemar serait terminé? Dieu seul le savait.

Il se pencha sur le lit suivant : une jeune femme, enceinte, en proie à une fièvre délirante, se tournant sans cesse de droite à gauche, gémissait, ses lèvres gercées en sang. Morgan était pareille la nuit où il avait cru la perdre. Il ne l'oublierait jamais. Elle avait été malade pendant deux jours, sa fièvre grimpant en flèche en dépit des frictions d'alcool. Elle semblait se ratatiner sous ses yeux. Il n'était rentré que pour quelques heures et l'avait trouvée dans leur lit, tremblante comme une feuille. Du coup, il était resté pour la soigner, même s'il savait qu'on avait désespérément besoin de lui à l'hôpital. Partout en ville, les gens tombaient comme des mouches, mais pas sa femme, pas sa Morgan! Assis sur le bord du lit, les yeux remplis de larmes de terreur, tenant sa main brûlante, il avait prié en silence un Dieu en lequel il ne croyait pas. Quel genre de Dieu laisserait des milliers d'innocents mourir de la grippe? Tous les experts médicaux restaient impuissants devant l'épidémie.

La fièvre grimpa jusqu'à quarante degrés en quelques minutes, et Morgan cessa bientôt de répondre à son nom. Il sentit le frisson de la mort la parcourir. Il s'agenouilla près du lit et supplia Dieu de l'épargner. Comment pourrait-il vivre sans elle? Elle était tout pour lui. Il avait attendu si longtemps avant de la rencontrer. Ils étaient faits l'un pour l'autre, toujours aussi amoureux, toujours aussi impatients de tout se raconter. Ils avaient une enfant merveilleuse, intelligente, vive et curieuse comme sa mère. Une vraie beauté, de surcroît, avec ses cheveux cuivrés et ses yeux vert clair. En imaginant Birdie sans sa mère, il se remit à pleurer. C'était injuste! Une enfant ne devait pas grandir sans l'amour de sa mère! Il pressa la main inerte de Morgan contre ses lèvres, la conjurant de guérir.

Avant qu'il ne s'en rende compte, il faisait jour. Il s'était endormi, à genoux, la tête sur le lit, tenant la main de Morgan. Mais celle-ci n'était plus brûlante. Son sang se glaça. Etait-elle...? Non, Dieu soit loué! Sa respiration était régulière. Elle dormait, tout simplement. Elle était guérie!

Deux semaines s'étaient écoulées depuis. Elle avait repris son travail, aussi affairée qu'avant sa grippe. Ou pis encore, car les patients paniquaient tous devant la terrible épidémie. Ils se pressaient dans sa salle d'attente alors qu'ils n'étaient même pas malades. Alex pensait qu'ils venaient entendre Morgan leur dire qu'elle allait mieux, qu'elle avait survécu. Il avait déjà observé qu'elle se contentait souvent de discuter avec ses patients. Quand il le lui avait fait remarquer, elle avait rectifié gentiment : « Non, chéri, je me contente d'*écouter* beaucoup mes patients. Parfois, il n'en faut pas plus pour qu'ils guérissent. »

De fait, il commençait à le constater lui-même. Il y avait déjà eu tant de morts et, jusque-là, tous les membres de sa famille avaient été épargnés.

Il tressaillit en se rendant compte qu'il était toujours penché sur la patiente, l'esprit ailleurs. Il avait oublié ce qu'il s'apprêtait à faire pour cette malheureuse. Que pouvait-il? Il n'y avait jamais eu une telle épidémie, jamais. On l'appelait la *grippe espagnole*, mais elle faisait des ravages dans le monde entier. Rien ne semblait pouvoir l'arrêter. Rien.

Si seulement il avait pu s'allonger, fermer les yeux pendant quelques minutes, peut-être aurait-il eu les idées plus claires et aurait-il été capable de réfléchir. Mais il n'était pas question de se reposer. Il y avait trop de mourants et pas assez de médecins. La peur ne le lâchait pas un instant et, s'il se laissait aller un moment, s'il baissait sa garde ne serait-ce qu'un instant, il pouvait être contaminé lui-même. Si tous les médecins mouraient, qui s'occuperait des autres?

Trois médecins de Bellevue, tous des amis, étaient déjà tombés au combat. Ainsi que des dizaines d'infirmières. Aujourd'hui, il était accompagné d'une des nombreuses bénévoles qui étaient venues à l'hôpital offrir leur aide. Elle le suivait en silence, attendant ses ordres. Une semaine plus tôt, Mme Mabel Crandall, mère maquerelle notoire, avait débarqué avec six de ses filles pour se mettre à la disposition de l'hôpital. En d'autres temps, on lui aurait ri au nez, mais, cette fois, on avait trop besoin d'elle. Alex l'avait déjà rencontrée à plusieurs reprises à l'époque où il habitait encore chez ses parents. Cela paraissait faire une éternité, pourtant il n'avait jamais oublié. C'était toujours le même scénario : on frappait discrètement à la porte tard dans la nuit, et un jeune garçon lui tendait un billet dans lequel on lui demandait de venir chercher M. Becker. Max aimait s'ébattre avec deux ou trois des filles de Mme Crandall à la fois, buvant le meilleur champagne de la maison. Il était souvent dépassé, par l'alcool ou par les femmes, et roulait sous la table. Après un hochement de tête au messager, qui était venu en fiacre, Alex l'accompagnait jusqu'au bordel pour y ramasser son père indigne.

Aussi son aide-soignante d'aujourd'hui était une fille de joie nommée Molly. Elle avait caché sa chevelure flamboyante sous un fichu et son corps voluptueux dans une robe terne recouverte d'un tablier volumineux.

– Docteur... dit-elle tandis qu'il s'approchait d'un autre lit. Elle nous a quittés.

Il se retourna.

– Si vite... murmura-t-il. Sans un bruit. Pauvre femme. Pauvre bébé qui n'aura jamais vu le jour. Je me demande si on réussira à retrouver son mari.

Il était peut-être dans un autre hôpital. Peut-être même déjà mort. On ne les comptait plus.

De l'autre côté de la salle, un malade appela d'une voix rauque :

– Infirmière! Infirmière!

– Allez-y, Molly. Voyez ce que vous pouvez faire pour ce pauvre diable.

Il reprit sa visite, s'arrêtant devant chaque lit. Ils étaient les uns contre les autres. Les salles étaient bondées. Des dizaines de rabbins, de prêtres et d'aumôniers allaient et venaient, essayant d'atteindre les malades pour les réconforter avant qu'il ne soit trop tard.

Au bout de la rangée de lits, il trouva Mme Crandall en personne, ses cheveux soigneusement noués en chignon, vêtue d'une sobre robe grise et d'un tablier immaculé. Le visage impassible, elle tirait un drap sur le visage d'une patiente qui venait de mourir.

– Encore une, docteur, annonça-t-elle en l'apercevant. Quel gâchis! Une jeune fille de seize ans à peine. Toute fraîche et ravissante. Voilà que sa vie lui est retirée, d'un coup, comme ça!

Alex aimait bien Mabel Crandall. Elle ne devenait jamais hystérique et acceptait les tâches les plus ingrates sans jamais rechigner. Il ne s'était pas attendu à trouver en elle une femme aussi intelligente et intéressante. On n'avait jamais besoin de lui expliquer les choses deux fois.

Alex serra les poings.

– Bon sang! Je croyais que je finirais par m'habituer à la mort. Mais non. Il m'est insupportable de voir tous ces gens

316

partir sans pouvoir faire quoi que ce soit. Où est le pouvoir tout-puissant de la science médicale? Voilà qui devrait nous rabaisser le caquet!

– Ne soyez pas si dur avec vous-même, docteur Becker. Vous n'avez certainement pas besoin qu'on vous rabaisse le caquet. J'ai remarqué combien vous étiez toujours prévenant avec ces gens. Vous vous y prenez toujours avec douceur. Au moins, les derniers mots qu'ils entendent sont des paroles de réconfort.

Alex la remercia et poursuivit sa ronde vers la salle suivante, espérant que, lorsqu'il reviendrait dans celle-ci plus tard dans la nuit, il ne trouverait pas cette brave femme morte elle aussi. Cela lui était déjà arrivé tant de fois! Cette maladie était vraiment atroce.

Il longea le couloir qui, lui aussi, était rempli de lits. Les morts étaient entassés dans les laboratoires vides pour que leurs familles puissent venir les identifier et les emmener pour les enterrer. Deux aides-soignants en bras de chemise étaient justement en train d'en emporter un. En entrant dans la salle suivante, il dut s'effacer pour laisser passer deux infirmières, les bras chargés de draps et de serviettes propres. Toutes les blanchisseuses avaient pris la fuite, abandonnant leurs cuves. Un hôpital sans linge propre était impensable, surtout au beau milieu d'une épidémie!

Chacun avait son opinion sur la manière d'enrayer la maladie : ouvrir les fenêtres, les fermer, de la chaleur, du froid, aller nu, se couvrir. Tout le monde à New York était censé porter un masque, mais Alex ne s'en était jamais préoccupé. Cette mesure ne lui semblait guère plus efficace que les prières de Billy Sunday. Certes, le prédicateur ne manquait pas de courage, on devait au moins lui reconnaître cette qualité. Il organisait des réunions sous une grande tente dans le nord de Manhattan, en dépit des décrets municipaux interdisant les rassemblements publics, affirmant qu'il chasserait le fléau par la prière. Les gens venaient par centaines... et tombaient par centaines, là, sous la tente, sous les yeux de

317

Billy Sunday et du Seigneur! Il semblait donc que la prière ne soit guère utile.

Mais le linge propre, en revanche, était indispensable. Lorsque les malades vomissaient, transpiraient et mouraient dans les draps de l'hôpital, ces derniers devaient être enlevés et lavés dans une eau la plus chaude possible. Bénis soient Mlle Lillian Wald et ses collègues du centre de réinsertion de Henry Street! En apprenant la défection des blanchisseuses, Mlle Lillian avait débarqué à Bellevue avec ses professeurs d'arts ménagers et ses étudiants du centre de formation des enseignants. Ils s'étaient éparpillés dans tous les services, travaillant sans relâche. Alex s'émerveillait que tant de gens soient prêts à risquer leur vie sans attendre la moindre rétribution en contrepartie.

Il reprit sa marche lente dans les services et aperçut une de ses vieilles connaissances, le docteur Fritz Hartmann, trottinant de lit en lit. De nombreux médecins à la retraite, tremblotant, boitillant, parfois même à moitié aveugles, avaient repris du service pour aider.

Un bénévole entra dans la salle derrière lui et annonça :

– Mille huit cent trente-deux nouveaux cas enregistrés aujourd'hui. Deux mille six cent cinquante et un, hier. Et pourtant, à Newark, ils ont rouvert toutes les salles de cinéma! Qu'est-ce que vous dites de ça?

– Que les gens iront mourir au cinéma, répondit Alex.

– Cela dit, reprit le bénévole, ils passent *Charlot soldat*. Peut-être qu'ils mourront de rire!

Alex ne trouva pas cela drôle. Il se souvenait encore de tous les conscrits de la marine défilant jusqu'à leur navire et tombant en chemin. Le mois précédent, le secrétaire adjoint du ministère de la Marine avait fait escale dans le port de New York, de retour d'un voyage d'observation sur le front en Europe. On avait dû le transporter de son navire, le *Léviathan*, jusqu'à la résidence de sa mère sur la 56ᵉ Rue Est. Alex se demanda si le jeune M. Roosevelt avait survécu. Ce n'était pas le cas des marins du port militaire de Brooklyn. On en avait hospitalisé trente d'un coup une semaine plus tôt, la plupart le teint bleu cyanosé, dû à une congestion de sang dans les poumons, tous dans les affres de l'agonie. Etait-ce vraiment la semaine passée ou cela faisait-il plus longtemps? Quel jour était-on?

Il se tourna vers le bénévole et lui demanda la date.

– Ben... on est le 23 octobre! répondit-il, surpris.

– Mince! souffla Alex. Déjà!

Une infirmière passant près de lui s'arrêta et posa une main sur son bras.

– Docteur Becker, vous n'avez pas l'air dans votre assiette. Vous devriez vraiment vous allonger un moment.

– Oui, oui, vous avez sans doute raison. Merci, merci.

– Vous voulez que je vous accompagne?

– Non, merci.

Il la regarda s'éloigner. C'était de toute évidence une femme bien éduquée et d'origine aisée. Pourtant, elle se trouvait au beau milieu de cette pestilence. Il avait entendu dire que des femmes de la haute société se tenaient tous les jours dans leurs beaux habits devant des boutiques chics telles que Lord & Taylor's ou Tiffany's, sur la Cinquième Avenue, distribuant des tracts enjoignant aux passants de se porter volontaires. D'autres s'étaient faites infirmières bénévoles dans les hôpitaux. A sa grande stupeur, il connaissait très bien l'une d'entre elles, Hester Becker en personne, sa chère *maman*, d'ordinaire si égoïste! Il était très fier d'elle et, lorsque cette horrible épidémie serait enrayée, il comptait la féliciter.

Une voix sur sa gauche appela faiblement :

– Infirmière! Infirmière!

Tout le monde dans la salle étant déjà occupé, Alex se précipita, mais le temps qu'il atteigne le lit, l'homme était déjà mort. Il baissa la tête un instant, essayant de faire abstraction des cris et des gémissements autour de lui afin de dire adieu à cette pauvre âme, mais on ne lui en laissa pas le temps. Un autre volontaire, l'air affligé, le tira par la manche :

– Docteur Becker? J'ai un télégramme pour vous. Le cœur d'Alex s'arrêta. La maison? Quelqu'un avait été frappé? Il saisit le morceau de papier et le tripota un instant sans oser le déplier. Puis il prit une profonde inspiration et lut le message.

Sa mère était morte de la grippe pendant qu'elle travaillait comme infirmière à l'hôpital du Mont-Sinaï. Le docteur Aronson, auteur du télégramme, était profondément navré. Alex baissa à nouveau la tête dans une sorte de prière silencieuse. La loi juive demandait à ce qu'elle soit enterrée le lendemain même de sa mort, mais il savait déjà, compte tenu du nombre de cadavres qui s'entassaient un peu partout, qu'aucun entrepreneur de pompes funèbres, de quelque confession que ce soit, n'aurait le temps de s'en charger. Tôt ou tard, il devrait faire quelque chose pour sa mère, elle qui, à la fin de sa vie, s'était enfin décidée à faire quelque chose pour les autres.

Il devait appeler Morgan pour la prévenir au sujet de *maman*. Il téléphonait chez lui au moins une fois par jour pour les rassurer. Il n'avait pas vu sa famille depuis des jours, et Birdie, qui n'avait que huit ans, était encore sous le choc de la maladie de sa mère. Son école était fermée, et elle n'avait pas le droit de voir ses amies. Elle faisait des cauchemars toutes les nuits, se réveillant en larmes. Elle suivait Morgan partout, ne supportant pas de ne pas être dans la même pièce qu'elle. « Elle demande après toi toutes les dix minutes, lui avait rapporté Morgan. « Où est papa ? Pourquoi est-ce qu'il ne rentre pas à la maison ? Il est malade, lui aussi ? » J'essaie de la rassurer, bien sûr, mais à la façon dont elle me regarde je sais qu'elle ne me croit qu'à moitié. »

Un soir, il était parvenu à rentrer chez lui pour voir sa fille. Il l'avait prise sur ses genoux pour lui lire un livre, mais il n'avait pu s'empêcher de s'endormir. Ne parvenant pas à le réveiller, la pauvre petite l'avait cru mort.

Il se dirigea vers un téléphone près du service des urgences et décrocha. Il attendit un instant, mais aucune voix ne lui demanda d'un air pimpant : « Quel numéro souhaitez-vous ? » Il avait oublié que des milliers d'opératrices, un quart des effectifs, étaient absentes pour cause de maladie. Il raccrocha et s'adossa au mur avec un soupir, s'endormant debout.

Il se força à rouvrir les yeux et retourna vers les salles, juste à temps pour voir le docteur Hartmann s'écrouler à quelques pas de lui. Le pauvre vieux ne méritait pas une telle mort. Alex refoula ses larmes. Cela n'aurait-il donc pas de fin? Le fléau allait-il les anéantir tous les uns après les autres, frappant aveuglément à droite et à gauche jusqu'à ce qu'il n'y ait plus personne?

Enfin, il se dit qu'il devait rentrer chez lui prendre un peu de sommeil. Au cours de toutes ces semaines de travail acharné, avait-il sauvé une seule personne? Non. Alors quel était l'intérêt de rester ici à perdre lentement la raison? Il sortit de l'hôpital en titubant et héla un fiacre. La voiture vide passa en trombe devant lui. Ayant remarqué sa blouse blanche, le cocher avait sans doute préféré faire semblant de ne pas l'avoir aperçu. Il n'y avait aucun autre fiacre en vue. Alex s'apprêtait à retourner à l'intérieur pour se laisser tomber sur un lit de camp quand une ambulance de Bellevue s'arrêta devant lui. Le chauffeur lui demanda s'il pouvait le déposer quelque part.

– Vous allez vers le nord ou vers le sud? demanda Alex, qui ne voulait pas lui imposer un grand détour.

– Vers le sud, puis je traverse le pont pour Brooklyn. Il y a dix nouveaux cas graves à Brooklyn Heights.

– Ça tombe bien, c'est là-bas que j'habite.

Une fois assis sur la banquette, il pria en silence : *Faites qu'il n'y ait personne à ramasser sur Clinton Street! Par pitié! Par pitié!*

Lorsqu'il rouvrit les yeux, il n'était plus assis à côté de l'ambulancier. Il ne se trouvait pas non plus dans la rue devant sa maison. L'espace d'un instant, il sentit la panique le saisir à la gorge. Il ne savait pas où il était ni comment il était arrivé là. Puis il poussa un profond soupir. Il se trouvait dans son lit, dans sa propre chambre. Il faisait jour, même si les volets restaient fermés. Il était confortablement calé sur des oreillers moelleux et se sentait... faible, vide, éreinté.

Il aurait dû se trouver à l'hôpital en train de soigner les malades. Il devait immédiatement sortir de son lit. Mais, lorsqu'il voulut rabattre l'épais édredon qui le recouvrait, il s'aperçut qu'il n'avait plus de forces. Il tenta de se redresser et fut pris de vertiges. Depuis combien de temps était-il couché ici? Avait-il été malade? Quel jour était-on?

La porte s'ouvrit et Morgan apparut, les traits las et tirés, portant un grand plateau. Lorsque leurs regards se rencontrèrent, son visage s'illumina. Cette vision lui réchauffa instantanément le cœur.

– Tu es réveillé! Enfin! s'écria-t-elle.

Elle posa le plateau sur la table et vint s'asseoir sur le bord du lit, se penchant sur lui pour lui embrasser le front, le nez, puis les lèvres.

– J'ai eu si peur de te perdre, murmura-t-elle. Mais j'ai fait un rêve cette nuit et, quand je me suis réveillée, je savais que tout irait bien.

– Quel rêve?

– Je te le raconterai quand tu seras complètement remis. Tu as faim, mon chéri?

– J'ai une faim de loup.

Elle se mit à rire.

– Ce n'est pas étonnant. Ça fait trois jours que tu n'as rien avalé. Tu as juste bu un peu d'eau.

– J'ai dormi pendant trois jours?

– Oui. C'est l'épuisement. Au début, j'ai cru que tu avais été contaminé, mais tu n'avais pas de fièvre et aucun symptôme. En revanche, tu avais vraiment une sale mine.

Elle se leva et se dirigea vers le plateau.

– J'ai apporté du café et des petits pains aux raisins. Tu vois que je savais que tu irais mieux! J'ai même pris deux tasses.

Elle lui tint la tasse pendant qu'il buvait à petites gorgées, puis rompit les petits pains et les lui donna morceau par morceau.

– Je te nourris comme un oisillon, déclara-t-elle.

Sa voix était si tendre qu'il sentit des larmes lui monter aux yeux. Pour cacher son émotion, il demanda :

– L'épidémie... Où en est-elle ?

– Tout ce que j'en sais, c'est ce que j'ai lu dans les journaux, mais il semblerait qu'elle recule.

– Dieu soit loué ! Pendant un temps, j'ai bien cru que ça ne finirait jamais.

Morgan prit sa main et la baisa doucement.

– Alex, je suis désolée pour ta mère, même si, il faut bien le dire, elle a eu une fin noble. Je suis tellement soulagée que notre petite famille...

– Chut ! Ne nous mets pas l'*ayin hora*.

– Le quoi ?

– C'est le terme yiddish pour le mauvais œil.

– Oooh ! Le docteur Becker croit au mauvais œil ! Lui qui ne jure que par la science ! Quand je pense que ta mère me regardait de travers à cause de mes manières indiennes si primitives !

Ils se mirent à rire. Alex se sentait le plus heureux des hommes. Ils étaient vivants. Sa femme, sa fille et leur chère amie Adélaïde, ils en avaient tous réchappé !

– Dès que j'irai mieux, annonça-t-il, je propose qu'on parte en vacances, ma chérie. Que dirais-tu d'aller en Europe, par exemple ?

– Des vacances ! Un voyage ! Tu es sérieux, Alex ? Il y a toujours quelque chose qui te retient de prendre un peu de repos.

– Pas cette fois. Mais... et toi, tu pourras t'absenter ? Depuis que tu as ton diplôme, tu n'arrêtes pas un instant, entre tes consultations et ton service au département d'obstétrique de l'hôpital Caledonia. Tu ne peux pas demander à un bébé d'attendre patiemment dans le ventre de sa mère jusqu'à ce que tu reviennes de vacances, je suppose...

– Qui a dit : « Médecin, soigne-toi toi-même » ?

Elle lui tapota le dos de la main.

– Je me débrouillerai pour me libérer si cela signifie que tu prends un peu de repos. Je te le promets, chéri. Si tu trouves du temps pour faire ce voyage, je le trouverai aussi.

– Quel jour sommes-nous? demanda Alex.

– Le 26 octobre 1918.

– Alors, je te jure solennellement que les Becker prendront des vacances avant le mois de janvier 1919.

Elle se pencha sur lui pour l'embrasser.

– Nous verrons, mon amour. Nous verrons.

QUATRIÈME PARTIE

Docteur Morgan Becker

Adelaïde Apple

Birdie Grace Becker

23

Janvier 1921

Les villages, les fermes et les champs enneigés qui se succédaient de l'autre côté de la vitre du train finissaient par être las-
sants, même quand on essayait de les dessiner. Lorsque
maman et pa lui avaient annoncé qu'ils allaient prendre le
train jusqu'à Montréal, Birdie avait été si excitée qu'elle n'avait
pu tenir en place jusqu'au jour du départ. C'était la première
fois qu'ils voyageaient tous ensemble. Maman avait dit qu'il
s'agissait de vacances reportées depuis trop longtemps. Puis
elle avait pincé les lèvres et arqué un sourcil. C'était comme ça
qu'on savait qu'elle plaisantait. Elle ne riait jamais à gorge
déployée comme pa.

Le départ pour le Canada à partir de la gare centrale de
New York fut palpitant. Birdie était assise dans un fauteuil en
velours, près de la fenêtre, avec une petite tablette devant elle
qu'elle pouvait plier et déplier à loisir. Rien ne lui paraissait
plus beau que les rues et les jardins enneigés. Ils traversèrent
de petites villes à une telle allure que les maisons étaient
floues. Puis, une fois en pleine campagne, il n'y eut plus de
bâtiments, rien que des volutes de fumée qui s'élevaient au
loin. Une fois, elle vit trois enfants emmitouflés dans des manteaux et des écharpes qui se tenaient près des rails et saluaient
le train. Birdie agita la main en retour.

Partout où ils passaient, chaque fois que le train s'arrêtait,
on voyait des décorations de Noël, des arbres chargés de bre-
loques, de bougies et de guirlandes avec de gros nœuds
rouges. Même les wagons du train étaient décorés avec des

guirlandes et des images de saint Nicolas portant un sac plein de jouets.

Tout, en route vers Montréal, lui avait paru nouveau et merveilleux. En revanche, lors du trajet de retour, le paysage était toujours le même. Les arbres nus de l'hiver se ressemblaient tous. Elle avait besoin d'une amie avec qui bavarder. Pa avait bien voulu jouer aux cartes avec elle mais, au bout d'un moment, il s'était excusé et avait dit qu'il devait faire une petite sieste. D'après maman, c'était plus qu'une petite sieste dont il avait besoin. « Un mois en Italie, voilà ce qui te ferait du bien ! » avait-elle déclaré. Il s'était contenté de répondre : « Estimons-nous heureux qu'Ed Cordier ait bien voulu me remplacer à l'hôpital pour qu'on prenne ces quelques jours de vacances. »

Maman, levant le nez de sa revue médicale, avait dit à Birdie qu'elle n'avait qu'à lire son propre livre, une aventure de Nancy Drew [1]. Mais Birdie en avait marre de Nancy Drew aussi. A quoi bon faire tout ce trajet et aller dans un hôtel qui ressemblait à un château – un château français, avait dit pa – s'il n'y avait pas d'autres filles de son âge avec qui jouer ? Elle aurait aimé être déjà de retour chez eux à New York, mais il fallait attendre encore une journée entière.

Au moins, il était presque l'heure d'aller s'asseoir derrière leur table préférée au wagon-restaurant. Elle adorait le wagon-restaurant. Pa aussi. Chaque fois qu'ils allaient dans un restaurant, il s'asseyait à côté d'elle et en face de maman. Elle adorait pa. Il était beau. Il était merveilleux. C'était le meilleur père du monde. Un jour, elle serait comme lui. Enfin... sans la moustache, bien sûr. « En tout cas, je l'espère ! » avait-il ri.

Elle avait hâte de grandir et d'être comme lui, toujours drôle et prêt à jouer. Ces derniers temps, pa était souvent fatigué. Parfois, il s'endormait au beau milieu d'une partie de nain jaune. Mais elle l'aimait quand même.

Pa sortit sa montre en or de son gousset et annonça :

1. Héroïne d'une série de romans policiers pour enfants, traduits en français sous les titres *Alice détective*, *Alice au bal masqué*, etc. (*N.d.T.*)

– Regardez un peu ça! C'est l'heure favorite de Birdie.
L'heure du dîner!

Pa la taquinait toujours.

Ils se levèrent et prirent la direction du wagon-restaurant. Le
maître d'hôtel les accueillit avec une courbette.

– Bonsoir, docteur Becker et... docteur Becker... et mademoiselle Becker.

Birdie adorait être annoncée. Il les conduisit à leur table
favorite, du côté du train où l'on voyait le fleuve. Le serveur
leur tendit à chacun un lourd menu rédigé avec une belle écriture.

– La cuisine à bord n'est pas aussi sophistiquée qu'au Fond
du Lac, mais elle est assez bonne, tu ne trouves pas, Birdie?

Pa la traitait toujours comme si elle était... pas tout à fait
adulte, mais presque. Maman et Addie l'aimaient beaucoup,
certes, mais elles la considéraient toujours comme une petite
enfant. Elle avait presque onze ans. Elle était une jeune fille.
En tout cas, pa le pensait, lui. Elle le sentait.

– En fait, je préfère la cuisine de Mme Mulligan. Elle me fait
du bien, répondit Birdie sur le même ton.

Ses deux parents éclatèrent de rire. Mme Mulligan chargeait
toujours son assiette de montagnes de ce qu'elle considérait
comme « bon pour la petite ». C'étaient parfois des choses horribles, comme du foie...

– Au fait, reprit pa en l'imitant à son tour, qu'as-tu pensé de
l'hôtel du Fond du Lac, Birdie? Tu t'y es bien amusée?

– C'était difficile de m'amuser, pa, dans la mesure où il n'y
avait personne d'autre de mon âge.

– Birdie, tu n'es qu'une ingrate! s'indigna maman. Est-ce
que tu n'as pas été faire du patin à glace et de la luge? Est-ce
que nous ne t'avons pas emmenée avec nous à tous les thés
dansants? Et si tu ne cesses pas de froncer les sourcils, un jour
tu ne pourras plus les défroncer et tu resteras comme ça toute
ta vie!

– Maman! Il n'y a que les bébés qui croient ça!

Pa bâilla, puis s'excusa.

329

– Que voulez-vous, c'est l'âge! Tiens, voici enfin notre dîner.

Le serveur noir approcha en titubant. Birdie s'émerveillait toujours de le voir ne rien renverser ni faire tomber en dépit des constants soubresauts du train. Il déposa devant elle une assiette recouverte d'un dôme en argent. Il servit ensuite pa et maman, puis ôta les dômes d'un geste expert pour dévoiler la nourriture fumante. Ils avaient commandé du bœuf Wellington et une bouteille de vin rouge, dont Birdie n'avait le droit de boire qu'une petite gorgée mélangée à de l'eau.

– Tu veux que je te coupe ta viande, mon poussin? demanda pa.

Elle l'observa tandis qu'il découpait adroitement le bœuf et sa croûte en petits morceaux. Il plaisantait toujours en disant qu'au moins son expérience de chirurgien servait à quelque chose. Il était vraiment beau, et tellement plus séduisant que les pères de ses camarades d'école, même s'il était nettement plus âgé. Ne disait-il pas lui-même que les hommes et les femmes, comme les grands vins, s'amélioraient avec l'âge? Il avait quarante-neuf ans. C'était très, très vieux, presque cinquante ans, et cinquante ans, c'était la moitié d'un siècle! Pourtant, ses cheveux et ses moustaches n'étaient pas gris mais blond pâle, et il n'était pas chauve du tout, comme le père de son amie Jeannette. Il était mince et très élégant dans son costume en tweed. Maman aussi était belle. Un jour, elle avait entendu le père de Jeannette dire discrètement : « Elle a une sacrée allure! » Son visage n'était pas ridé du tout, et elle n'avait qu'une seule grande mèche blanche qui fendait en deux sa chevelure noire. « C'est mon putois! » disait-elle en riant. Birdie avait horreur de cette plaisanterie.

Maman s'était récemment fait couper les cheveux à la garçonne, ce qui lui donnait un air très moderne. Aujourd'hui, elle portait sa robe rouge qui s'arrêtait sous les genoux, avec une grosse ceinture en cuir tombant sur ses hanches. Maman disait toujours qu'il n'était pas trop tôt pour que les femmes jettent aux orties les jupons, les jupes longues et les corsets qui les empêchaient de marcher vite. Elle portait aussi un chapeau-cloche assorti à sa robe et les boucles d'oreilles en diamant que pa lui avait offertes. Elle était vraiment belle. Cela se voyait à la façon dont les autres voyageurs dans le wagon-restaurant se retournaient sur son passage. Les autres filles à l'école disaient que maman avait l'air d'une vamp, mais Birdie leur avait tout de suite rabattu le caquet en leur expliquant qu'elle n'était pas vamp mais docteur.

Pa lui rendit son assiette, et elle s'extasia :

– Oh, tu l'as parfaitement découpé, pa!

– Est-ce qu'il y a quelque chose que ton père ne fasse pas parfaitement? la taquina maman.

– Non, rien.

– Ton pa chéri adore que tu sois fière de lui, dit pa avec un grand sourire. Tu sais, ta mère m'a fait attendre si longtemps avant d'accepter de m'épouser que je ne m'attendais plus à être père un jour.

Il lui passa un bras autour des épaules, et elle se blottit contre lui, ravie.

– Quand j'étais petite, dit maman en découpant sa viande, je préférais de loin être avec mon père, à chasser ou à pêcher, plutôt que de rester à la maison avec ma mère. Je le suivais partout. Pourtant, aujourd'hui, je suis médecin, guérisseuse et sage-femme, tout comme ma mère. Peut-être que tu n'auras pas le choix non plus, ma petite Birdie. Tu es destinée à un avenir médical.

– C'est pas grave, maman, puisque pa est docteur.

Sa mère se mit à rire, mais Birdie se dit qu'elle l'avait peut-être blessée, aussi elle ajouta :

– Tout comme toi. Et comme toutes les femmes de ta famille depuis la nuit des temps. Raconte-moi encore comment ta mère t'a appris à guérir.

Elle adorait ces histoires anciennes, et elle n'avait pas souvent l'occasion d'entendre sa mère les lui raconter.

– Oh, Birdie, tu connais toutes ces histoires par cœur! Mais attends voir...

Elle fouilla dans son sac à main, rouge vif avec un fermoir brillant, et en sortit un objet qu'elle tint dans la paume de sa main. C'était une perle mauve, longue, comme une sorte de tube.

– C'est mon amulette, expliqua maman. Je la garde toujours à portée de main. Autrefois, je la portais autour du cou. Elle symbolise le pouvoir de guérison avec lequel naissent de nombreuses femmes de ma famille. C'est un *wampum*, la monnaie indienne, qui était coupée et façonnée dans des coquillages, ici sans doute une palourde. Tu vois comme il est incurvé ? En fait, c'est un cylindre. Quelqu'un a gravé un symbole magique dessus pour qu'il ne serve pas de monnaie d'échange. Ma mère m'a donné cette amulette quand j'ai eu douze ans et que je suis devenue une jeune femme.

Maman prit un air songeur.

– Je me souviens encore qu'elle me faisait déambuler toute nue dans le jardin la nuit de l'équinoxe de printemps. D'après ce qu'elle disait, le corps nu de la femme symbolisait la fécondité de la nature et assurait de bonnes récoltes.

– Oh, maman !

Birdie lança des regards à la ronde, espérant que personne n'écoutait sa mère parler de nudité. Maman disait toujours n'importe quoi devant n'importe qui. Parfois, c'était très gênant.

Sa mère devina ce qui la dérangeait et se mit à rire.

– Quand j'étais petite, la nudité était parfaitement normale lors de certaines cérémonies. Après tout, nous venons tous au monde nus.

Elle baissa les yeux vers sa main ouverte, avant de reprendre :

– Ma mère m'a dit que cette amulette avait appartenu à Bird, mon arrière-arrière-arrière-arrière... je ne sais combien... grand-mère.

– Bird. C'est presque comme mon prénom.

Birdie était ravie que quelqu'un de si loin s'appelle comme elle.

– Je t'ai donné ce prénom pour te porter chance. La première Bird était guérisseuse. Une grande guérisseuse, une *moigu*.

La sonorité étrange du mot fit pouffer Birdie. Maman prit son regard sévère de docteur.

– C'est un terme algonquin, un mot indien, Birdie, qui veut dire « sorcière ».

Cette fois, maman avait un sourire malicieux au coin des yeux. Elle avait prononcé le mot « sorcière » en chuchotant d'un air conspirateur.

– Oh, une sorcière! C'est vrai, maman? Comme c'est excitant!

– Morgan! intervint pa. Tu connais l'imagination de ta fille...

Il se tourna vers Birdie.

– Ce n'était pas vraiment une sorcière comme dans les contes, ma chérie, mais plutôt un médecin. Elle soignait les gens.

Maman la laissa tenir son amulette quelques minutes, puis la reprit.

– Je l'ai gardée dans le creux de ma main pendant tout le temps où j'avais la grippe. Quand j'ai commencé à me sentir mieux, je me suis précipitée pour la glisser dans ton lit, sous ton oreiller, pour éloigner les mauvais esprits.

– Tu veux dire que c'est cette petite perle qui m'a protégée de la maladie?

Birdie lança un regard dubitatif vers pa et devina à sa mine qu'il n'y croyait pas vraiment. Ce ne pouvait donc pas être vrai.

– Oh, maman. Cette vieille chose ne peut pas avoir de pouvoirs magiques. En plus, la magie, ça n'existe pas. Ce ne sont que des histoires.

– Ah oui? Et si je te disais que je l'ai glissée également sous l'oreiller de ton père quand il a dormi pendant trois jours et trois nuits et qu'il nous a filé à toutes une peur bleue? Qu'est-ce qui a protégé ton père, hein?

– La science! répliqua Birdie, persuadée que c'était la bonne réponse.

– On voit bien que tu es la fille de ton père! dit maman en riant. Je sais qu'on t'apprend à l'école que les Indiens étaient des sauvages et qu'ils méritaient d'être exterminés... Ne crois pas ça. Le peuple indien était propre, sain, et savait se soigner. Ce sont les colons anglais qui étaient toujours malades. Ils ne se lavaient jamais! Ce sont eux qui sont venus trouver les Indiens pour leur demander comment rester en bonne santé.

Maman regarda au loin, l'air soudain triste.

– Birdie, les gens utilisent parfois le mot « squaw » comme une insulte. Mais, dans la tribu de ma grand-mère, la femme était l'égale de l'homme, et une femme pouvait devenir un médecin respecté. Ce n'est pas comme aujourd'hui, où l'on se croit moderne et avant-gardiste mais où j'ai un mal fou à être autorisée à travailler dans un hôpital.

Elle s'énervait tout en parlant.

– Pourquoi, maman?

Birdie avait vaguement conscience que maman se battait contre certains docteurs et que ces derniers étaient en train de gagner.

– Parce que les hommes ne veulent pas croire qu'une femme puisse être un aussi bon médecin qu'un homme. De nombreux hommes, bien sûr je ne parle pas de ton père, pensent que les femmes ne sont pas aussi intelligentes que les hommes ou tout simplement qu'elles valent moins. Il y a quelques mois encore, je n'avais même pas le droit de voter pour le président des Etats-Unis. Depuis la création de ce pays, les femmes ont travaillé et lutté aux côtés des hommes, mais on les considérait comme trop inférieures pour pouvoir voter. Aujourd'hui encore, une femme ne peut...

– Morgan, ma chérie... murmura pa. Ce n'est peut-être ni l'endroit ni le moment pour tenir un débat politique.

Il avait du mal à cacher son sourire.

– Alex Becker, ne te moque pas de moi!

Pa glissa une main sous la table et prit celle de maman. *Oh, non!* pensa Birdie avec horreur. *Ils vont recommencer avec leurs roucoulades et leurs bisous.*

– Je peux sortir de table pour aller jouer à ma place?

Une fois de retour dans son fauteuil, Birdie aperçut une petite fille de l'autre côté de l'allée, assise près de sa mère. Elle avait l'air de bouder.

– Toi aussi, tu t'ennuies? demanda Birdie.

– Tu parles! soupira la petite. Tu n'aurais pas une poupée?

Naturellement, elle en avait une, même si elle trouvait qu'elle commençait à être trop vieille pour jouer avec.

Sa nouvelle amie s'appelait Ida et habitait à Schenectady, un drôle de nom pour une ville. Elle avait entendu parler de New York, mais ses parents lui avaient dit qu'ils ne l'y emmèneraient pas avant qu'elle ait seize ans à cause de toute la racaille qui traînait là-bas.

– Moi, j'y vis, dit Birdie. Enfin, à Brooklyn, mais c'est pratiquement la même chose... Et je n'ai jamais vu de racaille traînant partout.

Quand Ida demanda la permission de jouer avec sa voisine, sa mère se pencha vers Birdie et demanda :

– Où sont ton père et ta mère?

– Dans le wagon-restaurant, avec le dessert et du vin.

– J'espère qu'ils seront bientôt de retour.

Birdie lui sortit la phrase qui rendait tout le monde tout de suite plus aimable.

– Mon père et ma mère sont médecins.

– Des médecins! Tous les deux! Comme c'est inhabituel! A présent, la mère n'avait plus aucune objection à ce que sa fille s'amuse avec elle. Elles prirent leurs poupées et s'installèrent confortablement pour jouer au docteur. Elles se trouvaient plongées au beau milieu d'une terrible épidémie de grippe. Les poupées étaient très malades et leur mission était de les sauver.

Lorsque pa et maman revinrent, ils s'assirent et les observèrent quelques minutes. Puis ils demandèrent à Birdie de leur présenter Ida et se penchèrent pour saluer sa mère.

– Dites-moi, les filles, dit maman, vous êtes toutes les deux *infirmières*?

– Oui, maman, bien sûr.

– Pourquoi pas docteurs?

– Les docteurs sont des hommes, expliqua Ida.

– Je suis une femme, et pourtant je suis docteur aussi. Les deux fillettes la dévisagèrent fixement.

– Je sais bien, maman, mais les docteurs sont des hommes et les femmes sont infirmières.

– Si tu y tiens.

Birdie vit ses parents échanger un regard mi-amusé mi-consterné mais, avec une épidémie sur les bras et des patients qui mouraient à tire-larigot, elle était trop occupée pour discuter.

Elles jouèrent un long moment, tête contre tête, puis Ida annonça qu'elle avait soif. Elles allèrent alors chercher de l'eau au robinet installé à une extrémité du wagon. C'était une des choses qui rendaient un voyage en train amusant. On plaçait un petit gobelet en papier sous le robinet, on poussait un levier et on regardait l'eau jaillir. Ensuite, il fallait la boire sans la renverser, ce qui n'était pas une mince affaire. Birdie et Ida burent à tour de rôle, se passant le gobelet en pouffant de rire.

En revenant le long de l'allée centrale, Ida, après avoir fait jurer le secret à Birdie, lui confia qu'elle ne se sentait pas très bien. Elle avait très chaud et son cou lui faisait mal.

– C'est vrai que tu es un peu rouge, dit Birdie. Peut-être que tu as de la fièvre. Tu devrais le dire à ta maman.

– Non, non, je t'en supplie. Je me sens juste un peu fatiguée. Je vais aller m'allonger. Si tu en parles à ma mère, elle va en faire toute une histoire. Elle a très peur des maladies.

– D'accord. Je te jure de ne rien dire, même à mes parents.

– De toute façon, on est presque arrivés à Schenectady. Je reconnais les maisons. On s'est bien amusées toutes les deux, non? Au revoir, Birdie.

– Au revoir, Ida, j'espère...

Elle acheva sa phrase dans un chuchotement.

– ... que tu seras vite guérie.

Elles se séparèrent en gloussant.

Une semaine plus tard, Birdie se réveilla couverte de petits boutons rouges et fut dispensée d'école. Elle avait la rougeole. Comme tout le monde dans sa classe l'avait déjà eue, elle était plutôt contente.

– Je ne sais pas trop comment te soigner, Birdie, la taquina maman. Nous autres, les Indiens, nous ne connaissions pas ce genre de maladies. Avant l'arrivée des Blancs, nous n'avions jamais entendu parler de rougeole, de variole ou de diphtérie.

Elle disait ça, mais en fait elle n'était qu'à moitié indienne. Quand elle était petite, dans le Connecticut, elle allait à l'école avec d'autres enfants qui attrapaient la rougeole, la coqueluche et la varicelle, et elle les avait toutes eues, elle aussi.

– Ne fais donc pas cette tête, ma petite citrouille ! Bien sûr que je vais m'occuper de toi.

Birdie adorait quand maman l'appelait sa « petite citrouille ». C'était à cause de ses cheveux roux. Maman disait qu'elle tenait ça de sa famille à elle.

Quelques jours plus tard, pa fut pris d'une forte fièvre. Il avait attrapé la rougeole, lui aussi.

– Seigneur, que c'est désagréable ! Un homme de mon âge avec une maladie infantile ! Je n'arrive pas à croire que j'ai passé toute mon enfance sans être malade. Devinant sans doute que ma mère trouverait que ça faisait mauvais genre, la rougeole n'a jamais osé frapper à notre porte !

Il se mit à rire, puis cessa aussitôt car cela lui faisait mal à la tête et aux yeux.

Pa dut rester au lit avec tous les volets fermés, parce que maman craignait qu'il devienne aveugle. Il avait une fièvre terrible. Maman était très inquiète et prenait tous ses repas dans leur chambre, où elle s'enfermait avec lui. Birdie était censée être très sage, rester dans sa chambre, faire ses devoirs et jouer sans faire de bruit. Mais elle écoutait toutes les conversations. Elle entendit maman dire à Addie que pa se fatiguait pour un rien ces derniers temps.

– Quand je lui ai dit de prendre de l'huile de foie de morue et de manger beaucoup de foie pour renforcer son sang, il m'a ri au nez. Le voilà maintenant avec une pneumonie !

– Il n'est plus le même depuis l'épidémie, convint Adélaïde. Ça l'a vraiment affaibli.

Ce genre de conversation fit peur à Birdie. Elle se glissa dans la chambre de pa et s'approcha de son lit sur la pointe des pieds. Il semblait endormi mais, dès qu'elle fut près de lui, il ouvrit les yeux et lui adressa un petit sourire.

– Bonjour, ma puce.

Il avait une voix si faible que Birdie eut encore plus peur.

– Pa, tu vas aller mieux, n'est-ce pas ?

– Bien sûr, ma puce. Mais pour le moment... Dormir...

Ses yeux se refermèrent. Birdie sentit de grosses larmes chaudes lui couler le long des joues et s'enfuit de la chambre, le cœur battant à toute allure.

La nuit suivante, il mourut. Elle entendit maman pleurer et accourut. Pa semblait dormir, mais maman dit :

– Il est parti, Birdie ! Il est parti !

Elle la serra très fort contre elle, mais Birdie se libéra et courut dans sa chambre. Ce n'était pas possible. Pa était docteur. Les docteurs rendaient les gens à la vie, ils ne mouraient pas. Elle attendit que le médecin venu de Bellevue s'en aille, puis courut à nouveau vers la chambre de pa. La porte était fermée à clef. C'était donc vrai.

Elle dévala les escaliers, ne se souciant pas du fait qu'elle était censée être au lit et non en train de courir dans la maison en chemise de nuit.

– Pourquoi la chambre de pa est-elle fermée ? hurla-t-elle. Pourquoi vous avez fermé sa porte à clef ? Il ne peut pas être mort ! C'est un docteur !

Elle pleurait tellement qu'elle arrivait à peine à parler. Dans le petit salon, elle vit sa mère, la tête entre les mains, pleurant sur l'épaule d'Addie. Birdie n'avait pas eu l'intention de crier. C'était sorti tout seul. Les deux femmes sursautèrent et la dévisagèrent comme si elle était un fantôme.

Maman tendit les bras vers elle.

– Oh, Birdie, ma chérie, viens voir maman.

Ce ne pouvait pas être vrai, mais ça l'était pourtant. Pa ne serait plus jamais là. Plus jamais, jamais ! Elle ne courut pas vers sa mère. Elle se tint droite sur le pas de la porte du petit salon, les poings serrés, hurlant de plus belle.

Birdie était assise au fond du fiacre noir, entre sa mère et Addie, dont elle serrait convulsivement la main. Elle était très fâchée contre maman, sans vraiment savoir pourquoi. Elle ne supportait pas qu'elle la touche. Elle ne cessait de pleurer et, plus tard, elle ne garda aucun souvenir de l'enterrement hormis le froid glacial qui régnait dans le cimetière et le bruit affreux des pelletées de terre tombant sur le cercueil. Plonk, plonk, plonk. Jamais elle n'oublierait ce son.

Sur le chemin du retour, bercée par le lent claquement des sabots des chevaux, elle ferma les yeux. Addie et maman se mirent alors à parler à voix basse.

– La rougeole! Comment une maladie aussi stupide a-t-elle pu emporter mon Alex!

– Morgan, Morgan, calme-toi. Tu sais bien que ce n'est pas la rougeole qui l'a tué. Tu as dit toi-même qu'il n'était plus que l'ombre de lui-même depuis la grippe espagnole. C'est vrai. Ça l'a vieilli. Il était tout le temps fatigué.

– Une maladie infantile!

– Non, Morgan, c'est son organisme qui ne tenait plus le coup. Il n'avait plus aucune résistance.

– La rougeole! Elle a tué mon peuple, l'a décimé! A présent, elle m'a arraché mon mari!

Maman se remit à sangloter, faisant des bruits horribles comme si elle était sur le point de vomir.

Birdie s'enfonça encore plus dans son siège. Elle aurait voulu disparaître, s'endormir et se réveiller pour découvrir que tout cela n'était qu'un mauvais rêve. Elle avait attrapé la rougeole d'Ida à bord du train, puis l'avait passée à pa. Addie ne voulait pas dire de quoi il était mort, mais elle, elle savait. C'était de sa faute.

Jusqu'à la fin de ses jours, elle allait devoir vivre en sachant qu'elle avait transmis la rougeole à son père et que la rougeole l'avait tué. Elle avait tué son propre père.

24

Novembre 1921

Morgan s'examina dans le miroir de sa coiffeuse. D'ordinaire, elle lançait toujours un regard dans celui de l'entrée, juste avant de sortir, afin de vérifier sa coiffure et sa tenue mais, la plupart du temps, elle n'y voyait rien. Depuis la mort d'Alex, son regard était toujours tourné vers l'intérieur, vers son chagrin. Mais ce soir, brusquement, elle remarqua son visage, les ombres sous ses yeux, les petites lignes qui enfermaient sa bouche entre des parenthèses. Ce qu'elle voyait était le reflet de sa mère. Elle était devenue une vieille ! Enfin, peut-être pas encore tout à fait, mais sur la bonne pente. Et que dire de la chair qui pendait sous son menton ! A sa grande surprise, cette vision la dérangeait. Elle fouilla dans le tiroir de la coiffeuse. Du fard ? Du rouge à lèvres ? Elle chercha un produit susceptible de l'arranger un peu. Elle ne voulait pas avoir l'air d'une vieille bique à l'âge de cinquante-cinq ans.

S'inspectant à nouveau dans la glace, il lui vint soudain à l'esprit qu'elle se souciait à nouveau de son aspect. C'était sans doute bon signe. Pour la première fois, elle se demanda si un inconnu la croisant dans la rue la considérerait comme une belle femme. Bien sûr, personne ne pouvait lui répondre.

Birdie fit irruption dans la chambre, sans frapper comme à son habitude, et se mit aussitôt à se plaindre. Il y avait certaines bonnes manières qui refusaient d'entrer dans la tête de cette petite.

– Maman ! Tu sors encore !

Elle se laissa tomber dans la bergère de Morgan en poussant un profond soupir.

Morgan réprima un sourire. Quelle comédienne! De qui sa fille tenait-elle donc ce trait de caractère? Peut-être de Max, qui avait été un expert dans l'art du double jeu tout au long de sa vie conjugale. Après tout, c'était son grand-père. Il fallait espérer qu'elle n'avait pas également hérité de sa libido. Libido, quel terme élégant pour décrire un vieux cochon! Morgan évita soigneusement de songer à Becky qui, elle aussi, avait eu un talent certain pour se donner en spectacle. Morgan s'efforçait de ne jamais penser à elle, car Birdie lui ressemblait tant que c'en était effrayant. Elle était fine, avec une peau de porcelaine, des yeux verts et une magnifique chevelure cuivrée, épaisse et bouclée. Comme Becky. Sauf qu'elle n'était pas comme Becky. C'était impossible. Cela aurait été un châtiment dont la sévérité dépassait tout ce qu'elle avait pu mériter. Morgan se reprit. Un châtiment? Pour quel crime? Elle commençait à penser comme une chrétienne. Ou comme une juive.

– Comme je te l'ai déjà dit hier, je sors avec tante Addie. Nous allons au meeting sur le contrôle des naissances qui a été annulé dimanche dernier et reporté à ce soir. Je tiens coûte que coûte à écouter Margaret Sanger, et ce n'est pas une poignée de policiers imbéciles qui va m'en empêcher.

Elle finit par trouver un bâton de rouge dans le tiroir et se l'appliqua sur les lèvres. Le rouge vif la fit sursauter.

– J'espère que nous parviendrons à entrer, poursuivit-elle. La dernière fois, nous étions même assises.

Le dimanche précédent, Morgan et Adélaïde avaient joué des coudes dans la foule, criant des « Pardon! » et des « Excusez-moi! » On pouvait à peine bouger dans la cohue compacte de femmes amassées devant le théâtre du City Hall. Une fois à l'intérieur, les deux amies avaient trouvé deux sièges vides au dernier rang et s'y étaient assises, hors d'haleine. Bien qu'il fût tard, il n'y avait encore personne sur scène. De fait, en regardant à la ronde, elles remarquèrent un cordon de policiers tout autour de la salle. Que se passait-il donc? Personne ne semblait le savoir.

Le meeting, intitulé « Le contrôle des naissances : est-ce moral? », devait être le point culminant du premier congrès de la Ligue américaine pour le contrôle des naissances. Où était Margaret Sanger? Elles attendirent un long moment, mais Mme Sanger n'apparaissait toujours pas. Les policiers déambulaient dans les rangs, annonçant au public que le meeting n'aurait pas lieu et qu'il devait rentrer chez lui. Une femme haletante entra dans la salle et demanda à Adélaïde : « Cela vous ennuierait-il de me faire une petite place? Seigneur, je n'arrive pas à croire à ce qui est en train de se passer! » La nouvelle venue, qui paraissait dégoûtée et excitée tout à la fois, les mit au courant.

Lorsque Margaret Sanger était arrivée au théâtre, elle avait trouvé l'entrée des artistes fermée et gardée par deux malabars de la police. « Il n'y aura pas de meeting ce soir, lui annoncèrent-ils en chœur. – Comment ça? s'était-elle écriée. Mais nous sommes les conférenciers! M. Harold Cox est venu tout spécialement d'Angleterre, et vous connaissez Mary Shaw, la star de Broadway. Quant à moi, je suis Margaret Sanger. – Oui, m'dame, nous savons qui vous êtes. – Qui vous a donné ces ordres? – On n'a pas le droit de le dire, m'dame. »

Elle traversa alors la rue au pas de charge et téléphona au commissariat pour s'entendre répondre que le quartier général de la police n'avait jamais donné de tels ordres, qu'ils étaient désolés, mais que monsieur le commissaire était injoignable.

« Comme vous pouvez l'imaginer, poursuivit leur informatrice, elle était hors d'elle. Mais, vous la connaissez, elle n'est pas née de la dernière pluie. Tout à l'heure, je l'ai aperçue faisant le tour du théâtre à la recherche d'une porte qui ne serait pas gardée et... Ah, qu'est-ce que je vous disais! La voilà! Personne ne peut l'arrêter. »

Une petite bonne femme à l'air volontaire venait d'entrer dans la salle en se frayant un passage à travers la foule. Une jolie femme, avec un visage en cœur et une masse de cheveux auburn. Un grondement de satisfaction parcourut l'assistance. Lorsqu'elle atteignit la scène, un policier se planta les bras croisés devant les marches, lui barrant la route. Soudain, un homme du public attrapa Mme Sanger, la souleva et la déposa sur la scène avant que le policier ait eu le temps de réagir. Puis l'homme sauta à ses côtés et cria en mettant ses mains en porte-voix : « Elle est là ! Voilà Mme Sanger ! »

Un tonnerre d'applaudissements retentit, et ceux qui, las d'attendre, s'étaient levés pour sortir se hâtèrent de reprendre leur place. Morgan et Adélaïde étaient debout, battant des mains et criant à toute voix. Un chaos absolu régnait dans la salle. Adélaïde était aux anges. Margaret Sanger était son idole.

Sur scène, Mme Sanger tentait d'imposer le silence. « Mesdames et messieurs, vous avez tous vu comment... » Deux officiers en uniforme bondirent sur la scène, se placèrent devant elle et lui ordonnèrent de descendre. La salle siffla et cria de plus belle. De toutes parts fusaient des cris : « Où est votre mandat d'arrêt ? » « De quoi l'accuse-t-on ? »

Harold Cox, ancien membre du Parlement britannique et ardent défenseur du contrôle des naissances, se précipita sur le devant de la scène et fit signe au public de se taire. Puis il déclara : « J'ai traversé l'Atlantique pour... »

Il fut interrompu par un des policiers qui l'attrapa par le bras et le força à reculer jusqu'à sa chaise. Plusieurs autres intervenants se levèrent à leur tour et tentèrent de prendre la parole. Ils subirent le même traitement, sous les huées tonitruantes du public.

Une seconde escouade de policiers fit son entrée par une porte dérobée, et son capitaine ordonna l'arrestation de Margaret Sanger. Tous ceux qui protestèrent furent embarqués avec elle. C'était inconcevable. Ici, aux Etats-Unis ! Morgan, Adélaïde et la troisième femme roulaient des yeux ronds en se demandant mutuellement : « Mais quel délit a-t-elle commis ? Aucune loi n'a été violée ! »

Un vent de folie balaya le public. Quelqu'un se mit à chanter *Mon pays t'appartient*, bientôt imité par le reste de la salle, tandis que les policiers entraînaient Margaret Sanger et les autres intervenants vers la sortie. Tout le public les suivit et se retrouva devant le théâtre autour du fourgon. Mme Sanger refusa d'y grimper, déclarant qu'elle marcherait jusqu'au commissariat.

Tout le monde lui emboîta le pas, défilant dans la rue en chantant, criant, hurlant, sifflant et lançant des insultes à la police.

– Quel spectacle! dit Morgan. Tu nous aurais vus défiler jusqu'au commissariat! Finalement, le juge a dû la relâcher puisqu'elle n'avait rien fait d'illégal. Dans ce pays, Birdie, on a encore le droit de dire ce qu'on pense.

– Alors, que venaient faire là les policiers? Qui les avait envoyés?

– L'Eglise catholique. Non, je ne suis pas juste. Disons plutôt que ce n'est pas toute l'Eglise catholique, mais un seul homme, l'archevêque Patrick J. Hayes.

Elle prononça son nom avec du venin dans la voix.

– Il ne veut pas que les femmes de son archidiocèse sachent ce qu'est le contrôle des naissances. En tant que chef religieux, il en a peut-être le droit, mais ce n'est pas une raison pour empêcher toutes les autres d'entendre Margaret Sanger.

Morgan étudia son reflet. Ce n'était pas si mal. Raconter son aventure à Birdie lui avait fait rosir les joues.

– Pourquoi tu ne viens pas avec nous ce soir, ma chérie? Le meeting a lieu au Park Hôtel, cette fois, sur Columbus Circle. Ce sera un moment historique! Ça ne te dit pas?

– Beurk! Des discours? De la politique? Très peu pour moi.

Morgan aurait été étonnée du contraire. En ce moment, les seuls centres d'intérêt de Birdie étaient son reflet dans le miroir et son club de théâtre au Packer Collegiate Institute. Morgan ne comprenait pas pourquoi elle tenait tant à perdre son temps à prendre des poses sur une scène alors qu'il se passait tant de choses plus passionnantes autour d'elle. Mais, après tout, elle n'avait que douze ans. Avec le temps, sans doute...

La poudre et le rouge à lèvres faisaient leur effet. Non sans surprise, Morgan se rendit compte qu'elle était contente de sortir de la maison et de se replonger dans le monde. Après qu'Alex fut mort si soudainement, elle avait cru qu'elle ne prendrait plus plaisir à la vie et ne sourirait plus jamais. Finalement, le temps cicatrisait les blessures. Il y avait toujours ce grand vide dans sa vie, et les larmes lui montaient souvent aux yeux sans aucune raison apparente. Mais, hormis quelques souvenirs surgissant inopinément pour lui lacérer l'âme, l'absence d'Alex devenait un peu moins douloureuse.

Morgan et Adélaïde quittèrent la maison de bonne heure, devinant que la seconde tentative de meeting attirerait une foule immense. La presse avait couvert l'affaire sous tous les angles. C'était sans doute ce qui pouvait arriver de mieux au mouvement pour le contrôle des naissances. L'Eglise catholique et la police avaient été vilipendées dans tous les journaux. Le fait que l'archevêque, dans sa ferveur religieuse, ait foulé aux pieds la Constitution des Etats-Unis avait agacé même les éditorialistes les plus conservateurs. D'une question sur les droits des femmes ou le droit à l'avortement, on était passé à un débat sur le droit sacré à la libre expression. Cette Sanger était décidément très maligne !

Elles prirent le métro jusqu'à Columbus Circle et changèrent deux fois avant d'y arriver. En chemin, elles se partagèrent un quotidien et discutèrent de tout ce qui attirait leur attention. Le verdict de culpabilité dans le procès Sacco et Vanzetti était une honte, convinrent-elles. Le Ku Klux Klan aurait dû être interdit. Selon Morgan, ses membres auraient dû être lynchés un par un.

– Chacun son tour !

Plusieurs personnes dans la rame lui lancèrent des regards noirs. Elle les toisa de haut. On était dans un pays libre, non ? Adélaïde venait de lire *Scaramouche*, de Rafael Sabatini, et ne tarissait pas d'éloges à son sujet. Elles décidèrent de prendre des billets pour voir la nouvelle revue musicale de Sigmund Romberg, dont elles ne pouvaient se rappeler le titre. Une jeune femme assise à leurs côtés le leur fournit : *La Saison des fleurs.*

Une autre femme dans la rame, une certaine Edna, se rendait elle aussi à Columbus Circle pour le meeting. Elles discutèrent de Margaret Sanger et de sa mission pendant le reste du trajet.

Adélaïde était entièrement convaincue.

– Je suis prête à consacrer ma vie à défendre sa cause, admit-elle. Non seulement Mme Sanger a raison, mais elle a l'expérience nécessaire pour étayer ses idées. Elle était infirmière, vous savez?

Edna l'ignorait.

– Elle a travaillé de longues années dans le Lower East Side, poursuivit Adélaïde. Elle a pu constater de visu que les grossesses à répétition épuisent les femmes et rendent impossible tout espoir de vie décente pour les familles.

– J'en sais quelque chose. Je viens de ce genre de famille, dit Edna. Ma mère est morte en mettant au monde mon plus jeune frère. C'est moi qui ai dû m'occuper de tous mes frères et sœurs depuis et faire une croix sur mon instruction.

– Ma pauvre, c'est terrible! Comme c'est généreux de votre part de vous joindre au combat pour les autres femmes! Je suis sûre que nous parviendrons à changer tout ça.

– Allons, Addie! intervint Morgan. Tu connais le pouvoir énorme de l'Eglise catholique à New York. Et pas seulement à New York, mais dans tout le pays! Et puis il n'y a pas que les catholiques. On dirait que ce pays vire de plus en plus à droite. Si ça continue, et je crains que ce ne soit qu'un début, nous n'obtiendrons jamais le droit au contrôle des naissances.

– Tu ne crois pas si bien dire, soupira Adélaïde. Tu ne peux pas savoir ce qu'on entend à Ellis Island ces temps-ci! Ils en ont après les anarchistes, refusant de les laisser entrer, les emprisonnant... Tout ça pour quoi? Pour leurs convictions politiques! Je m'imaginais que ce pays avait été fondé pour que les gens puissent croire à ce qu'ils voulaient! Croyez-moi, j'ai un mauvais pressentiment pour l'avenir de l'immigration. Je pense qu'ils veulent l'arrêter.

– Arrêter l'immigration! s'indigna Edna. Mais ce pays n'est constitué que d'immigrants.

– A l'exception de mes ancêtres, rectifia Morgan fièrement. J'ai du sang indien.

Elles avaient vu juste au sujet de la foule. Tant de femmes avaient voulu entendre Margaret Sanger que tout Columbus Circle et les rues environnantes étaient bouchés. On pouvait à peine bouger. Quelques minutes après leur arrivée, Edna se perdit dans la cohue. Le bruit courait qu'il n'y avait plus de place à l'intérieur. Les policiers en uniforme firent leur apparition, tout comme la dernière fois. L'un d'eux s'approcha d'elles et déclara :

– La salle est comble, mesdames, on ne laisse plus entrer personne. Circulez, s'il vous plaît. Il ne sert à rien de rester ici, vous bloquez la circulation.

– Viens, Addie, dit Morgan. Il a raison, tu sais. Il y a des milliers de femmes ici. La presse est sûrement là. J'ai vu plein de flashs de reporters. On lira tout ça dans les journaux demain.

Adélaïde accepta à contrecœur de rebrousser chemin, mais ne cessait de lancer des regards vers la foule par-dessus son épaule. Arrivées au niveau de la 59e Rue, elles s'arrêtèrent et se retournèrent pour admirer le spectacle.

– Oh, Morgan! souffla Adélaïde. Regarde-nous! Nous sommes des milliers! Ils ne pourront pas nous résister indéfiniment. Nous allons gagner! J'en suis sûre. On finira par gagner!

25

Mai 1923

Sortant de sa chambre, Morgan longeait le couloir en direction de l'escalier quand elle entendit Birdie. C'était étrange. Mme Mulligan lui avait dit qu'elle était rentrée de l'école, mais pas qu'elle était avec une amie. Birdie débitait phrase après phrase, parlant avec une intonation étrange et saccadée. Morgan s'approcha de la porte de la chambre, le cœur battant. On n'entendait que la voix de Birdie. Elle parlait toute seule, haussant progressivement le ton, paraissant de plus en plus agitée et enragée. Morgan pouvait à peine respirer.

Etait-ce le jour qu'elle avait tant redouté? Le jour où la malédiction de sa famille s'abattrait sur sa fille? *Oh, non! Pas la folie de Becky!*

En larmes, Morgan ouvrit grand la porte sans prendre la peine de frapper.

– Birdie? Birdie? Ça va?

Sa fille, assise devant sa coiffeuse, le visage à quelques centimètres du miroir, la regarda, interloquée. Puis elle se redressa et poussa un soupir agacé.

– Si ça va? Tu le vois bien que ça va, non? Maintenant, tu m'as déconcentrée! Parfois, maman...

– Déconcentrée? répéta Morgan sans comprendre.

– La pièce, maman, la pièce! Tu as oublié? On joue *Maison de poupée* d'Ibsen avec le club de théâtre, et c'est moi qui fais Nora. J'ai le premier rôle!

Bombant le torse, Birdie récita quelques répliques, que Morgan n'entendit pas tant ses oreilles bourdonnaient encore.

Lorsqu'elle parvint enfin à calmer son angoisse, elle dut reconnaître que sa fille semblait parfaitement à l'aise dans son rôle.

Se pouvait-il que Birdie ait réellement du talent? Il était évident qu'elle était fascinée par le théâtre. Elle dépensait son argent de poche en places au poulailler pour toutes les représentations en matinée, écrivait des lettres à ses idoles et était toujours en train de citer les répliques d'une pièce ou d'une autre. Dîner en compagnie de Shakespeare était tantôt drôle, tantôt franchement pénible. Mais c'était la première fois que la passion de Birdie prenait un tour terrifiant. D'un autre côté, elle n'avait que treize ans!

Morgan était ravie et fière que sa fille soit si jolie et si intelligente, mais elle avait parfois la sensation d'être en face d'une créature d'un autre monde. Elle ne savait jamais très bien comment la prendre. Elle était théâtrale et caractérielle! Birdie soutenait qu'elle n'entreprendrait jamais des études de médecine et qu'elle monterait sur les planches pour devenir une actrice célèbre. Elle était toujours en train de fouiller dans les produits de maquillage et la garde-robe de sa mère, essayant de nouveaux déguisements.

Elle était également sans cesse amoureuse, mais pas de garçons, non, c'eût été trop normal! Uniquement d'actrices et d'acteurs. N'était-elle pas rentrée un jour d'une représentation du *Chapeau vert* en annonçant qu'elle était amoureuse du personnage joué par Michael Arlen? Amoureuse d'un personnage de fiction! Pour sa mère, Birdie était un mystère drapé dans une énigme. Mais on ne pouvait douter de la sincérité de sa passion pour le théâtre. Ce matin, au petit déjeuner, elle avait déclaré qu'elle mourait d'envie de voir Marc Connelly, George S. Kaufman et leur *Mendiant à cheval*, puis qu'elle aurait donné sa vie pour voir Margaret Kennedy dans *La Nymphe au cœur fidèle*. Du coup, Adélaïde avait relevé le nez du *Times* pour lancer : « Tu es déjà prête à mourir avant même d'avoir avalé tes œufs brouillés! Mon Dieu, je n'ose pas imaginer ce que ce sera quand tu seras entrée au lycée! »

« Tu peux te moquer de moi autant que tu veux, avait rétorqué Birdie. Quand je serai devenue célèbre dans le monde entier, plus célèbre encore que Sarah Bernhardt, avec tous les rois et les reines à mes pieds, je ne t'enverrai même pas d'invitation pour venir me voir sur scène. Mais, dis-moi, Addie, tu ne trouves pas que Paul Robeson était tout simplement divin dans *Tous les enfants de Dieu ont des ailes*? Moi si, et il est si beau! – Que vas-tu aller voir samedi? demanda Morgan. – *La Nymphe au cœur fidèle*. Susan et Jeannette veulent y aller aussi. On déjeunera de sandwichs en faisant la queue pour le poulailler. » Adélaïde avait replié son journal avec un soupir. « Ma foi, il faut être jeune pour faire la queue pendant trois heures rien que pour voir un spectacle! »

Morgan savait que la passion de Birdie n'avait rien d'alarmant, mais elle ne pouvait s'empêcher de guetter des signes éventuels de folie et de mourir d'angoisse chaque fois qu'elle croyait en avoir détecté un. Si Birdie était toujours saine d'esprit à la fin de ses études, il n'y aurait plus lieu de s'inquiéter. Elle n'arrivait pas à se souvenir comment la maladie s'était déclenchée chez Becky. Cette dernière devait avoir seize ou dix-sept ans quand les premiers troubles s'étaient manifestés, mais Morgan était alors toute petite. Le temps qu'elle prenne conscience des bizarreries de sa sœur, celles-ci faisaient déjà partie de la routine familiale. Depuis, elle avait étudié la schizophrénie dans ses manuels de médecine et savait désormais quels symptômes rechercher. Mais peut-être était-elle trop obsédée par cette maladie. Il était sans doute temps d'arrêter d'y penser.

– Je suis désolée de t'avoir interrompue, ma chérie. J'avais l'esprit ailleurs. Mais ce que j'ai entendu m'a paru très... théâtral. Tu veux bien me rejouer ta scène? Je serais ravie de l'entendre.

– Maintenant?

Birdie avait du mal à cacher sa joie.

– Oui, pourquoi pas? Je m'assieds sur ton lit et je t'écoute.

– Eh bien... En fait, j'en étais à la fin du troisième acte, c'est la meilleure partie de la pièce. Ce n'est pas un simple monologue, tu sais, mais une conversation entre un mari, Torvald, et sa femme, Nora, c'est moi. Il m'aime, mais me traite toujours comme une enfant ou une idiote. C'est vraiment un pauvre crétin! Alors, attention... J'y vais... « Ne disais-tu pas toi-même récemment que tu ne me faisais pas confiance pour l'éducation des enfants? »

Birdie grossit sa voix pour faire le mari :

– « C'était dans un moment de colère! Pourquoi prêtes-tu attention à ce genre de choses? » Nora : « Tu as parfaitement raison. Je ne suis pas à la hauteur de la tâche... Tralala... Je dois suivre des études. C'est pourquoi je vais te quitter. Il faut que je me débrouille toute seule si je veux pouvoir me comprendre... Tralala... » Torvald : « Tu es folle! Je ne te laisserai pas faire! Je te l'interdis! » Nora : « Il ne sert à rien de m'interdire quoi que ce soit. Je n'emporterai que ce qui m'appartient. Je ne prendrai rien de toi, ni aujourd'hui ni jamais! »

La voix de Birdie résonnait dans la chambre. C'était vraiment prenant.

Morgan comprit pourquoi elle avait perçu de la rage dans la voix de Birdie un peu plus tôt. Nora était furieuse. Morgan écoutait avec intérêt, se disant que, décidément, c'était pareil dans le monde entier. Le dramaturge n'était-il pas scandinave? Les femmes étaient trop souvent considérées comme de jolis jouets, et les hommes trop têtus pour se rendre compte que, tôt ou tard, elles se rebelleraient contre cet état de fait et contre eux. Ce qui était étrange, c'était que Birdie puisse interpréter le rôle d'une femme en colère, alors qu'elle ne s'intéressait pas du tout aux combats et aux tribulations des femmes en colère dans la vie réelle.

Birdie se tut, et Morgan se rendit compte qu'elle avait cessé de l'écouter depuis quelques minutes. Elle applaudit avec enthousiasme mais, au fond d'elle-même, elle aurait préféré que sa fille ne soit pas aussi absorbée par ce monde de fiction. Elle n'avait rien contre le théâtre et appréciait une bonne pièce de temps à autre, mais il se passait tant de choses dans le monde, des choses tellement importantes... Bah!... Birdie se lasserait avec le temps, c'était sûr.

En se levant pour sortir, elle aperçut le visage de sa fille dans le miroir. Il était boudeur et déçu. Mais pourquoi? Morgan avait pris soin de manifester son intérêt et n'avait pas lésiné sur les applaudissements. Parfois, il était tout bonnement impossible de satisfaire cette enfant.

Morgan descendait l'escalier quand Adélaïde entra comme une furie, claquant la porte d'entrée derrière elle.

– Oh, les ordures! Je n'arrive pas à y croire! Quels monstres! C'est ahurissant!

– Quoi? Que se passe-t-il? Viens dans la cuisine et raconte-moi tout.

Trop énervée, Adélaïde fut incapable de rester assise. Elle faisait les cent pas entre l'évier et le garde-manger.

– Mille huit cent quatre-vingt-seize candidats à l'immigration, pardon, « étrangers », puisque c'est ainsi qu'on les appelle à présent, ont été refoulés parce que les navires à bord desquels ils voyageaient ont passé la ligne imaginaire entre Fort Wadsworth et Fort Hamilton quelques minutes avant minuit le 31 août. Quelques minutes, Morgan! Ils ont été comptés dans les quotas d'immigration du mois d'août, qui étaient déjà dépassés, naturellement. Les autorités douanières nous rabâchent leur satanée « loi » comme si c'était parole d'Evangile! Tu te rends compte, tous ces malheureux, remplis d'espoirs et de rêves, renvoyés chez eux pour quelques minutes! Non, c'est trop! Je ne le supporte pas! Je vais quitter ce pays et aller vivre chez les Esquimaux.

– Addie, je t'en prie, calme-toi. Assieds-toi et bois ton thé pendant qu'il est chaud. Ce qui est fait est fait.

– Mais c'est tellement injuste!

– Qui a dit que la vie était juste?

– Au moins, tous les reporters de New York, de Brooklyn et de Long Island étaient là. Si ce scandale ne fait pas la une du *New York Times*, je ne veux plus jamais voir ce journal dans la maison!

– Addie, je comprends ta colère, mais... bannir le *Times*? Tu ne le penses pas vraiment?

Morgan mima une grimace d'effroi. A son grand soulagement, elle vit un sourire se dessiner au coin des lèvres d'Adélaïde. Celle-ci se décida enfin à s'asseoir devant sa tasse de thé fumant.

– Notre nouveau président, le discret Calvin Coolidge, ne lèvera probablement pas le petit doigt! Moi qui croyais qu'on avait touché le fond avec Warren Harding!

Elles se mirent à rire. Morgan profita de ce changement d'humeur pour proposer qu'elles prennent toutes les trois de petites vacances.

– Il y a un nouveau pullman sur la ligne de Chicago. On pourrait réserver des chambres à l'hôtel Palmer House pour quelques jours. Voilà qui nous changerait les idées. Qu'en dis-tu? Non? Alors, si on se prenait des billets pour la nouvelle revue des Ziegfeld Follies? Birdie adorerait.

Adélaïde ne voulut rien entendre.

– Il va falloir que je quitte Ellis Island. Je ne peux pas continuer à travailler pour des autorités aussi inhumaines. Juste au moment où les associations d'aide aux immigrants parviennent à se mettre d'accord pour faire avancer les choses! Ah! Ça me tue de voir ça!

– N'y pense plus pour le moment, suggéra Morgan sans trop y croire.

– Et tu me parles de vacances! Je vais te dire ce que je vais faire : rejoindre Margaret Sanger et faire en sorte que le contrôle des naissances soit légalisé dans ce pays. Dieu sait que j'ai vu assez de femmes mourir d'avoir eu trop d'enfants ou d'avoir subi des avortements bâclés. Bien sûr, je ne parle pas de tes patientes.

– Oh, Addie, tu te bats contre des moulins à vent! Tu crois vraiment que quelqu'un parviendra à faire légaliser le contrôle des naissances? Tu ne fais que passer d'une situation cruelle et immuable à une autre. Tu te souviens de ce qui s'est passé quand Mme Sanger a voulu faire adopter sa loi à Albany?

Les épaules d'Adélaïde s'affaissèrent.

– Je sais, je sais. Pourtant, elle avait le soutien d'hommes politiques éminents, même celui de Norman Thomas. Peuh! C'était compter sans le maire catholique de la très catholique Albany. Il a annulé la licence de l'hôtel où elle devait parler! Elle a dû organiser son meeting chez un particulier! Adieu la loi Rosenman!

– Alors, pourquoi veux-tu te lancer dans un combat voué à l'échec? Tu n'as pas eu assez de déceptions à Ellis Island?

– Parce qu'il y a trop de femmes qui ont besoin d'aide dans notre beau pays si moderne! Regarde ce qui est arrivé à Clara...

– Oui, pauvre Clara...

La semaine précédente, elles avaient trouvé dans leur courrier une enveloppe sur laquelle le tampon de la poste était à peine visible. Elle contenait deux petits morceaux de papier. Sur le premier, un bref message griffonné à la hâte disait : « *Je suis une amie de Clara. Elle m'a dit que s'il lui arrivait quelque chose je devais vous prévenir.* » Le second était une coupure de presse annonçant que Mlle Clara Optakeroff, femme de chambre à l'hôtel Standish, était morte en couches.

– Mmm... fit Morgan, sceptique. Si tu veux mon avis, « morte en couches » est un euphémisme pour « avortement qui a mal tourné ».

Au même moment, Birdie entra dans la cuisine et se mit à piocher dans le plat de viande que Mme Mulligan avait laissé sur la table.

– Qu'est-ce que vous disiez au sujet de Clara? demanda-t-elle.

– Elle est morte, la malheureuse. Tu ne te souviens sans doute pas d'elle, tu étais petite quand elle travaillait chez nous.

– Bien sûr que si. Elle était jolie et elle sentait bon. Beaucoup d'hommes venaient la voir. L'un d'eux m'apportait toujours des bonbons, mais ce n'est pas celui avec lequel elle a filé.

Les deux femmes échangèrent un regard.

– Birdie, tu ne peux pas te souvenir de grand-chose, tu étais trop petite !

– C'est faux. Je me souviens de beaucoup de choses. Et puis, qu'est-ce que ça peut faire qu'elle soit partie avec son pianiste ? Je les ai même vus, une fois, en train de se rouler sur le lit de Clara, soufflant en faisant des bruits de cochons...

– Birdie ! s'écrièrent les deux femmes à l'unisson.

– Ben, quoi ! J'ai treize ans quand même, je ne suis pas complètement idiote !

– Birdie, cesse de triturer le rôti, c'est le dîner. Si tu as faim, prends une tranche de pain.

Morgan était prête à tout pour changer de sujet.

Manifestement, Adélaïde était du même avis. Elle se mit à discourir au sujet de la toute nouvelle Ligue américaine pour le contrôle des naissances et de son projet de manifestation à Brooklyn...

– Qu'en penses-tu, Birdie ? demanda-t-elle.

– Je crois que c'est du vent. Certaines femmes ont six enfants ? Et alors ? C'est qu'elles les ont bien voulus, non ? Tu es toujours occupée à manifester à droite et à gauche et à crier au scandale pour un rien. Et tout ça pour quoi ? Hein ? La vérité, c'est que vous êtes deux vieilles raseuses, voilà !

Morgan aurait dû se sentir insultée, mais elle était trop soulagée que le sujet de la vie sexuelle de Clara soit écarté. Toutefois... Birdie avait-elle vu Clara faire l'amour ? Elle avait vu et n'avait jamais rien dit ? Que savait-elle d'autre dont Morgan n'avait pas idée ? Cette pensée lui donna froid dans le dos. Sa fille devenait peu à peu une étrangère.

26

Juin 1924

Dans le bureau, l'excitation était à son comble. Margaret Sanger était en ville et devait passer les voir. Elle viendrait après l'heure de fermeture car, avant cela, elle était trop occupée à accorder des interviews et à faire des discours. Celui qu'elle avait tenu à l'université de Yale avait été publié intégralement dans le *New York Times*. La nouvelle revue à la mode, le *New Yorker*, voulait faire son portrait. Tous ceux qui travaillaient dans le bâtiment de la Ligue américaine pour le contrôle des naissances étaient aux anges.

Adélaïde avait passé tout l'après-midi dans un état de trépidation avancé. Morgan, elle, était simplement curieuse. Elle ne venait qu'une ou deux fois par mois, pour aider à répondre au courrier, et était donc moins attachée que les autres à Margaret Sanger ou à la Ligue. Son seul souci était d'aider les femmes d'une manière ou d'une autre. Naturellement, Adélaïde était entièrement dévouée à la cause. Désormais, elle était même salariée de l'organisation en tant qu'infirmière. Elle restait souvent tard le soir pour aider à de nombreuses tâches.

– On dit qu'elle va peut-être répondre elle-même à certaines lettres, annonça-t-elle.

Elle ne cessait de lancer des regards vers la porte, attendant celle que beaucoup appelaient déjà « sainte Margaret ». Dix mille lettres adressées à Mme Sanger déferlaient dans le bureau chaque mois. Toutes obtenaient une réponse, le plus souvent rédigée par des bénévoles comme Morgan ou Adélaïde.

356

Deux jeunes femmes assises de l'autre côté de la table épluchaient également le courrier. Morgan ne perdait pas une miette de leurs commérages.

– Il paraît que Mme Sanger est la maîtresse de H.G. Wells.

– Tout le monde sait ça! Enfin... ça ne veut pas forcément dire que c'est vrai. Mais j'ai entendu dire qu'elle avait encore un autre homme dans sa vie.

– Je croyais qu'elle était mariée à un certain Noah... qui était terriblement riche.

– Le mariage n'a jamais empêché Margaret Sanger de goûter à la gaudriole!

Elles gloussèrent.

– J'ai lu quelque part qu'elle ne se contentait pas de H.G. Wells et de Hugh de Selincourt, mais qu'elle entretenait également des liaisons avec Harold Child et Havelock Ellis.

Outrée, Adélaïde vola au secours de son héroïne.

– Amants ou pas, lança-t-elle, elle a toujours travaillé d'arrache-pied pour défendre la cause de... Ah! La voilà!

Margaret Sanger venait d'apparaître sur le pas de la porte. Après l'avoir aperçue tant de fois sur des dessins ou des photographies, la voir de si près en chair et en os était étrange. Cela dit, on ne pouvait manquer de reconnaître son visage en cœur et ses grands yeux expressifs. Ses cheveux blond vénitien étaient élégamment coiffés en un chignon sage, leur teinte pâle parfaitement assortie au beige de son manteau. Elle était plus petite encore que dans le souvenir de Morgan.

– Bonjour, mes amies! lança-t-elle. Vous n'imaginez pas combien cela me réchauffe le cœur de vous voir toutes travailler aussi dur pour que notre rêve devienne réalité!

Adélaïde, d'ordinaire si timide en société, se leva d'un bond :

– Madame Sanger! Je suis si heureuse de vous rencontrer en personne! C'est vrai, ce qu'on dit? Vous allez répondre à quelques lettres?

Le cortège de femmes qui attendaient derrière Mme Sanger émit aussitôt un bourdonnement de propositions et de contre-propositions. Morgan n'en entendit que des bribes :

– ... pas le temps... vous attend... souhaite s'entretenir avec vous...

Margaret Sanger se tourna vers ses assistantes et déclara d'une voix polie mais qui ne tolérait aucune contradiction :

– Je suis encore capable de penser par moi-même, mesdames.

Se tournant à nouveau vers Adélaïde, elle demanda :

– Vous avez une lettre intéressante pour moi, madame...?

– Apple. Adélaïde Apple. Mlle Adélaïde Apple.

Les grands yeux ne la quittaient pas.

– Alors? demanda-t-elle encore. La lettre?

– Oh, oui, bien sûr. En voici une.

Morgan connaissait déjà la lettre. Adélaïde la lui avait lue à voix haute plus tôt dans la journée. Elle avait été adressée par une jeune fille de dix-huit ans habitant dans le Sud, mise enceinte par un homme qu'elle connaissait à peine. Il lui avait organisé une rencontre avec une faiseuse d'anges et avait disparu.

– « *J'ai besoin d'un conseil. Je suis sûre que vous me direz la bonne chose à faire*, lut Adélaïde. *J'ai un nouvel ami qui m'a demandée en mariage. Dois-je tout lui dire? On m'a appris que mentir était un péché...* »

– Prenez note, dit Margaret Sanger.

Elle s'avança vers Adélaïde et s'empara de la lettre, qu'elle lut d'un bout à l'autre rapidement. Puis, allant et venant dans la pièce, elle dicta :

– « *Vous ne devez pas considérer vos relations avec le premier garçon, que vous avez aimé, sous un mauvais jour. Dieu vous pardonnera...* »

Elle marqua une pause, puis reprit sur un ton différent :

– « *Dieu vous pardonnera, mais peut-être pas l'homme qui veut vous épouser...* » Non, n'écrivez pas ça. Continuez la lettre comme ceci : « *Si vous pensez que ce qui vous est arrivé risque de bouleverser votre nouveau fiancé, alors mon conseil est : ne dites rien. Gardez la tête haute, le cœur léger et la bouche cousue.* » Voilà! Qu'en pensez-vous, ça ira comme ça?

– Magnifique! répondit Adélaïde, émue.

– Margaret! appela une voix sur le pas de la porte. Mme Hale vous attend depuis une demi-heure!

Une fois de plus, la voix frêle se durcit d'un cran.

– Dans ce cas, elle ne verra sans doute pas d'objection à attendre une ou deux minutes de plus!

La femme qui avait parlé se ratatina sur place.

Margaret Sanger balaya la salle du regard, adressant un sourire à chacune.

– Mes amies, je dois déjà filer, hélas! Ruth Hale, l'écrivain, m'attend pour un entretien. J'ai été ravie de vous rencontrer toutes et je vous suis très reconnaissante pour votre aide. Nous le sommes toutes.

Elle tourna les talons et disparut.

Un silence absolu s'abattit sur la salle pendant quelques minutes. Adélaïde avait les joues roses de plaisir.

– Oh, cette jeune femme sera ravie quand elle recevra sa lettre! s'exclama-t-elle enfin.

Elle se rassit aussitôt pour rédiger la réponse.

– Quand je vais dire à mon mari que je l'ai rencontrée! déclara une autre bénévole. Et quand je lui dirai qu'en plus elle est jolie! Il répète toujours qu'il n'y a que des vieilles peaux pour s'intéresser au contrôle des naissances.

Adélaïde sécha la lettre avec son buvard et releva la tête.

– Je n'oublierai jamais cette journée. Jamais. Je sais maintenant qu'ils ne pourront pas nous arrêter. C'est grâce à elle, grâce à sa force intérieure. Tu ne l'as pas trouvée fantastique, Morgan?

Le peu qu'elle avait vu de Margaret Sanger n'avait pas franchement emballé Morgan. Elle ne la connaissait pas vraiment, mais il y avait quelque chose de froid et de distant en elle. En outre, il ne lui avait pas échappé que Mme Sanger, bien qu'aimable et gracieuse avec les inconnus, était plutôt mordante avec ses subalternes. Mais dire cela ne ferait que rendre Addie malheureuse.

– Elle est mieux que sur les photos, tu ne trouves pas? dit-elle en contournant la question. Tu es prête? On peut rentrer, à présent? Je commence à être fatiguée.

359

Il était déjà sept heures quand elles quittèrent enfin le bâtiment. Elles prirent la rame aérienne pour traverser le pont de Brooklyn puis, comme il faisait beau, finirent la route à pied. Morgan avait mal au dos, comme d'habitude. Son travail l'obligeait souvent à travailler pliée en deux.

– J'ai hâte d'être à la maison pour prendre un petit remontant, déclara-t-elle. Je n'ai jamais été une grande buveuse, mais je crois que j'apprécie d'autant plus l'alcool depuis qu'il est illégal.

– Peuh! Cette Prohibition est de la rigolade. J'ai l'impression que les gens boivent deux fois plus depuis que la loi est passée.

Morgan se mit à rire.

– Comme moi, par exemple! Maintenant que je suis devenue une soûlarde, je remercie le ciel d'avoir mis Mme Forsyth sur ma route.

Jane Forsyth, l'une de ses patientes, était l'image même de la rectitude puritaine de la Nouvelle-Angleterre. Mais elle n'avait néanmoins aucune objection à ce que son frère fabrique de l'eau-de-vie dans sa cave, dans le plus grand secret naturellement, ni à distribuer allégrement autour d'elle ce qu'elle appelait sa « gnôle ».

– Pour ma part, dit Adélaïde, je m'en tiendrai à un Coca-Cola. Après avoir vu Margaret Sanger de si près, j'ai déjà la tête qui me tourne suffisamment. Elle m'a parlé, tu te rends compte! Elle m'a appelée par mon nom!

Elle dansait presque sur le perron.

La porte d'entrée n'était pas verrouillée, alors que Mme Mulligan devait être rentrée chez elle depuis longtemps. Cela signifiait que Birdie était à la maison, probablement dans sa chambre en train de faire ses devoirs. Du moins, il fallait l'espérer. Avec elle, on ne savait jamais à quoi s'attendre. Sa nouvelle ambition, à quatorze ans, était visiblement de devenir une femme délurée. Elle portait des jupes très courtes, et Morgan l'avait déjà surprise plusieurs fois avec des bas roulés juste au-dessus des genoux. Ses amies et elle ne parlaient que de garçons, gloussant et utilisant un argot qui évoluait avec une telle rapidité que Morgan ne comprenait pas un mot sur dix. Dans leurs conversations, il était également beaucoup question de baisers, mais Morgan n'en avait encore jamais surpris. Birdie et ses camarades allaient aux thés dansants de l'hôtel Saint George, ainsi que tous les garçons de Brooklyn Heights, et ils dansaient comme des grands en prenant des airs blasés. Morgan le savait, car elle était allée les épier plusieurs fois.

Elle lança dans l'escalier :

– Birdie! Tu es là-haut, chérie?

– Tu parles, Charles! lui répondit une voix hilare. On fait nos maths avec Jeannette.

– A la bonne heure! lança Morgan.

Sa réplique fut accueillie par des éclats de rire. Manifestement, une expression telle que « à la bonne heure » était d'une désuétude hilarante.

– Tu vois monsieur S., ce soir? demanda Adélaïde sur un ton détaché.

Pour une raison inconnue, Addie n'appréciait pas Bill Seely. Il était pourtant plein de charme et savait s'en servir. Il était cultivé, ouvert d'esprit et connaissait tous les derniers pas de danse, ce qui n'avait rien de surprenant dans la mesure où il était musicien, professeur de musique de surcroît. Il s'asseyait souvent au piano du petit salon, où il jouait et chantait les airs favoris d'Adélaïde, ceux de Jérôme Kern et des frères Gershwin. Il avait une très jolie voix. « Ça me vient de mes origines galloises », prétendait-il.

Mais le plus agréable chez Bill, c'était cette manière qu'il avait de la regarder avec ses grands yeux marron et de lui faire sentir qu'elle était la personne la plus importante au monde.

Le mutisme d'Adélaïde chaque fois que Bill venait à la maison, ou même qu'on prononçait son nom, navrait Morgan. Mais pas au point de la dissuader de le revoir, ni même de demander des explications à son amie. Elle aurait aimé qu'Adélaïde se trouve un homme à elle, pensant qu'elle serait alors moins jalouse de son flirt avec Bill, si on pouvait appeler cela ainsi.

Morgan avait rencontré Bill six mois plus tôt chez sa sœur Mavis. La malheureuse était morte en couches à cause de la stupidité d'un prétendu vrai médecin. L'accouchement avait été long et pénible, la laissant épuisée. L'obstétricien, âgé et étourdi, avait oublié de se laver les mains. Lorsqu'elle avait commencé à se sentir très mal, personne, pas même le médecin, n'avait pensé à la fièvre de l'accouchement. Tout le monde croyait que ce genre de chose n'existait plus. Lorsque Morgan fut appelée au secours, il était déjà trop tard. Elle venait juste de prendre la main de la patiente et de lui dire qu'elle était là pour l'aider quand Mavis rendit son dernier souffle. Bill était à son chevet en tant qu'homme de la famille. Le mari de Mavis avait été tué dans un accident du travail. Désemparé et en larmes – il avait également perdu sa femme en couches et leur bébé avec –, Bill déclara qu'il ne savait pas quoi faire de son neveu orphelin. Comment pouvait-il l'élever seul, lui, un musicien aux horaires impossibles ? Morgan était d'accord avec lui.

Elle pensa immédiatement à Mildred Logan, une de ses patientes, qui avait accouché d'un enfant mort-né. C'était la première fois qu'elle était parvenue à mener une grossesse à terme, et elle était effondrée. Elle accueillerait probablement ce nourrisson avec joie. Elle avait encore des montées de lait, et le fait de ne pouvoir donner la tétée lui était douloureux tant physiquement que psychologiquement.

« Je pourrais envelopper ce petit bonhomme et le lui amener tout de suite », proposa-t-elle. Le visage de Bill s'était éclairé. « Ce serait parfait. Une mère sans bébé et un bébé sans mère... Ma pauvre Mavis, mourir si jeune et d'une telle manière... » Il essuya ses larmes sans la moindre gêne. « Je suis soulagé que notre mère ne soit plus de ce monde pour voir ça. »

Morgan appela les Logan qui, comme elle s'y attendait, accueillirent la nouvelle avec enthousiasme. Bill l'accompagna alors jusqu'à Columbia Street, où il se rendit compte que son neveu serait choyé.

Il était facile de parler avec lui. Il en savait plus sur les grossesses que la plupart des hommes et n'estimait pas avilissant de discuter des soins aux nourrissons. Morgan avait l'impression d'être en compagnie d'un vieil ami. Lorsqu'ils eurent remis l'enfant à ses nouveaux parents, ils revinrent à pied jusqu'à Clinton Street. Une fois devant chez elle, Morgan se rendit compte qu'elle n'avait pas envie qu'il disparaisse de sa vie. Aussi, elle l'engagea pour qu'il donne des cours de piano à Birdie.

Elle s'arrangeait toujours pour être là quand il venait et pour descendre juste au moment où la leçon finissait. Il ne restait plus qu'à lui proposer un verre le plus naturellement du monde. « Tant que ça n'a rien d'illégal, docteur Becker! » plaisantait-il.

Après une semaine ou deux d'un flirt des plus convenables, composé surtout de regards en coin et de sourires enjôleurs, elle décida que s'il ne prenait pas les devants elle les prendrait elle-même. Elle ne savait pas trop ce qu'elle allait faire, mais elle ferait quelque chose. Continuer à se regarder ainsi timidement était ridicule. Le lendemain, ils sirotaient un cocktail au gin dans le salon à l'arrière de la maison, assis dans le petit canapé, leurs genoux se touchant presque, quand, sans prévenir, il se pencha vers elle et l'embrassa sur les lèvres. Elle fut surprise par le torrent d'émotions qui déferla dans tout son corps et par sa propre avidité quand elle se pressa contre lui, accueillant sa bouche et sa langue. Lorsqu'ils s'écartèrent enfin, ils se dévisagèrent avec stupéfaction.

Morgan fut la première à briser le silence : « Et à présent? » Bill renversa la tête en arrière et éclata de rire. « Je suis sûr que vous le savez très bien, vu que vous êtes médecin, chère Morgan. Au fait, je peux vous appeler Morgan? » Ils rirent de plus belle. Il lui prit le menton dans sa main et l'embrassa doucement. « La vraie question, reprit-il, est : " Où et quand? " »

Cette question trouva sa réponse le soir même, dans son appartement de Schermerhorn Street, à deux pas de chez elle. Il la déshabilla lentement, baisant chaque partie de son corps à mesure qu'il la dévoilait, jusqu'à ce qu'elle frissonne de désir. Puis il ôta ses vêtements à son tour, toujours sans l'étreindre. Il lui sourit et dit : « Ne bouge pas. Contemplons-nous un moment. »

Il était légèrement plus petit qu'elle, avec un corps élancé et musclé, et une toison noire et frisée sur le torse et autour de son sexe, qui était, à la consternation de Morgan, énorme. « Ne t'inquiète pas, ma chère Morgan, dit-il en suivant son regard. Je serai très lent et doux. Tu t'y habitueras vite. »

Il rit en la voyant rougir.

Il la prit lentement et doucement, comme il l'avait promis. Elle était tellement assaillie de sensations qu'elle dut mordre un coin de l'oreiller pour ne pas crier. Elle jouit plusieurs fois de suite, le regardant dans les yeux tandis qu'il lui souriait. « Oh, mon Dieu ! Oh, mon Dieu ! Oh, mon Dieu ! » gémissait-elle.

Puis il jouit à son tour et s'allongea sur elle, pantelant. « Je sais que je suis divin, susurra-t-il, mais, dorénavant, je préfére-rais que tu te limites à des " Oh, Bill ! Oh, Bill ! Oh, Bill ! " »

Ils éclatèrent de rire et se remirent à faire l'amour presque aussitôt.

Tout cela était arrivé six mois plutôt, et ils avaient toujours autant envie l'un de l'autre. C'était un amant magnifique et infatigable, qui aimait prendre son temps. Il avait des mains superbes et une belle voix de baryton. C'était un vrai plaisir de l'entendre chanter ou chuchoter des mots doux. Elle lui demandait souvent de lui faire la lecture. Il était facile à vivre et plein d'humour, et elle l'aimait beaucoup. Mais de là à l'épouser, comme il le lui demandait parfois... Elle n'était pas sûre de vouloir abandonner son indépendance.

– Si je vois Bill ? répondit-elle à Adélaïde. Attends. Nous sommes samedi... Alors, oui, je sors avec lui. Je crois qu'il m'emmène à Harlem écouter du jazz à nouveau.

– Quand vas-tu voir *Abie's Irish Rose* ?

– Samedi prochain. Tu es sûre que tu ne veux pas venir avec nous ? Il a également proposé à Birdie de nous accompa-gner.

– Mmm... Cette petite irait assister à une lecture du bottin pourvu que ça se passe sur une scène avec des projecteurs. Mais, dis-moi, ça ne te gêne pas d'aller te pavaner en voiture dans Harlem alors que tous ces pauvres Noirs y vivent dans la misère?

– Addie! Tu sais bien que je ne me pavane pas! Et puis, ces musiciens de jazz sont merveilleux. Ils ont un talent fou! Leur musique est fantastique. Rien que de les entendre, on a envie de danser, sauf que ce sont des danses complètement nouvelles. Tu devrais venir avec nous au Cotton Club écouter Duke Ellington et son orchestre. D'après Bill, c'est lui-même qui compose ses airs, et je t'assure qu'ils valent ceux de Jerome Kern et des frères Gershwin. Bill t'invite toujours à venir avec nous, et tu dis toujours non.

– Eh bien, je le dis encore une fois. Non! Je trouve écœurant que ces clubs soient remplis de Blancs venus des quartiers chics qui boivent comme des trous et parlent fort pendant que des Noirs triment sur scène.

Morgan réprima un sourire.

– Comment le sais-tu puisque tu n'y es jamais allée?

– Je lis les journaux et les magazines. Je sais très bien ce qui se passe. L'autre jour, à la clinique, j'ai entendu deux femmes parler d'aller voir les « Nègres » à Harlem.

– Tu sais très bien que je ne parle pas comme ça. Comment pourrais-je appeler quelqu'un un Nègre quand je ne supporte pas qu'on me traite de squaw?

– Quoi qu'il en soit, reprit Adélaïde en tentant de se rattraper, je trouve que le jazz – tu parles d'un nom! – est bruyant, clinquant et horrible à entendre.

– Tu changerais d'avis si tu entendais Bessie Smith chanter le blues!

Adélaïde prit un air indigné.

– Le blues! Parce que tu appelles ça de la musique?

Au même moment, la sonnette retentit.

– Seigneur! Je n'arrête pas de bavasser alors que Bill est déjà là! Addie, tu veux bien lui ouvr... Non, laisse, j'y vais.

C'était incroyable comme son cœur battait plus vite dès qu'il était dans les parages et avec quelle impatience elle attendait chaque fois le moment de le retrouver et de poser ses lèvres sur les siennes. Toutefois, elle n'était pas amoureuse de lui. Elle était loin d'être amoureuse de qui que ce soit, pas même de Bill Seely, qui lui fredonnait parfois des airs à l'oreille tout en lui faisant l'amour. Non, pas même de lui.

27

Mai 1927

Il était merveilleux. Si beau... Si talentueux... Si divin! Birdie se pencha en avant sur son fauteuil, dévorant des yeux Junius Justice Malone sur scène. Il interprétait Robert, le fils benjamin, dans *La Corde d'argent*. Elle n'avait plus conscience de la présence de sa mère et de Bill Seely à ses côtés. Toute son attention était accaparée par le jeune acteur. Elle avait découpé tous ses portraits dans les journaux et les avait fixés au-dessus de sa coiffeuse. Elle en avait même encadré un qu'elle avait disposé auprès d'une bougie et d'un coffret en verre que Jeannette lui avait rapporté de Venise. « Un autel, Birdie? A un homme que tu ne connais même pas? » avait dit sa mère en le voyant.

Naturellement, cela avait tout gâché. Birdie avait enlevé toutes les images et les avait cachées dans un cahier, où personne ne les verrait. Elle chérirait ce cahier jusqu'à la fin de ses jours. Elle l'avait vu jouer dans une autre pièce l'année précédente, lors d'une représentation en matinée. Depuis, elle lui écrivait régulièrement. Certes, elle s'était entichée de lui, mais il n'y avait pas que ça. Elle allait le rencontrer ce soir même! Après ça, sa mère ne pourrait plus dire qu'elle ne le connaissait pas!

Maman et Bill allaient à Harlem après la pièce, au club Ye Olde Nest, sur la 103ᵉ Rue. Ils y allaient souvent. C'était une boîte très à la mode parmi les vieux. Maman disait qu'il y avait toujours un défilé de voitures remontant Broadway avant chaque spectacle. Ce soir, quelqu'un de connu y passait, mais elle avait oublié qui. Personne d'autre que Junius Justice Malone n'avait d'importance. Elle attendait depuis trop longtemps. Il avait répondu à une de ses lettres et lui avait proposé de passer le voir après une représentation un samedi soir. Il avait laissé entendre qu'il lui montrerait la ville. Aussi avait-elle harcelé Bill et sa mère jusqu'à ce qu'ils acceptent de l'emmener à une représentation du soir bien qu'ils aient déjà vu la pièce.

Ils projetaient de la mettre ensuite dans un taxi qui la conduirait sagement à la maison. Ce qu'ils ignoraient, c'était qu'elle demanderait au taxi de faire demi-tour et de la ramener au théâtre. Il voulait la rencontrer! Il lui avait demandé de venir le voir dans sa loge! Quand elle voulait! Elle espérait seulement qu'il n'allait pas se défiler. Dans sa lettre, il avait écrit qu'ils iraient peut-être dans un bar clandestin faire la bringue avec la bande. La *bande*! Elle avait des palpitations rien que d'y penser! Depuis ce matin, elle ne cessait d'essuyer ses mains moites. Oh, s'il lui tendait la main et que la sienne soit toute poisseuse, elle en mourrait!

Naturellement, il ignorait qu'elle était encore au lycée et qu'elle vivait chez sa mère avec une tante vieille fille à Brooklyn. *Brooklyn*! A dire vrai, elle obtiendrait son diplôme de fin d'études secondaires le mois suivant et irait à l'université de Syracuse à l'automne. Etudiante sonnait quand même mieux que lycéenne. Seigneur, et s'il décidait qu'elle n'était qu'une gamine? S'il la traitait comme un bébé et la renvoyait chez elle, elle en mourrait! Elle voulait aller dans un bar, boire de l'alcool et peut-être même fumer une cigarette.

« S'il te fait des avances, avait demandé Jeannette, qu'est-ce que tu feras? Pour ma part, je suis sûre que je mourrais sur place! – Ce que je ferai? avait répondu Birdie d'un air songeur. Je fondrai dans ses bras et, quand ses lèvres rencontreront les miennes, je serai aux anges! »

Mais peut-être pas. Elle ne voulait pas qu'il la prenne pour une fille facile. Mais elle devait cesser de s'inquiéter. C'était un homme si raffiné! Elle ne risquait rien. Elle avait déjà prévu comment elle se tiendrait, prenant un air blasé et insolent. Elle avait enfilé sa robe préférée, dans une soie vert pâle, coupée en biais, qui moulait à peine ses seins et ses hanches. Elle portait également des sous-vêtements en soie, combinaison et culottes, et des bas en soie. Personne ne pourrait la prendre pour une écolière, surtout quand elle aurait appliqué du khôl sous ses yeux et le rouge à lèvres rouge sang qu'elle avait acheté au drugstore. Elle comptait se maquiller dans le taxi. Jeannette lui avait peint les ongles en rouge nacré. Maman avait lancé un regard réprobateur vers ses doigts mais, pour une fois, n'avait rien dit.

Soudain, ce fut l'entracte. Elle n'avait même pas écouté trois mots de la pièce ! Ils sortirent dans le foyer pour que Bill puisse fumer une cigarette. Maman lui demanda si la pièce lui plaisait.

– Ah, c'est chouette ! répondit-elle. C'est vraiment gentil de m'avoir amenée.

Sa mère la regarda bizarrement, de cet air qui donnait l'impression à Birdie qu'elle lisait dans ses pensées. Aussi, elle soutint son regard en écarquillant de grands yeux innocents. Maman tourna la tête et se mit à parler de Margaret Sanger.

– J'ai un centre de contrôle des naissances fonctionnant de facto dans mon bureau, alors que Margaret Sanger ne peut même pas obtenir de licence pour sa clinique ! C'est scandaleux ! On ne l'autorise même pas à faire des recherches. Les hommes ont vraiment un problème dans ce pays !

– Ce ne sont pas les hommes, répondit Bill entre deux bouffées de Camel. Ce sont les politiciens. Ce n'est pas tout à fait la même chose !

– Pour toi, Bill, tout n'est qu'une grosse plaisanterie.

– Que veux-tu, ma chère, le monde est un drôle d'endroit, tout comme ceux qui y habitent.

– Moi, je trouve que certaines choses ne sont pas drôles du tout. Comme d'aller à Harlem, par exemple. Addie a raison. On ne voit jamais un Noir assis à une table dans aucun des clubs où nous allons. Pourtant, c'est leur quartier ! Où sont-ils ?

Ils n'en ont pas les moyens! Ils n'ont pas de travail. Que font les politiciens?

– Ecoute, Morgan, quand on aime entendre des musiciens noirs, ce qui est notre cas, en tout cas le mien, il n'y a pas d'autre endroit où aller. Je sais que la situation des Noirs est une honte, mais il n'y a pas grand-chose que toi ou moi puissions faire. Au moins, en allant dans ces bars, on leur rapporte de l'argent. Et puis, leur musique est de plus en plus populaire. Tu verras, d'ici peu, leurs orchestres se produiront dans d'autres quartiers, voire dans toute la ville.

Bill était un pacificateur, toujours en train d'arranger les choses et de calmer les esprits. Birdie l'aimait beaucoup, même s'il était assez gênant d'avoir une mère qui ne soit pas mariée comme tout le monde. Bill jouait parfois dans des bars, ce qui était plutôt chouette. Mais, dans la vie de tous les jours, il était simplement professeur de piano et donnait des cours aux garçons et aux filles de Brooklyn Heights. Il n'était pas beau comme Junius Justice Malone, mais il avait un sourire magnifique. En outre, il traitait Birdie comme une adulte. Il était plus petit que maman, mais cela ne semblait pas les gêner. Personnellement, Birdie n'aurait jamais toléré d'avoir un ami plus petit qu'elle. Il fallait qu'il soit grand pour qu'elle puisse lever les yeux vers lui, comme le faisaient toutes les femmes.

Pourvu que maman ne t'épouse pas! pensa-t-elle. L'idée d'avoir Bill Seely pour père était... trop. Cela dit, il était infiniment plus sympathique que les autres hommes avec lesquels maman était sortie. Ceux-là étaient toujours mielleux et niais avec Birdie, faisant semblant d'*adorer* les enfants. Elle savait bien que c'était de la frime parce que, même quand elle leur jouait son pire numéro de peste, ils étaient toujours aussi gentils avec elle. Elle n'avait jamais pu supporter la plupart d'entre eux.

Mais pourquoi maman avait-elle encore besoin de sortir? Elle était trop vieille pour penser au... sexe et à tout le reste. Tante Addie, elle, ne sortait pas avec des hommes. Elle était parfaitement contente de rester à la maison à lire son journal, sauf quand elle allait à ses réunions bien sûr. Expliquer à ses camarades que sa mère avait un petit ami était embarrassant. Ce n'était pas un comportement normal de mère.

Il fallait encore tenir un acte. Birdie s'efforça de se concentrer sur la pièce, mais elle ne pouvait penser à rien d'autre qu'à lui, à ce qu'elle lui dirait, à ce qu'il lui répondrait et à ce qu'elle répondrait à ce qu'il lui aurait répondu. Son cœur battait si vite qu'elle avait du mal à respirer. A la fin du spectacle, elle applaudit plus fort que tout le monde lorsque Junius Justice Malone salua le public. Elle crut le voir scruter l'assistance et se retint de bondir en criant : « Je suis là, je suis là ! » Si sa mère avait le moindre soupçon sur ce qu'elle préparait, elle la tuerait sur place.

Ensuite, tout se passa comme prévu. Trois pâtés de maisons après le théâtre, elle annonça au chauffeur qu'elle avait oublié ses gants au vestiaire. Lorsqu'il proposa de l'attendre, elle lui adressa son sourire le plus éclatant et répondit en lui tendant un pourboire démesuré :

– Vous êtes vraiment très aimable, mais ce ne sera pas la peine. Merci.

Elle demanda à quelqu'un comment accéder aux loges, et on lui montra une ruelle qui longeait le théâtre. Elle hésita. C'était vraiment étroit et sombre, avec juste une ampoule nue suspendue tout au fond. Le claquement de ses talons sur les pavés résonnait d'une manière sinistre, et le réverbère derrière elle dans la rue projetait son ombre telle une longue silhouette noire marchant devant elle. La ruelle sentait le moisi et le pipi de chat. Elle arriva devant une petite porte sur laquelle rien n'était écrit. Etait-ce l'entrée des artistes ? Elle appuya sur la poignée sans y croire. La porte s'ouvrit, et elle se retrouva plongée dans une cohue.

Des gens couraient dans tous les sens, s'interpellant, portant des accessoires, poussant des morceaux de décor. Une voix grave l'appela :

– Hep ! Mademoiselle ! Vous cherchez quelque chose ?

371

Un vieillard lippu et mal rasé était assis sur un haut tabouret. A ses côtés se trouvaient des caisses remplies de papiers et d'enveloppes. Etait-ce là qu'avait atterri son courrier?

– M. Malone, répondit-elle simplement.

– Vous avez rendez-vous?

Il l'examina des pieds à la tête, s'apprêtant sûrement à dire : « Rentre chez toi, petite. M. Malone a d'autres chats à fouetter ce soir. »

– Oui, dit-elle d'une voix rauque. Oui, oui. Il m'a demandé de le rejoindre dans sa loge.

– Porte numéro trois.

La voyant hésiter, il indiqua d'un geste des escaliers métalliques au fond d'un couloir derrière lui.

– En haut des marches, premier étage, à gauche.

Birdie grimpa les escaliers, tressaillant sous le vacarme de ses talons sur le métal. Une fois en haut, elle regarda autour d'elle. Une jeune fille nue enveloppée dans une grande serviette passa à côté d'elle en se dandinant et demanda :

– Tu cherches quelque chose, chérie?

– M. Malone.

Elle lui adressa un grand sourire.

– C'est la loge numéro trois, juste là.

Il y avait un « M. Malone » peint sur la porte, ainsi qu'un numéro trois écaillé. Birdie hésita un instant pendant que des gens allaient et venaient d'un pas pressé dans son dos. Tout le monde parlait en même temps et semblait s'appeler « chéri ». Les murs étaient du même vert pâle que sa classe au lycée Packer, mais en plus sale. Il n'y avait qu'une seule fenêtre, peinte d'une épaisse couche de... Peu importait. Son cœur battait si fort qu'elle ne s'entendit même pas frapper.

– C'est ouvert! cria une voix délicieusement familière.

Elle ouvrit la porte d'une main tremblante et avança d'un pas dans la loge. Il était assis devant un miroir et... Seigneur!... il était nu! Elle resta clouée sur place. Elle aurait dû ressortir immédiatement, mais elle ne pouvait plus bouger. Il lança une serviette sur un portant, puis redressa la tête et l'aperçut dans le miroir. Leurs regards se croisèrent. Elle vit son expression passer de la neutralité à la surprise, puis au plaisir, puis à quelque chose qu'elle ne savait pas identifier. Elle comprit enfin et frissonna d'aise. *Il me trouve jolie! Très, très jolie!*

Tout lui parut se dérouler au ralenti : son regard s'attardant sur elle, son sourire ravi, la manière dont il déclara avec un accent traînant :

– Laissez-moi deviner. Vous devez être ma correspondante à la plume si... éloquente?

Incapable de parler, elle hocha la tête. Il se mit à rire. Pas d'un rire moqueur, mais plutôt d'un rire... enchanté.

Puis il se leva. N'osant fermer les yeux, elle constata avec soulagement qu'il n'était pas entièrement nu mais portait un caleçon. Elle n'avait encore jamais vu un homme en sous-vêtement et ne savait pas trop où poser les yeux. Il était très musclé, avec un torse lisse et des cuisses puissantes. Il était encore plus beau que sur scène. Elle ne pouvait le quitter des yeux, ne pouvait bouger, ne pouvait parler, et parvenait tout juste à respirer.

Il lui tendit la main.

– On vous a déjà dit que vous étiez très belle, Birdie Becker? Vous êtes bien la Birdie Becker qui m'a écrit toutes ces lettres, n'est-ce pas?

Une fois de plus, elle hocha la tête.

– Superbe, poursuivit-il. Je suis ravi de vous rencontrer enfin. Vous ne voulez vraiment pas me serrer la main? Oh, pardon!

Il baissa des yeux faussement navrés vers son caleçon, puis attrapa une vieille robe de chambre défraîchie sur le portant. Tout en nouant la ceinture, il reprit :

– Belle Birdie, vous avez l'air d'une mangouste devant un serpent. Je vous assure que je n'en suis pas un, même si certains de mes amis prétendent le contraire. Tenez, justement, quand on parle du loup...

Soudain, la petite loge carrée fut remplie de monde, de bruits et d'un grand bouquet de fleurs qu'il tendit à un homme nommé Rafe en lui disant :

– Tu veux bien t'en occuper ? Merci.

Tous ses amis l'appelaient J.J.

Birdie était paralysée. Lorsqu'il lui posa nonchalamment un bras sur l'épaule, elle crut tourner de l'œil.

– Les amis, les amis ! annonça-t-il. Je vous demande de vous tenir tous correctement, car voici la nouvelle élue de mon cœur, elle s'appelle Birdie, la couleur de ses cheveux est parfaitement naturelle, et je vous interdis de lui demander son âge !

Tout le monde se mit à rire, y compris elle-même. Il exerça une légère pression sur son épaule et lui chuchota à l'oreille :

– C'est très bien. Si tu ris comme ça à toutes mes plaisanteries, on va s'entendre comme larrons en foire.

Si tous les autres n'avaient pas eu les yeux fixés sur elle, elle se serait pincée pour y croire. Elle espérait qu'elle se souviendrait de la moindre seconde de cette aventure. Jeannette exigerait un rapport complet. A présent qu'elle était là, qu'il était habillé – enfin, plus ou moins – et que tous ces gens tous plus beaux les uns que les autres étaient entassés dans la loge, elle n'avait plus peur. C'était très excitant. Elle comprenait enfin le sens de l'expression « être au septième ciel ».

J.J. Malone la fit asseoir sur une petite chaise pliante et lui dit :

– Ne bouge pas d'ici. Je dois me changer, mais je serai prêt en moins de temps qu'il n'en faut pour tirer un lapin.

L'un des hommes dans la loge se mit à rire et lança :

– Mouais... Et on sait déjà quel lapin tu vas tirer ce soir, J.J. !

Malone lui lança un regard noir et rétorqua :

– Surveille un peu ton langage, veux-tu ?

Puis à Birdie :

– Ne fais pas attention à ces brutes.

Il se rassit devant le miroir, acheva de se démaquiller, puis passa derrière un paravent sans cesser de bavarder joyeusement avec ses amis tout en balançant des pièces de vêtements sur le rebord.

Lorsqu'il réapparut, terriblement élégant dans sa tenue de soirée, Birdie l'examina attentivement. Il était superbe, grand et mince, avec une épaisse chevelure noire et des yeux bleu ciel profondément enfoncés dans leurs orbites. Il avait un nez droit et court, des pommettes bien dessinées, un sourire éclatant et quasi permanent, une petite fossette au menton et des étincelles malicieuses dans le regard. Il avait quelque chose de... diabolique. Cette pensée fit frissonner Birdie de plaisir.

Dans les nombreux articles qu'elle avait découpés dans les journaux et les revues, on disait qu'après avoir souvent joué des adolescents il commençait à décrocher d'importants seconds rôles masculins, comme dans *La Corde d'argent*, la pièce qu'elle avait vue ce soir. Un jour, cela ne faisait pas un pli, il serait aussi célèbre que John Barrymore, et même plus encore! Il était tellement adorable! Il ne se passait pas une minute sans qu'il lui jette un regard, lui adresse un sourire ou lui fasse un clin d'œil. Il n'arrêtait pas de lancer des bons mots et des anecdotes qui faisaient rire toute la bande. Il but plusieurs gorgées d'une flasque qu'il sortit de la poche arrière de son pantalon. Une vraie flasque! C'était d'un romantique! Il la lui tendit, et elle but du bout des lèvres, s'efforçant de ne pas s'étrangler quand le liquide lui brûla la gorge. Quelqu'un lui demanda le nom de son contrebandier, et il se tourna d'abord vers Birdie, lui demandant de ne jamais le répéter. Elle promit, et il lui fit un nouveau clin d'œil.

Tout le monde se mit à parler de jazz. J.J. lui demanda si elle aimait cette musique et, pour une fois, elle fut ravie de savoir qui étaient King Oliver, Duke Ellington et Louis Armstrong. Elle connaissait même l'école de Chicago! Elle répondit qu'elle adorait, surtout le blues. Il s'approcha d'elle et déposa un baiser sur le sommet de son crâne. Puis ils se mirent à parler d'un certain Buster dont le spectacle allait bientôt s'arrêter, c'était dommage, et tout le monde fut plié en deux. Elle ignorait qui était Buster et ce qu'il y avait d'hilarant à ce que son spectacle s'arrête bientôt, mais elle rit également. Quelle importance? Elle était là et faisait partie de la bande, de ce monde excitant d'adultes, du moins pour le moment.

Le fait de penser aux adultes la mit soudain mal à l'aise. Et si Addie ne s'était pas couchée de bonne heure comme à son habitude? Si elle était en ce moment même en train de faire les cent pas dans le salon à l'attendre? Si elle appelait la police? *Il faut que je rentre bientôt*, se dit Birdie. *Je vais m'excuser très poliment et dire que j'ai un autre rendez-vous.* Cela sonnait très « adulte ». J.J. était assis à côté d'elle, une main sur son épaule, et elle n'avait pas envie de gâcher cette sensation enivrante. Il but une nouvelle gorgée de sa flasque, se leva et lui tendit la main pour l'aider à se lever à son tour.

— OK tout le monde! annonça-t-il. On ferait bien de filer à l'Ange rose avant qu'il n'y ait plus une table de libre. Qui vient? Peggy? Andrew et Martha? Allez, Léo, tu viens toi aussi!... Et bien sûr l'adorable Margarita...

Il enfila sa veste et vérifia sa coiffure dans le miroir. Elle se tenait là comme une idiote, se demandant : *Qu'est-ce que je dois faire? J'attends qu'ils soient tous sortis de la loge? Est-ce que je dois le remercier de m'avoir reçue dans sa loge? Est-ce que je dis bonsoir à tout le monde ou...*

— Tu viens aussi, n'est-ce pas, belle Birdie?

— Moi? Mais, euh... Je ne devrais pas.

— Oh, mais si tu devrais! Tu dois. Je ne vais pas te perdre maintenant que je t'ai trouvée.

Elle sentit un frisson lui remonter l'échine.

— Allez, enjoignit-il. Dis oui. Ouvre ces jolies lèvres en pétales de rose et dis-moi que tu viens.

Toute pensée d'Addie, de sa mère, de la police, de l'heure tardive s'envola aussitôt. Oh, quand elle raconterait ça à Jeannette!

— Mais, monsieur Malone...

— Quoi! Qu'est-ce que c'est que ce « monsieur Malone »? Mes amis m'appellent J.J.

Il effleura son menton du bout du doigt avant d'ajouter, avec un sourire désarmant et en la regardant dans le blanc des yeux :

— Or j'ai comme l'impression qu'on va devenir de très bons amis, toi et moi.

28

Novembre 1930

Adélaïde était épuisée, littéralement sur les genoux. Elle était sans doute devenue trop vieille pour ce genre de travail. Elle voulut ouvrir la porte mais le battant était verrouillé, et elle dut fouiller dans son grand sac pour chercher sa clef. Elle détestait ces jours gris de novembre. Il n'avait pas encore neigé mais l'air était humide et glacé, ce qui la mettait de mauvaise humeur. Elle détestait par-dessus tout rentrer chez elle après la nuit tombée. En somme, c'était l'hiver tout court qu'elle ne supportait pas. Quoi qu'il en soit, elle n'avait qu'à prendre son mal en patience. Elle n'allait tout de même pas se joindre à ces héros – de vrais pionniers – qui descendaient finir leurs vieux jours en Floride. Ils arriveraient à rendre habitable cet Etat de sauvages s'ils parvenaient à se débarrasser des moustiques, des crocodiles et des marécages. Ce n'était plus de son âge. Elle alla dans le salon et se laissa tomber dans la bergère. Enfin un petit moment de repos, en attendant que Morgan ait fini de recevoir sa dernière patiente et monte la rejoindre pour prendre un verre. Cette fois, elle ne se laisserait pas surprendre endormie dans la bergère, ronflant la bouche grande ouverte.

Une délicieuse odeur de ragoût arrivait de la cuisine. Adélaïde en eut l'eau à la bouche, d'autant plus qu'elle n'avait pas pris le temps de déjeuner à midi. Elle mourait de faim, mais ne dînait jamais sans Morgan. Elles appréciaient toutes deux de boire un bon cocktail avant le repas et étaient devenues des barmaids assez habiles. Les alcools étaient cachés dans un meuble fermé à clef. Ce soir, Adélaïde penchait pour un manhattan. Leur contrebandier leur avait rapporté un excellent whisky du Canada.

Ce n'était pas uniquement la grisaille de cette journée de novembre qui lui avait sapé le moral. Tout le monde au bureau était surchargé de travail, car les médecins hommes refusaient de recevoir les ordres d'une femme, surtout quand elle n'avait pas les « qualifications » nécessaires. Le docteur Hannah Meyer Stone avait un diplôme de pharmacienne, mais travaillait depuis des années dans les services de pédiatrie et de gynécologie de l'hôpital de New York. Certes, c'était une « irrégulière », et alors ? Morgan aussi, pourtant il n'y avait pas meilleur médecin femme dans toute la ville.

Quoi qu'il en soit, il y avait tellement peu d'hommes qui se proposaient pour faire des gardes dans les cliniques de contrôle des naissances qu'il fallait bien se débrouiller. Il y avait de plus en plus de femmes médecins, mais on leur refusait toujours leur affiliation à l'hôpital. On avait beau faire, les femmes restaient des citoyennes de seconde classe. Mme Sanger avait raison ! Elle travaillait à sa cause et menait sa vie personnelle exactement comme elle l'entendait. Tant mieux pour elle.

Au même moment, Morgan entra dans le salon, l'embrassa et demanda :

– Est-ce que Sa Majesté s'est montrée aujourd'hui ? Où était-elle occupée à batifoler à Paris ?

Morgan avait cessé son activité de bénévole des années plus tôt. Selon elle, Margaret Sanger était jalouse de la compétence des autres femmes, notamment si elles étaient médecins. Elle n'avait pas supporté, par exemple, que le livre de Van der Velde, *Le Mariage idéal*, ait dépassé les ventes du sien, *Un mariage heureux*.

– Elle ne doit s'en prendre qu'à elle-même, expliqua Morgan. Sanger n'appelle pas une pelle un instrument servant à creuser, mais un « objet rond » ! Elle est tellement soucieuse de n'offenser personne qu'elle finit par ne donner aucun conseil. Van der Velde a au moins le mérite d'être explicite. Est-ce que ce n'est pas justement ce dont toutes les femmes ont besoin ? Il n'y a rien d'étonnant à ce que les gens achètent *Le Mariage idéal* quand ils ont besoin d'un guide sur la sexualité.

– Oui, mais, Morgan, sans Margaret Sanger...

– Je t'en prie, épargne-moi les « sans Margaret Sanger ». Elle n'est pas la seule à se battre pour la cause des femmes, tu le sais très bien. Non, Margaret Sanger est une enfant gâtée qui a été à la tête du mouvement pendant trop longtemps. Maintenant que d'autres se sont jointes au combat, elle a peur qu'elles lui volent la vedette.

– Je ne vois pas pourquoi tu es toujours aussi injuste avec elle. Elle travaille dur, voyage sans arrêt, parle à des tas de gens...

– Ne nous chamaillons pas une fois de plus au sujet de Margaret Sanger. L'important, c'est que nous, toi et moi, fassions de notre mieux pour apporter l'information aux femmes qui en ont besoin.

Là-dessus, elle s'assit dans son fauteuil pendant qu'Adélaïde préparait leurs cocktails.

– Si tu entendais certaines de mes patientes, reprit Morgan, tu ne demanderais pas à quoi sert un guide sur la sexualité ! Tu ne peux pas savoir les questions qu'elles me posent : « C'est vrai que si on se tient debout après un rapport sexuel on ne tombe pas enceinte ? » Et ça de la part d'une femme mariée, avec six enfants et un septième en route ! J'ai essayé de lui parler du diaphragme, mais elle n'a rien voulu entendre. Elle a peur qu'il soit absorbé par son utérus et qu'elle ne puisse plus jamais l'en sortir. Merci pour le cocktail, j'en avais vraiment besoin.

Elles trinquèrent en silence, burent une gorgée et soupirèrent d'aise.

Quelques instants plus tard, Mme Mulligan passa la tête dans l'entrebâillement de la porte.

– Je m'en vais. Je vous ai laissé un bon ragoût qui mijote sur le feu.

– Merci, madame Mulligan. J'espère que vous en emportez un peu pour Pat.

Pat, le mari d'Agnès Mulligan, était alité depuis plusieurs mois avec une maladie débilitante.

– Oui, je vous remercie. Pat aime bien le ragoût de bœuf, et Dieu sait que sans vous il n'en mangerait jamais, vu le prix!

Une fois la cuisinière partie, Morgan proposa :

– Si on descendait à la cuisine avec nos verres? J'ai déjà la tête qui tourne.

Elles éteignirent la lumière électrique en sortant et allèrent se réchauffer dans leur grande cuisine. Adélaïde servit deux grandes assiettes pendant que Morgan coupait le pain et sortait le beurre.

– Au fait, Addie, il y avait une lettre de Birdie ce matin.

– A la bonne heure, qu'est-ce qu'elle raconte?

Morgan sortit la lettre de sa poche et la lut rapidement à voix haute entre deux bouchées.

– Comme d'habitude, conclut-elle. Elle en tartine des pages entières sans vraiment dire quoi que ce soit. Ses cours... Ses professeurs... Le train qu'elle prendra... J'ai du mal à croire qu'une si jolie fille n'ait ni galants ni amies. On dirait qu'elle n'a pas de vie!

Elle tendit les pages à Adélaïde, les larmes aux yeux. Le ton de la lettre de Birdie sonnait faux. Il était évident qu'elle cachait quelque chose. Entendait-elle des voix qui l'empêchaient de se faire des amies? Etait-ce parce qu'elle était torturée par des crises de délire qu'elle ne tombait pas amoureuse?

Morgan se souvint du soir où elles étaient allées voir *Drôle d'oiseau*, la nouvelle pièce d'Eugene O'Neill, Addie, Birdie et elle. C'était en semaine. Elle était trop épuisée par sa journée de travail pour avoir envie de ressortir à Broadway, mais Birdie avait tant insisté! Jetant un œil à la distribution, Morgan avait remarqué un nom familier, Junius Justice Malone.

«On a déjà vu jouer ce jeune acteur plusieurs fois, non? demanda-t-elle à Birdie. Tu ne lui as pas écrit une lettre, une fois?» Birdie devint écarlate et balbutia qu'elle ne s'en souvenait pas. Que si, peut-être, mais que c'était il y a longtemps, quand elle n'était encore qu'une enfant. « Mais il est vraiment excellent, tu sais, maman. La presse n'arrête pas de parler de lui. »

Elle se lança dans une avalanche d'éloges qui n'en finissait pas, au point que Morgan se demanda pourquoi elle en rajoutait. On aurait dit qu'elle avait été prise en flagrant délit de quelque chose. Pourtant sa lettre remontait à des années plus tôt, et elle n'avait aucune raison d'en être aussi gênée.

Puis le rideau se leva, et elles furent rapidement absorbées par la pièce. Morgan fut particulièrement émue, car le thème la concernait de près. Sam Evans, le personnage joué par ce jeune Malone, était marié à Nina. La mère de Nina suppliait sa fille de ne pas avoir d'enfant avec Sam, car il y avait des antécédents de folie dans sa famille. Nina vivait alors une aventure avec le médecin de famille et avait un fils de lui, Gordon. Gordon grandissait en haïssant le médecin sans jamais savoir qu'il était son vrai père. Le secret n'était jamais révélé.

Morgan était fascinée par la pièce, qui lui rappelait naturellement Becky. Cette nuit-là, pour la première fois depuis des années, elle rêva de Bird. Son ancêtre lui apparut avec un air solennel, semblant lui donner un avertissement. Cela voulait-il dire que les esprits allaient bientôt venir chercher Birdie, son enfant si belle et si brillante ?

– Mais qu'est-ce que tu as, Morgan ? s'inquiéta Adélaïde. Tu en fais, une tête !

– Ce n'est rien. Je me fais du souci pour Becky... Je veux dire Birdie.

– Becky ? Et pourquoi t'inquiéter au sujet de Birdie ? Elle se débrouille très bien à l'université. Elle vient d'être acceptée à la faculté de médecine de Cornell, ce qui est un grand honneur. En plus, elle suivra sa formation ici, à New York, à Bellevue, comme son père. Que veux-tu de plus ?

– Becky... Becky était ma sœur. Oui, j'avais une sœur un peu plus âgée que moi. Birdie lui ressemble comme deux gouttes d'eau, fine, rousse et belle.

Morgan prit une grande inspiration, puis se lança :

— Becky était folle. Tout comme ma tante, la sœur de ma mère. Son vrai prénom était Margaret, mais on l'appelait Quare Auntie. Toutes deux ont vécu dans les bois, à des époques différentes, comme des bêtes sauvages. Toutes deux entendaient des voix qui leur disaient des choses terribles. Elles étaient schizophrènes, Addie. C'est Grace Chapman qui me l'a expliqué. Avant cela, je croyais que c'étaient les mauvais esprits. Notre famille était connue pour communiquer avec les esprits, vois-tu, et... Je sais que ça paraît idiot et primitif, mais pour moi c'était tout à fait réel ! Je ne m'étais jamais posé de questions sur le comportement étrange de Quare Auntie et de Becky ! Ma mère m'a raconté que ce genre de bizarrerie était courante dans notre famille et que c'était pour ça que les Péquots nous choisissaient comme guérisseurs. Elle m'a raconté aussi qu'un de nos ancêtres avait des convulsions, qu'il s'effondrait, se mettait à baver et perdait connaissance. Quand il revenait à lui, il avait des visions. Ce n'était qu'un enfant, mais tout le village savait qu'il était spécial. Ils en ont fait leur chaman. Une autre fois, ma mère m'a dit qu'elle avait eu un frère qu'elle aimait beaucoup. Lui aussi était pris de convulsions, perdait connaissance et voyait des choses étranges. Mais il ne l'a pas supporté. Il ne voulait pas être différent des autres et, à l'âge de seize ans, il a mis fin à ses jours...

Morgan s'interrompit, plongée dans son passé. Après un long silence, elle reprit :

— Tu comprends maintenant pourquoi je m'inquiète pour Birdie. Il semblerait que, dans ma famille, cette malédiction frappe une femme à chaque génération.

— Oh, Morgan ! s'écria Adélaïde d'une voix chargée de compassion. Je suis sûre que Birdie n'en est pas atteinte. Je n'ai jamais vu une jeune fille ayant autant les pieds sur terre. Birdie, folle ? Ça n'a aucun sens !

— Peut-être, mais parfois...

Morgan n'en dit pas plus. Elle ne pouvait parler de ses rêves à personne, pas même à Adélaïde, son amie la plus proche et la plus chère. Si elle les racontait, ce serait sans doute elle qu'on enfermerait.

– J'ai si peur pour Birdie, si peur!

Elle se mit à sangloter. Adélaïde la serra contre elle, lui caressant le dos.

– Tu n'as aucune raison d'avoir peur, Morgan. Regarde Birdie, elle est brillante dans ses études! Elle a toujours été première dans toutes les disciplines. N'a-t-elle pas abandonné ses ambitions de devenir actrice? Tu te souviens comme on était soulagées? Je t'en prie, cesse de t'inquiéter. Birdie est probablement trop accaparée par ses études pour se faire des amis.

– Tu as sans doute raison, hoqueta Morgan.

Elle renifla et adressa un faible sourire à Adélaïde.

– A l'heure qu'il est, elle doit être assise derrière son bureau en train d'étudier.

Elle ondulait comme un serpent, ses grands yeux verts brûlants de passion, ses mains lui pétrissant les fesses, l'attirant plus près d'elle. Il se sentit prêt à exploser en elle. C'était trop tôt. Il cessait de bouger et répéta mentalement la table de multiplication par sept, celle qu'il n'arrivait jamais à retenir quand il était petit. Mais elle fut intraitable.

– Non! gémit-elle. Ne t'arrête pas! Pas maintenant! Pas maintenant!

Elle se mit à balancer ses hanches de droite à gauche. Il tenta de résister, mais c'était plus fort que lui. Il replongea en elle, toujours plus profondément, toujours plus vite, jusqu'à ce qu'il n'en puisse plus. Il jouit comme un taureau, déversant sa semence par jets épais et abondants. Ce n'était pas la première fois de la journée! Seigneur! L'effet que cette fille lui faisait!

Il détendit tous ses muscles, roula sur le côté et serra son corps de satin contre le sien. Elle était vraiment étonnante! Un visage d'ange, un appétit de démon! C'était ce qu'il disait à ses amis quand ils l'accusaient de les prendre au berceau : elle a un minois d'écolière, mais elle baise comme une vraie putain.

Il se redressa sur un coude et laissa son doigt courir le long de son visage, de sa gorge, de la naissance de son sein, puis remonta jusqu'au mamelon qui se durcit aussitôt.

– Personne ne devinerait jamais quelle tigresse tu es au lit, Birdie Becker. On te donnerait le Bon Dieu sans confession avec ces cheveux abricot et cette peau de pêche. Il n'y a que moi qui sache comment tu es vraiment, n'est-ce pas? Je suis bien le seul, hein?

Il lui pinça légèrement le mamelon. Elle cria :

– Hé! Tu me fais mal!

Puis elle s'écarta, agacée.

– J.J., tu sais que tu es parfois brutal? Je n'aime pas ça, alors arrête!

– Mais je suis bien le seul, hein? Allez, dis-le-moi.

Il tendit à nouveau la main vers son sein et le pinça doucement.

– Oui, oui et oui! Arrête, maintenant, je suis sérieuse!

Elle se leva et le toisa de haut.

– Oh, c'est que ma petite puce cherche la bagarre!

Il se redressa, l'enlaça et l'attira à nouveau sur le lit, où ils firent mine de lutter pendant une minute. Il l'embrassa doucement, puis plus sérieusement, et sentit son sexe durcir. Il était juste sur elle et n'eut qu'à cambrer les reins, mais elle ne voulait plus jouer. Elle le repoussa et se leva, déclarant qu'elle devait aller à la salle de bains.

– N'en profite pas pour boire, J.J.! Tu as déjà vidé près de la moitié de la bouteille de gin et il n'est que quatre heures de l'après-midi.

– Et alors? Je ne joue pas ce soir. Je n'ai besoin d'aller nulle part. Bon, d'accord, d'accord, ma puce. Je ne bois plus, je te jure.

Elle avait à peine refermé la porte de la salle de bains qu'il se leva et but une gorgée de la flasque qu'il avait cachée dans le tiroir du bureau. Ils étaient dans sa chambre d'hôtel, non loin du campus. Birdie, qui ne tenait pas à se faire renvoyer, insistait pour qu'ils soient très discrets. J.J., lui, n'aurait pas vu d'objection à ce qu'elle n'ait plus à suivre ses cours, mais il n'osait pas le dire.

Il tenait à la garder dans son lit encore un peu avant qu'elle ne recommence son numéro de sage jeune fille avec ses études, ses cours et ses notes. Pourquoi fallait-il qu'elle devienne médecin! Elle ne pouvait pas être institutrice ou secrétaire, comme toutes les filles normales? Non, pas Birdie! Mademoiselle devait aller à la faculté de médecine, ce qui signifiait encore quatre années de « non, ça suffit, il faut que j'aille réviser ». Mais il savait ce qu'il voulait. Et, bon sang! il n'avait jamais désiré une fille à ce point!

Elle était son obsession. Il n'en était jamais rassasié. Quand il n'était pas avec elle, il ne pensait qu'à elle. Il avait bien essayé de coucher avec d'autres filles. En vain. Elles avaient beau être superbes ou très expertes, elles n'étaient pas *elle*. Il ne s'était jamais senti ainsi avec aucune autre femme, jamais. Et ça lui tapait sur les nerfs. Comment cette gamine était-elle parvenue à avoir une telle emprise sur lui, elle qui était encore vierge lorsqu'il l'avait rencontrée?

En l'entendant sortir de la salle de bains il glissa un bonbon à la menthe dans sa bouche. Puis il se retourna, lui enlaça la taille et l'embrassa goulûment. Elle laissa échapper un léger soupir de soulagement en sentant son haleine, puis lui rendit son baiser avec ardeur. Il la serra contre lui, caressant tendrement la peau douce de son dos.

– N'y pense même pas, rit-elle. J'ai un cours.

Il continua de l'embrasser, puis il lui prit la main et la plaqua autour de son sexe. Généralement, cela la faisait craquer.

– Allez, mon bébé, supplia-t-il. Tu ne peux pas me laisser dans cet état. Juste un petit coup rapide pour que tu penses à moi quand...

Elle s'écarta.

– Non, pas question. Jusqu'à présent, j'ai réussi à ne pas me faire prendre, et je n'ai pas l'intention que ça change. Je suis la gentille et studieuse Birdie Becker, et je le resterai.

– Et on me dit que je suis un bon acteur! soupira-t-il.

Il était si beau, si sexy. Elle adorait être avec lui. Il savait la prendre, se montrer doux et charmant. Mais il pouvait bien attendre. Elle reviendrait après son cours. Parfois, il en demandait trop. En outre, lorsqu'ils étaient ensemble en ville et qu'il avait une représentation, une répétition ou une audition, il n'était plus question de « petit coup rapide ». Non, là, c'était du sérieux, c'était *son* travail. Il y avait trois choses que J.J. Malone aimait dans la vie : jouer, forniquer et boire. Figurait-elle seulement sur sa liste ? L'aimait-il ? Pensait-il seulement être amoureux ? Il ne le lui avait jamais dit, tout comme elle ne lui avait jamais révélé ses sentiments. Elle était folle de lui, tellement amoureuse qu'elle était sûre que s'il se lassait d'elle et la quittait elle en mourrait.

Pour le moment, il se tenait devant elle, nu comme un ver, et il n'y avait pas un seul centimètre carré de sa peau qu'elle n'aimât pas et qu'elle n'eût pas envie d'embrasser. Mais elle avait peur qu'il sache le pouvoir qu'il avait sur elle.

Elle s'habilla tout en déclarant d'une voix suave :

– Mais, J.J. tu es un bon acteur, tu le sais très bien. Le meilleur ! Tu traverses juste une mauvaise passe. Tu vas décrocher un rôle bientôt, j'en suis sûre.

– A vrai dire... Surtout n'en parle à personne, mais Edna Ferber et George Kaufman sont en train d'écrire une pièce ensemble. Ils espèrent l'avoir finie dans le courant de l'année prochaine et, d'après Artie, il y aurait un très beau rôle pour moi. Mais il dit qu'il faut que je sois très sage, que j'arrive à l'heure aux répétitions, que je sois sobre et bla-bla-bla...

Il se mit à arpenter la chambre, prenant des objets ici et là, les déplaçant, comme il faisait toujours quand il était tendu.

– Ce n'est pas du bla-bla-bla, J.J. Tu bois trop.

– Dis-moi seulement une chose : tu m'as déjà vu ivre ou agressif ?

– Eh bien, non, mais...

Il lui prit le menton dans ses mains et déposa un baiser sur ses lèvres.

– Tu n'es pas encore médecin, ma puce. Alors, ne te mêle pas de ma santé, d'accord ?

– Mais, J.J., je veux seulement...

– Oui, tu veux seulement aller dans ta foutue faculté de médecine pour qu'on ne se voie plus! Bon sang, Birdie, tu n'es pas obligée de devenir médecin, même si ta maman le dit.

– Je ne veux pas devenir médecin pour faire plaisir à ma mère, mais parce que toutes les femmes de ma famille sont médecins.

En voyant sa tête, elle ajouta :

– Mais c'est vrai, J.J. Et puis, de quoi te plains-tu? J'ai demandé à entrer à Cornell pour être à New York près de toi.

– Mais qu'est-il arrivé à ton idée d'arrêter tes études, Birdie? Tu te souviens? Tu avais décidé d'aller à toutes les auditions jusqu'à ce que tu obtiennes un rôle, aussi petit soit-il. Tu t'en souviens? Je devais te montrer les ficelles du métier et demander à Artie de devenir ton agent. Tu as du talent, Birdie, sincèrement. Pourquoi avoir laissé tomber?

Elle se mit à rire.

– Il faut bien que l'un de nous deux soit assuré d'avoir du travail, non?

– Je ne suis presque jamais au chômage, Birdie, tu le sais très bien! C'est vraiment moche de ta part de dire ça!

Elle crut un instant qu'il allait se mettre à pleurer.

– Ce n'était qu'une plaisanterie, J.J., je t'assure.

– Est-ce de ma faute si deux des pièces pour lesquelles j'avais signé ont été annulées avant d'être montées à Broadway?

– Non, J.J.. Mais reconnais que tu t'es fait virer de *L'Etrange Interlude* parce que tu arrivais trop souvent soûl aux répétitions.

– Ah, ça!

Il émit un petit rire penaud.

– D'abord, je n'étais pas soûl, juste un peu éméché. Ensuite, le producteur est un coincé, tout le monde le sait.

Elle ne répondit pas. Il refusait toujours d'admettre qu'il était sans cesse en train de lever le coude. En outre, elle n'avait pas le temps d'en discuter. Il fallait qu'elle se dépêche pour arriver à l'heure à son cours d'histoire de la civilisation occidentale. Il y avait un partiel aujourd'hui. Les vacances d'hiver étaient dans dix jours. Alors, elle devrait prendre le train. Cette perspective la fit frissonner. Elle pensait toujours à ce voyage en train avec pa, quand elle avait attrapé la rougeole.

– Qu'est-ce qu'il y a, ma puce? Tu es toute chose.

– Rien, je me disais juste que j'allais bientôt devoir prendre le train pour New York. Je hais les trains!

– Les trains? Mais pourquoi donc?

– Bah, comme ça, je les hais, c'est tout.

Tout à coup, elle se mit à pleurer.

J.J. la prit dans ses bras.

– Allons, allons, ma puce. Ne sois pas triste. Sèche tes beaux yeux, J.J. va s'occuper de toi.

Il lui massa doucement le dos, puis ses mains descendirent vers la courbe ferme de ses fesses. Il se serra contre elle. Dès qu'elle sentit sa verge dure presser son bassin, elle devint moite de désir. Au diable les partiels! Elle se rattraperait plus tard. Ses professeurs l'adoraient, et elle arrivait toujours à obtenir d'eux ce qu'elle voulait. Or, pour le moment, c'était J.J. Malone qu'elle voulait.

29

Mai 1931

L'*Indigo*, sur la 21ᵉ Rue Est, était l'une des boîtes préférées de Bill. Ils y allaient souvent, pour la musique plus que pour l'alcool clandestin. Ce soir, il y avait un trio de basse, piano et saxophone dont Morgan aimait beaucoup la sonorité nonchalante. Elle trouvait parfois le jazz trop frénétique ou bruyant, mais ces trois hommes donnaient l'impression de se promener entre les airs, légers et suaves. Elle appréciait particulièrement le bassiste, un jeune Noir qui semblait étreindre et caresser son instrument. Ses grandes mains et ses doigts longs volaient au-dessus des cordes.

Elle se pencha vers Bill et chuchota :

– Comment s'appelle le bassiste ?

– Milton Hinton. Il est formidable, non ?

Le trio acheva ses morceaux, se fit applaudir, puis prit une pause. Le bruit dans la salle augmenta aussitôt de quelques décibels. Bill fit signe au serveur de rafraîchir leurs verres, puis se tourna vers Morgan.

– J'ai finalement réussi à te convertir et à te faire aimer la musique !

– Pas tout, Bill, répondit-elle avec un sourire. J'ai toujours du mal avec l'opéra.

– Donne-moi encore quelques années.

Il prit un air songeur, puis ajouta sur un ton différent :

– Donne-moi toutes tes années, Morgan. Qu'en dis-tu ? Tu ne veux pas faire de moi un honnête homme ? Les voisins commencent à parler, et je m'inquiète pour ma réputation.

Bientôt, tout le monde sera au courant et je vais passer pour un garçon facile!

C'était bien lui, tourner une proposition de mariage en plaisanterie! Il ne serait pas difficile de vivre avec un homme qui pouvait rire de tout. Sans compter qu'elle l'aimait vraiment. C'était un homme bon, drôle, excellent amant de surcroît. A cinquante-cinq ans, il avait l'ardeur d'un adolescent et était aussi inventif. Quant à elle, à soixante-trois ans, elle n'était guère plus sage. Plus jeune, elle avait considéré qu'à la soixantaine une femme était vieille. Elle n'aurait jamais imaginé qu'elle pût encore aimer le sexe!

– Oh, Bill. Je ne t'ai pas encore découragé!

– J'ai des origines irlandaises et galloises, ce qui me rend doublement têtu.

– C'est pour les mêmes raisons que tu as si peur du péché...

– Ce n'est pas pour ces raisons-là que je veux t'épouser. Je t'aime. Je voudrais que tu sois ma femme. C'est tout.

Elle lui sourit, mais ne répondit pas. Quelques nuits plus tôt, en plein milieu de leurs ébats, il avait laissé échapper :

– Ça me met mal à l'aise de te faire l'amour alors qu'on n'est pas mariés... pas même fiancés.

Puis il avait prétendu que c'était une plaisanterie, mais Morgan savait que cela le tracassait. Néanmoins, elle lui avait répondu, comme à de nombreuses autres reprises, qu'elle ne voulait plus être la femme de qui que ce fût.

Ce qu'elle ne lui avait pas dit, et ne lui dirait jamais, c'était qu'elle avait essayé de s'imaginer en Morgan Seely sans y parvenir. C'était idiot, mais elle était Morgan Becker et le resterait à jamais. Elle était trop habituée à prendre seule ses décisions et à se débrouiller seule dans la vie. Se marier à nouveau? Non, merci. Même si Bill et elle étaient vraiment complices et s'il n'avait qu'à la toucher pour la faire fondre.

Heureusement pour elle, le serveur arriva avec leurs verres et quelques amuse-gueules. Leur conversation prit un tour moins personnel. Un groupe de l'autre côté de la salle attira son attention... Parmi eux se trouvait un visage connu sur lequel elle n'arrivait pas à mettre un nom.

– Bill, ce jeune homme, là-bas... Ce n'est pas un acteur connu? Celui-là, dans le coin, avec une fille de chaque côté. Tu le vois? Ils ont une bouteille de Champagne sur la table. Il ne te dit rien?

– Si, on l'a déjà vu sur scène. Attends voir... Oui, c'est ça! Il y a quelques années, on l'a vu jouer dans une pièce... *La Corde d'argent*, je crois.

Il se mit à rire.

– Birdie était folle de lui, tu te souviens? Elle n'avait que son nom à la bouche. Je me rappelle m'être dit qu'il n'y avait qu'une adolescente pour tomber amoureuse d'un acteur.

– Mais oui, bien sûr! Je le reconnais, maintenant! Birdie était en adoration devant lui depuis qu'elle avait treize ou quatorze ans. En tant qu'acteur, je veux dire. A cette époque, elle était folle de théâtre. Elle prenait des poses devant le miroir en jouant les Sarah Bernhardt. Mais comment s'appelle-t-il déjà? D'ailleurs, elle fait toujours partie de ses admiratrices. Chaque fois qu'il joue dans une pièce, il faut qu'elle aille le voir coûte que coûte. Non, mais regarde-le! Tu parles d'un héros! Occupé à peloter deux filles à la fois! Ce type n'a aucune honte.

Bill prit sa défense.

– Tu me diras, les filles en question n'essaient pas vraiment de le décourager! Ils carburent tous au Champagne. Tu as vu les cadavres de bouteilles devant eux? Il vient de commander une autre bouteille. Non, mais regarde-le, debout sur sa chaise, en train d'agiter sa bouteille vide!

Toute la salle s'était tournée vers le jeune homme en habit de soirée appelant le serveur à tue-tête de sa voix mâle.

– Il est beurré comme une brioche, rit Bill.

– Garçon! Garçon! Ne fais pas comme si tu ne m'entendais pas, bon sang! Je suis une vedette! Une vedette sur le point de perdre sa liberté!

Une des filles qui l'accompagnaient le tira par la jambe de son pantalon en pouffant de rire.

– Assieds-toi, sinon tu vas vraiment la perdre, ta liberté, au poste de police!

— Mais ce foutu serveur fait semblant de ne pas me voir, *moi*! Tu te rends compte, Sally, *moi*! C'est ahurissant! Garçon! Une autre bouteille!

Le maître d'hôtel surgit à ses côtés et lui parla à voix basse. Le jeune homme ne voulut rien entendre.

— Vous ne comprenez pas! Il me faut absolument une autre bouteille de champagne. Ce n'est pas un jour comme les autres. Ce soir, j'enterre ma vie de garçon!

A cette annonce, les clients assis aux tables voisines sourirent. Certains applaudirent. Le jeune acteur cessa aussitôt de beugler et salua son public, manquant de tomber de sa chaise. Un serveur apparut avec une bouteille dans un seau à glace. L'acteur salua de nouveau, sous une salve d'applaudissements.

— Mais comment s'appelle-t-il, bon sang! demanda Bill. Il a un nom un peu bizarre... Un nom en rapport avec John Wilkes Booth.

— John Wilkes Booth, s'étonna Morgan. L'homme qui a tiré sur le président Lincoln?

— Oui... C'est ça! Junius! Junius quelque chose... Je l'ai sur le bout de la langue. Je parie que c'est à cause de Junius Booth, le père de John Wilkes, qui était aussi acteur.

— Junius Justice Malone! se souvint soudain Morgan. J'aimerais que ma fille le voie en ce moment. Je crois que son béguin lui passerait aussi sec! Non, mais regarde-le, en train de rouler une pelle aux deux filles en même temps! Je me demande bien où sont leurs mains. En tout cas, pas sur leurs flûtes à champagne!

— Laisse-les donc! Tout ce pelotage m'a donné des idées. Si on allait prendre un dernier verre chez moi?

Il posa une main sur sa cuisse, et elle sentit une douce chaleur envahir tout son corps. Comme d'habitude, il n'avait qu'à la toucher pour qu'elle ait immédiatement envie de lui.

— Chez toi? Excellente idée! convint-elle.

C'était une journée magnifique. Les rayons du soleil filtraient par les persiennes. Morgan s'étira langoureusement, se disant que sa nuit d'amour chez Bill vendredi soir avait été très agréable, mais qu'il était tout aussi plaisant de se réveiller seule dans son propre lit avec tout un dimanche devant elle pour paresser.

Peut-être pas tout à fait seule, finalement. On tambourinait à la porte. Morgan entendit des rires, des bruits de pieds, des chuchotements, puis la voix de Birdie s'écriant :

– Maman! Réveille-toi! Addie! Debout, toutes les deux! Allez, allez, debout, bande de flemmardes! J'ai quelque chose d'important à vous annoncer!

Qu'est-ce qui amenait Birdie de Syracuse à Brooklyn un dimanche matin à... Morgan lança un regard vers le réveil sur la table de nuit... Neuf heures! Elle bondit hors de son lit, enfila sa robe de chambre, se coiffa rapidement du bout des doigts et ouvrit la porte. Birdie se trouvait sur le seuil en compagnie de... Morgan en resta la bouche grande ouverte... Cet acteur... Lui! Celui qu'ils avaient vu totalement ivre en train de peloter deux femmes dans un club vendredi soir. Junius Justice Malone.

Adélaïde s'approcha dans le couloir. Elle ne dit rien non plus. Morgan ignorait ce qui la rendait muette mais, pour sa part, elle était sans voix.

Birdie, elle, rayonnait. Qui plus est, elle portait une robe en soie beige que Morgan ne lui connaissait pas et un chapeau à larges bords assorti. Elle tenait un petit bouquet de roses crème légèrement fanées.

– Maman, tante Addie, je voudrais vous présenter J.J. Malone. Mon mari.

– Ton... mari? glapit Morgan.

– C'est merveilleux, n'est-ce pas? On se connaît et on s'aime depuis des siècles. J.J. m'a téléphoné vendredi dernier à la faculté pour me demander de me tenir prête pour aller à un mariage samedi. On s'est retrouvés à mi-chemin, à Albany, où nous attendait un charmant juge de paix, et puis...

Tenant toujours le jeune homme d'une main, elle tendit son bouquet, du moins c'est ce que crut Morgan jusqu'à ce qu'elle

393

se rende compte qu'elle lui montrait l'alliance en or qui brillait à son annulaire gauche. Elle était vraiment mariée. Ce n'était pas un horrible cauchemar.

– Alors c'est ce qu'on a fait, acheva Birdie. Il m'a suppliée et suppliée jusqu'à ce que je ne puisse plus dire non. Me voilà désormais Mme Junius Justice Malone... Mais vous pouvez continuer à m'appeler Birdie.

Elle éclata de rire, reprenant tout juste son souffle pour ajouter :

– Je suis tout excitée! Alors, vous n'avez rien à me dire?

Morgan était sonnée. Elle ne voyait que le jeune homme ivre de l'autre soir enfonçant sa langue dans une bouche brillante de rouge puis dans une autre. Ce matin, il avait l'air fier et pimpant. Il ne s'était probablement pas vanté de sa soirée auprès de sa toute nouvelle épouse. Il dévisageait sa belle-mère d'un regard clair et plein d'espoir, ne se doutant pas qu'elle l'avait vu dans un autre état. Plusieurs remarques cinglantes vinrent à l'esprit de Morgan, mais elle les garda pour elle.

– Tu ne peux pas être mariée, Birdie. Ils ne te donneront jamais ton diplôme!

Birdie rit de plus belle.

– Ils ne le sauront pas. La remise des diplômes a lieu dans deux semaines. J'ai passé presque tous mes examens et...

Elle leva des yeux adorateurs vers son beau mari.

– On ne voyait pas l'intérêt d'attendre plus longtemps. C'est tout ce que vous avez à nous dire? Maman? Addie?

Adélaïde s'éclaircit la gorge.

– Eh bien... bien sûr, je vous souhaite beaucoup de bonheur, mais... c'est que... tu nous as prises de court, Birdie. Nous n'avions pas idée!

– Je sais! C'est ce qui rend la chose encore plus excitante! Toutes ces années, j'ai gardé le secret. Et vous qui me preniez pour une oie blanche!

Toutes ces années? Mon Dieu, se dit Morgan. *Toutes ces années... Pendant que je sortais en cachette pour retrouver Bill, croyant qu'elle ne se doutait de rien, elle faisait la même chose! Ce que je peux être idiote!*

Parvenant enfin à esquisser un sourire, elle proposa :

– Si nous descendions à la cuisine ? Je crois qu'un café nous fera à tous le plus grand bien, en tout cas à moi !

Tandis qu'ils se suivaient en file indienne dans l'escalier, Birdie continua à raconter, pétillante et hilare, qu'ils avaient fait la fête dans le train de minuit qui les ramenait d'Albany, avaient pris une suite à l'hôtel Pierre...

– ... pour attendre de venir ici ce matin vous annoncer la bonne nouvelle ! Malin, non ? Dites-moi que vous n'êtes pas ravies qu'on vous ait épargné tout le tintouin d'une grande cérémonie !

Morgan faisait de son mieux pour avoir l'air de l'écouter, mais elle était ailleurs. Elle devait appeler Bill au plus tôt. Il connaissait beaucoup d'avocats. Il devait y avoir un moyen de faire annuler cette... chose. Ils s'étaient mariés sur un coup de tête. C'était exactement le genre de geste romantique qui plaisait à Birdie, notamment la surprise. Surprise ? Disons plutôt le choc ! Le choc et la consternation. Birdie avait commis une terrible bêtise. Elle était jeune, elle était amoureuse, il y avait beaucoup de choses qu'elle ignorait encore... Mais ce n'était pas une raison pour qu'elle paie si cher son erreur. Il fallait agir, et vite ! Il n'était pas question que sa petite chérie reste mariée à cet acteur alcoolique et coureur de jupons... Pas tant que Morgan aurait son mot à dire !

CINQUIÈME PARTIE

Docteur Birdie Becker Malone

Docteur Morgan Becker

Adelaïde Apple

J.J. Malone

Alexander « Sandy » Malone

Robin Rébecca Malone

30

Septembre 1938

La pluie cinglait les vitres et le vent hurlait. Dans le jardin, les arbres ployaient et se rabattaient en fouettant l'air, leurs troncs devenus aussi mous que du caoutchouc. Cela sentait l'ouragan. On avait du mal à se croire le matin tant le ciel était noir. On sentait l'inexorable dégringolade du baromètre. Au moins, ils étaient tous en sécurité dans la maison. Morgan haussa les épaules et se replongea dans la lecture du journal.

Sandy, calé dans sa chaise haute par plusieurs petits coussins, prenait un par un les morceaux de toast qu'Adélaïde lui avait amoureusement découpés et les jetait par terre. Puis il ouvrit la bouche comme un oisillon et se mit à geindre. Adélaïde fronça les sourcils et répéta :

– Non, Sandy. Les toasts, ça ne se jette pas, ça se mange.

Il lui adressa un grand sourire édenté.

Birdie releva le nez du *New York Times*.

– Donne-lui une biscotte, tante Addie, suggéra-t-elle. Ça devrait l'occuper un moment.

Adélaïde se leva docilement, puis s'arrêta à mi-chemin.

– Birdie, où ranges-tu la nourriture du bébé, déjà ?

– Addie ! s'impatienta Birdie. Tu ne retiens plus rien ! Le dernier placard... Non, pas en bas, celui d'en haut.

– Ah, c'est vrai ! Que veux-tu, je suis toute chamboulée depuis qu'on a la nouvelle cuisine. Je connaissais l'ancienne comme le fond de ma poche.

– Au bout de deux ans, je crois qu'on peut cesser de l'appeler « nouvelle », non ?

– Birdie...

Morgan lança un regard réprobateur à sa fille, lui faisant signe de ne pas insister. Certes, Adélaïde était de plus en plus distraite, mais il était inutile de le lui répéter à longueur de journée. Il était cruel de lui rappeler sans cesse qu'elle n'était plus la femme qu'elle avait été. D'ailleurs, tout le monde pouvait en dire autant. Même Birdie Malone. A vingt-huit ans, elle était encore mince et pulpeuse. Elle faisait toujours se retourner toutes les têtes. Mais son teint de porcelaine commençait à se fendiller. Elle se riderait tôt. Tout comme Becky. Morgan eut un pincement, comme chaque fois qu'elle pensait à sa sœur. Mais elle ne s'inquiétait plus pour la santé mentale de Birdie. Elle avait passé l'âge difficile.

Adélaïde donna une biscotte au petit, qui la remercia d'un autre de ses grands sourires. C'était un bébé adorable et sans problèmes. Ce qui était aussi bien, pensa sa grand-mère non sans une certaine amertume. S'il avait eu des coliques, sa mère l'aurait sûrement laissé pleurer toute la journée. Cette dernière ne semblait guère attachée à son enfant. Même quand il lui arrivait de jouer avec lui, elle paraissait avoir l'esprit ailleurs. « Quel dommage ! » pensa Morgan. C'était un enfant superbe, qui avait hérité des beaux traits irlandais de son père et des cheveux cuivrés de sa mère. Dieu seul savait de qui il tenait son bon caractère ! Birdie ne semblait pas consciente de la chance qu'elle avait. Elle n'était pas vraiment « maternelle ».

On ne pouvait pourtant pas lui reprocher de passer ses journées à traînasser dans la maison à manger des bonbons et à lire des romans. Se spécialiser en pédiatrie n'était pas une sinécure. Cela occupait ses journées entières et parfois ses nuits. Outre les cours qu'elle suivait à l'hôpital de Cadman Mémorial, elle avait son propre cabinet, ici, dans la maison, en face de celui de Morgan.

Morgan observa sa fille, tellement absorbée par la lecture de son journal qu'elle ne voyait rien d'autre. Au fond, elle n'avait pas changé d'un iota. En dehors d'elle-même, il n'y avait qu'une seule personne qui comptait : son mari. Aux yeux de

Morgan, J.J. Malone était un être d'une inutilité totale. Il était engagé de temps à autre, pour une pièce ou une autre, mais ne parvenait jamais à aller au bout de son contrat. Quand il était renvoyé, c'était toujours la faute de quelqu'un d'autre : le metteur en scène qui l'avait dans le collimateur, l'acteur principal qui était jaloux de lui, l'actrice principale qui ne supportait pas qu'il ait repoussé ses avances. Il avait toujours une raison, sauf la bonne : il buvait trop. Morgan se demanda ce qu'il était en train de mijoter en Californie.

Birdie et J.J. vivaient « provisoirement » dans la maison depuis que Birdie avait entamé ses études de médecine. Elle disait sans cesse qu'ils allaient acheter quelque chose, mais Morgan se doutait que cela n'arriverait jamais. Ils étaient trop bien installés ici.

D'où la nouvelle cuisine. Tout le rez-de-chaussée avait été transformé en deux cabinets. Morgan n'avait droit qu'à deux pièces, mais Birdie avait absolument voulu une salle de radiographie, trois salles de consultation, un bureau, un petit laboratoire et une salle d'attente. La cuisine et la salle à manger avaient été déménagées à l'étage, à la place du petit salon et de la véranda qui donnait sur le jardin. Tout cela avait coûté une fortune. Birdie y avait participé, bien sûr, mais à présent elle voulait faire construire un nouvel escalier menant du jardin au premier étage.

Morgan songeait parfois à décrire à sa fille la cabane à deux pièces où elle avait grandi, avec le petit espace sous le toit qui lui servait de chambre, en haut d'une vieille échelle. Mais à quoi bon? Birdie l'aurait dévisagée de son air aimable et neutre, attendant que sa mère en vienne au but.

La nouvelle cuisine n'était pas aussi grande que l'ancienne, mais elle était équipée de la dernière technologie, y compris d'un gros réfrigérateur de chez Général Electric et d'une cuisinière à gaz flambant neuve. Les murs étaient tapissés de placards en bois, et le menuisier avait même trouvé de la place pour leur construire un petit office. Le sol était dallé de carreaux en asphalte dernier cri formant un damier vert et crème,

mais Morgan avait résisté à la pose d'un papier peint assorti.
« Pour avoir la tête qui tourne ? Non merci. Une couleur unie
suffira ! »

Cette bataille-là, au moins, elle l'avait remportée. En
revanche, elle en avait perdu une autre : le poste de TSF. Elle
avait déclaré que cela ferait trop de bruit et qu'on trouvait
toutes les nouvelles dont on avait besoin dans les journaux,
mais Birdie avait insisté et les avait finalement mises devant le
fait accompli en rentrant un jour avec la radio. Elle était posée
sur l'étagère au-dessus de l'évier : une horreur en Bakélite
beige avec de gros boutons marron émettant les dernières
chansons à la mode. En ce moment même, toute la maisonnée était forcée d'écouter une niaiserie pour la énième fois.
Seul le petit Sandy semblait apprécier, se tortillant sur sa
chaise pour découvrir la source de ces sons enchanteurs.

En contrepoint à la radio, Morgan entendait les sifflements
de la tempête. La queue de l'ouragan balayait Long Island et
Fire Island.

– Ecoutez ça ! dit Birdie. Un ouragan encore plus violent a
frappé la Nouvelle-Angleterre... Providence, dans le Rhode
Island, a été touché par un raz de marée qui a fait plusieurs
milliers de dollars de dégâts, trois morts, et a inondé des quartiers entiers ! Hou là là ! J'espère qu'on ne va pas être inondés.

– Il y a peu de danger. Je te rappelle qu'on habite sur la colline de Brooklyn Heights, dit Morgan. Est-ce qu'ils parlent du
Connecticut ?

– Laisse-moi regarder... Oui, ils disent que le fleuve Connecticut menace de déborder. Dis-moi, maman, ce n'est pas celui
que tu as descendu en canoë jusqu'à Brooklyn ?

Son ton était ironique.

– Tu sais très bien que je ne suis pas venue en canoë
jusqu'ici. Mais j'ai pagayé d'East Haddam à Chester et, crois-
moi, ce n'était pas facile. Je devais avoir onze ou douze ans et,
au printemps, les courants du fleuve sont particulièrement
traîtres.

– Tu es sûre que tu n'en avais pas plutôt huit ou neuf ?

402

Morgan la fusilla du regard, mais Birdie était déjà replongée dans son journal. Elle pensait sans doute que les histoires que sa mère lui avait racontées étaient de la pure fiction ou, si elles n'avaient pas été entièrement inventées, qu'elles étaient nettement exagérées. Morgan fut choquée en se rendant compte que sa fille considérait sa vie comme un petit conte destiné à amuser les enfants. Si elle ne la croyait pas, qui la croirait ? A sa mort, sa vie disparaîtrait avec elle. Tout ce qui lui était arrivé, ses douleurs, ses joies, tout ce qu'elle avait appris partirait en fumée. Elle se sentit déprimée et, à vrai dire, le petit sourire supérieur de Birdie l'agaçait au plus haut point.

– Mais je l'ai fait, Birdie. J'ai réellement quitté ma famille quand j'étais très jeune et j'ai descendu le fleuve en canoë jusqu'à ce qu'une tempête arrive et manque de me noyer.

– Je sais, maman. Puis, tout à coup, le bon docteur Grace, dont je porte le nom, a surgi de nulle part et t'a repêchée. Je sais que ça s'est passé comme ça, mais c'était il y a longtemps, très longtemps.

Pas si longtemps que ça, pensa Morgan. *En tout cas, pas pour moi.*

– Chamberlain va rencontrer Hitler, annonça Adélaïde en relevant des yeux amers de la *Tribune*. Pourquoi perd-il son temps ? Hitler n'est qu'un kaiser avide de mettre la main sur toute l'Europe... Oh, et là, il est écrit qu'à Londres ils ont ouvert quatorze nouveaux postes de distribution de masques à gaz. Ils se préparent à essuyer des raids aériens, forcément ! Tout le monde sait qu'il y aura la guerre.

– Sauf M. Chamberlain, apparemment, rétorqua Birdie.

– En effet ! En effet ! Oh, je vois, tu te moquais de moi. Eh bien, nous verrons, ma fille, nous verrons.

Birdie avança un bras et tapota l'épaule d'Adélaïde.

– Mais non, tante Addie, je ne me moquais pas de toi. Je pensais juste que, si Hitler vivait près de nous, nous essaierions nous aussi de faire la paix avec lui.

Adélaïde, qui haïssait les fascistes de tout poil, n'était pas près de se laisser amadouer.

– Peuh! Crois-moi, ma fille, il ne sert à rien d'essayer de faire la paix avec un va-t-en-guerre.

Morgan décida qu'il était temps de changer de sujet. Elle ouvrit le journal au hasard et tomba sur les annonces immobilières.

– C'est le moment ou jamais d'acheter une maison à Brooklyn Heights, déclara-t-elle. Les prix n'ont jamais été aussi bas.

– Oui, maman, mais tu sais quoi? La plupart des maisons ont été divisées en appartements. J'ai été appelée en consultation dans l'une d'entre elles l'autre jour. Un vrai cauchemar! Deux pièces minuscules pour toute une famille, avec les sanitaires dans un coin, des cloisons en papier montées n'importe comment... Beurk! Mon patient avait une horrible infection, et ça n'a rien d'étonnant. C'est tout le quartier qui tombe en ruine, si tu veux mon avis.

– Merci, je ne te le demandais pas. Brooklyn Heights sera reconstruit. C'est normal que les maisons des beaux quartiers soient négligées... Pense au nombre de familles qui ont été ruinées par la crise. Toutes ces femmes et ces enfants laissés sans ressources par des lâches qui ont préféré se suicider plutôt que de faire face à la pauvreté! Mais peu importe... Quelqu'un retapera ces vieilles bâtisses. Autrefois, on construisait du solide.

– On pourrait peut-être trouver une jolie maison à Greenwich Village, suggéra Birdie. L'autre jour, J.J. a vu une annonce pour un cottage...

– Je sais que J.J. et toi adorez le Village, mais Addie et moi on ne bougera pas d'ici. Vous, naturellement, vous pouvez aller où vous voulez...

Elle savait que ce n'était pas très juste de sa part de dire ça, alors que J.J. était à Hollywood en train d'essayer de devenir une vedette de cinéma. Mais avait-il besoin d'envoyer des annonces de cottages à Birdie quand il n'avait pas deux sous en poche? En outre, la chance ne semblait pas vraiment lui sourire non plus à Hollywood. Il aurait mieux fait de rester à Brooklyn pour s'occuper du bébé au lieu de transformer Adélaïde et Mme Mulligan en gardes d'enfant. Mme Mulligan serait bientôt octogénaire et avait les mains percluses d'arthrite.

Que se passerait-il quand Sandy commencerait à marcher? Il avait déjà tendance à ramper partout et devait être enfermé dans son parc. Heureusement pour ses parents, il était calme. Il se contentait de s'asseoir et de jouer paisiblement.

– Tu ne dois pas te sentir obligée de rester ici avec nous, Birdie, répéta Morgan. Sincèrement. Même si nous adorons vous avoir avec nous, tu es libre d'aller vivre où tu le souhaites. Mais pour ça il faut que tu attendes le retour de J.J., n'est-ce pas?

Birdie releva la tête de son journal et poussa un long soupir.

– Je ne comprends pas pourquoi les studios Warner l'ont mis sous contrat s'ils ne veulent pas le faire travailler! Ce n'est pas juste! Pourquoi ne peuvent-ils pas lui donner un rôle dans n'importe quel film? Sinon, qu'ils le renvoient chez lui!

Six mois plus tôt, J.J. avait décroché un beau rôle à Broadway dans une pièce, *Frère Rat*, et était parvenu à rester sobre pendant toutes les représentations ou presque. Un agent de Hollywood l'avait remarqué et l'avait invité à passer un bout d'essai. Naturellement, J.J. étant ce qu'il était, il avait été convaincu que, sitôt débarqué à Hollywood, il deviendrait le nouveau Douglas Fairbanks. Mais jusque-là il n'avait même pas obtenu un rôle de figurant, ce qui rendait sa femme extrêmement anxieuse.

Dans un de ses rares moments de franchise, Birdie avait laissé échapper un jour : « Je ne supporte pas de le savoir au milieu de toutes ces starlettes, avec tout ce temps libre, tout ce soleil, toutes ces piscines, tout cet alcool! » Puis ses yeux s'étaient remplis de larmes.

Elle était manifestement toujours aussi amoureuse de son mari, qu'il le mérite ou non. Elle s'imaginait que sa mère ne savait pas combien elle s'inquiétait pour lui, et qu'elle ignorait qu'il buvait trop et était infidèle. Mais Morgan savait. Combien de nuits, lorsque Birdie, rentrée tard de l'hôpital, dormait à poings fermés et n'entendait pas J.J. trifouiller bruyamment dans la serrure avec sa clef, était-elle descendue lui ouvrir! Combien de fois lui avait-elle préparé du café noir et mis la tête sous l'eau froide avant de l'envoyer rejoindre son épouse endormie! Il marmonnait, fredonnait, discourait et racontait tout : les femmes, les bars, les clubs ouverts jusqu'à l'aube, les chambres d'hôtel. Le lendemain, il se souvenait vaguement qu'elle lui avait ouvert la porte et préparé du café, mais rien de plus. En tout cas, il n'avait jamais montré la moindre gêne à l'idée de lui avoir fait part de ses aventures extraconjugales. Morgan les appelait leurs « petits secrets ». Mais c'était son secret à elle seule.

Elle regarda sa fille, trop jeune et trop intelligente pour être mariée à un poivrot coureur de jupons, et pensa : *Oh, Birdie, réveille-toi et vois ce qu'il te fait, ce qu'il t'a toujours fait!* Mais sa fille semblait toujours prête à pardonner à son époux volage.

Morgan se leva pour remplir sa tasse de café et aperçut son reflet dans la fenêtre. Son image la surprenait toujours. Elle avait soixante-dix ans. Elle-même avait du mal à le croire. Elle ne se sentait pourtant pas vieille et ne paraissait pas son âge. Elle avait toujours une chevelure aussi épaisse, relevée en chignon, avec une seule mèche blanche sur le devant. Ce matin, elle s'était habillée en noir, comme tous les jours depuis l'enterrement de Bill deux mois plus tôt. Bill était mort dans un taxi alors qu'il venait la chercher pour passer la soirée à écouter de la musique et à danser.

Quel choc lorsque la sonnette avait retenti et que le chauffeur, pâle comme un linge, avait dit : « Bonsoir, m'dame. Désolé de vous déranger, mais je crois que vous devriez venir voir par vous-même. – Voir quoi? Où est M. Seely? – Dans les pommes, m'dame. – Dans les pommes! – Oui, enfin... à vrai dire, m'dame, j'ose à peine vous le dire, mais je crois qu'il ne respire plus. »

Elle était restée plantée sur le pas de la porte, tétanisée, sentant le sang se figer dans ses veines. Le chauffeur avait tendu un bras vers elle. « Ça va aller, m'dame? Vous avez l'air toute chose. Je suis vraiment navré. Mais il m'a demandé de le conduire ici, alors... – Oui, oui, bien sûr, ça va aller. Je suis médecin. Où êtes-vous garé? Allons le voir. »

Morgan ne put que constater. Il n'y avait rien d'autre à faire que le conduire à l'hôpital de Cadman Mémorial et signer un certificat de décès. Elle rentra dans la maison, téléphona à l'hôpital pour leur dire qu'elle serait là dans cinq minutes, puis annonça la nouvelle à Adélaïde et à Birdie.

Elle n'avait pas versé une larme pendant l'enterrement. Elle était encore sous le choc. Cela n'aurait jamais dû arriver. Il était en pleine forme et débordait de vie. Il s'intéressait toujours au sexe, enseignait toujours. Mais Starkman, le cardiologue, lui expliqua que beaucoup d'hommes succombaient à une crise cardiaque au début de la soixantaine. Elle ravala son chagrin. Bill lui manquait énormément.

La sonnerie du téléphone arracha Morgan à ses tristes pensées. Elle décrocha le combiné mural.

– Ah, docteur Becker! Dieu soit loué, vous êtes chez vous!

Elle reconnut la voix d'Alice Dowling, une jeune femme de vingt-cinq ans qui avait déjà cinq enfants et n'en voulait plus. Elle était venue la trouver quelques semaines plus tôt pour interrompre une nouvelle grossesse.

– C'est Bob. La douleur est revenue, et nous n'avons plus de médicaments. Y a-t-il quelque chose que je puisse faire pour le soulager? Je suis désolée de vous déranger, mais je ne supporte pas de le voir souffrir comme ça. Un bain chaud peut-être? Ou de la glace? Je ne sais plus quoi faire!

Sa voix tremblait d'anxiété.

– Calmez-vous, Alice, répondit Morgan. Je sais que vous êtes bouleversée, mais ne vous inquiétez pas. Je dois avoir encore quelques échantillons de ce médicament dans mon cabinet. Je vous les apporte dès que la pluie cesse.

– Bob Junior peut aller les chercher. Il sera content de faire quelque chose pour son père et il ne craint pas la pluie.

– Dites-lui de venir dans une demi-heure. Il faut que j'arrive à mettre la main dessus.

– Comment vous remercier?

– En gardant le moral. Cela aidera votre mari autant que les médicaments.

Elle raccrocha le téléphone, puis le décrocha aussitôt et composa un numéro.

– J'espère que la pharmacie est ouverte, murmura-t-elle.

– Tu n'as pas ce médicament dans ton cabinet, maman! Tu vas encore aller en acheter pour tes patients.

– Chut! fit Morgan.

Elle raccrocha à nouveau.

– Foutu temps! M. Goldstein n'a pas encore ouvert. Sa rue doit être inondée.

Se tournant vers Birdie, elle demanda :

– Je t'en prie, chérie. Appelle la pharmacie de l'hôpital et commande-leur du sulfate de morphine pour moi, veux-tu?

– Du sulfate de morphine! Mais ils vont me demander pour quoi faire.

– Invente une histoire. C'est pour Bob Dowling. Tu sais, ils habitent à Willow Place. Leur immeuble n'a même pas de chauffage, tu te rends compte! Ils doivent utiliser des petits poêles au kérosène et... Enfin, quoi qu'il en soit. Bob est atteint de sclérose en plaques. Son état est déjà assez avancé, et il n'y a rien à faire sinon le bourrer de médicaments pour atténuer la douleur. Appelle l'hôpital, veux-tu?

– Maman, tu en fais vraiment trop pour tes patients! Tu as beau le cacher, je sais le nombre de fois où tu « oublies » de faire payer tes consultations à domicile. Je connais des familles qui ont trouvé des paniers pleins de provisions devant leur porte. Il faut savoir mettre une frontière quelque part.

– Disons que je suis d'accord avec toi jusqu'ici. Tu peux m'expliquer où exactement je dois mettre cette frontière? Est-ce que je dois payer l'opération du petit Chester Cook ou est-ce que je dois le laisser avec son pied bot pour le restant de ses jours? Est-ce que...

– C'est bon, c'est bon! l'interrompit Birdie. Continue de les aider. Mais est-ce que tu es obligée d'accepter les consultations à domicile à n'importe quelle heure du jour et de la nuit? Je ne crois pas. De toute manière, il est impossible de te raisonner. Tu auras ta morphine.

Elle se leva et prit le combiné du téléphone des mains de Morgan.

– Tu devrais finir ton petit déjeuner, maman. Tels que je connais tes patients, ils vont commencer à s'entasser dans ta salle d'attente une heure avant le début des consultations.

Morgan se rassit, mais ses œufs brouillés ne lui disaient plus rien. Elle vida son café froid dans l'évier et s'en resservit une tasse.

– Je me demande s'il y aura des patients aujourd'hui, vu le temps.

– Oh, ils viendront! dit Adélaïde.

Elle tenait son journal à quelques centimètres de son visage. Elle voyait de moins en moins clair, mais perdait sans arrêt ses lunettes.

– Tu veux me donner tes tracts, Addie? demanda Morgan.

– Quels tracts?

– Mais tu sais bien, pour la brigade Lincoln.

Adélaïde la dévisagea sans comprendre. Cela lui arrivait de plus en plus souvent. Morgan s'en serait inquiétée davantage si sa vieille amie n'était pas toujours aussi engagée dans diverses causes et missions. Ces jours-ci, elle flirtait avec le Parti communiste américain. Elle était tout excitée par le Front populaire et son nouveau paradis terrestre d'égalité pour tous et de partage des richesses. Au cours des dernières semaines, elle avait fait du porte-à-porte, essayant de rassembler des fonds pour la brigade Lincoln, qui luttait contre Franco en Espagne, sans grands résultats. Même traversant une mauvaise passe et en pleine décrépitude, Brooklyn Heights n'était pas le genre de quartier où l'on voyait les idées communistes ou socialistes d'un très bon œil.

– Tu m'as demandé l'autre jour si je voulais bien mettre une pile de tracts pour la brigade Lincoln dans la salle d'attente et j'ai répondu oui.

Un éclair traversa enfin le regard d'Adélaïde.

– Ah oui! Où est-ce que j'ai bien pu les mettre? Je suis sûre de les avoir descendus ce matin.

Birdie, encore au téléphone avec le pharmacien de l'hôpital, couvrit le combiné de sa main.

– Je crois les avoir vus sur la console dans l'entrée.

– Ah, bien sûr! Merci, chérie. J'y vais de ce pas.

Mais elle n'eut pas le temps de se lever, car les sœurs Andrews, qui chantaient *Bei mir bist du sheine*, se turent soudain et une voix emphatique annonça à la radio :

– La guerre, à laquelle toute l'Europe se préparait fiévreusement, a été évitée ce matin, lorsque les principaux chefs d'Etat et de gouvernement britannique, français, allemand et italien, réunis à Munich, sont convenus d'autoriser les troupes du Reich à occuper les territoires sudètes...

– Je vous l'avais dit! s'écria Adélaïde. Chamberlain est un crétin! Il croit calmer Hitler en lui passant tous ses caprices. Mais il se trompe! Il se trompe!

– Tu devrais te réjouir qu'il n'y ait pas de guerre, rétorqua Birdie, au lieu d'insulter ce génie de Chamberlain.

– Un génie! Parce qu'il sait se mettre à genoux?

Les joues d'Adélaïde étaient roses et ses yeux étincelaient, toute trace d'apathie et de sénilité soudain effacée, au grand soulagement de Morgan. C'était bien cette bonne vieille Addie, juste un peu distraite parfois, rien de plus.

– Faire la paix n'est pas se mettre à genoux! s'entêta Birdie. Tu nous chantais une autre chanson quand les Espagnols ont été obligés de combattre et que...

Elle fut interrompue par la sonnette insistante de la porte d'entrée.

– J'avais oublié! dit Morgan. J'ai dit à Celia DiLauria de passer au cabinet avant l'heure d'ouverture pour qu'elle ne soit pas en retard à son travail. La pauvre, elle doit être trempée!

Elle courut hors de la pièce et descendit l'escalier quatre à quatre. Elle fit entrer sa patiente dégoulinante et eut un mal fou à refermer la porte poussée par le vent. Tandis que Celia et elle se dirigeaient vers le cabinet, elle entendit les chaises crisser sur le sol dans la cuisine, à l'étage au-dessus, puis le babil de Sandy, suivi de la voix rauque de Mme Mulligan. Une nouvelle journée commençait.

31

Décembre 1943

Birdie rendit le nourrisson gesticulant à sa mère.

– Ce beau garçon est en parfaite santé, annonça-t-elle.

– Mais, docteur Malone, sa diarrhée?

– Tout le monde m'appelle à ce sujet ce matin. On dirait qu'elle circule. Ce n'est rien de grave, madame Crumpacker. Donnez-lui de la pomme crue râpée, des bananes écrasées et du riz. Veillez à ce qu'il ne se déshydrate pas.

Elle leva un regard grave vers la jeune mère.

– Je vois trop d'enfants déshydratés à l'hôpital.

Mme Crumpacker ouvrit de grands yeux ronds et serra instinctivement son enfant contre elle.

– Je ferai très attention, promit-elle.

– Stérilisez bien ses biberons.

Birdie sortit son carnet d'ordonnances et commença à griffonner : « *Pomme crue râpée, bananes écrasées, riz...* »

– Voilà. Une goutte de parégorique après chaque selle... C'est tout. La diarrhée devrait avoir disparu d'ici deux ou trois jours.

Birdie vit la tension quitter la nuque et les épaules de la jeune femme, ce qui lui rappela la petite douleur lancinante dans son propre dos. La prochaine fois qu'elle ferait sa tournée à l'hôpital, il faudrait qu'elle monte au service d'orthopédie pour demander à Doug Wendroff d'y jeter un œil.

– On dirait que la guerre est bientôt terminée, dit Mme Crumpacker.

– Pardon? Ah, oui, la reddition de l'Italie... Oui, en tout cas, je l'espère.

Le mari de cette femme n'était-il pas dans l'armée quelque part? Dans le Pacifique, si ses souvenirs étaient justes.

– Vous avez des nouvelles de votre mari?

– Pas beaucoup. Le courrier militaire est tellement lent parfois!

Elle marqua une pause avant de reprendre :

– J'ai remarqué que vous aviez une étoile collée sur la fenêtre de votre salon.

– Mon mari.

– Mais... j'imaginais qu'il avait passé l'âge d'être mobilisé.

Birdie émit un petit rire amer.

– Il n'a pas été mobilisé. Il a trente-cinq ans. Il a fallu que monsieur se porte volontaire!

– C'est horrible, n'est-ce pas... toute cette attente. Chaque fois qu'on frappe à la porte... nous restons toutes assises, figées. Aucune de nous ne veut aller ouvrir.

– Vous partagez un appartement?

– Oui, nous sommes trois. Mes deux colocataires sont aussi vos patientes.

Elle nomma deux autres jeunes mères.

– Oui, je sais, c'est très pénible, soupira Birdie. Mais il n'y en a plus pour longtemps. Hitler commence à être à court d'hommes.

– Mon mari est dans le Pacifique.

– Pensez à la taille du Japon, c'est tout petit alors que nous sommes un grand pays. Nous les battrons, j'en suis persuadée.

Birdie tendit la main et la posa sur celle de la jeune femme. Celle-ci la gratifia d'un sourire radieux. *Je ne suis pas magique, eut-elle envie de dire. Je ne suis qu'une pédiatre surmenée qui se couche tous les soirs en priant Dieu qu'il épargne son mari.*

– Je me porterais bien volontaire à l'hôpital de Cadman Mémorial, reprit Mme Crumpacker. Mais qui va s'occuper d'Eliot?

– Je suis sûre que votre mari préférerait que vous restiez à la maison, à veiller sur votre fils.

412

– En partageant le loyer avec mes deux colocataires, nous arrivons à mettre suffisamment de côté pour acheter un bon de guerre tous les mois. Ça ne coûte que vingt-cinq dollars, mais...

– C'est fantastique.

La conversation avait assez duré. Birdie était morte de fatigue. Elle raccompagna la mère et l'enfant à la porte. Ils étaient ses derniers patients de la matinée. Elle prit une profonde inspiration. A présent, il fallait qu'elle se dépêche d'aller à l'hôpital. Il y avait trois nouveau-nés à examiner, plus les bébés de la maternité, tout cela à se partager entre elle et Matt Barstow. Ensuite, elle devait revenir à son cabinet pour les consultations du soir. Rien d'étonnant à ce qu'elle ait mal au dos! Mais que pouvait-elle faire? Un médecin ne pouvait pas dire : «Désolé, j'ai trop de travail pour vous soigner.»

Il y avait tant de médecins partis sous les drapeaux que les malades étaient contents de mettre la main sur n'importe quel docteur, même ceux qui, d'ordinaire, n'auraient jamais consulté une femme. Sa mère avait près de quatre-vingts ans, et son cabinet ne désemplissait pas. Il en allait de même partout, pas uniquement chez les médecins. Les femmes conduisaient des autobus et des trolleys, soudaient et rivetaient dans le chantier naval militaire de Brooklyn. Mais, puisque tous les hommes étaient partis, d'où sortaient tous ces bébés? Birdie ne le savait que trop. La nuit où J.J. était rentré à la maison après s'être enrôlé et qu'il lui avait dit d'embrasser son petit soldat, avec cette étrange combinaison d'air penaud et de bravade dont il avait fait sa spécialité, ils avaient eu une longue querelle suivie d'ébats particulièrement torrides. Le mois suivant, naturellement, elle n'avait pas eu ses règles. Elle avait dû demander à sa mère de lui donner quelque chose, ne tenant pas à avoir un autre enfant si tôt après la naissance de Robin.

Apparemment, J.J. tenait vraiment à se battre pour son pays. La première fois qu'il avait voulu s'engager, il était si soûl que l'officier recruteur lui avait demandé de rentrer chez lui et de revenir avec les idées plus claires. Il y était retourné, en dépit

413

des supplications de Birdie. « Ne fais pas une telle sottise, J.J., je t'en prie! Nous avons deux enfants! »

Oh, il était sincère quand il parlait de Hitler et de Hirohito, et disait que chaque homme devait donner du sien pour défendre certaines valeurs. Mais elle devinait à l'étincelle au fond de ses yeux que c'était surtout l'aventure qui le tentait. Pour lui, c'était un nouveau rôle à jouer, avec le monde entier pour scène. Ah, les hommes!

Son absence lui pesait terriblement. Parfois, elle se souvenait à peine de ses traits. Elle devait regarder ses photos. Ou Sandy, qui était le portrait craché de son père. Où était-il? Elle n'en savait rien. Probablement en Italie. Sa division, la Thunderbird, avait d'abord été stationnée en Tunisie, avant de remonter vers l'Europe. L'armée l'avait sûrement changé. Ses lettres étaient douces et très affectueuses. Une grande partie du courrier était censurée, mais pas les passages où il lui décrivait ce qu'il comptait lui faire quand elle serait à nouveau dans ses bras. Après la guerre. Mais cette foutue guerre ne semblait jamais finir. Elle avait tant envie de lui... justement quand il était inaccessible!

Elle éteignit la lumière et monta l'escalier. Dès qu'elle ouvrit la porte de la cuisine, une petite boule traversa la pièce en flèche et vint se blottir dans ses jambes.

– Robin! Je t'ai déjà dit de ne pas te jeter sur moi comme ça!

– Robin! Viens voir ce que j'ai pour toi!

C'était Liz Markham, l'une des deux étudiantes en médecine qui logeaient à la maison en échange d'heures de baby-sitting. Cet arrangement fonctionnait à merveille et, quand Liz et Linda étaient en cours, Addie les remplaçait, ou bien Colleen, quand elle était disponible. Colleen était la plus jeune fille de Mme Mulligan, qui venait travailler chez eux les après-midi depuis la mort de sa mère deux ans plus tôt.

– Robin, c'est ton petit canard, regarde! Il t'appelle!

Liz fit couiner le jouet en caoutchouc, le préféré de Robin, mais la petite fille ne voulut rien entendre. Elle s'accrocha de plus belle à sa mère.

– Laissez, Liz, ce n'est pas grave. Je suppose que c'est de son âge. Pourtant, Sandy, lui, n'a jamais fait ça.

Sandy, âgé de cinq ans, passait les après-midi au jardin d'enfants. D'après sa maîtresse, il ne jouait pas avec les autres, ce qui inquiétait légèrement Birdie. D'un autre côté, il avait toujours été solitaire et un peu timide. On verrait bien ce que cela donnerait plus tard.

Est-ce qu'il est méchant avec ses camarades? avait-elle demandé. Est-ce qu'il les bouscule ou les mord? – Non, non, pas du tout. C'est juste qu'il ne s'intéresse pas aux autres. Ses camarades, eux... – Je m'efforce de ne pas comparer les enfants, avait interrompu Birdie. Chacun se développe à son rythme. – Oui, oui, bien sûr, docteur Malone. En outre, c'est un enfant très doux. »

Mais, si J.J. ne se dépêchait pas de rentrer, son fils ne le reconnaîtrait même pas. Sa fille non plus, ajouta-t-elle en prenant cette dernière dans ses bras. Robin avait tant changé depuis son départ! La dernière fois qu'il l'avait vue, lors d'une permission, ce n'était encore qu'un bébé. A présent, elle courait dans tous les coins du matin au soir. Pourquoi avait-il fallu que J.J. la laisse toute seule avec leurs deux enfants? Il lui manquait tellement!

Il avait pourtant été très pénible les dernières années avant de s'engager, notamment en 1939 et 1940. Mais c'était parce qu'il était frustré de ne pouvoir décrocher un bon rôle. Lorsqu'il était rentré de la côte Ouest, furieux, amer et buvant plus que jamais, ils n'avaient fait que se chamailler. Après une dispute particulièrement vive, ils ne s'étaient plus parlé pendant toute une semaine. Puis, une nuit, après qu'elle eut mis le bébé au lit, elle avait ouvert la porte et avait découvert J.J. qui l'attendait dans le noir. Ils étaient tombés dans les bras l'un de l'autre, s'embrassant voracement. Il l'avait poussée vers le lit et lui avait fait l'amour sans même se déshabiller, sauvagement, magnifiquement.

Birdie avait déjà traversé ce genre de crise bien des fois. Tandis qu'elle était couchée, les yeux fermés, en attente, elle

415

le sentait qui approchait son visage du sien puis, quand il était sûr qu'elle dormait, il se levait silencieusement, se rhabillait et disparaissait dans la nuit. Elle restait là, les yeux remplis de larmes, écoutant la porte d'entrée qui s'ouvrait puis se refermait. Que devait-elle faire ? Qu'allaient-ils devenir ? Quand elle essayait d'imaginer la vie sans lui, elle avait l'impression de tomber d'un gratte-ciel, le souffle coupé par le vertige. Non, non et non, il n'y avait pas de vie sans J.J. Point.

– Allez, Robin, lâche maman.

Elle baissa les yeux vers le petit visage levé vers elle d'un air si confiant. Qu'elle était étrange, avec ses yeux bleus en amande et ses cheveux d'Indienne noirs et luisants ! Tellement adorable ! Si seulement elle était moins collante, Robin serait une enfant parfaite, songea Birdie. Si son père était à la maison, elle ne serait peut-être pas toujours accrochée aux jupes de sa mère.

Robin se blottit dans les bras de Birdie en disant :

– Maman, maman, pas partie, pas partie.

– Mais si, ma chérie, je dois aller faire ma tournée.

– Non, maman. Pas partie !

Birdie poussa un soupir agacé. Elle ne savait plus quoi faire de cette enfant ! Elle, une pédiatre ! Robin était fort différente de Sandy qui, dès le début, avait joué tout seul sans rien demander à personne. Rien ne semblait jamais le perturber, un vrai bonheur ! Mais celle-ci... Birdie n'avait pas de temps à perdre avec des pleurnicheries. Elle avait des patients à voir, beaucoup, et ses visites à l'hôpital. Elle était surchargée de travail. Se sentant néanmoins légèrement coupable, elle serra l'enfant contre elle et déposa un baiser sonore dans son cou dodu.

Robin était occupée à jouer avec les boucles de sa mère quand celle-ci, dans un élan d'amour inhabituel, déclara :

– Ecoute, Robin, maman doit aller à l'hôpital. Tu veux venir avec moi ?

– Dans woitu ?

Birdie se mit à rire.

416

– Oui, dans la voiture.

Birdie adorait sa vieille décapotable verte avec son spider à l'arrière. Elle faisait du troc et récupérait des bons d'essence pour pouvoir la conduire. Tout le monde dans le quartier connaissait le roadster du docteur Malone, si bien qu'elle pouvait se garer n'importe où et dépasser les limitations de vitesse sans craindre les PV. Elle était le docteur Malone et, si elle passait en trombe, c'était forcément pour une urgence. Elle pouffa de rire. A ses côtés, Robin l'imita et, bientôt, elles riaient aux éclats comme deux folles. Birdie se dit qu'elle devrait emmener Robin plus souvent, que cela les rapprocherait peut-être.

Elle se glissa dans le parking en passant sous la barrière. Cela amusait toujours Marcus, le gardien. Sa voiture était la seule à être assez basse pour le faire. Elle se gara sur son emplacement réservé et prit sa fille dans ses bras. Dans la salle du personnel, au rez-de-chaussée, elle trouva trois médecins, deux chirurgiens et le nouveau neurologue, Terry Snow. Terry avait été blessé en Afrique et rapatrié. Pourquoi cela n'était-il pas arrivé à J.J.? Non pas qu'elle voulût que son mari soit blessé, mais une blessure à la jambe, ce n'était pas bien méchant. Birdie eut un remords, comme chaque fois qu'elle croisait Terry et qu'elle pensait la même chose.

Terry était un type sympa. Ses cheveux avaient blanchi prématurément, ce qui était étrange sur un visage si jeune. Il était penché sur une revue mais, en l'entendant entrer, il leva la tête et lui adressa un large sourire... Un de ces sourires qu'une femme reconnaît instantanément. Il en pinçait pour elle, même s'il ne disait ni ne tentait jamais rien. Pas comme certains qui s'imaginaient que, si votre mari était au loin depuis plus d'un an, vous étiez automatiquement en manque et prête à tout.

– Salut, Birdie. Tu as besoin d'un baby-sitter?

– Tu es libre?

Il consulta sa montre.

– Pendant encore trente-trois minutes.

– Si elle veut bien me lâcher un instant.

– Laisse-moi faire. Salut, Robin! Comment ça va aujourd'hui? Tu dois être l'infirmière que j'attendais. Tu es prête à m'assister pour une opération? J'ai là un nounours très malade...

Il parlait d'une voix basse et calme. Quand il se tourna et s'éloigna, Robin lui emboîta le pas en trottinant.

C'était un vrai miracle. Généralement, elle se mettait à hurler dès que Birdie faisait mine de partir.

L'après-midi fut chargé et, lorsque Birdie redescendit dans la salle du personnel, elle trouva Robin profondément endormie sur les genoux de Terry.

– Je suis sincèrement désolée, Terry. J'ai complètement perdu la notion du temps. Tu avais des rendez-vous, n'est-ce pas? Il y a une heure et demie de ça...

– Je l'ai emmenée avec moi. Je n'avais que deux patients à voir. Ils étaient ravis d'avoir la visite d'une petite fille si mignonne. C'est qu'ils s'ennuient ferme, tout seuls dans leur lit toute la journée.

– Je te revaudrai ça, Terry. Promis juré. Tu es un ange.

Il sourit et lui glissa délicatement l'enfant dans les bras.

– C'est elle qui est un petit ange. Mais tu le sais déjà, bien sûr.

Robin ne se réveilla pas avant d'être rentrée à la maison. Lorsqu'elle entra dans le vestibule avec la petite dans les bras, Birdie aperçut sur la console le télégramme tant redouté.

– Oh, mon Dieu! souffla-t-elle. Oh, mon Dieu!

Elle déposa Robin sur le sol et prit l'enveloppe maudite. Elle la déchira de ses doigts tremblants en murmurant :

– Merde! Merde! Et merde!

Elle se débattit avec le papier qui refusait de se déplier, vaguement consciente des cris de la petite à ses pieds. *Il ne peut pas être mort, il ne peut pas être mort, Seigneur, il ne peut pas être mort.*

... LE REGRET DE VOUS INFORMER QUE... *Oh, mon Dieu, pas ça!*...

VOTRE MARI, LE SERGENT JUNIUS JUSTICE MALONE, A ÉTÉ BLESSÉ AU COMBAT.

Blessé? Comment? Où? Bien sûr, ils ne disaient rien. On l'informait également qu'il avait reçu la Croix de guerre... l'Etoile de bronze... et l'Etoile d'argent. Seigneur, s'il avait perdu une jambe... Elle gémit, tandis que la petite s'enroulait autour de ses jambes en hurlant.

Le cœur battant, elle se rappela qu'il n'avait pas été tué, uniquement blessé. A présent, ils allaient certainement le rapatrier. Elle se pencha, prit Robin dans ses bras et la berça.

– Papa va s'en sortir, chérie. Papa est simplement blessé. Papa va aller bien. Et nous aussi... Toi, moi, Sandy et tout le monde. Tout le monde ira bien.

32

Mars 1951

Robin frappa à la porte de la chambre de son frère. C'était un beau jour de printemps, un samedi. Carol, sa meilleure amie, était en ville avec sa mère, partie faire du shopping. Grand-mère était à un accouchement quelque part près des docks. Papa dormait, comme d'habitude. Il passait toutes ses journées au lit. Au moins, on n'avait pas besoin de marcher sur la pointe des pieds. Maman disait que même la Seconde Guerre mondiale n'avait pas réussi à le réveiller. Maman était à l'hôpital. Elle était toujours à l'hôpital. Quand elle n'y était pas, elle était dans son cabinet, à recevoir des mères idiotes qui paniquaient parce que leur bébé pleurait! Pourquoi ne leur expliquait-on pas une fois pour toutes que les bébés pleuraient parce que c'était leur boulot, que c'était leur façon de parler. Pour la plupart des gens, maman était une héroïne. Elle était respectée et aimée de tous. Personnellement, Robin aurait préféré qu'elle passe plus de temps à la maison et qu'elle soit une héroïne pour ses propres enfants. *On est toujours les derniers sur sa liste de préoccupations*, pensa-t-elle en poursuivant un long monologue intérieur.

Elle frappa de nouveau à la porte de Sandy. Pas de réponse. Pourtant, elle l'entendait de l'autre côté. Elle l'appela. Il ne répondit pas. Elle tourna la poignée. Verrouillée. Pourquoi fallait-il qu'il s'enferme à clef? Il était vraiment trop bizarre! Tous les autres enfants le pensaient également. Elle les entendait chuchoter : « Sandy Malone est tordu. » Puis, quand ils la voyaient approcher, ils se taisaient. Mais ils avaient raison.

Vraiment, cette famille!... Cela dit, Sandy était le plus étrange de tous.

– Sandy! Tu sais que maman nous a interdit de nous enfermer à clef! Sandy! S'il y avait un incendie?

Elle entendit la clef tourner dans la serrure, puis la porte s'entrouvrit juste assez pour laisser apparaître un œil bleu.

– Allez, Sandy, tu sais bien que ce n'est que moi! Je ne suis pas venue avec une armée!

– On s'apprête à lancer une attaque sur la colline 47, chuchota-t-il.

Il était toujours en train de jouer à un de ses jeux de guerre idiots.

– Je ne suis pas armée, dit Robin sur un ton las. Je suis neutre.

Son sarcasme n'eut aucun effet sur Sandy, qui prenait tout littéralement. Vraiment, le pauvre n'avait aucun humour... et, à son humble avis, ça ne s'arrangeait pas! Mais personne ne lui demandait jamais son avis. A dix ans, elle n'était qu'une enfant. N'empêche qu'elle était sans doute celle qui passait le plus de temps avec Sandy, à l'exception peut-être de grand-mère. Elle ne voulait pas l'embêter avec ça. Grand-mère était une amie, mais elle était si vieille que Robin avait toujours peur de dire ou de faire quelque chose qui la fasse mourir.

Sandy sortit la tête et lança des regards de droite à gauche dans le couloir, guettant les ennemis dans sa propre maison. Puis il attrapa sa sœur par le bras et la tira à l'intérieur.

– Aïe! Qu'est-ce qui te prend, Sandy? Qui veux-tu qu'il y ait au troisième étage de la maison à part nous! Tante Addie? Elle s'en contrefiche, de tes armées débiles! D'ailleurs, elle sait à peine qui elle est ces temps-ci!

Sa voix se brisa, et elle toussota légèrement pour masquer sa gêne. Tante Addie était une des personnes qu'elle aimait le plus au monde, et la voir ainsi la rendait toute chose. Parfois, elle vous reconnaissait, parfois non. Elle vous lisait une histoire, puis s'arrêtait au beau milieu. Quand on lui tirait sur la jupe, elle sursautait et vous regardait comme si elle se

demandait qui vous étiez. Un jour, ce regard avait fait tellement peur à Robin qu'elle s'était mise à hurler.

Est-ce que personne d'autre ne voyait ce qui se passait dans
cette maison? Maman? Ou grand-mère? Toutes deux étaient
docteurs, mais se comportaient comme si tout allait pour le
mieux dans le meilleur des mondes. Chaque fois qu'elle
essayait de parler de Sandy à sa mère, celle-ci faisait la sourde
oreille. Quant à papa... on pouvait toujours lui parler. Il haus-
sait les épaules et répondait : «Qu'est-ce qu'on y peut?»

Elle devait peut-être en parler à grand-mère.

– Il y a des espions partout, chuchota Sandy en refermant la
porte derrière eux.

Deux armées, en uniformes de la Seconde Guerre mondiale,
étaient étalées sur le sol de sa chambre. La disposition était
sophistiquée et chaque petit soldat équipé de tout le matériel
adéquat, résultat de nombreux cadeaux de Noël et d'anniversaire. Les récits de guerre de papa fascinaient Sandy... Robin,
elle, en avait marre au bout d'un moment. Surtout que papa
avait ses préférés et les racontait encore et encore. Sandy en
redemandait toujours; il n'en avait jamais assez.

– Qui gagne? demanda Robin par pure courtoisie.

– Ça ne te saute pas aux yeux? Mmm... j'imagine que non,
puisque que tu n'es qu'une fille.

Il lui tourna le dos. Sandy n'avait jamais été un frère normal.
Les copines de Robin le trouvaient beau! Elles avaient sans
doute raison, mais elles n'étaient pas obligées de vivre sous le
même toit que lui. Parfois, Robin avait l'impression qu'il ne la
voyait pas, son regard paraissait la traverser et, quand elle lui
parlait, il ne semblait pas l'entendre. Ça flanquait la frousse.
De temps à autre, il venait la trouver et cherchait à lancer la
conversation. Le plus souvent, c'était pour lui soutirer une
information ou lui demander un service. Pour une raison ou
une autre, il n'aimait pas parler directement à maman. Il
demandait toujours à Robin de le faire à sa place. Maman s'en
rendait-elle seulement compte? Robin avait parfois l'impression de porter toute la maisonnée sur ses épaules. Elle aimait

Sandy. C'était son grand frère, et il lui avait appris à rouler à bicyclette. Elle aurait simplement souhaité qu'il l'aime un peu plus.

– Il fait beau, Sandy. Tu ne veux pas qu'on sorte les vélos et qu'on aille faire un tour?

– Non, je suis occupé. Si je laisse les cocos remporter une seule bataille...

Il imita un bruit de bombe.

– ... ce sera la fin du monde libre tel qu'on le connaît. Y croyait-il vraiment?

– Je t'assure qu'il fait un temps magnifique, insista-t-elle. Regarde le soleil! On pourrait descendre Union Street et aller acheter des cannolis.

Il adorait les cannolis.

– Va en chercher et rapporte-les. Le général MacArthur a besoin de moi pour l'instant.

C'est ça, tu parles! pensa-t-elle. Il ne savait donc pas que le général MacArthur n'était même plus dans l'armée? Elle se souvenait encore du tintouin que cela avait fait quand il avait été renvoyé par le président Truman. Tout le monde en avait parlé pendant des semaines.

Mais Sandy était totalement absorbé par le déplacement de ses blindés et de son artillerie sur le tapis, marmonnant à propos de la bombe H et des communistes qui s'apprêtaient à conquérir le monde.

Elle fit une dernière tentative :

– Tu sais où est tante Addie?

Elle emmènerait peut-être tante Addie en promenade. C'était toujours agréable, sauf quand la vieille dame ne savait plus où elle était et s'égarait... et que Robin paniquait à l'idée qu'elle se fasse renverser par une voiture. Non, finalement, ce n'était pas une bonne idée. Trop épuisant.

A sa grande surprise, Sandy prit la peine de lui répondre :

– Avec grand-mère, je crois. Ou en train de dormir.

Finalement, Robin enfourcha sa bicyclette et partit se promener toute seule. Le quartier italien de Cobble Hill ne lui disait rien, aussi bifurqua-t-elle vers l'hôpital. Il y avait toujours quelqu'un qu'elle connaissait là-bas.

Elle entra dans la salle du personnel et y trouva quatre ou cinq médecins, buvant du café, échangeant des commérages ou faisant ce que faisaient habituellement les médecins quand ils étaient ensemble, à savoir parler de leurs patients. Ils la connaissaient tous, bien sûr, et supposèrent qu'elle cherchait sa mère.

– Elle est en haut, au service de pédiatrie, dit le docteur Grad. Elle est avec une petite fille qui a bien failli mourir de méningite cérébro-spinale.

Le docteur Grad était toujours gentil avec elle.

– La petite va mieux, mais ce qui rend ta mère si extraordinaire, c'est qu'elle est encore là une fois la crise passée.

– Tu dois être très fière de ta maman, dit un autre interne. Tout le monde l'adore.

– Oui, oui, bien sûr. Mais je ne suis pas venue la voir, je faisais juste un tour à vélo.

– Or tu ne connais pas de meilleure compagnie que nous, n'est-ce pas, Robin?

Ça, c'était le docteur Snow. Robin l'aimait beaucoup. Elle aimait même sa démarche claudicante. Il était tellement drôle et intelligent! En outre, il avait toujours du temps à lui consacrer. Le docteur Snow était deux docteurs à la fois. Il avait commencé sa carrière comme neurologue, puis était retourné à la faculté de médecine pour devenir psychiatre. Quand les gens lui demandaient s'il avait été blessé à la guerre, il répondait toujours : « Oui, en Afrique du Nord, là où on n'était même pas censés être! »

Il plaisantait toujours. Maman disait que Terry Snow était ironique parce qu'il était amer. « Pendant la guerre, sa femme l'a quitté pour un réformé qui a ensuite fait fortune dans la récupération des métaux. Il ne s'en est jamais remis! » Cela faisait rire sa mère, mais Robin ne trouvait pas ça drôle.

– Tout le monde ici connaît Robin Malone, ma fiancée? demanda le docteur Snow.

Il la taquinait toujours, disant qu'il l'épouserait un jour, puisque sa mère ne voulait pas de lui. Quand elle était plus petite, Robin était amoureuse de lui et était persuadée qu'ils se marieraient un jour. A présent, elle était plus maligne. Bizarrement, aujourd'hui, elle comprit qu'il ne racontait pas de blagues... à propos de maman. Cela la mit très mal à l'aise, et elle décida de partir.

– Hé, Robin, tu sais bien que je ne fais que te taquiner!

Le docteur Snow la suivit dans le couloir.

– Allez, reviens! Je ne veux pas que tu sois fâchée contre moi! Reviens me dire ce que tu fais à l'école!

Mais elle ne voulait pas le regarder avant d'avoir longuement réfléchi à sa découverte.

En débouchant sur Cadman Plaza, elle aperçut une silhouette familière, assise sur le bord du trottoir, recroquevillée, les épaules tremblotantes. C'était tante Addie, plus échevelée que jamais. Son chignon était à moitié défait et sa combinaison dépassait sous l'ourlet de sa robe. Elle frissonnait de froid en dépit du soleil. Robin se précipita vers elle. Mince! Elle pleurait! Elle sanglotait bruyamment comme un petit enfant.

Laissant tomber sa bicyclette, Robin s'accroupit auprès de la vieille dame.

– Tante Addie? Tante Addie? Qu'est-ce qui se passe? C'est moi, Robin. Qu'est-ce que tu fais ici? Adélaïde releva un visage baigné de larmes.

– Je ne sais pas. Je me suis perdue!

– Mais non, tu es tout à côté de la maison. Viens, je vais te ramener.

– Oh, merci. Vous êtes très gentille.

Robin aida Adélaïde à se relever tout en se demandant si elle n'avait pas rétréci. Elle paraissait soudain toute petite et frêle, prête à être balayée par la moindre rafale de vent. La vieille dame lui adressa un grand sourire en déclarant:

– Merci. Je ne sais pas qui vous êtes, mais je sais que je vous aime.

Tandis qu'elles se mettaient à marcher côte à côte, la main d'Adélaïde sur l'épaule de la fillette, Robin se mit à pleurer en

425

silence. Elle ne pouvait pas s'en empêcher, mais craignait d'effrayer tante Addie si celle-ci s'en apercevait. Pourquoi maman n'était-elle pas là au lieu de s'occuper d'une petite fille qui n'était même plus malade! Puis elle entendit :

– Hé! Robin? Qu'est-ce qui se passe?

C'était le docteur Snow, qui avait dû la suivre. Elle était rudement soulagée de le voir! Tout en reniflant et en s'essuyant le nez sur sa manche, elle lui résuma la situation. Il lui tendit un grand mouchoir blanc.

– Tiens, tu n'as qu'à le garder en souvenir. Je n'ai pas d'autre patient à voir avant quatre heures de l'après-midi. Si je marchais un peu avec vous?

Il était gentil. Après tout, peu lui importait qu'il soit amoureux de maman. Ce qui comptait, c'était qu'il était toujours là quand on avait besoin de lui.

Ils aidèrent Adélaïde à grimper les escaliers du porche, puis s'assirent dans la cuisine, où Colleen virevolta autour d'eux, préparant le thé et caquetant comme une pie. Robin se détendit. Adélaïde paraissait très heureuse d'être de retour chez elle. Le docteur but un Pepsi, comme Robin. Il chanta même l'air de la publicité, ce qui fit rire Adélaïde. Puis il invita Robin à venir finir sa boisson assise avec lui au soleil sur l'escalier du jardin. Ce qu'il voulait, en fait, c'était lui expliquer ce qu'était la démence sénile, qui frappait beaucoup de vieilles personnes.

– C'est ce qu'a tante Addie? demanda Robin.

– Je crois.

– Je ne supporte pas quand elle ne me reconnaît pas.

– Je sais. C'est le pire. Pour nous, en tout cas. J'ignore ce qu'est le pire pour eux.

– Parfois, quand je lui parle, elle ne m'entend même pas. D'autres fois, elle me regarde fixement, et je sais qu'elle ne me reconnaît pas.

Elle s'interrompit soudain, se rendant compte qu'elle était en train de décrire quelqu'un d'autre.

– Docteur Snow?

426

– Oui?

– Est-ce que quelqu'un de jeune, je veux dire, euh... un adolescent, par exemple, peut... avoir la même maladie?

Le docteur Snow se mit à rire.

– La démence sénile? Non, à moins d'y mettre vraiment du sien. C'était une plaisanterie, ma chérie. Mais ce n'était pas très drôle, hein?

Puis son visage redevint sérieux.

– Pourquoi cette question, Robin? Tu penses à quelqu'un en particulier?

Elle eut peur de prononcer le nom de Sandy.

– Non, non, bien sûr que non. C'était juste comme ça, pour savoir...

Elle lui adressa le sourire le plus faux, le plus hypocrite et le plus difficile qu'elle ait jamais fait de sa vie.

33

Octobre 1953

Ils étaient tous assis autour de la table de la cuisine. Enfin, presque tous. La pauvre Adélaïde n'était plus là depuis deux ans. Lorsqu'elle s'était éteinte, son cerveau était encore plus innocent et vierge de toute connaissance que celui d'un bébé. Elle était morte paisiblement, dans une maison de repos, ne reconnaissant plus personne, ne sachant plus ni où ni qui elle était. Les yeux de Morgan se remplissaient encore de larmes chaque fois qu'elle repensait à la façon dont l'esprit alerte et fougueux d'Adélaïde Apple avait lentement sombré dans le néant. Cela avait été horrible à voir.

Deux ans sans sa fidèle compagne! Ensemble, elles avaient vu un demi-siècle défiler, assisté à tous les changements. Au fond, vieillir en soi n'était pas si dur. Il suffisait d'éviter de se regarder trop attentivement dans le miroir et de réfléchir à ses échecs. Le drame, c'était de voir tous ses amis disparaître les uns après les autres. Addie partie, il n'y avait plus personne qui avait les mêmes souvenirs qu'elle, personne qui se souvenait de l'avoir vue jeune. Voilà ce qui était le plus effrayant. A la fin, Morgan avait compris qu'Adélaïde l'avait aimée toutes ces années et s'était tue par amour.

Elle se leva de table et alla se resservir du café, s'attendant à ce que Birdie lui dise qu'elle consommait trop de caféine. Mais sa fille était absorbée par la lecture du journal du matin.

— Le président Truman dit que tout le Parti républicain est infecté par McCarthy. Je suis parfaitement d'accord avec lui.

– Je ne sais pas ce que cherche ce McCarthy au juste, dit Morgan, ravie de penser à quelque chose qui ne lui ferait pas monter les larmes aux yeux. Mais une chose est sûre : c'est un semeur de troubles. De gros troubles. Heureusement que Truman a une poigne de fer. Il saura tenir les sénateurs.

Elle leva soudain la tête. Il lui semblait entendre des pas à l'étage au-dessus. Naturellement, c'était son imagination.

– Tu crois toujours entendre tante Addie, grand-mère, déclara Robin. C'est peut-être son fantôme qui est là-haut.

Morgan se tourna vers sa petite-fille. Cette gamine était une petite maligne à qui rien n'échappait. Elle adorait Robin. Birdie avait toujours été un mystère à ses yeux, mais Robin... Ça, c'était une vraie Wellburn, droite, perspicace, intuitive. Et ce n'était encore qu'une enfant!

– Des fantômes! grogna J.J. C'est ce genre d'âneries qu'on t'apprend dans ton école privée si huppée?

– Ce ne sont pas des âneries, papa.

– Des fantômes! Ça n'existe pas!

– Qu'est-ce que tu en sais? dit Robin en avançant un menton pugnace. Tu ne sais pas tout.

– Je sais que tu vas t'en prendre une, mademoiselle l'insolente!

– Robin, demande pardon à ton père, dit machinalement Birdie sans même relever la tête.

Robin n'en fit rien, comme d'habitude. J.J. feignit de ne pas s'en rendre compte, comme d'habitude. Le père et la fille semblaient destinés à ne jamais se comprendre. Quel dommage! Birdie avait eu une si belle relation avec son père!

Morgan poussa un soupir, et Birdie reposa son journal.

– Nous ne pouvions rien faire de plus pour tante Addie, maman. La démence sénile est un des domaines où la médecine n'a pas progressé d'un pouce depuis la nuit des temps. C'est navrant, mais nous n'y comprenons toujours rien.

– J'aurais seulement souhaité qu'on la garde ici avec nous jusqu'à la fin, dit tristement Morgan.

– Tu sais bien que c'était impossible. Il fallait tout le temps la surveiller pour qu'elle ne sorte pas de la maison toute seule.

Tu te souviens du jour où elle a accusé Robin de lui avoir volé de l'argent ? Pourtant, elle adorait Robin. Non, elle était devenue trop imprévisible. Il aurait fallu engager quelqu'un pour être avec elle vingt-quatre heures sur vingt-quatre.

– Grand-mère et moi, on aurait pu la garder, suggéra Robin d'une voix tremblante.

– Je sais que tu l'aimais beaucoup, Robin. Nous l'aimions tous beaucoup. Mais il arrive un moment où il faut voir les choses en face.

La phrase de Birdie resta en suspens dans la cuisine, et un lourd silence s'installa. Tout le monde fut soudain absorbé par le contenu de son assiette, évitant soigneusement de regarder Sandy. Ce dernier était assis sur un tabouret et tournait le dos à la table.

Cela faisait une semaine qu'il prenait tous ses repas ainsi, sans qu'on sache pourquoi. Tout le monde avait trop peur de le lui demander. Trop peur de sa réponse. Morgan y compris.

Sandy est trop bizarre, pensa Robin. *Il est exactement comme tante Addie. Pourquoi personne ne le dit ? Pourquoi tout le monde fait comme s'il allait bien ?* Elle lança un regard de biais vers son frère. Bizarre, comme d'habitude. Il s'était coupé les cheveux lui-même, se rasant le crâne en ne laissant qu'une longue mèche sur le devant. Comme il refusait de se laver, il sentait de plus en plus mauvais. Pourquoi ses parents ne réagissaient-ils pas ? Maman disait qu'il fallait respecter l'intimité des adolescents. Mais cela n'avait rien à voir ! Quant à papa, il ne leur prêtait jamais beaucoup d'attention, ni à Sandy ni à elle, à moins qu'ils ne soient dans ses pattes ou ne fassent trop de bruit.

Un peu plus tôt, il avait aboyé à Sandy de s'asseoir convenablement à table et de manger comme un être humain. Sandy ne s'était même pas retourné, et papa avait fait comme s'il ne s'en apercevait pas. Il lisait la revue de spectacles *Variety*, espérant y trouver une occasion de remonter sur scène.

430

Soudain, Sandy pivota sur son tabouret et hurla :

– Arrêtez! Je vous demande d'arrêter!

Maman adopta la fausse voix enjouée qu'elle prenait toujours pour lui parler :

– Arrêter quoi, mon chéri? Personne ne fait rien.

– Pas vous! Les autres! Ils me volent mes pensées! Ils sont juste au-dessus de nous!

Tout le monde à table savait qui étaient les « autres ». Sa mère émit un petit rire nerveux mais, comme toujours, ne dit rien. Robin n'en pouvait plus.

– Il n'y a pas de soucoupes volantes au-dessus de Brooklyn, Sandy, tu le sais bien!

Parfois, quand elle parvenait à garder une voix très régulière et assurée, elle pouvait empêcher les pensées de Sandy de voler dans toutes les directions. Ça ne marchait pas toujours.

– Comment peut-on être sûr qu'ils ne sont pas au-dessus de Brooklyn? rétorqua Sandy. Ils viennent de l'espace. Ils peuvent être n'importe où.

J.J. leva brièvement le nez de sa revue.

– Bon sang, Sandy! Si tu continues à raconter ce genre de bêtises, ils vont finir par venir te chercher et t'emmener à l'asile.

Robin observa le visage de son frère tandis qu'il luttait pour revenir sur terre. Tout comme tante Addie, il pouvait être parfaitement normal un instant, puis à côté de la plaque l'instant suivant.

Sandy éclata de rire.

– C'est une pièce de théâtre! lança-t-il. Je suis en train d'écrire une pièce sur les soucoupes volantes.

– Ça, c'est mon garçon! dit papa. Tu l'écris et tu te donnes le premier rôle, pas vrai, fils?

– Oui, oui.

Les yeux de Sandy balayaient la pièce à toute allure. Dans quelques instants, il allait courir se réfugier dans sa chambre, où il pouvait se comporter comme il l'entendait.

– Tu ne devrais pas lire toutes ces revues de science-fiction bidon.

431

– Ce n'est pas de la science-fiction ! C'est la réalité !

Sandy se précipita hors de la cuisine. Tout le monde resta assis, l'écoutant grimper les escaliers quatre à quatre et claquer la porte de sa chambre derrière lui.

Quelqu'un allait-il enfin demander : « Qu'est-ce qui ne va pas chez ce garçon ? » Mais papa se contenta de dire :

– Encore un cas de gonade galopante !

Maman lui lança un regard noir, probablement parce qu'il avait employé le mot « gonade ». Mais il ne se souciait plus de ses regards noirs depuis longtemps. Il se leva de table.

– Bon, il est temps que j'aille travailler.

Papa aussi était « bidon ». Certes, il lui arrivait d'aller travailler de temps à autre. Récemment, il avait enregistré une série de publicités radiophoniques. Robin entendait souvent sa voix vantant les mérites de constructeurs automobiles, de corn flakes ou d'autres produits divers et variés. Mais il n'avait pas de publicité à enregistrer aujourd'hui. Cela dit, son agent, Sam, l'envoyait souvent à des auditions. L'année précédente, il lui avait dégoté un rôle de doublure dans une bonne pièce dont elle avait oublié le titre. Papa était persuadé qu'elle resterait à l'affiche pendant des années. Lorsque Tom Noonan, l'acteur principal, se lasserait du rôle, son tour viendrait, et alors ils verraient ce dont il était capable ! Mais, après quelques représentations à Philadelphie, la pièce s'était arrêtée. La plupart du temps, quand il se rendait à des auditions, il revenait sans rôle et empestant le whisky. Cela inquiétait Robin. Elle savait que cela inquiétait aussi sa mère. Parfois, elle les entendait se disputer à ce sujet. « Bon sang, Birdie ! Est-ce que tu m'as déjà vu soûl ? » Elle répondait d'une voix calme : « La question serait plutôt : est-ce que je t'ai déjà vu sobre ? »

Une minute plus tard, la porte d'entrée claquait. Dans ces cas-là, il rentrait toujours très tard, titubant dans les escaliers, marmonnant dans sa barbe ou, pis, chantant faux à tue-tête.

Robin repoussa ses œufs pochés froids et son toast. Ses parents ne pouvaient pas avoir cru Sandy tout à l'heure quand il avait prétendu écrire une pièce. Ils savaient bien qu'il n'écrivait rien du tout. Pourtant, étrangement, sa mère le croyait. Même grand-mère le croyait. Et elles étaient médecins! Même elle, qui n'était pas médecin et n'avait que douze ans, savait que son frère n'était pas normal. Elle n'arrivait pourtant pas à mettre le doigt sur la vraie nature de son problème. Pendant un temps, elle s'était demandé si ce n'était pas un mal propre à leur famille. Mais, quand elle avait demandé à grand-mère si Sandy n'avait pas hérité de la maladie de tante Addie, elle lui avait rappelé que tante Addie n'était pas vraiment une parente. Néanmoins, Robin craignait toujours que ce soit contagieux, comme la varicelle. Elle décida d'en parler une fois de plus à grand-mère. Cette dernière ne se moquait jamais d'elle, ne lui rétorquait pas qu'elle disait des idioties et ne se fâchait pas, comme maman quand elle lui avait demandé quelques jours plus tôt ce qui n'allait pas chez Sandy. « Comment peux-tu poser des questions aussi stupides? avait-elle explosé. Je ne veux plus jamais t'entendre dire des choses pareilles! Vous êtes parfaitement normaux, l'un comme l'autre! »

– Je peux sortir de table? demanda Robin en repoussant sa chaise. Il faut que j'aille à l'école.

Ce n'était pas tout à fait vrai, il lui restait beaucoup de temps, mais « école » était un mot magique à la maison. Elle pouvait faire tout ce qu'elle voulait tant que cela avait un rapport avec son éducation.

Au lieu de monter dans sa chambre prendre ses livres et ses cahiers, elle descendit à pas de loup au rez-de-chaussée. Elle devait découvrir ce dont souffrait son frère. Raconter aux parents qu'il écrivait une pièce était malin. Parfois, il trouvait d'excellentes astuces pour masquer sa bizarrerie. Sandy ne s'intéressait pourtant pas le moins du monde au théâtre, mais uniquement à ce qu'il y avait dans sa tête. Pendant un moment, cela avait été ses soldats de plomb et ses jeux de guerre, à présent c'étaient les extraterrestres. Sa chambre était tapissée du sol au plafond de revues de science-fiction. Il tenait des cahiers entiers bourrés de coupures de presse parlant de soucoupes volantes. Peut-être que c'était vrai, qu'à force d'en lire ça lui était monté à la tête. Mais quelque chose au fond d'elle-même lui disait que ce n'étaient pas ses lectures qui perturbaient son frère.

Morgan descendit lentement les escaliers. Ils n'étaient pas plus raides qu'autrefois, c'étaient ses articulations qui l'étaient devenues. Elle cessa de grommeler intérieurement à propos de son âge, se disant qu'elle devait plutôt remercier le ciel de ne pas être encore sénile. Elle avait déjà prévenu Birdie : « Si cela m'arrive, je veux que tu me donnes quelque chose pour en finir. » Birdie avait manqué de s'étrangler. « Non, non et non ! Tu n'as pas le droit de me demander une chose pareille ! Ce n'est pas juste ! »

Morgan avait alors saisi sa fille par les épaules et l'avait regardée droit dans les yeux : « Birdie, je t'en supplie. Lorsque le jour viendra où je ne te reconnaîtrai plus, fais-moi une piqûre. Tu te souviens comme c'était horrible d'aller voir cette pauvre Adélaïde ? » Elle avait fini par lui arracher une promesse.

Morgan descendait à son cabinet tous les jours, même si elle ne recevait plus de patients, du moins régulièrement. De temps à autre, une femme désespérée venait frapper à sa porte, qui essayait de tomber enceinte ou de ne pas tomber enceinte. Morgan la recevait toujours et faisait de son mieux, tout en sachant qu'elle n'aurait pas dû. A son âge, une erreur était vite commise.

Elle était tellement absorbée par ses pensées qu'elle faillit tomber à la renverse en découvrant Robin assise derrière son bureau, plongée dans une de ses grosses encyclopédies médicales. Morgan étudia sa petite-fille, remarquant son front plissé par la concentration. Cette enfant était futée. La pauvre petite avait cru être responsable du déclin d'Addie parce qu'elle s'était emportée contre elle un jour et l'avait fait pleurer. Il avait fallu passer des heures à la convaincre que la démence sénile n'était la faute de personne, et certainement pas la sienne. A cette époque, elle n'avait que neuf ou dix ans. Déjà si sensible, si attentive aux autres! *Elle fera un merveilleux médecin*, pensa Morgan. Puis elle rit d'elle-même : imaginer que Robin suivrait le même chemin qu'elle sous prétexte qu'elle lui ressemblait...

– Qu'est-ce que tu cherches, ma chérie?

Robin sursauta, rougit, puis prit un air déterminé qui signifiait qu'elle ne présenterait aucune excuse mais irait jusqu'au bout de ce qu'elle avait commencé. *Tout comme moi*, pensa fièrement Morgan.

– Je crois que j'ai trouvé, grand-mère.

– Trouvé quoi?

– Ce qui ne va pas chez Sandy.

Ainsi, Robin n'était pas dupe. Au fond, cela n'avait rien d'étonnant. Personne ne l'était, hormis peut-être J.J., trop absorbé par lui-même pour remarquer quoi que ce soit. Birdie savait. Elle refusait simplement de l'admettre. Robin n'avait que douze ans, mais elle regardait le monde en face, sans détourner les yeux lorsque les choses étaient pénibles à voir. Morgan scruta son regard intelligent et décida qu'il était idiot de garder le secret plus longtemps.

Elle lui raconta toute l'histoire des voix qu'entendaient ses ancêtres, des crises d'épilepsie, des comportements irrationnels. Elle lui raconta tout ou presque.

– N'oublie pas, Robin, que cela se passait il y a très longtemps, il y a au moins deux siècles. Ces histoires ont été racontées maintes fois. Elles ne sont peut-être pas entièrement vraies, bien sûr, mais...

Elle hésita.

– Quoi, grand-mère? C'est la partie la plus importante. Je t'en prie, dis-le-moi, je peux tenir le choc.

Morgan hésita encore, puis se dit : *Pourquoi pas?*

– J'avais une sœur qui s'appelait Rébecca. Becky.

– Je sais. C'est en souvenir d'elle que mon deuxième prénom est Rébecca.

Morgan pinça les lèvres.

435

– J'avais demandé à ta mère de ne pas t'appeler ainsi, mais elle n'en a jamais fait qu'à sa tête.

– Pourquoi tu ne voulais pas que je porte son nom?

– Elle était... elle était folle. C'était une enfant ravissante et douée jusqu'à l'âge de dix ou douze ans. Elle a alors commencé à faire d'étranges cauchemars. Puis ces derniers sont devenus des rêves éveillés. Quand elle a atteint l'âge de seize ans, elle s'est mise à entendre et à voir des choses. Elle pensait que c'étaient des esprits. Dans ma famille, on croyait aux esprits. Les Indiens de l'Algonquin, les Péquots, dont nous descendons, pensaient que tout avait un esprit, même les arbres et les pierres. C'est pour ça que, pour eux, tout ce qu'il y avait sur terre était sacré. Mais, naturellement, certains esprits étaient mauvais.

Elle poussa un long soupir, avant de conclure :

– La plupart du temps, Becky ne voyait et n'entendait que les mauvais. Pauvre Becky!

– Que lui est-il arrivé, grand-mère?

– Je n'en sais rien, ma chérie. La dernière fois que je l'ai vue, ta mère n'était qu'un bébé. Becky m'a dit qu'elle était heureuse que j'aie eu un enfant puis, soudain, elle s'est enfuie et cachée dans la forêt. Elle doit être morte à présent.

– Et, malgré ça, maman m'a donné son nom?

– Je ne lui ai jamais raconté toute l'histoire de Becky. Je lui ai juste dit que j'avais une sœur nommée Rébecca et qu'elle lui ressemblait beaucoup.

– Pourquoi? Pourquoi tu ne lui as rien dit?

– J'avais peur. Je craignais... qu'elle tombe malade à son tour. J'ai été soulagée quand j'ai vu qu'il ne se passait rien. Je me suis dit : « On est sauvées! J'ai eu une fille et elle n'est pas devenue folle. » J'ai toujours cru que cette malédiction ne frappait que les femmes de ma famille.

Elle s'interrompit, les larmes aux yeux.

– Ce n'est pas une malédiction, grand-mère. C'est une maladie mentale. Regarde, c'est écrit ici. Chizo... sizo...

– Schizophrénie. Oui, je sais que c'est une maladie.

– Alors, toi aussi, tu crois que Sandy a la schizophrénie?

– Oui. Ça ne se manifeste pas tout à fait comme chez Becky, mais c'est bien la même chose.

Robin se leva, l'air grave.

– Il faut qu'on le dise à maman. Il faut le lui dire tout de suite.

– Assieds-toi, Robin. Je le lui ai déjà dit. Enfin, j'ai essayé. Elle refuse de me croire.

Morgan se demanda si elle devait parler à Robin des visites nocturnes de Bird. Elle avait vu son ancêtre en rêve quelques nuits plus tôt, pour la première fois depuis très longtemps. Bird tenait un bébé dans ses bras, le tendant vers Morgan. Morgan essayait de le prendre mais, elle avait beau étirer les bras, il restait toujours hors de sa portée. Elle s'était réveillée en nage, paniquée, sans savoir pourquoi. Elle n'arrivait pas à déchiffrer le message de Bird.

Le téléphone sonna dans une pièce voisine. Quelqu'un décrocha. Non, Morgan ne parlerait pas de Bird à Robin. Cela faisait assez d'histoires étranges pour aujourd'hui. Elles restèrent toutes les deux assises en silence. Peu après, elles entendirent la porte du cabinet de Birdie s'ouvrir, puis ses talons claquer dans le couloir. Morgan espérait qu'elle allait enfin admettre la vérité. Pour une raison ou une autre, elle savait que le coup de téléphone concernait Sandy.

Birdie entra dans le bureau de sa mère, la mine pâle et agacée.

– C'était le directeur de l'école de Sandy, annonça-t-elle. Il veut que je passe le voir. Il paraît que Sandy sèche ses cours parfois plusieurs jours de suite. Il me demande ce qu'il fabrique. Comment veut-il que je le sache!

Tout en parlant, sa voix monta de plusieurs tons et ses joues devinrent de plus en plus rouges.

– Il m'a dit que, si Sandy continuait comme ça, il devrait le laisser partir. Ils veulent le renvoyer! C'est ce qu'on va voir!

Elle ne semblait même pas avoir remarqué la présence de Robin, alors que celle-ci aurait dû être partie à l'école depuis longtemps.

– Mais chaque chose en son temps, reprit-elle. Pour commencer, je vais monter voir ce vaurien et lui dire ce que j'en pense. Quant à ses magazines, tous à la poubelle! Il est grand temps qu'il se ressaisisse. Autrement, je l'envoie tout droit à l'école militaire!

Morgan et Robin la dévisagèrent sans savoir quoi lui dire. De toute manière, Birdie ne leur en laissa pas le temps. Elle tourna les talons, se précipita dans le couloir et grimpa l'escalier comme si elle avait eu tous les démons de l'enfer à ses trousses.

34

Juin 1955

Pourquoi s'accrochaient-ils tous à l'idée que Sandy irait mieux ? Depuis deux ans, ils avaient tout essayé en vain. Au contraire, son état ne faisait qu'empirer.

Lorsque maman avait appris que son fils allait vraiment être renvoyé du collège, elle avait appelé le docteur Snow et lui avait demandé de le prendre comme patient. Naturellement, il avait accepté. Il ne pouvait jamais rien lui refuser. L'école avait donné une seconde chance à Sandy, puis une autre, et encore une autre. Il était intelligent, bizarre mais intelligent. Toutefois, ces temps-ci, il était incapable de se concentrer sur quoi que ce soit. Il avait déclaré à Robin que l'électricité statique dans sa tête brouillait les mots sur la page. Il voyait le docteur Snow trois fois par semaine, mais on ne constatait guère d'améliorations. Il continuait à dire des choses étranges, à tourner le dos à tout le monde et à se précipiter hors de la pièce sans prévenir. Le docteur Snow leur avait expliqué qu'il essayait d'échapper à ses voix. « On ne peut pas leur échapper », avait répondu grand-mère. Tout le monde s'était tourné vers elle. « Comment le sais-tu ? » demanda maman.

Grand-mère ouvrit la bouche, et Robin pensa : *Ça y est, elle va lui parler de sa sœur Becky.* Mais elle n'en fit rien et déclara simplement : « Parce qu'il n'y arrive jamais ! Tu as sûrement remarqué ses lèvres qui remuent ? Non ? La prochaine fois qu'il détournera la tête, observe-le attentivement. Tu verras. Il répond aux voix qu'il entend dans sa tête. Il croit que s'il nous

439

tourne le dos on ne s'en rendra pas compte. Apparemment, il n'a pas tort, puisque tu n'as rien vu. »

Mais maman refusait toujours de comprendre. Elle était tellement têtue! Elle continuait à affirmer que ça lui passerait avec l'âge, ou bien qu'il allait nettement mieux. Personne n'avait le courage de lui dire le contraire. L'année passée, Sandy s'était mis à répondre aux voix en criant. Il arpentait sa chambre pendant la nuit en vociférant. Ses cris paraissaient si... douloureux! Robin avait envie d'aller le réconforter. Mais, les quelques fois où elle avait frappé à sa porte, il lui avait hurlé de déguerpir.

Puis il décréta que sa nourriture était empoisonnée. Il refusait de manger. Robin lui proposa d'être son goûteur, comme pour les rois dans les légendes. L'idée lui plut et, pendant un temps, quand il la voyait prendre une bouchée sans s'effondrer à terre raide morte, il finissait son repas.

Mais cela ne dura pas. Il l'accusa d'être une empoisonneuse à son tour. Elle ne mourrait pas parce qu'elle était immunisée ou parce qu'elle utilisait un poison spécialement conçu pour Alexander Malone. Robin eut beau parlementer, rien n'y fit. Grand-mère prit alors le relais, déclarant qu'elle détenait certains pouvoirs magiques indiens et que, dorénavant, ce serait elle qui achèterait sa nourriture. Elle tapissa de papier un des placards de la cuisine et stipula que cet emplacement lui était exclusivement réservé.

Ensuite, il se mit à répondre au poste de télévision, même quand il était éteint. Généralement, il attendait qu'il n'y ait plus personne dans la pièce mais, comme il ne parlait plus qu'en criant, toute la famille l'entendait.

Il était impossible de se détendre, car on était toujours sur le qui-vive, à se demander ce qu'il allait faire ou dire. Lui-même refusait de croire qu'il était malade. Un jour, Robin lui dit : « Ecoute, Sandy, ces voix qui d'après toi hurlent dans la salle à manger, je ne les entends pas. Maman et papa ne les entendent pas non plus, pas plus que grand-mère. Même le docteur Snow ne les entend pas. Tu ne crois pas qu'elles pourraient venir de ta tête? »

Il la dévisagea d'un regard assassin, et elle crut que sa dernière heure avait sonné. « Tu sais, cracha-t-il, toi aussi, tu pourrais très bien être l'ennemi, *petite sœur.* »

Elle ne lui en parla plus jamais.

Après cet épisode, elle pensa qu'il la haïrait jusqu'à la fin de ses jours, mais il n'en fut rien. Un mois plus tôt, c'était encore elle qui était parvenue à le convaincre de reprendre ses médicaments. Comme il croyait que tout était empoisonné, il ne les avalait presque jamais. Cette semaine-là, il se croyait persécuté par le célèbre comique Ernie Kovacs. « Il transmet des ondes négatives par la radio pour me kidnapper », avait-il annoncé.

Il semblait terrifié. Pourtant, Kovacs était à se tordre de rire. Robin adorait ses émissions. Mais, si Sandy entendait des menaces à la place des plaisanteries, alors adieu Ernie !

Elle lui déclara qu'Ernie Kovacs avait promis de ne plus transmettre d'ondes néfastes à une condition : que Sandy prenne ses comprimés. Cependant Sandy n'en prit que la moitié. Que croyait-il, qu'il ne mourrait qu'à moitié s'ils étaient contaminés ? Au moins, une partie du traitement parvenait dans son organisme.

C'était de la Thorazine. Un excellent médicament. Au bout de quelques jours, Sandy cessa de marmonner sans cesse dans sa barbe, ce qui signifiait que ses voix le laissaient tranquille de temps à autre. Puis le docteur Snow modifia la dose. Les nouveaux comprimés étaient d'une autre couleur, et Sandy les prit sans discuter à chaque repas. Il s'assit même normalement à table avec les autres membres de la famille. Au bout de quelques semaines, il sembla aller mieux, et tout le monde commença à respirer.

Quand il était dans son état normal, Sandy aimait les chansons populaires. Il adorait *You Gotta Have Heart*, un des airs de la comédie musicale *Damn Yankees*. Il avait appris les paroles en deux temps trois mouvements et se mit même à les chanter quand l'air passait à la radio. Tout le monde était ravi, et papa fut convaincu que son fiston avait « passé sa crise », surtout quand Sandy déclara qu'il voulait voir le spectacle sur scène.

Pour papa, c'était la preuve qu'il était guéri. Quelqu'un qui voulait voir un spectacle à Broadway ne pouvait être que parfaitement normal! Ils y allèrent ensemble.

– Entre hommes, dit papa.

Ce soir-là, papa ne rentra qu'après minuit. Grand-mère, maman et Robin attendaient, mortes d'inquiétude.

– S'il a osé l'entraîner dans un de ces foutus bars... marmonnait maman.

Mais, lorsque papa rentra, il n'était même pas éméché. Il avait l'air épuisé et effrayé.

– Il a adoré le spectacle, déclara-t-il. Il s'est même mis à chanter à voix haute et j'ai dû lui dire de se taire avant qu'on nous expulse, mais je ne crois pas que c'est ça qui...

– Quoi, J.J.? Que s'est-il passé?

– C'est ce que j'essaie de t'expliquer, bon sang! Au moment des rappels, il a bondi de son siège et disparu.

– Disparu! souffla grand-mère.

– Oui, il a filé si vite... J'ai couru derrière lui, mais je n'ai pas pu le rattraper. Personne ne l'a vu. J'ai appelé les flics. Ils ont lancé un avis de recherche, mais ça n'a encore rien donné.

– J.J.! Où est-il? hurla maman.

– Comment veux-tu que je le sache! Je viens de te dire ce qui s'était passé! C'est arrivé si vite que je n'ai rien pu faire! Personne d'autre non plus! De toute manière, il va revenir ici. Où veux-tu qu'il aille? Tu vas voir, il va sonner à la porte au milieu de la nuit en nous réveillant tous.

Il se trompait. Trois longues journées s'écoulèrent, et toujours pas de Sandy. Le docteur Snow pensa qu'il s'était peut-être réfugié dans son cabinet. Il fit passer au crible les moindres recoins de l'hôpital. Peine perdue. Puis, un après-midi, Colleen Mulligan débeula dans la cuisine en appelant:

– Il y a quelqu'un? Il y a quelqu'un?

Il y avait Robin. Elle faisait ses devoirs dans sa chambre, penchée sur un livre d'histoire de l'Amérique, se disant que ceux qui écrivaient ces manuels ridicules ne comprenaient décidément rien aux Indiens. En entendant Colleen, elle descendit les escaliers en courant. En sortant les ordures, celle-ci avait entendu des bruits sous la maison, sous les marches de l'escalier du jardin.

Robin se précipita au-dehors et se mit à déplacer les poubelles en faisant le plus de bruit possible. Puis elle s'agenouilla devant les marches et appela :

– Sandy? C'est toi? Je sais que tu es là. Qu'est-ce que tu fiches sous la maison?

Il y avait un petit espace sous l'escalier. Elle ne voyait rien car il y faisait noir, mais il était bien là. Elle l'entendait claquer des dents malgré la chaleur de la journée.

– Sors de là, Sandy. C'est moi, Robin.

– Peux pas.

– Pourquoi?

– Le diable me cherche. Il a sauté de la scène pour m'attraper. Alors je me suis enfui.

– Tu as couru plus vite que le diable? Bravo! Mais il n'est plus là, à présent, tu peux sortir.

– Le diable veut m'attraper.

Comprenant qu'il était inutile de discuter, elle changea de sujet.

– Tu as faim?

– Oui, très. Tu ne peux pas m'apporter un sandwich?

– Non, Sandy, il faut que tu sortes de là-dessous pour avoir un sandwich.

Comme il ne disait rien, elle demanda :

– Quelle sorte tu veux?

Toujours rien. Elle cita ses préférés :

– Œufs mimosa? Salade de thon? Poulet?

– Œufs mimosa, répéta-t-il d'une voix faible.

Une minute plus tard, il sortit, hagard et couvert de crasse. Il était encore pire qu'avant la Thorazine.

Un peu plus tard le même jour, le docteur Snow vint le voir et déclara à maman qu'il était préférable de l'hospitaliser. Maman se récria, arguant qu'il serait beaucoup mieux à la maison. Après tout, elle était médecin. Elle veillerait à ce qu'il prenne tous ses médicaments. Grand-mère tenta de lui expliquer que ce n'était pas si simple, qu'elle connaissait cette maladie. Mais personne ne voulut l'entendre, pas même papa.

– Ecoutez, Morgan, déclara papa en prenant sa grosse voix d'acteur, ce garçon a simplement une imagination hyperactive. C'est la malédiction de tous les Malone. Il lui faut un peu de repos, et tout rentrera dans l'ordre.

Naturellement, papa avait tort, comme d'habitude.

Robin passait voir Sandy dans sa chambre tous les jours. Il avait peur de tout, y compris d'elle. La veille, il avait à nouveau cessé de manger parce que le diable se cachait dans sa nourriture. Ils durent lui commander un repas chez un traiteur chinois. Robin savait déjà que, d'ici un ou deux jours, même son canard laqué et ses rouleaux de printemps seraient empoisonnés. Il leur faudrait trouver autre chose pour qu'il ne se laisse pas mourir d'inanition.

Ce matin-là, grand-mère n'était pas encore descendue de sa chambre. Il avait plu toute la nuit, ce qui voulait dire qu'elle avait mal aux genoux. Dans ces cas-là, négocier les marches de l'escalier devenait trop périlleux. Robin lui monta un plateau avec des toasts, du jus d'orange, du café et trois quotidiens.

– Si je reste coincée dans ma chambre plus longtemps, il va falloir que je déménage au rez-de-chaussée. On pourrait peut-être me monter un lit de camp dans l'office.

– Oh, grand-mère, on peut faire mieux que ça! Que dirais-tu d'un bon gros lit douillet devant le poêle du salon?

– Pour qui me prends-tu, pour le toutou de la famille? Je préfère coucher dans mon bureau!

Elles plaisantèrent ainsi un bon moment. Grand-mère allait bientôt fêter ses quatre-vingt-sept ans – son anniversaire était en août –, mais elle était plus alerte que jamais. Elle lisait chaque quotidien de la première à la dernière ligne et s'énervait encore chaque fois qu'elle découvrait une nouvelle injustice dans le monde. Elle était vraiment chouette. Robin lui donna un gros baiser et déclara :

– Dès que je rentrerai de l'école, je monterai voir si tu n'as besoin de rien.

– Jure de ne le répéter à personne, dit grand-mère avec un sourire, mais tu es ma préférée.

– Ta préférée quoi?

– Ah, ça, ce serait en dire trop!

Lorsque Robin rentra à la maison dans l'après-midi, grand-mère se sentait nettement mieux.

– Je crois que je peux descendre maintenant, annonça-t-elle.

– Je suis contente que tu m'aies attendue, répondit Robin. Je ne crois pas que tu puisses y arriver toute seule. Si tu tombais?

– Je ne tomberai pas puisque tu es là.

Quelques instants plus tard, grand-mère, armée de sa canne, entama sa lente descente vers le rez-de-chaussée. Robin se tenait juste derrière elle, au cas où. Elles étaient à mi-chemin lorsque Sandy apparut au pied des escaliers, mangeant une pêche.

Dès qu'il aperçut grand-mère, il se mit à hurler. Puis il se couvrit le visage avec les bras en gémissant :

– Le diable! Je t'en supplie, non! Je te jure que je serai sage, laisse-moi! Je t'en supplie, laisse-moi tranquille!

Grand-mère continua à descendre, lui parlant d'une voix calme :

– Sandy, c'est moi, grand-mère. Tu me connais, mon chéri. Je ne suis pas le diable. Je vais te donner une amulette indienne qui te protégera contre lui. C'est une amulette très puissante. Ça marche à tous les coups.

Robin crut qu'il se calmait. Puis, quand grand-mère arriva à sa hauteur, il s'écria :

– Je vois ta fourche! Belzébuth! Prince des ténèbres! Tu croyais m'avoir!

Il lui arracha sa canne et la jeta derrière lui. Grand-mère perdit l'équilibre. Sandy lui donna un coup d'épaule en passant comme une fusée. Robin hurla :

– Non, grand-mère!

Elle voulut bouger, mais elle était pétrifiée. Grand-mère tenta de se rattraper à la rampe, la manqua et dégringola les marches. Robin resta sur place, hurlant à pleins poumons. Sandy la poussa à son tour, poursuivit sa course dans les escaliers, se précipita dans sa chambre et claqua la porte. Robin, morte de peur, s'efforça de cesser de crier et dévala les marches vers grand-mère qui paraissait... cassée. Elle avait une jambe tordue sous elle. Elle ne bougeait pas. Sa tête reposait sur la première marche, ses pieds pointaient vers le ciel. Elle ouvrit un œil en entendant le souffle court de Robin et tenta de sourire.

– Je crois... que ma hanche est cassée. Appelle ta mère. Et Wendroff.

– Oh, grand-mère! Tu es blessée! Je le tuerai! Je le tuerai!

– Chut... Robin. Appelle l'hôpital. S'il te plaît. Apporte-moi trois aspirines... de l'eau... un oreiller pour ma tête. Allez, va!

Robin fila. Elle composa le numéro de sa mère à l'hôpital, qu'elle connaissait par cœur. Maman faisait sa tournée mais sa secrétaire, Marie, lui répondit qu'elle envoyait tout de suite une ambulance et qu'elle préviendrait le docteur Malone.

– Ne t'inquiète pas, petite. Quand ils sauront que c'est pour le docteur Becker, les ambulanciers mettront les gaz.

Robin apporta l'aspirine et l'oreiller, puis resta assise auprès de sa grand-mère jusqu'à ce que la porte d'entrée s'ouvre précipitamment et que sa mère fasse irruption dans la cage d'escalier, livide, demandant ce qui s'était passé. Robin aperçut le regard noir que lui lança sa grand-mère, mais fit mine de ne rien voir. Maman devait connaître la vérité :

– C'est Sandy qui l'a fait tomber, répondit-elle. Il l'a poussée dans l'escalier.

Grand-mère dit : « Robin! » au moment même où maman disait : « Sandy! », toutes les deux avec le même ton choqué.

– C'est pourtant la vérité, grand-mère! Je t'assure, maman.

L'ambulance arriva, mais grand-mère refusa d'aller à l'hôpital. Elle voulait que le docteur Wendroff lui remette sa hanche en place et qu'on la remonte dans sa chambre, dans son propre lit.

– Faites-le! dit maman. Faites ce qu'elle demande! Il y a un téléphone dans l'entrée.

Bientôt, toute la maison fut sens dessus dessous. Maman appela le docteur Snow avec le téléphone du salon.

– Terry, on ne peut plus tenir Sandy. Il faut l'hospitaliser... Ce n'est pas ce que tu demandais depuis des mois? Oui, bon sang, j'ai une bonne raison d'avoir soudain changé d'avis. Il a poussé ma mère dans l'escalier... Oui, je crois qu'elle a le col du fémur cassé. Peut-être aussi la jambe, à son âge! D'accord. Parfait. Plus tôt vous viendrez le chercher, mieux ce sera.

Là-dessus, papa fit son entrée. Dès qu'il fut mis au courant, il se mit à crier :

– Pas question! Ils n'enfermeront pas mon fils!

Maman, toujours au téléphone, poursuivit :

– Oui, Terry. Le plus tôt possible, d'accord?

Papa se mit à faire les cent pas devant elle, hurlant que son fils n'irait pas chez les fous, qu'il ne les laisserait jamais l'enfermer dans une cellule matelassée...

Maman ne lui prêta aucune attention jusqu'à ce qu'elle eût raccroché. Puis elle se tourna vers lui et lui annonça sur un ton que personne n'aurait osé contredire :

– J.J., écoute-moi. Sandy est malade. Il a poussé ma mère dans l'escalier. Il l'a prise pour le diable.

Sa voix se brisa, et elle déglutit avant de continuer :

– Il va aller à l'hôpital où on pourra le soigner. Un point, c'est tout.

– Est-ce que mon opinion compte dans cette maison?

– J.J., pour l'amour de Dieu! Tu as entendu ce que je viens de dire? Il a failli tuer sa grand-mère. Il a des hallucinations! Tu ne veux donc pas comprendre ce qui se passe?

Robin crut que son père allait exploser. Son visage devint rouge foncé et ses yeux se rétrécirent, comme lorsqu'il était vraiment très fâché. Puis il tourna les talons et sortit. Avant de claquer la porte derrière lui, il se retourna et lança :

– Puisque mon fils n'est plus le bienvenu dans cette maison, je refuse d'y rester moi aussi.

Vlan!

Papa n'était donc plus là pour voir Sandy se débattre contre les infirmiers venus le chercher, l'un le tenant sous les aisselles, l'autre par les pieds. Sandy gesticulait comme un gros ver, hurlant des imprécations et suppliant qu'on le lâche, puis les menaçant de mort ou criant qu'il était kidnappé. Robin assista à la scène depuis le haut de l'escalier. Elle aurait aimé qu'il hurle moins fort. Tout le monde dans Clinton Street devait l'entendre. Elle aurait aussi souhaité qu'ils soient plus doux avec lui, même s'il était dur à maîtriser. Il semblait soudain avoir une force herculéenne.

Cela dit, elle n'était pas fâchée de le voir partir. Pour le moment, elle préférait qu'il soit loin, à l'hôpital. Elle lui en voulait à mort. Jusque-là, elle avait supporté toutes ses salades par pitié pour lui. Mais il était allé trop loin. Attaquer grand-mère! La meilleure personne au monde! Heureusement, les infirmiers ne lui avaient pas mis une camisole de force. Cela aurait été trop humiliant et trop horrible.

Terry Snow se tenait derrière elle. Il posa une main sur son épaule.

– Je sais que c'est dur, Robin.

Elle secoua la tête.

– Non, il a besoin d'aide. Je ne sais pas pourquoi maman...

– Que veux-tu, Robin, ta mère espérait envers et contre tout... Après tout, ce n'est pas facile pour elle. C'est son premier-né. Dans mon métier, on appelle ça le déni. Mais à présent on va pouvoir garder l'œil sur lui, veiller à ce qu'il prenne ses nouveaux médicaments. Je mets de grands espoirs dans la Thorazine. Elle a fait des miracles sur certains de mes patients.

– Aussi cinglés que mon frère?

Prononcer le mot à voix haute était comme de mordre des lèvres gercées : à la fois douloureux et apaisant.

– Encore plus cinglés, ma chérie. Tu verras, il deviendra un nouveau Sandy.

Elle regarda les infirmiers l'attacher sur une civière et le monter dans l'ambulance. Au moins, il n'irait pas à Bellevue. Pour le moment, il serait interné dans le service psychiatrique de l'hôpital de Cadman Mémorial, où maman pourrait lui rendre visite tous les jours et où Terry Snow veillerait à ce que ses médicaments ne produisent pas de terribles effets secondaires. Le psychiatre leur avait expliqué que, si la Thorazine ne marchait pas, il existait un autre produit tout nouveau, la Stelazine. A l'hôpital, au moins, ils seraient mieux à même de l'encadrer et de rectifier rapidement les doses.

Sa mère sortit sur le perron.

– Oh, mon Dieu, je n'arrive pas à croire à ce qui nous arrive, sanglota-t-elle.

Le docteur Snow lui tapota l'épaule.

– Tu es sûr, Terry? demanda-t-elle d'une voix chevrotante.

– Si je suis sûr qu'il vaut mieux l'interner? Evidemment! Je ne vous ferais pas subir une telle épreuve si ce n'était pas indispensable. Mais, Birdie...

Elle ne l'écoutait pas.

– Il pourrait avoir une rémission, poursuivit-elle. Entre vingt et trente pour cent des patients n'ont pas de récurrence de leur crise originelle.

Elle avait déjà dit ça une bonne centaine de fois. Elle ne parvenait pas à voir les choses en face. *Je me comporte plus en adulte qu'elle*, se dit Robin. Malgré son ton ferme au téléphone un peu plus tôt avec le docteur Snow, il avait fallu la raisonner pendant des heures avant de la convaincre de signer l'autorisation d'internement de Sandy.

– Maman, il va de mal en pis, intervint Robin. Même s'il se remet, tu ne crois pas qu'il doit rester à l'hôpital en attendant?

Elle se garda d'ajouter : « En plus, il est devenu dangereux », de peur de se faire égorger.

L'ambulance démarra enfin, emmenant Sandy à l'hôpital de Cadman Mémorial. Papa était parti. Grand-mère était dans sa chambre, sa hanche et sa jambe dans un gros plâtre. Elle gardait les yeux fermés la plupart du temps. Son visage était livide, comme s'il n'y restait plus une étincelle de vie. Ce n'était pas juste. Robin sentit les sanglots monter, et son menton se mit à trembler. Le docteur Snow s'accroupit auprès d'elle.

– Ne t'inquiète pas, Robin. On fera tout notre possible pour Sandy.

Mais ce n'était pas Sandy. Ce n'était pas grand-mère non plus. C'était tout à la fois. Terry Snow avait toujours été son docteur préféré. Elle avait toujours été persuadée qu'il était l'homme le plus intelligent de la terre. Elle avait compté devenir psychiatre, elle aussi, comme lui. Mais le docteur Snow n'avait pas été capable d'aider Sandy. Ses médicaments ne servaient à rien, et elle était sûre que les prochains non plus. Tous les patients de maman et de grand-mère étaient toujours impressionnés devant elles. Robin aussi. Elle avait toujours cru que les docteurs étaient magiques, et même encore mieux que magiques puisqu'ils avaient la science. Elle avait cru que les docteurs pouvaient tout arranger. Quelle idiote!

Tout ce dont sa mère savait parler, c'était papa :

– Où crois-tu qu'il soit parti, Terry? Je le connais. Il va se soûler, se retrouver mêlé à une bagarre ou se faire renverser par une voiture... Mon Dieu, de quoi je parle? Ma mère est là-haut, peut-être en train de mourir, et je m'inquiète au sujet de J.J.!

Elle éclata en sanglots.

– Et s'il le pensait vraiment? S'il ne revenait pas?

Grand-mère en train de mourir? Robin fit volte-face et grimpa l'escalier quatre à quatre.

Elle entra dans la chambre de grand-mère sur la pointe des pieds. Elle s'approcha du lit et prit sa main, le visage baigné de larmes. Elle faisait un bruit d'enfer, mais s'en fichait pas mal.

Puis grand-mère exerça une légère pression sur sa main et prononça son nom d'une voix qui n'était presque qu'un souffle.

– Oui, grand-mère?

450

– La mort, Robin.

– Oui, grand-mère.

– Ça ne fait pas peur.

Robin essaya de dire « Tant mieux », mais aucun son ne sortit de sa gorge.

– Très, très fatiguée, ma chérie. Mon esprit veut partir... voir toute ma famille... retrouver mon cher Alex.

– Non, grand-mère ! Ton esprit ne s'en va pas ! Ne dis pas ça !

– Trop fatiguée pour réparer ce vieux corps brisé. Trop fatiguée...

Elle resta silencieuse un long moment, au point que Robin la crut morte.

– Grand-mère ? Grand-mère !

– J'ai eu une longue et bonne vie. J'ai beaucoup soigné, beaucoup aidé. Un bon mari. Une bonne fille. Une petite fille mer... veilleuse.

Elle s'interrompit, hors d'haleine. Quand elle reprit la parole, sa voix était plus forte.

– Je n'ai jamais dit à Birdie... pour Quare Auntie et Becky.

Elle souriait, les yeux toujours fermés, serrant fort la main de Robin.

– ... Mon seul regret, sauf pour...

Sa voix n'était pratiquement plus audible.

– Non, grand-mère, attends ! s'écria Robin. Attends ! Ne pars pas encore ! Tu ne peux pas partir ! C'est trop tôt ! Je n'ai encore rien fait ! Tu dois attendre que je sois grande !

Les lèvres de grand-mère remuèrent, esquissant les paroles : « Tu l'es déjà », mais aucun son n'en sortit. Puis, soudain, elle cessa de respirer.

– Attends ! murmura Robin. Encore une minute...

Mais elle voyait bien que l'esprit de grand-mère s'était envolé, tel un oiseau, exactement comme elle le lui avait toujours dit.

– Non ! Non ! Non ! cria Robin.

A présent, ils étaient tous partis ! Tous ceux qui l'aimaient. Elle était totalement seule au monde, et le serait à jamais. Elle renversa la tête en arrière et laissa éclater sa peine.

35

Août 1960

Le rosier grimpant du jardin, rendu à l'état sauvage, enjambait la clôture et projetait ses nouvelles pousses tout le long de la façade, recouvrant l'auvent du porche et s'agrippant aux briques. Birdie disait toujours que c'était mauvais pour la pierre et qu'il fallait le tailler, mais personne ne s'y attelait jamais. En outre, c'était joli... comme une tapisserie rouge et rosé. Colleen, qui avait pris en charge le jardin depuis des années, ne supportait pas de couper un être vivant, si bien qu'elle en avait fait une cacophonie de couleurs. Le pommier sauvage, qui formait un nuage rosé au début du printemps, commençait à donner des fruits maintenant qu'on était en août, et ses branches ployaient sous leur poids. Colleen avait également rempli les jardinières de bégonias rouges et roses. Ils étaient superbes en dépit de la chaleur et de l'humidité. Elle avait également lavé les chaises en fonte noire et balayé les allées de brique. Tout était net et propre, comme il seyait à une cérémonie funèbre.

Birdie essaya de se sentir triste, mais n'y parvint pas. Elle avait l'esprit ailleurs. Il y avait pas mal de monde dans le jardin cet après-midi. Tous les Mulligan étaient là, sauf Jim et Brian, qui n'avaient pu se libérer de leur travail. Ils étaient dans le bâtiment, excellente profession dans la mesure où Brooklyn Heights était en pleine rénovation ; on bâtissait à qui mieux mieux.

Au fond du jardin se tenaient deux professeurs du collège, un homme et une femme. Le directeur s'était fait excuser.

452

Colleen avait son mot à dire à ce sujet, pinçant les lèvres d'un air outré, mais Birdie s'en fichait. Elle voulait simplement qu'on en finisse. Tous les médecins de l'hôpital étaient là. Il y avait Terry Snow, bien sûr. Il était justement en train de parler. Birdie se dit qu'elle aurait dû écouter, mais elle n'arrivait pas à se concentrer. Près d'elle étaient assises Robin et Pamela Boone, l'infirmière préférée de Sandy à la clinique psychiatrique de Warrenstown. Pamela devait avoir à peine quelques années de plus que Sandy... *Si j'étais catholique*, se dit Birdie, *je me signerais, comme Colleen chaque fois qu'on aborde ce sujet. Dommage que je ne croie pas en Dieu.*

Sandy est mort, se répétait Robin, espérant faire venir les larmes. Mais ses yeux restaient secs. En réalité, Sandy était mort depuis longtemps, peut-être à sa naissance déjà, même si les gens disaient que, en général, la schizophrénie se déclarait brusquement vers la fin de l'adolescence. Ces gens n'avaient pas vécu avec son frère. Aussi loin qu'elle s'en souvienne, Sandy avait toujours été, sinon fou, du moins très étrange.

Ils étaient tous rassemblés aujourd'hui pour une cérémonie funèbre non religieuse. Le docteur Terry disait quelques mots sur la vie brève et troublée de Sandy.

– L'intelligence de Sandy n'a jamais fait aucun doute. La plupart du temps, elle ne le rendait que plus malheureux, parce qu'il était conscient de ne pas être considéré comme normal. Il savait qu'il ne vivrait jamais ce qu'on entend par une vie normale. Pourtant...

Robin cessa d'écouter. Naturellement, personne ne dirait que Sandy s'était pendu dans les toilettes pour hommes de la clinique de Warrenstown. Non, cela aurait été trop affreux, trop... vrai. Lorsque Robin avait demandé à prononcer, elle aussi, quelques mots sur le vrai Sandy Malone, sur tout ce qu'il avait enduré, sur la façon dont les médicaments l'avaient miné au point qu'il s'était senti obligé de ne plus les prendre – la vérité, en somme –, sa mère avait poussé des cris d'orfraie. Elle se souciait beaucoup trop de ce que les autres pouvaient penser. C'était comme sa manie de ne jamais laisser Terry Snow passer la nuit à la maison alors qu'ils sortaient enfin ensemble.

Sa mère ne parlait jamais non plus du lieu où se trouvait Sandy. Elle n'allait pratiquement jamais le voir. Il était d'abord resté deux ans dans le service de psychiatrie de l'hôpital de Cadman Mémorial, où il était facile de faire un saut. Mais ensuite, pendant les deux ans où il était resté à Bellevue, Robin était la seule à s'y rendre... Même quand il avait été au plus mal, il avait toujours su qu'on ne l'avait pas abandonné. La plupart du temps, Robin ne pouvait même pas lui parler. Il la prenait pour Jeanne d'Arc ou pour un extraterrestre. Mais elle y allait quand même.

Comme elle se tenait près de sa mère, elle pouvait la voir jeter sans cesse de petits regards nerveux derrière elle. Elle espérait voir papa arriver. Qu'attendait-elle encore de lui? Il était parti de la maison depuis maintenant cinq ans, le jour où Sandy avait été interné, et n'était jamais revenu. Elle avait finalement reçu les papiers du divorce par la poste, envoyés depuis le Mexique. Robin se dit avec dédain que sa mère était une sotte d'aimer encore un homme qui buvait trop, s'était laissé entretenir par elle et avait pris la fuite dès que les vrais problèmes étaient survenus. Mais maman ne baissait pas les bras. Elle continuait d'espérer, d'attendre... Pauvre docteur Snow, amoureux d'elle et si patient.

Robin se demanda comment le docteur Snow pouvait encore aimer sa mère malgré la manière dont elle le traitait. C'était un homme intelligent, et il devait bien sentir qu'elle attendait toujours son J.J. Malone, qu'elle n'avait jamais cru à la réalité du divorce mexicain. Ce devait être parce qu'elle était si belle. Robin trouvait injuste que sa mère soit si menue, si bien faite, avec des traits si fins et une superbe chevelure bouclée qui était devenue auburn avec le temps. *Moi aussi, j'aurais pu lui ressembler, au lieu d'être une grande perche avec de grands pieds et un grand nez.* Sa seule consolation était que ses longs cheveux noirs et lisses étaient à la mode. Certains trouvaient qu'elle ressemblait beaucoup à Joan Baez, ce qui n'était pas si mal vu, puisqu'elle avait du sang indien elle aussi.

Sans Robin, le pauvre Sandy aurait pourri à Bellevue. Ils ne savaient pas quoi faire de lui. Ils lui passaient une camisole de force, le plongeaient dans des bains glacés. C'était un endroit horrible, plein de cris, de gémissements et de bruits étranges. Chaque fois que Robin pénétrait dans le service, elle devait zigzaguer pour éviter les mains qui s'agrippaient à elle. Certains cherchaient juste un peu de chaleur humaine, d'autres lui voulaient du mal. Cela flanquait la frousse.

Lorsque les médecins suggérèrent une lobotomie frontale en raison du comportement « agressif » de Sandy, ce fut Robin qui mit le holà. « On doit le sortir de là, maman, supplia-t-elle. Il le faut! On ne pourrait pas le mettre dans un endroit agréable? Aujourd'hui, il existe toutes sortes de médicaments qui lui permettront de rester calme. Tiens, je t'ai préparé une liste d'hôpitaux psychiatriques. »

A sa grande surprise, pour une fois sa mère l'écouta. Elle choisit Warrenstown, qui se trouvait dans le comté de Putnam, sur la ligne de chemin de fer de Hudson. A Warrenstown, les médecins mirent Sandy sous Haldol, et son comportement s'améliora nettement. Robin n'en croyait pas ses yeux. Il se mit de nouveau à lire et à parler aux autres patients. L'hôpital suggéra même à maman de le reprendre à la maison, puisqu'elle était médecin. A l'essai, bien sûr. Elle refusa catégoriquement. Elle était trop occupée par son cabinet. Elle n'aurait pas le temps de veiller sur lui. Il avait besoin de soins constants... Du bidon.

Robin déclara qu'elle s'occuperait de lui. Elle avait toujours été hantée par la maladie mentale de son frère. Elle ne pouvait oublier que grand-mère avait longtemps cru que seules les femmes de la famille pouvaient en être atteintes. Elle avait la sensation d'avoir été épargnée et que son frère avait été frappé à sa place. Elle avait beau se répéter que c'était ridicule, cela n'y changeait rien. Elle se sentait responsable de lui.

Maman rétorqua : «Tu te souviens quand tu nous as suppliés d'avoir un chaton et que tu as promis de t'en occuper?» C'était la réponse la plus stupide qui soit! «Mais enfin, maman! explosa Robin. J'avais cinq ans!»

Avec un calme imperturbable et horripilant, sa mère enchaîna : «Tu n'as aucune idée de ce que c'est que de veiller sur un malade mental. Il ne rentrera pas à la maison, un point c'est tout.»

Sandy avait donc passé cinq ans de sa vie d'un hôpital à l'autre. Robin se chargeait de lui rendre visite. Elle l'observait en espérant détecter un signe de guérison, puis une simple petite trace d'amélioration. Elle finit par comprendre qu'aucune de ces améliorations ne durait longtemps. Le fait qu'il refuse de prendre ses médicaments n'arrangeait rien. Il ne supportait pas les effets secondaires. Si on le forçait à les prendre, il s'énervait et on finissait toujours par l'emmailloter, le plus souvent dans des draps humides, puis par l'enfermer seul dans une cellule. Il n'y avait rien d'étonnant à ce qu'il devienne violent, emprisonné ainsi et traité comme un chien. Si on avait fait subir le même sort à Robin, elle serait devenue violente, elle aussi. Elle essaya d'en parler au psychiatre, mais le docteur Huffington ne voulut rien entendre. Il lui rétorqua que la douceur et la gentillesse n'avaient rien à voir là-dedans.

«Votre frère souffre de troubles de la pensée, mademoiselle Malone. Il ne va pas logiquement du point A au point B puis au point C. Il volette de A vers une lettre d'un autre alphabet, disons... oméga. Il est sage pendant un moment, puis, tout à coup, sans aucune raison apparente, vous accuse de répandre des mensonges à son sujet, de comploter contre lui, de chercher à l'assassiner. Je suis navré.
– Vous avez entendu ce que vous venez de dire? siffla Robin entre ses dents. «Il est sage...» Vous le traitez comme un enfant de cinq ans! C'est un homme, bon sang! Même un fou

a droit au respect! Surtout un fou dont le QI dépasse probablement le vôtre de vingt points! »

Ce fut la fin de la conversation. Et encore, lui dit sa mère, elle devait s'estimer heureuse qu'on ne lui ait pas supprimé son droit de visite à Warrenstown.

« Robin, tu as vraiment contrarié le docteur Huffington. Tu avais besoin de lui dire que Sandy était plus intelligent que lui ? – Ce n'est pas ce que j'ai dit. Enfin... pas tout à fait. J'ai simplement supputé que le QI de Sandy était plus élevé que le sien. »

L'espace d'un instant, elle crut que sa mère allait sourire. Elle n'eut pas cette chance.

« Robin, conduis-toi en adulte. Le docteur Huffington est un psychiatre réputé qui pourrait très bien t'interdire de remettre les pieds dans son hôpital. Alors, si tu tiens à revoir Sandy, je te suggère de te montrer un peu plus diplomate. – Le docteur Huffington est un connard réputé! C'est bon, c'est bon... Je serai *sage*. »

Elle en vint à détester les médecins. Pas maman. Pas Terry. Mais la profession. Les seules personnes, outre Terry Snow, qui traitaient Sandy avec bonté et respect, c'étaient les infirmières. Une, en particulier : Pamela Boone. Elle sortait juste de l'école d'infirmières, et Warrenstown était son premier poste. Robin, elle, s'apprêtait à entrer à l'université de CCNY. Elles étaient donc plus ou moins du même âge. Pam était grande, elle aussi, mais contrairement à Robin cela ne la gênait pas le moins du monde. « Là d'où je viens, on est tous comme ça, avait-elle expliqué. Ça doit être mes origines Scandinaves. Mon père dit toujours que je suis une vraie laitière. Il faut dire qu'il est fermier... »

Elle était belle, avec des joues roses, de grands yeux bleus et de longs cheveux blond pâle noués en une épaisse natte ou retenus en un chignon souple dans la nuque. En outre, elle était d'un abord facile.

Pam aimait ses patients. Elle se souciait peu qu'ils soient malades mentaux. Leur maladie ne lui faisait pas peur. Elle considérait que, si on leur parlait gentiment et qu'on les écoutait, même quand ils étaient incompréhensibles, ils vous le rendaient en étant gentils à leur tour. Cela paraissait logique à Robin, et elle était heureuse qu'il y ait eu quelqu'un dans cet endroit maudit qui considère son frère comme une personne et non comme un simple patient.

– ... il est temps de prendre congé d'Alexander Malone, plus connu sous le nom de Sandy. Il a été malade pendant la plus grande partie de sa vie, et, à la fin, sa maladie a été plus forte que lui. Peu avant sa mort, il a déclaré à son infirmière qu'il désirait léguer son corps à la faculté de médecine de Cornell, dans l'espoir qu'il servirait à la recherche et permettrait un jour de trouver la réponse qu'il a si longtemps attendue en vain... ou, devrais-je dire, que nous avons tous attendue en vain, nous les médecins qui avons tenté de l'aider. Adieu, Sandy, de là-haut, aide-nous à trouver un remède.

Maman déversait des flots de larmes.

– Oh, Terry, merci. C'était très beau. C'était un bébé si mignon, si doux! Il ne nous a jamais causé le moindre problème! Qui aurait cru que... Oh, Seigneur! Pauvre Sandy!

Ce qu'elle pensait réellement, c'était : *Pauvre Birdie!* Même maintenant, elle ne pouvait toujours pas se résoudre à dire tout haut que son fils était schizophrène : un malade mental, un barjo, un loufdingue! Pourquoi? Il n'était pas responsable! Personne ne voulait dire non plus qu'il avait préféré se pendre plutôt que de supporter plus longtemps les effets secondaires du Haldol, le dernier antipsychotique miracle. Bien sûr, cela avait fait des merveilles contre ses symptômes! Sandy avait cessé de hurler à ses voix et commencé à entretenir de vraies conversations avec les gens autour de lui.

Il était capable de parler à Pam et de lui décrire comment il se sentait. Elle lui apprit à jouer aux échecs. Dieu qu'il aimait ça! Il voulait aussi qu'elle lui apprenne à danser, mais il ne pouvait pas à cause des effets parkinsoniens du Haldol. Ses jambes étaient raides en permanence et ses mains tremblaient tant qu'il était incapable de tenir une cuillère. Il confia à Pam qu'il détestait ces tremblements et les tressaillements soudains dans ses jambes. En outre, il s'avéra que le Haldol pouvait réveiller une épilepsie latente. Brusquement, il se mit à avoir des crises.

Le docteur Huffington refusait d'arrêter le Haldol parce que, disait-il, « Sandy va tellement mieux ».

« Il est tellement plus facile à gérer », confia-t-il un jour à Pam. En d'autres termes, peu importaient les souffrances de Sandy, pourvu qu'on puisse le manipuler à loisir. Pam rapporta cela à Robin, qui fut prise d'une folle envie d'étrangler le psychiatre. « Ne te donne pas cette peine, avait répondu Pam. Il serait remplacé par un autre du même acabit. Ils sont tous fabriqués dans le même moule. »

Pour clôturer la cérémonie, deux amies de maman chantèrent *Amazing Grace*. Puis ce fut terminé. Tout le monde se détendit et se dirigea en bavardant vers la terrasse, où Colleen et ses sœurs avaient disposé de quoi boire et manger sur de grands tréteaux.

– Tu as faim, Pam? demanda Robin.

– Un peu, oui.

– Alors, viens. On a commandé un tas de choses chez Lasson & Hennigs, un traiteur du tonnerre.

– J'ai bien aimé ce qu'a dit le docteur Snow tout à l'heure... sur le fait que le corps et le cerveau de Sandy aideront peut-être la recherche à trouver un remède à la schizophrénie.

– Tu sais quoi, Pam? Tu es la seule personne qui accepte de parler de Sandy, je veux dire... de Sandy comme d'un être humain normal.

– Je ne voudrais pas insister, mais il n'était pas tout à fait « normal », hein?

Elles pouffèrent de rire.

– Je voulais dire que tu l'acceptais tel qu'il était, reprit Robin. La plupart des gens seraient trop gênés pour plaisanter comme tu viens de le faire.

459

– Oui, c'est vrai. Je l'ai pris comme il était. C'était un garçon intéressant.

– ... pour un cinglé, acheva Robin.

– Oui, pour un cinglé.

– Ça me fait du bien de parler de lui avec toi. Tu voyais les mêmes choses que moi. Il devait beaucoup t'aimer. Après tout, c'est à toi qu'il a laissé sa lettre.

– Oui, la lettre et tous les comprimés de Haldol qu'il n'avait pas pris. Il m'avait bien semblé remarquer qu'il s'était remis à parler tout seul mais, chaque fois que je l'observais, il arrêtait. Il était très malin.

– ... pour un cinglé.

– Oui, pour un cinglé.

Avec un sourire songeur, elle ajouta :

– Et pour un cinglé il jouait sacrement bien aux échecs !

– Il a toujours aimé les jeux de guerre. Les échecs en sont bien un, non ?

– C'est censé être un jeu de stratégie et de prévision mais, entre nous, oui, c'est un jeu de guerre. Tu sais à quoi d'autre il aimait jouer ? C'était juste avant... avant...

– A quoi ?

– Au Monopoly. C'est drôle, non ? Un jeu de gamin ! Sauf que moi aussi j'adore ! Quand j'étais à l'école d'infirmières, j'y jouais tout le temps avec un groupe de copines. L'une d'entre nous avait gardé son jeu depuis qu'elle était petite. Il avait encore tous ses pions en métal. Moi, je voulais toujours la chaussure. Bizarre, non ? Les autres voulaient le paquebot ou le petit chien, mais pas Pam Boone. Elle, elle voulait être une vieille godasse !

« ... Ça me rappelle un jour où ton frère était très agité. Tu sais, quand il se mettait à rouler des yeux affolés dans tous les sens. Je lui prenais alors la main et je lui parlais tout doucement. Ce jour-là, j'ai soudain pensé au Monopoly. Je lui ai décrit le jeu. Ça a paru lui plaire, et il m'a demandé de lui apprendre. Il était emballé. Il imaginait les gens qui habitaient dans les immeubles et décrivait les gros hommes d'affaires qui possédaient les hôtels. Il parlait avec l'accent du Sud. Je lui ai dit que le jeu était censé se dérouler à Atlantic City, dans le New Jersey, mais il s'en fichait pas mal. Pour lui, on était dans une ville du Sud. Il était très doué pour inventer des histoires. S'il n'avait pas été malade, je suis sûre qu'il aurait fait un bon écrivain ou un excellent acteur.

– Ah! Si mon père t'entendait! Son grand rêve, c'était que Sandy devienne comédien, comme lui.

– Ton père? Je ne sais pas pourquoi, j'ai toujours pensé qu'il était mort.

– C'est tout comme.

Robin lui résuma l'histoire de ses parents en quelques mots.

– Il est retourné sur la côte Ouest pour chercher des rôles dans des films. Aux dernières nouvelles, il enseignait l'art dramatique au studio Arthur Murray.

– Tu ne l'as pas vu depuis...?

– Cinq ans. Je m'efforce de ne pas penser à lui.

Elles se servirent de la salade et de fines tranches de rosbif. Colleen avait installé des tables rondes dans le jardin, mais personne ne s'y était assis. Les Mulligan s'étaient regroupés dans un coin, mangeant et bavardant. Les confrères de maman formaient un autre groupe non loin de là.

– Viens, allons nous asseoir à table, proposa Robin.

Lorsqu'elles furent installées, Pam demanda :

– Maintenant que tu n'as plus besoin d'aller voir ton frère, qu'est-ce que tu comptes faire?

– J'aimerais le savoir! Normalement, je devrais commencer l'école préparatoire de médecine à CCNY. Mais je n'en ai plus tellement envie. Je voulais devenir psychiatre, mais plus maintenant. Je croyais que les médecins aidaient vraiment les gens. Et puis, regarde Sandy!

– C'est drôle. J'envisage de quitter Warrenstown pour les mêmes raisons. Je veux dire... à cause de Sandy. Je me demande si on peut faire quelque chose pour des gens comme lui et si je ne suis pas en train de perdre mon temps.

D'un autre côté, en dehors d'infirmière psychiatrique, je ne vois pas ce que je peux faire. Et toi, ça ne te dit pas d'être infirmière, au lieu de médecin?

– Infirmière! Non, merci. Aïe... pardon, ce n'est pas ce que je voulais dire. Ne le prends pas mal. Mais, déjà, quand j'annoncerai à ma mère que je ne vais plus à CCNY, elle va me faire toute une scène; alors, si je lui annonce en plus que je veux être infirmière, elle va avoir une attaque. Pour elle, c'est comme d'être femme de ménage. Pour ça, elle a vraiment une mentalité de toubib!

Pam hocha la tête tandis que Robin ajoutait :

– C'est aussi en partie à cause d'elle que je ne ferai jamais l'école de médecine.

– Robin, ma chérie, tu devrais peut-être t'occuper un peu de nos invités.

Sa mère se tenait derrière elles. Elles sursautèrent comme deux écolières prises en faute.

– Ne t'inquiète pas, dit Birdie. Je veillerai sur Pamela.

Elle marqua un temps d'arrêt, puis reprit sur un ton différent :

– Une minute, Robin! Qu'est-ce que tu disais à l'instant? J'ai bien entendu?

– J'ai décidé de ne pas faire ma médecine.

– Tu ne peux pas décider ça! Tu ne peux encore rien décider, tu n'as même pas encore commencé l'université!

– Justement, je me demande si je vais y aller.

– Robin, tu es tombée sur la tête ou quoi? D'abord, tu as refusé Cornell et Syracuse, deux excellentes facultés, et tu as insisté pour t'inscrire à CCNY. Tu sais ce que je pense de cette université mais, soit, va donc à CCNY! Si tu ne t'y plais pas, tu pourras toujours changer plus tard. Mais ne pas y aller du tout! Arrêter tes études!

Robin avança un menton provocateur.

– Pourquoi pas!

– Parce que je te l'interdis, je te l'interdis formellement! Ce n'est pas la peine de me regarder avec ces yeux-là. Je ne te

laisserai pas gâcher tes nombreuses aptitudes pour faire...
pour faire quoi au juste? As-tu seulement une petite idée de
ce que tu aimerais faire si tu ne vas pas à l'université?

— Je ne sais pas, maman. Peut-être prendre la route,
comme les beatniks. Aller vivre en Californie. Ou en Espagne.
Oui, c'est ça! J'aimerais voyager. Aller en Europe et traîner
mes guêtres pour un temps. Peut-être aller en Inde ou au
Népal. Après... je ne sais pas. Ouvrir un restaurant avec quelques amis. On en discutait...

Sa mère l'interrompit d'une voix tranchante :

— Tu ne feras rien de tout ça, ma fille. Je sais que tu es
encore sous le choc de la mort de ton frère, mais je ne te laisserai pas...

Le docteur Snow surgit à ses côtés comme par enchantement et posa une main sur son épaule.

— Ecoute, Birdie, tu as tort de réagir comme ça. Les jeunes
ont parfois besoin de prendre un peu de temps pour réfléchir
et faire le point. Qu'est-ce qu'une année quand on n'a pas
vingt ans? Pourquoi aller s'enfermer dans une université
quand on n'y est pas prêt?

— Mais, Terry, tu l'as entendue? Le Népal! Ouvrir un restaurant!

Il se mit à rire.

— Ce projet de restaurant ne m'étonne pas du tout. Tu te
souviens quand Robin était toute petite et que tu l'emmenais
avec toi à l'hôpital?

Il se tourna vers Pamela et poursuivit :

— Tout le monde adorait Robin. Elle avait un bagout du
tonnerre et nous faisait tous rire. Je n'oublierai jamais le jour
où un des médecins les plus âgés s'est penché sur elle et lui a
demandé : « Alors, ma petite demoiselle, tu seras médecin
comme ta maman quand tu seras grande? » Robin a rétorqué
aussi sec : « Je veux pas être médecin, je serai cuisinière! »
Tout le monde a ri, même toi, Birdie.

— Va remercier tout le monde d'être venu, Robin, fut tout
ce que sa mère trouva à dire.

463

Elle tourna les talons et s'éloigna avec Terry. Robin resta plantée là, abasourdie. A moins d'être aussi folle que son frère, il lui semblait avoir compris que sa mère venait de lui accorder sa liberté. Apparemment, elle n'insisterait plus pour qu'elle commence l'université en septembre. Robin sentit un grand sourire se dessiner sur son visage.

Elle se leva et se tourna vers Pam.

– Ne bouge pas d'ici, s'il te plaît. Ne t'en va pas. On a encore beaucoup de choses à se dire.

Pam se leva à son tour et lissa sa jupe.

– Il faut que je retourne au boulot. Mais ne t'inquiète pas. On se reverra. On garde le contact.

– Oui, tu parles!

– Mais si! J'ai comme le pressentiment que... je ne sais pas... qu'on est destinées à faire des choses ensemble. Or je ne me trompe jamais dans ce domaine. Tu verras.

SIXIÈME PARTIE

Lieutenant Robin Malone, infirmière, unité de soins de l'armée américaine

Lieutenant Pamela Boone, infirmière, unité de soins de l'armée américaine

Capitaine Harry Kaye, médecin, unité de soins de l'armée américaine

Lieutenant Norma McClure, infirmière, unité de soins de l'armée américaine

Nguyen Ninh

36

Vietnam, octobre 1967

Robin Malone était assise dans le Huey, penchée hors de l'hélicoptère, observant les champs qui défilaient à ses pieds. Ses cheveux lui fouettaient le visage, et elle devait constamment écarter les mèches qui lui entraient dans les yeux et la bouche. Revoir ce paysage familier la remplissait d'aise, car elle avait hâte de se remettre au travail et de retrouver ses amis. Elle venait de passer deux semaines en détachement à Phu Bai, au nord de la mer de Chine, où le bombardement de deux bases de feux avait fait de nombreux blessés. Ils avaient eu besoin d'un renfort d'infirmières qualifiées et, en tant qu'infirmière-chef du bloc opératoire de la 161e unité de soins, elle avait fait partie du lot. Son expérience à Phu Bai avait été intéressante et avait eu au moins l'intérêt de lui faire oublier Art MacArthur. Il était impossible de faire du bon boulot au Vietnam si on se laissait obnubiler par un mort. D'autant plus que ce n'étaient pas les morts qui manquaient.

L'unité 161 lui avait manqué, et elle avait hâte de retrouver ses copains de Moonlight Bay. Naturellement, ce n'était pas là son vrai nom, le lieu se nommait Deng Hua, mais ici tout avait droit à un surnom. De fait, un collègue avait commencé à la surnommer Birdie, jusqu'à ce qu'elle l'informe froidement que c'était là le nom de sa mère. Son vrai nom, celui qui figurait sur son extrait de naissance. « Tu blagues! avait-il rétorqué. Ta mère s'appelle vraiment « petit oiseau »? C'est pour ça qu'elle t'a baptisée Robin, parce que ça signifie « rouge-gorge » en anglais? »

Elle lui avait jeté un regard si glacial qu'il n'avait pas tenté d'autres plaisanteries sur les noms d'oiseaux de sa famille.

Au sol, elle aperçut le grand cercle avec la croix rouge au milieu. Le chiffre 161 se détachait en blanc sur la bordure bleu marine du cercle. Le lieutenant Robin Malone, de la 161e unité de soins de l'armée des Etats-Unis, était de retour au bercail. Elle se souvenait encore très clairement de la première fois où elle avait vu ce cercle, neuf mois plus tôt. Neuf mois, le temps d'une gestation pour une femme qui souhaitait un bébé. Or les bébés ne faisaient pas partie de ses projets de vie.

Assises à l'arrière du Huey se trouvaient deux femmes de la Croix-Rouge, deux « poupées à soldats » comme les appelaient les troufions. Elles étaient très jeunes et gloussaient comme des jouvencelles excitées. Robin se demanda comment deux jolies filles comme elles avaient atterri en plein milieu d'une guerre. De fait, qu'est-ce qui avait bien pu la pousser elle-même à devenir infirmière dans l'armée? A dire vrai, elle s'était engagée pour ne pas avoir à rester à l'hôpital de Harmony Hill, où elle pouvait tomber sur Mickey à tout moment. Le docteur Michael Aronson, qui était censé l'aimer, sauf qu'il ne l'aimait plus. Ses yeux s'embrumèrent, et elle se maudit d'être si faible. Elle s'était promis que Mickey ne la ferait plus jamais pleurer.

L'hélico, ouvert à tout vent, produisait un vacarme assourdissant. Son pilote avait un étrange sens de l'humour. Il vira brusquement à droite, l'obligeant à s'agripper au chambranle en retenant son souffle. Le long virage lui fit survoler l'ensemble de la base, un mélange de gros baraquements en tôle, certains reliés en forme de T, quelques hangars vétustes, des tentes et une poignée de bâtiments en dur. La plupart étaient en partie détruits. Tout près, elle apercevait les palmiers et la superbe plage de sable blanc où venaient mourir les vagues. Moonlight Bay. Puis le pilote prit un autre virage vertigineux et plongea, se posant en plein milieu du cercle peint au sol. Un atterrissage parfait.

— Vous y voilà, mesdames, hurla-t-il. L'unité 161, votre deuxième maison. Bienvenu au Vietnam!

L'une des filles de la Croix-Rouge était toute verte.

– Inspire à fond, lui conseilla Robin. Déglutis. C'est ça. Tu verras, ça passe vite.

Sa camarade, une grande fille aux cheveux noirs coupés si court qu'elle aurait pu passer pour un garçon, paraissait secouée mais en meilleur état. Les autres poupées à soldats de la base s'occuperaient d'elles. Elles étaient trois, attendant près du groupe venu accueillir l'hélicoptère. Il y avait Pam, Jay Silverman et John O'Brien, deux chirurgiens, et Joe, leur barman et *tummler*. C'était Jay qui l'avait baptisé *tummler*, un mot yiddish signifiant « directeur social ».

Joe s'appelait en fait Hubert Bisson (prononcé à la québécoise). Il était sergent. Il avait décrété lui-même le jour de son arrivée que tout barman devait s'appeler Joe. Il avait été envoyé au Vietnam pour gérer les périodes de rotation et les permissions des soldats, mais s'était révélé un si bon organisateur de matchs de volley sur la plage et autres concours en tout genre que l'armée, faisant pour une fois preuve d'intelligence, l'avait nommé à la tête du centre de loisirs.

Dès que ses pieds touchèrent le sol, Robin sentit la chaleur moite s'abattre sur ses épaules. Malgré cela, elle affichait un grand sourire. Elle était heureuse de retrouver tous ces gens. C'était étrange. Au cours des neuf mois passés ici, New York, l'école d'infirmières de l'hôpital de Cadman Memorial, le bloc opératoire de Harmony Hill et, oui, même parfois Mickey s'étaient estompés dans sa mémoire. Cet endroit, cet assemblage bigarré de structures, la superbe plage, les palmiers poussiéreux, les dortoirs et les bunkers, le centre de loisirs, le bâtiment en pierre qui avait dû être autrefois un presbytère ou un monastère et qui abritait aujourd'hui son dortoir, cet étrange décor de beauté et de peur, à un kilomètre environ d'un vrai village vietnamien, ce lieu surgi de nulle part, de l'autre côté du globe par rapport à Brooklyn, était devenu son foyer.

Robin sourit à Pam, qui brandit deux bouteilles de champagne, du bon Champagne français apparemment.

469

– Bienvenue! lança Pam. Nous avons de quoi fêter dignement ton retour.

Robin n'avait jamais été aussi surprise que le premier jour de son arrivée au 161, quand elle était allée se présenter au colonel Barbara « Bingo » Batten. Après avoir salué son supérieur comme il se devait, elle était en train d'énoncer son nom, son rang et son numéro de matricule quand elle vit soudain Pam Boone entrer dans le bureau, les bras chargés d'une liasse de papier et déclarant : « Mon colonel, tout ça vient d'arriver du QG. Ils ont pensé que vous... Oh, pardon, mon colonel. La porte était ouverte et je n'avais pas vu que... Oh, mon Dieu! Robin Malone! Robin Malone de Brooklyn!
– Pamela Boone? »

Elles se mirent à hurler et à sautiller sur place comme deux lycéennes. Puis elles tombèrent dans les bras l'une de l'autre. Robin n'en croyait pas ses yeux. En dépit de leurs promesses de garder le contact, elles ne s'étaient pas revues depuis la mort de Sandy.

Bingo Batten alluma une cigarette et demanda d'une voix blasée : « C'est une impression ou vous vous connaissez déjà, toutes les deux? »

Les deux jeunes filles se précipitèrent pour lui raconter l'histoire, parlant en même temps.

Au bout de quelques instants, Bingo les fit taire d'un geste de la main. « Bienvenue au 161, lieutenant Malone. Le lieutenant Boone va vous trouver un lit et vous dressera le topo. Je vous verrai plus tard. »

Pam saisit un des sacs de Robin et la conduisit vers un presbytère à moitié détruit. « Ou un ancien monastère, je ne me souviens plus très bien », indiqua-t-elle.

Six autres femmes y vivaient, trois infirmières et trois poupées à soldats, chacune disposant d'un espace minuscule. D'après Robin, ce devait plutôt être un monastère, car il était divisé en petites cellules avec des fenêtres hautes et étroites taillées dans la pierre. Les cellules étaient juste assez grandes pour contenir un lit et quelques étagères pour ranger ses vête-

470

ments et sa trousse de maquillage. Lorsque d'autres infirmières, des filles de l'USO ou de la Croix-Rouge, transitaient par la base, elles étaient logées dans ce dortoir, ce qui signifiait qu'elles dormaient par terre. De toute façon, les lits étaient si durs que cela revenait un peu au même.

Chaque dortoir avait son bunker en cas de raid. Pam lui montra le leur dès le premier jour. « C'est un endroit important, expliqua-t-elle. C'est là qu'on organise nos soirées. Enfin... celles qui n'ont pas lieu sur la plage ou au bar. Quand on se bat dans les parages, ce qui est généralement le cas, et si ça se passe tout près d'ici, ce qui est souvent le cas aussi, il vaut mieux rester à l'intérieur. »

Robin regarda la salle mal éclairée, au plafond bas. C'était sinistre. « Vous organisez des fêtes là-dedans? » Pam se mit à rire. « Quand c'est éclairé aux bougies et bien approvisionné en bouteilles et en verres généreusement fournis par Joe le barman, c'est super! Surtout quand ça se bat tout à côté et qu'on a droit à un feu d'artifice gratos. Très romantique! – Hum, ça drague beaucoup par ici? – Tu veux rire! C'est pire que dans un hôpital. » Pam adopta une voix grave : « Hé, poupée, on est dans une zone de guerre, tu sais. On pourrait être tous morts demain. C'est peut-être notre dernière chance! – Je vois! » dit Robin en riant.

Elles devinrent bientôt les meilleures amies du monde. Toutes deux détestaient la guerre et adoraient leurs patients. Toutes deux étaient intelligentes et aimaient s'amuser. En outre, elles étaient toutes deux d'excellentes infirmières...

L'autre infirmière de leur dortoir s'appelait Norma McClure, une petite blonde robuste avec des cheveux coupés à la garçonne et des lèvres minces qui souriaient rarement. Elle était bonne infirmière, mais pimbêche à souhait et persuadée d'être le nombril du monde.

Totalement dépourvue du sens de l'humour, elle avait réussi à se mettre tout le monde à dos. D'un autre côté, elle était toujours prompte à prendre en charge les blessés les plus gravement atteints, ce qui expliquait sans doute que l'armée tenait à la garder. Elle venait de New York, elle aussi, et avait fait ses études à Saint-François-Xavier. Elle s'était engagée parce que, au dire de Joe : « Elle aime son pays et tient à le servir en cette période troublée. Une infirmière patriote ! »

Ce à quoi le docteur Harry Kaye avait répondu : « Dans cet endroit ? C'est une hérésie ! »

Harry Kaye ne faisait pas partie du groupe venu attendre l'hélicoptère. Il était chirurgien et médecin-chef de l'unité de soins 161. Il venait de Brooklyn, pas le Brooklyn chic et protestant de Robin, comme il le lui disait pour la taquiner, mais le *vrai* Brooklyn, le Brooklyn juif : Flatbush, Canarsie, Greenpernt, Coney Island. Il était malin comme un singe, sardonique et très drôle. A sa manière, il était plutôt mignon, grand et maigre, avec une toison rousse et bouclée, et des yeux couleur de tempête profondément enfoncés dans leurs orbites. Robin s'entendait avec lui comme avec un vieux camarade. Ils plaisantaient tout en opérant les patients et continuaient de plaisanter dans le bar de Joe après le travail. En outre, l'expérience de Harry était très utile. « Tu parles ! disait-il toujours. Ça fait un an que je suis ici et je suis encore en vie pour le dire ! »

A son arrivée au Vietnam, Robin avait eu une liaison avec un pilote d'hélicoptère du nom d'Art MacArthur, un grand buveur aux cheveux prématurément blancs avec un tatouage sur le biceps droit. Ils étaient devenus amants par une nuit étouffante, alors que les obus pleuvaient un peu partout. Un peu plus tard, Art fut tué. Son hélicoptère s'écrasa dans la montagne pour une raison indéterminée. C'était la guerre, certes, et les hommes tombaient comme des mouches parce que la guerre était faite pour ça, avait expliqué Harry en y mettant les formes. Mais pas un homme qu'elle connaissait ! Pas un homme avec lequel elle avait couché !

Harry la prit sous son aile. Il lui enseigna à boire autre chose que du bourbon sec, affirmant que cela ne contenait pas assez de vitamines, et apparaissait à ses côtés chaque fois qu'ils avaient du temps libre. Elle n'était pas très difficile à trouver, dans la mesure où elle était scotchée au bar de Joe dès qu'elle n'était pas de service. Il décida qu'elle devait apprendre les nouvelles danses. Le monkey, le snake, le slide, le swing. Au bout d'un moment, elle le soupçonna de les inventer au fur et à mesure. Mais il dansait rudement bien, et ça la défoulait de se trémousser gracieusement à ses côtés. Il lui apprit les paroles des nouvelles chansons. Dieu savait où il les apprenait lui-même si vite! Ils chantaient beaucoup tous les deux, souvent à tue-tête et pas toujours dans le ton. Toutefois, elle n'arrivait toujours pas à dormir et, quand par chance elle y arrivait, elle se réveillait en pleurant. Elle perdit cinq kilos en deux semaines.

Une nuit, il devait être trois heures du matin, il lui prit le visage entre les mains et déclara : « Ecoute, Robin, tu ne peux pas continuer comme ça. Tu n'auras bientôt plus que la peau sur les os. Tu vas gâcher ta carrière et ta vie. Et moi, qu'est-ce que je ferai, sans mon infirmière préférée, tu peux me le dire? »

Elle se mit à pleurer, mais il ne la lâcha pas pour autant. Il lui apprit que l'hôpital de Phu Bai avait besoin d'infirmières. « Pourquoi tu ne demandes pas à Bingo de te détacher là-bas quelque temps? Il paraît que c'est le jardin du Vietnam. A moins que ce ne soit l'"Etat jardin", comme le New Jersey, auquel cas je refuse de te laisser y aller! »

Il arrivait toujours à la faire rire. Elle était donc partie à Phu Bai, dont elle revenait aujourd'hui. Le docteur Harry Kaye avait vu juste. Elle n'avait pas fait de cauchemar depuis une semaine et se sentait à nouveau presque humaine. Mais où était-il donc, ce faiseur de miracles?

Une minute plus tard, il surgit en courant du baraquement, en retard comme à son habitude, balayant l'assemblée du regard. Lorsqu'il l'aperçut, son visage s'illumina, et Robin sentit une décharge d'adrénaline. *Oh, mon Dieu!* pensa-t-elle. *Il m'aime. Et je l'aime.*

Elle était sous le choc. Comment ne s'en était-elle pas rendu compte plus tôt?

Il m'aime. Je l'aime. Nous nous aimons. Ça par exemple!

Elle lui sourit et brandit son pouce pour lui indiquer que son plan avait marché. Il lui fit un clin d'œil si tendre que son cœur s'arrêta un instant de battre.

Au même moment, comme par hasard, un soldat du service de santé déboula au pas de course et hurla :

– Le QG vient d'appeler. Ils nous envoient vingt blessés. Coup de feu général ! Allez, les gars, on se remue !

Tout le monde s'activa. Robin et les autres infirmières coururent vers l'hôpital, saisissant au passage des garrots supplémentaires qu'elles se jetèrent autour du cou, parées pour bloquer les vaisseaux sanguins sectionnés. Les civières furent préparées devant la porte. Les infirmières allaient et venaient entre les rangées de lits, accrochant les pochettes de sérum prêtes à l'emploi aux portants avec une précision bien rodée de chaîne d'assemblage. Les perfusions, c'était pour le moment béni où le médecin ou l'infirmière annonçait : « Celui-ci est sauvé. » Pour les autres, « ceux qui pouvaient attendre », c'était une autre histoire. « Ceux qui pouvaient attendre » étaient ceux pour lesquels il n'y avait plus rien à faire. On les installait confortablement, le temps qu'ils meurent. Le plus souvent, il s'agissait de blessures à la tête avec lésions cérébrales.

Pendant les coups de feu, Robin, en tant qu'infirmière-chef, menait la danse. Elle savait qu'on la considérait comme une dure à cuire. C'était aussi bien ainsi. Sa devise était : *Ne jamais fléchir, ne jamais baisser les bras, en sauver le plus possible.* C'était pourquoi elle s'occupait toujours du premier tri des blessés. Elle y excellait. Elle était également bonne pour extraire les éclats d'obus et suturer. Lorsque Harry était trop occupé, c'était souvent sa voix qui résonnait dans le bloc opératoire pour lancer : « Celui-ci, les gars, on ne va pas le perdre ! »

Les médecins l'écoutaient, ce qui était très gratifiant. De temps à autre, elle se demandait si elle n'aurait pas été mieux avisée d'écouter sa mère et de suivre des études de médecine. Mais ce qui était fait était fait. De toute manière, elle sauvait des vies. Rien d'autre n'avait d'importance.

Elle entendit le vacarme frénétique d'un Huey approchant et vit les tourbillons de poussière qu'il soulevait. Tout le monde se tenait prêt. Robin courut le long de la première fournée que l'on débarquait, regardant partout à la fois. Elle écoutait les infirmiers militaires qui hurlaient un premier descriptif de l'état de chaque blessé qu'ils poussaient devant eux. Elle s'arrêtait devant chaque civière, hurlait à son tour les instruments qu'il fallait préparer, puis passait à la suivante.

Harry était là, Pam aussi.

– Celui-ci est plein de fragments. A l'arrière de la file!

Un autre était blessé au thorax, mais ses yeux étaient ouverts et il était capable de parler. Il n'y avait pas trop de sang.

– Une radio pour celui-ci. Préparez-le!

– Trois états critiques! Deux membres inférieurs! Un bas-ventre! Harry, jette un œil à celui-ci, veux-tu?

L'homme était blessé à la tête, et son bandage était imbibé de sang.

– Radio! Il me faut une série crânienne! Préparez une perf'!

– Radio du thorax pour celui-ci! Préparez-le et faites une transfusion.

– Blessure à la tête! hurla Harry. Faites-le passer en premier. Préparez-le vite!

Les infirmiers poussèrent en courant la civière à l'intérieur du bloc opératoire.

– Trachéo ici!

– Un « peut attendre », lança Pam calmement.

Le soldat fut transporté à l'écart et déposé plutôt brusquement. Le moment n'était pas aux délicatesses.

Un troufion pissant le sang sourit à Robin et lui proposa de sortir avec lui.

– Celui-ci peut être sauvé, hurla-t-elle. Portez-le à l'intérieur! Tout de suite! AB négatif.

Tout le monde travaillait très vite. Il n'y avait pas de temps pour les atermoiements, les regrets et la tristesse. Encore moins pour les larmes. Une infirmière de guerre ne pleurait pas.

Une fois les blessés tous triés, il était temps de passer dans le bloc opératoire et de les remettre d'aplomb. Mais, d'abord,

Robin fit ce qu'elle faisait toujours : elle alla voir les «peut attendre», les garçons qui allaient mourir, allongés en rangs d'oignons sur le sol. Elle voulait les voir. En fait, elle espérait toujours un miracle qui n'arrivait presque jamais. Elle se penchait sur chacun et les regardait dans les yeux, s'ils étaient ouverts et s'ils en avaient encore. Parfois, ils la regardaient ou lui souriaient. Parfois, elle pouvait leur prendre la main, leur toucher l'épaule et les sentir réagir. Elle ne voulait pas qu'ils meurent sans le contact ou la vue d'un autre être humain. Ils étaient si jeunes! La plupart étaient des Noirs en âge d'être encore au lycée... C'était horrible, horrible. Mais elle n'avait pas le droit de le penser, encore moins de le ressentir.

Le dernier de la rangée était éveillé. Il ne restait pourtant pratiquement plus rien de son visage. Elle s'efforça de le regarder dans l'œil, le seul qui lui restait. Elle esquissa un sourire. Il n'avait plus de lèvres, mais parvint néanmoins à parler d'une manière plus ou moins intelligible.

– Salut, dit-il.

– Salut.

– Vous vous souvenez de moi? Buddy Nielsen? Je suis venu il y a quelques semaines pour un fémur éclaté.

A présent, elle se souvenait. Un gamin craquant au visage rempli de taches de rousseur.

– Bien sûr que je me souviens de toi, Buddy.

– C'est vous qui allez vous occuper de moi, n'est-ce pas? Avec vous, je suis entre de bonnes mains.

Sa voix était de plus en plus faible. Robin se pencha plus près de lui, l'examinant attentivement. L'arrière de son crâne était arraché. Ses yeux se remplirent de larmes. Comment pouvait-il encore parler alors qu'il était déjà presque mort?

– Oui, je vais m'occuper de toi, Buddy. C'est promis.

– Promis, répéta-t-il.

Sa voix s'éteignit dans un souffle. Son dernier souffle. Il était parti.

Elle se releva et se retourna, entendant ses collègues qui l'appelaient en urgence.

– Malone! J'ai besoin d'aide! Fais une trachéo à ce gars pendant que je m'occupe de son copain!

C'était Harry, qui avait retrouvé son ton de médecin. Elle était soulagée de pouvoir se concentrer sur son travail, sur n'importe quoi plutôt que de penser au pauvre Buddy Nielsen, qui n'avait peut-être jamais fait l'amour à une femme. Ou à Harry Kaye, qui allait certainement le faire avant la nuit.

37

Novembre 1967

– Malone! Infirmière! *Malone!* J'ai besoin de toi!

Robin acheva de régler le débit de la perfusion, sourit au jeune marine sur le lit et courut vers la voix désespérée. C'était celle d'Asa Watson, « mieux connu sous le nom d'As », comme il le lui avait annoncé lors de leur première rencontre quelques semaines plus tôt. Elle avait adopté As Watson. Elle avait beau essayer d'être juste et de traiter tous ses patients de la même manière, elle n'y arrivait pas toujours. Il y en avait qui la touchaient plus que d'autres. Quand cela se produisait, elle l'adoptait.

Elle s'approcha de son lit et lui sourit.

– Me voici, As. Qu'y a-t-il?

As avait été amené le torse et le ventre criblés d'éclats d'obus, et il avait fallu à Robin un certain temps pour les lui enlever tous. Cela faisait deux semaines. A présent, il était suffisamment remis pour reprendre du service. Physiquement, du moins. Psychologiquement, c'était une autre histoire.

– Malone, il faut que tu m'aides. Ils vont me renvoyer là-bas. Il faut que tu leur dises. Dis-leur que je ne peux pas. Je ne peux pas!

Il se mit à trembler. Robin lui prit les deux mains et les serra entre les siennes.

– Ça va aller. Ça va aller, répéta-t-elle longuement comme une prière.

Cela n'arrêta pas les tremblements. Le corps d'As était tout entier agité de soubresauts, et ses grands yeux marron l'imploraient.

Elle avait de la peine pour lui, non seulement pour sa douleur mentale, mais aussi pour son âge. Il avait menti pour entrer dans l'armée et, même après dix mois sur le terrain, n'avait pas encore dix-sept ans. C'était affreux! Comment pouvait-on laisser de telles choses arriver? On flanquait une arme entre les mains d'un gamin et on l'envoyait tuer dans une guerre où l'on ne savait même pas reconnaître un ami d'un ennemi! Ici, le gentil villageois qui vous donnait un jour à boire pouvait très bien vous tirer une balle entre les deux yeux le lendemain. Au Vietnam, il n'y avait plus de règles. C'était un vaste tir au canard avec de vraies balles. Il n'y avait rien d'étonnant à ce que ce pauvre garçon en soit malade, tremblant des pieds à la tête en la suppliant de ne pas le renvoyer là-bas.

– As, dit-elle en se penchant sur lui, il faut que tu t'efforces de contrôler ces tremblements, d'accord? Sinon, comment veux-tu qu'on parle?

Cela marchait parfois. Ce fut le cas ce jour-là. Il baignait dans sa sueur et avait encore fait sous lui. Il lui chuchota :

– Je ne peux pas y retourner, Malone. Je ne peux pas. Je mourrais, Malone. Je préfère encore me tirer une balle dans la tête.

– Chut, ne dis pas ça, As. Pense à ta mère qui t'attend à la maison dans le Kentucky. Elle veut voir son fils rentrer entier. Tu ne dois pas la décevoir.

Le gamin ne voulait pas entendre raison. D'ailleurs, qu'y avait-il de raisonnable à lui dire qu'il était prêt à reprendre le combat? Ce n'était pas vrai. Il n'était prêt à aller nulle part, sauf chez sa mère. Ou peut-être chez un psychiatre. Il était extrêmement fragile. Il avait peur de s'endormir parce qu'il faisait chaque fois d'horribles cauchemars dont il se réveillait trempé de sueur, d'urine et, parfois, d'excréments.

As s'agrippa à son bras.

– Le pire, avec les obus et les attaques surprises, c'est qu'on ne sait jamais quand ça va vous tomber dessus. Ça peut arriver n'importe quand. De jour comme de nuit. Même quand on est accroupi dans les latrines. Ça me rend malade. Je vomis tout le temps. Je ne peux pas y retourner, Malone. Ne les laisse pas me renvoyer là-bas. Je t'en supplie, Malone. Tu es la seule qui comprenne.

Robin aurait voulu lui dire qu'elle était bien placée pour le comprendre parce qu'elle avait eu un frère qui avait autant souffert que lui, mais elle n'osa pas. Seule Pam était au courant pour Sandy, et c'était aussi bien.

– J'en parlerai au docteur Ostereicher, promit-elle. C'est le psychiatre de notre division.

Elle l'avait déjà contacté, mais apparemment Ostereicher était trop occupé pour se déplacer jusqu'au 161. Quand bien même il viendrait voir As, elle n'était pas certaine qu'il renverrait le gamin chez lui. Ostereicher était colonel et, d'après toutes ses sources, détestable. « C'est un militaire de carrière, lui avait dit Harry. Tu connais le genre! – Mouais... » avait-elle fait. « Comme tu dis! »

Elle venait juste de calmer As quand un camion déboula en trombe devant l'hôpital, freina dans un crissement de pneus devant l'intendance et s'arrêta dans une pétarade. As bondit de son lit et se précipita au sol. Malheureusement, Robin était tout près et il l'entraîna avec lui. Elle se retrouva les quatre fers en l'air, le souffle coupé.

– Lieutenant Malone, combien de fois vous ai-je déjà dit de ne pas fraterniser avec les patients! Et vous, soldat, vous n'avez pas honte?

Tout en parlant, Harry Kaye tendit une main au garçon pour l'aider à se relever.

– Malone n'est pas une femme, c'est une infirmière. Elle appartient à une espèce à part.

As, recroquevillé en position fœtale, les bras sur la tête, rouvrit un œil prudent. En reconnaissant Harry, ses traits se détendirent.

– La vache, doc! Je ne sais pas ce qui m'a pris. J'ai cru que c'était le feu de l'ennemi.

– Juste un moteur qui a des ratés.

Harry le remit debout et demanda :

– Tu veux marcher un peu?

– Non, non, doc. Je ne peux pas.

– Comme tu voudras. Tu préfères sans doute rester ici à faire des bisous sur les bobos de Malone. Comme je te comprends!

As rampa dans son lit, les yeux remplis de larmes.

– Pardon, Malone. Je suis désolé, je ne voulais pas...

– Je sais, ce n'est pas grave. Ferme les yeux et repose-toi.

– Ne me laisse pas, s'il te plaît.

– Il faut que j'aille voir mes autres patients. Je reviens tout à l'heure, OK?

– OK. Mais tu reviens, hein, tu le jures?

– Promis juré.

Harry l'attendit, puis marcha avec elle quelques instants.

– Tu es couverte de poussière, Malone. Tu veux que je te nettoie?

– De la poussière, où ça?

Lorsqu'il frotta tendrement la courbe de ses fesses sous les sifflements et les quolibets des soldats alités, elle comprit où il voulait en venir.

– Docteur Kaye! Tu n'es qu'un vieux cochon! Et devant les patients par-dessus le marché!

Il lui répondit par une imitation de Groucho Marx, sourire lubrique et cigare inclus.

– A quelle heure tu finis ton service, poupée? On se retrouve chez Joe? susurra-t-il en roulant des yeux fous.

– Tu me reconnaîtras, j'aurai une rose entre les dents, rétorqua-t-elle.

Elle le regarda s'éloigner en faisant le pitre. Tel un grand bateau, il laissait derrière lui un sillage hilare. Ce que les soldats ignoraient, c'était qu'il les observait en passant, prenant mentalement des notes. C'était un médecin au regard de lynx, ce Harry.

481

Robin poursuivit sa ronde dans le service postopératoire, qui était plus calme. Elle papota, ausculta, distribua des médicaments et donna des conseils, mais pendant tout ce temps elle ne cessait de penser à As. Il lui rappelait Sandy sans qu'elle sache vraiment pourquoi. Il ne lui ressemblait pourtant pas du tout, ne serait-ce que parce qu'il était noir, comme la plupart des troufions. Peut-être parce qu'il avait si peur, comme Sandy, qui avait peur de tout. Elle n'avait pas sauvé Sandy, mais elle espérait se racheter avec As.

Son cœur se serra, comme chaque fois qu'elle pensait à Sandy et au fait qu'elle n'avait rien pu faire. Son Narcisse de père avait mis les voiles parce qu'il ne supportait pas d'avoir engendré un être qui ne soit pas parfait. Même maman lui avait tourné le dos. En vérité, elle avait honte de son fils. Ils en avaient tous honte. Robin elle-même était allée le voir régulièrement non par amour mais parce que c'était un geste noble et qu'elle se voulait héroïque.

Avant qu'elle entre dans l'armée, alors qu'elle était infirmière au bloc opératoire de Harmony Hill à Manhattan, son père avait essayé de la voir. Il se trouvait en ville et lui avait téléphoné.

« Comment as-tu obtenu mon numéro? avait-elle demandé d'une voix glaciale. – Hé, doucement, Robin! C'est ta mère qui me l'a donné. – Laisse ma mère tranquille. Tu lui as déjà fait assez de mal! – Je sais, chérie, je sais, mais écoute-moi... – Non, avait-elle rétorqué. Non, je n'ai pas envie de t'écouter. Tu nous as abandonnés. Tu as abandonné ce pauvre Sandy. »

Elle l'entendait balbutier et tenter de placer un mot à l'autre bout de la ligne. Mais elle était envahie par un sentiment d'injustice et se sentait forte et implacable. « Tu ne peux pas déserter ta famille pendant des années puis décider un beau jour que tu aimerais la retrouver. Tu ne peux pas abdiquer ton rôle de mari et de père et t'attendre à être accueilli à bras ouverts. » Elle ne lui laissa pas le temps de se défendre et raccrocha le combiné d'un geste sec.

Comme elle était follement amoureuse du docteur Mickey Aronson, elle lui en parla. Toutefois, elle ne reçut pas la compassion et le soutien auxquels elle s'était attendue. Comme de nombreux chirurgiens, du moins à sa connaissance, Mickey n'avait pas le cœur tendre. Il tendait toujours à être trop raisonnable, ce qui la mettait parfois hors d'elle... surtout quand elle se montrait irrationnelle. Or c'était toujours le cas dès qu'il était question de J.J. « Tu ne comprends pas, Mickey. Il nous a carrément laissés tomber. Tu t'imagines? Il n'a même pas dit au revoir. – C'est ton père. Tu lui dois le respect. En plus, il essaie de faire amende honorable. »

Elle aurait voulu lui dire à quel point J.J. avait été détestable, comment il buvait, comment il découchait. Elle aurait voulu que Mickey comprenne, notamment, qu'un homme ne pouvait faire amende honorable après avoir abandonné son fils dément. Mais elle ne pouvait pas. Elle ne pouvait parler de Sandy à personne. Elle avait trop peur que les gens la fuient s'ils apprenaient que son frère était fou, au point d'être interné, au point de se tuer. « Tu as raison », répondit-elle.

Elle promit à Mickey que, si son père la rappelait, elle le verrait. Elle mentait. Elle était dingue de Michael Aronson. Il était intelligent et beau, à en tomber à la renverse, grand, musclé, brun, avec cet air ténébreux si sexy. Il ressemblait à Marlon Brando. Toutes les infirmières se pâmaient devant lui. Et lui, il l'avait choisie, elle, Robin Malone, trop grande, trop maigre, trop distante, trop maligne. Le premier jour, après qu'elle l'avait assisté au bloc opératoire, il était venu vers elle à la cafétéria. C'était lui qui était venu la chercher! Il s'était assis en face d'elle et, d'un signe de la main, avait congédié les autres infirmières. Elles s'étaient envolées sans un mot, comme des feuilles mortes dans le vent d'automne. Elle se rendit compte plus tard, bien plus tard, qu'elle aurait dû être choquée et se sentir insultée pour elles. Mais ce jour-là elle avait été simplement impressionnée par son pouvoir. Il aurait bien pu dire ou faire n'importe quoi, elle l'aurait trouvé fantastique. Sa technique de drague était des plus sommaires : « Tu m'intéresses. Comment tu t'appelles, déjà? »

Comment tu t'appelles, déjà! Si un homme lui sortait ça aujourd'hui, elle lui cracherait à la figure. Mais à cette époque elle était jeune et sotte. En outre, il n'était pas seulement beau comme un dieu, c'était aussi le tout nouveau chirurgien. Elle lui répéta son nom, et il lui offrit un café. Plus tard, elle le suivit chez lui, où ils s'envoyèrent en l'air à satiété. Après ça, elle était devenue son esclave. Elle savait qu'elle ne retomberait jamais amoureuse d'un homme à ce point. Ce qui était sans doute une excellente chose.

Lorsqu'elle avait promis à Mickey de donner une seconde chance à J.J., elle pensait qu'elle n'entendrait plus jamais parler de son père. Elle se trompait. Un après-midi, alors qu'elle sortait de l'hôpital, elle tomba sur lui dans le hall. Il la cherchait.

Elle le fusilla du regard, tandis qu'il la reconnaissait et s'approchait d'elle avec un sourire mielleux. « Robin! Robin! Ma petite chérie! C'est moi, le canard boiteux. »

Tout en ayant envie de le tuer, elle fut frappée par son aspect. Il avait vieilli. Il était toujours bel homme, mais un peu plus grassouillet, ses traits réguliers légèrement flous. Ses cheveux, toujours aussi épais et bouclés, étaient devenus blanc pur, avec une mèche qui lui retombait sur le front.

Elle sentit la colère lui raidir les membres. Lorsqu'il la prit par les épaules et planta un baiser sur sa joue – il avait visé la bouche mais elle avait détourné le visage –, elle resta de marbre. Il recula d'un pas.

« Allez, Robin! Fais un petit effort, c'est papa! Ton père qui est venu te demander pardon. Comment peux-tu refuser de pardonner à un homme rongé de chagrin? – Tu t'es enfui. Tu nous as abandonnés au moment où on avait le plus besoin de toi. – Je sais, ma chérie, mais je... – Ne m'appelle pas *chérie*! – Robin, je suis ton père. Je t'aime. – Tu le crois vraiment? – Essaie de comprendre. »

Il joignit les mains dans un geste de supplication. « C'était mon fils. Mon premier enfant. J'avais placé tant d'espoirs en lui, tant de rêves! Quand je les ai vus partir en fumée, j'ai craqué... Je ne pouvais pas rester là, impuissant, à regarder son esprit se désintégrer peu à peu. Robin! – J.J., nous étions tous

484

là à le regarder se désintégrer. La différence, c'est que certains d'entre nous sont restés. Toi, tu as pris la fuite. Ne me supplie pas, n'essaie pas de m'attendrir avec tes « chérie » et, surtout, ne cherche pas à t'expliquer. Tu es un tas de merde et tu le sais. Ne me dis pas que tu ne le sais pas encore! »

Il blêmit, mais ne lâcha pas prise. « Je suis ton père, Robin, pour l'amour de Dieu! – Et lui, il était ton fils. En parlant de Dieu, ce n'est pas le Christ qui a dit : " Père, pourquoi m'as-tu abandonné? " Espèce de salaud! »

A sa grande horreur, il se mit à pleurer. « Tu sais quoi, J.J.? cracha-t-elle en jubilant intérieurement. Tes larmes de crocodile ne me font rien. Tu me donnes envie de vomir! »

Elle fit volte-face et se retrouva nez à nez avec Mickey Aronson.

Elle savait que Mickey était le fils unique de survivants de la Shoah. Pour lui, la famille était sacrée, quoi qu'il advienne. Même si elle avait essayé de lui expliquer sa réaction, cela n'aurait rien changé.

Aussi, elle se tint là, dans le hall de l'hôpital de Harmony Hill, regardant Michael Aronson cesser de l'aimer. Cela se passa en quelques secondes. Une heure plus tôt, il lui parlait mariage. Douze heures plus tôt, il lui avait fait l'amour quatre fois de suite et déclaré qu'il ne s'était jamais senti aussi bien avec une femme. A présent, elle le regardait dans les yeux et ne voyait... rien. Le néant. Le vide. La fin. Ses yeux devinrent ternes, puis froids, puis il tourna les talons. Sans un seul mot, il la quitta à jamais. Ils continuèrent à travailler ensemble, bien sûr, mais chaque fois que leurs regards se croisaient c'était comme s'il ne la connaissait pas. Les jours suivants avaient été un enfer.

Robin s'extirpa de ses rêveries. Ce n'était pas le moment de penser à ces choses-là. Cela faisait très longtemps. Cela n'avait plus d'importance. Elle pensait rarement à Mickey. Il ne hantait plus ses rêves, comme autrefois, quand elle se réveillait en larmes. Il appartenait au passé. Son présent immédiat, c'était As Watson. Quelqu'un devait s'occuper de lui. Il était terrorisé et sans défense.

Le lendemain après-midi, le colonel Ostereicher se montra enfin. Dès qu'elle le vit entrer, elle sut que c'était un emmerdeur-né. Tout d'abord, il était trop parfait et trop réglementaire dans son uniforme impeccable. Elle était prête à parier qu'il passait le plus clair de son temps derrière un bureau ou en réunion. Ici, tout le monde portait des tenues adaptées à la chaleur et à la saleté. Ostereicher lui lança un regard dédaigneux, ne cachant pas qu'il désapprouvait son treillis lâche et son T-shirt. Il s'était sans doute attendu à ce qu'elle porte un uniforme blanc amidonné avec une jupe plissée. Qu'il aille se faire voir! Elle soutint son regard, ne cédant pas d'un pouce.

— Je suis le colonel Ostereicher, annonça-t-il.

— Lieutenant Malone, répondit-elle sur un ton martial très comme il faut.

Néanmoins, il continua à l'appeler « infirmière », de ce ton dédaigneux qu'elle ne connaissait que trop bien. Il voulait dire qu'il était médecin, donc le bras droit de Dieu, alors qu'elle n'était qu'une petite exécutante, située quelque part dans le bas de l'échelle de l'évolution. De son côté, ce type était à la fois médecin, psychiatre et militaire de carrière, c'est-à-dire tout ce que Robin exécrait.

Elle marcha avec lui, tandis qu'il inspectait les patients, allant de lit en lit. Ou plutôt juste derrière lui. Il ne se retourna pas une seule fois pour lui poser une question. D'ailleurs, qu'est-ce qu'un médecin pouvait apprendre d'une infirmière? A mesure qu'ils avançaient dans la double rangée de lits, elle sentit la moutarde lui monter au nez. Quel con! Il s'adressait aux soldats avec une voix faussement chaleureuse, les appelant « fiston ». Puis il atteignit le lit d'As et lut sa fiche. Robin sentit son cœur se retourner quand elle vit l'expression sur son visage.

— Mais qu'avons-nous donc là? dit-il avec sa voix dégoulinante. Guéri et encore à l'hôpital? Caporal... euh... Watson, qu'est-ce qui se passe?

As le regarda d'un air suspicieux sans répondre.

— Tu peux me le dire, fiston. Je suis psychiatre.

– Eh bien, doc...

– Colonel.

– Oui, mon colonel. C'est que... j'ai la tremblote.

– La tremblote?

Ostereicher émit un rire forcé.

– Tu m'excuseras, fiston, mais la « tremblote », ça ne m'explique pas grand-chose.

– Je tremble de partout. Je vomis. Je fais dans mon froc. Je suis paralysé.

– Là, maintenant?

– Non, mon colonel, au combat.

– Mais ici, à l'hôpital, tu te sens bien?

– Il fait de terribles cauchemars, mon colonel, intervint Robin. Il a des palpitations. A mon avis...

Ostereicher ne lui adressa même pas un regard.

– Quand j'aurai besoin de votre avis, je vous le ferai savoir, infirmière.

– Mais, colonel, je soigne cet homme depuis qu'on l'a ramené blessé. J'ai pris...

Il se tourna vers elle, un sourire pincé au coin des lèvres.

– Pardon? Je n'ai sans doute pas parlé assez fort?

Ils se dévisagèrent un instant. Le combat n'était pas loyal. Il était sûr de gagner quoi qu'il arrive, ce connard!

– Oui, mon colonel, je vous ai bien entendu.

– Je n'aurai plus besoin de vous, infirmière. Ce soldat et moi avons besoin de parler seul à seul.

As la supplia du regard de ne pas l'abandonner. *Je ne t'abandonne pas*, lui répondit-elle silencieusement. *Mais, pour le moment, je suis obligée de te laisser seul avec ce fils de pute. Accroche-toi.*

– Bien sûr, mon colonel.

Elle fit claquer ses talons, se retourna et sortit. Elle devait trouver Harry au plus vite et lui dire ce qui se tramait. Elle avait l'horrible pressentiment qu'Ostereicher allait sermonner As sur le courage et le devoir de ne pas laisser tomber ses potes, avant de le renvoyer sur le front.

Harry avait déjà eu quelques accrochages avec Ostereicher et ne pouvait le voir en peinture. Après le repas du soir, au lieu de filer chez Joe comme à leur habitude, ils retournèrent tous les deux dans le service pour discuter avec As. Ce dernier n'était plus là.

– Le salaud! explosa Robin. S'il a renvoyé As sur le...

– Minute, Robin de mon cœur. Tu sais bien que ça ne se passe pas comme ça. On est à l'armée, il faut remplir des formulaires en quatre exemplaires et tout. Non, notre As a décidé de mettre les voiles avant qu'Ostereicher ne s'occupe de lui. Il a beau avoir été traumatisé par la guerre, il est encore capable de réfléchir normalement.

– Où est-il? Qu'est-ce qu'on va faire? Et s'il marche sur une mine?

– Calme-toi. Il faut qu'on réfléchisse comme lui, un gamin terrifié mais malin, pour deviner où il a pu se cacher.

Une minute plus tard, il fit claquer ses doigts.

– Je crois que j'ai trouvé! Il y a un endroit où notre ami le psy ne pensera jamais à aller le chercher.

– Où? Quoi?

– Suis-moi.

Harry la prit par la main et l'entraîna dehors d'un pas rapide.

– Où on va, Harry?

– Tu verras.

Ils passèrent devant les bâtiments de l'hôpital, puis devant chez Joe, où un groupe à moitié nu chantait à tue-tête *Mon petit doigt m'a dit*. Elle aperçut plusieurs feux de camp sur la plage et sentit même une odeur de steaks grillés. C'était une nuit superbe, avec des millions d'étoiles. Dommage que ce soit le Vietnam et qu'avec son amant elle soit à la recherche d'un jeune fugitif souffrant de troubles psychologiques.

Lorsqu'ils atteignirent le dernier bâtiment en tôle, en lisière du camp, Robin comprit enfin. « Le service de recensement des victimes de guerre. » En d'autres termes, la morgue. Pour un garçon ayant peur de mourir, quel meilleur endroit pour se cacher que parmi les morts? C'était une idée macabre, mais logique.

Il était là. Ils l'entendaient, dans le noir, sanglotant et claquant des dents.

– As! appela doucement Robin. C'est moi, Malone, avec le docteur Kaye. On est là pour t'aider. Harry va allumer sa torche, d'accord?

Ils attendirent un moment, puis As répondit d'une voix étranglée :

– D'accord.

Il était recroquevillé dans un coin, les genoux fléchis contre son torse, la tête baissée, comme prêt à essuyer un bombardement. A force de mots, ils parvinrent à le convaincre de sortir de sa cachette et de retourner dans son lit. En chemin, ils aperçurent au loin la silhouette d'Ostereicher qui marchait d'un pas résolu vers le bureau du commandement.

– Aïe! fit Robin.

– Mouais... On dirait que le gentil colonel a découvert ton absence, As.

– Ne le laissez pas me trouver! Malone, ne le laisse pas me trouver! Il dit que je fais semblant d'être malade et qu'il va me renvoyer dans mon unité. Je vous en supplie, faites quelque chose!

– On va le berner, déclara Harry. Retourne te coucher. Quand le commandement enverra des hommes à ta recherche, ils te trouveront là où tu es censé être. On leur dira que le colonel a rêvé. On restera tous très sérieux et on dira que tu n'as jamais bougé de ton lit. Tu peux faire ça, As?

– Oui, bien sûr, répondit-il d'une voix tremblante mais plein de défi.

Sitôt de retour dans son lit, As s'enroula en chien de fusil et recommença à trembler. Harry lui administra une piqûre pour le calmer et le faire dormir.

– Allez, viens, chuchota-t-il à Robin. On ne peut plus rien pour lui ce soir.

Mais Robin ne pouvait se résoudre à laisser le gamin si seul, désemparé et misérable.

– Non, Harry. Je te retrouverai plus tard, d'accord?

Elle baissa les yeux vers As, se demandant ce qu'elle devait faire. Puis l'idée lui vint. Elle se coucha près de lui, lovant son corps contre le sien, un bras sur son épaule afin qu'il sente sa chaleur et son contact. Bientôt, il cessa de trembler et sa respiration devint plus régulière... puis plus lente encore... et plus profonde...

– Qu'est-ce que c'est que ça? Infirmière! Qu'est-ce qui se passe ici?

Robin rouvrit les yeux. L'espace d'un instant, elle ne sut ni où elle était ni qui lui parlait. Mais, dès que le faisceau aveuglant fut pointé sur son visage, elle comprit.

– Hé! protesta-t-elle.

– Debout, lieutenant!

Ah, parce que maintenant elle était redevenue lieutenant! Elle eut envie de rire, ce qui n'était pas franchement une bonne idée dans la mesure où elle était dans un sacré pétrin. Elle se releva avec précaution, veillant à ne pas réveiller As. Ce n'était pas la peine : la piqûre de Harry avait fait son effet. As dormait profondément, comme un petit enfant, les mains croisées sous sa joue, la bouche entrouverte.

– J'attends des explications, lieutenant Malone.

– Je n'ai rien à vous expliquer, mon colonel. Mon supérieur est le colonel Batten.

Dans la pénombre, elle vit son expression changer. Son ton changea aussi.

– Bien entendu, infirmière. Je suis sûr que le colonel Batten sera ravi d'apprendre que vous couchez avec vos patients.

Elle prit une profonde inspiration et se rappela que tuer un colonel la conduirait certainement devant un peloton d'exécution.

– J'ignore ce que vous avez dit au caporal Watson, mon colonel, mais il s'est enfui et s'est réfugié parmi les cadavres de la morgue.

– Il a fait quoi?

– Vous m'avez bien entendue. Il est en très mauvais état, mon colonel. Il souffre d'un traumatisme psychologique.

– Peuh! Je ne crois pas à ce genre de traumatismes. Il n'y a pas de place au Vietnam pour les lâches et les tire-au-flanc.

– As n'est pas un tire-au-flanc. Il a menti sur son âge pour entrer dans l'armée. Il n'a même pas dix-sept ans!

Cela ne fit pas sourciller Ostereicher.

– Il voulait se battre, c'est le moment ou jamais. Ses blessures sont guéries. Il doit retourner dans son unité.

– Cet enfant ne quittera pas l'hôpital sans l'autorisation du docteur Kaye.

– Très bien. Où est le docteur Kaye?

– Il n'est pas de service en ce moment.

– Alors je lui parlerai demain matin.

– Très bien.

Cette fois, elle ne commit pas l'erreur de partir la première. Elle resta plantée là jusqu'à ce qu'il tourne les talons et s'éloigne.

Le lendemain matin, de bonne heure, elle fila voir comment allait As Watson. Norma McClure, qui avait été de garde de nuit, était justement en train de s'en aller. En la croisant, elle marqua une pause, refit quelques pas, puis revint en arrière.

– Robin? Le docteur Ostereicher est passé il y a une heure.

– A six heures du mat'?

Son estomac se noua.

– Il est venu voir le caporal Watson? questionna-t-elle.

– Oui. Il était également passé à minuit.

Norma hésita. Elle paraissait déchirée entre deux sentiments contradictoires. Le plus souvent, elle appliquait le règlement au pied de la lettre. Elle vénérait également les médecins.

– Qu'est-ce qu'il a encore inventé comme vacherie? demanda Robin.

– Eh bien... Ce n'est pas vraiment une vacherie, Robin. Tu dramatises toujours tout.

– Oui, c'est ça. Alors, qu'est-ce qu'il a fait?

– Il a administré de la Thorazine à Watson.

– L'ordure! Pardon...

Robin l'écarta et partit en courant chercher Harry.

– Attends, Robin! Il est venu parler à As, puis...

Robin n'entendit pas la suite. Quoi qu'il ait dit à As, c'était très mauvais signe pour le gamin. Elle débaula dans le bureau de Harry et y trouva Jay Silverman, tapant à la machine un rapport sur un patient.

– Harry? Il est parti vers cinq heures ce matin avec un des médecins français. Un village un peu plus au nord a été bombardé et il y a un tas de blessés. Je peux t'aider?

– Merde! Non, pardon Jay, mais... Non, laisse tomber. S'il revient, tu peux l'envoyer dans la tente postopératoire?

– Pas de problème.

Il se remit à taper à deux doigts sur le vieux clavier.

De retour vers la tente, elle entendit le vrombissement familier d'un hélicoptère, suivi du cri :

– Arrivage de blessés! Coup de feu général!

Elle partit en courant.

Lorsqu'elle repensa à As et au colonel Ostereicher, il était cinq heures de l'après-midi. Ils avaient recousu trois soldats, en avaient perdu un sur la table d'opération et soigné cinq Vietnamiens que Harry avait ramenés en Jeep du village bombardé. De fait, lorsqu'ils sortirent du bloc pour prendre une bouffée d'air frais, ce fut Harry qui dit :

– Si on allait jeter un coup d'œil à notre As de pique?

– Mon Dieu! J'avais oublié! Ecoute...

Elle l'informa de la visite nocturne d'Ostereicher.

– Le sale rat! s'écria Harry.

As n'était pas dans son lit. Un autre soldat avait pris sa place. Robin et Harry restèrent un instant les bras ballants, les yeux baissés vers le nouvel occupant. Lorsque Robin releva la tête, le colonel Ostereicher arrivait vers eux, un petit sourire victorieux au coin des lèvres.

– Si vous cherchez le caporal Watson, il a décidé de rejoindre son unité.

– Qu'est-ce que vous lui avez fait? demanda Robin.

– Nous avons eu une longue conversation, et il a fini par savoir ce qu'il voulait. Ce garçon était en parfaite santé.

492

– Il était terrifié! rétorqua Robin.

– Et alors? Moi aussi. Il faudrait être fou pour ne pas avoir peur au Vietnam. N'est-ce pas, docteur Kaye?

– Mon colonel, ce jeune homme ne tiendra pas le choc sur le terrain, dit Harry.

– Bien sûr que si, il tiendra le choc! Il souffrait d'une réaction aiguë à une situation bien précise, pas d'une psychose...

– Vraiment? demanda Robin. C'est pour ça que vous l'avez shooté à la Thorazine?

Il y eut un lourd silence, puis :

– N'oubliez pas, infirmière...

– *Lieutenant.*

– Lieutenant, si vous voulez. N'oubliez pas que vous êtes dans une unité de soins militaire. On vous a expédiée ici pour que vous requinquiez nos hommes afin qu'on puisse les renvoyer sur le front. C'est ça, votre job. Je vous suggère de cesser de vous enticher de tous les gamins qui vous passent entre les mains et de faire votre boulot.

Robin resta immobile, réfléchissant à ses possibilités de réplique. Elle n'en avait pas. Aussi, elle sortit et alla droit au centre de loisirs. Elle s'assit au bar, et Joe, sans poser de questions, lui versa à boire. Elle ne savait même pas ce qu'il y avait dans son verre. Sa bouche était remplie d'un goût amer. Elle le vida cul sec et fit signe au barman de la resservir. Au moment où elle reprenait son verre, une main se posa sur la sienne. C'était Harry. Elle lui enlaça la taille et enfouit le visage dans son cou. Harry se libéra délicatement et l'aida à se lever.

– Je te promets une chose, petit rouge-gorge de mon cœur. S'il arrive quoi que ce soit à As, même s'il se coupe en se rasant, j'irai moi-même assassiner le colonel Ostereicher.

Elle esquissa un petit sourire triste.

– Lentement? En le faisant beaucoup souffrir?

– Il souffrira mille morts.

– D'accord. En attendant, tu veux bien me faire l'amour?

– Avec un plaisir infini. Tu vas subir mille petites morts, toi aussi.

– Harry, qu'est-ce que je deviendrais si tu n'étais pas là pour me faire sourire?

– Je préfère ne pas le savoir. Découvrons plutôt combien de fois on peut jouir d'affilée. Le premier qui demande grâce paie la tournée. Tu es prête à relever le défi?

– Toujours prête!

Lorsqu'ils s'éloignèrent, bras dessus bras dessous, ils riaient aux éclats.

38

Janvier 1968

Voilà que ça recommençait! Robin serra les genoux contre la poitrine et déglutit, essayant de refouler la nausée. C'était une sensation horrible, d'autant qu'elle n'avait plus rien à vomir depuis longtemps. Elle ne pouvait pas être malade. Elle n'avait pas le temps de rester au lit avec cette étrange douleur à l'estomac.

– Ça va, Malone? demanda Pam en se penchant vers elle.

– Oui.

– Tu es sûre? Tu n'as pas l'air dans ton assiette.

– Puisque je te le dis! C'est sans doute à cause des hot dogs. Parfois, ça ne me réussit pas.

– Ça fait une semaine que tu as mal au ventre, lui rappela McClure de son habituel ton pincé. Tu devrais peut-être voir un médecin.

– Des médecins, j'en vois tous les jours!

Elle referma la bouche précipitamment, sentant la bile lui remonter dans la gorge. Ça lui apprendrait à faire la maligne!

– Quand les symptômes perdurent plus d'une semaine... commença McClure.

– Je te dis que je vais bien. Maintenant, lâche-moi, veux-tu?

Mais Norma avait raison. Elle aurait dû aller voir un des toubibs de la base. Le problème était qu'ils étaient tous trop amis. Quant à Harry, le seul avec lequel elle se serait sentie à l'aise, il était à Phu Bai, en train de suivre une formation de chirurgie crânienne. Il était parti depuis trois jours et ne rentrerait pas avant la fin de la semaine. Son ventre pouvait attendre. Harry lui manquait, tout comme ses plaisanteries, la manière dont il se lovait contre elle dans le lit ou les moments où elle se réveillait au cours de la nuit pour découvrir qu'il lui faisait l'amour. Pendant son sommeil, le démon !

Le sable de la plage conservait encore la chaleur de la journée, et un magnifique coucher de soleil violet, orange et rose se déployait à l'horizon. Heureusement, il y avait un cessez-le-feu, et l'hôpital était plus calme. C'était d'ailleurs la raison pour laquelle Harry avait pu prendre une semaine. Les trois infirmières étaient descendues sur la plage à la tombée du soir, séparément, pour regarder les étoiles et se laisser bercer par le ronronnement des vagues. Robin se plaisait à imaginer que ces vagues étaient nées sur la côte californienne et les saluait une à une : *San Francisco, Santa Barbara, Santa Clara, San Diego, Santa Cruz.* Elle n'était même pas certaine que toutes ces villes soient bien sur la côte, mais leurs noms étaient fluides et doux comme l'océan. Comme cette maudite bile qui lui remontait dans la gorge !

Il était rare qu'elles s'assoient toutes les trois ensemble. Pam et elle, bien sûr... Elles étaient les meilleures amies du monde. Mais Norma était coincée. Robin avait toujours l'impression qu'elle la jugeait, méprisant sa façon de boire et sa vie sexuelle. Norma pouvait bien penser ce qu'elle voulait, on ne se sentait jamais à l'aise avec elle. Robin cessa de laisser ses idées divaguer et tenta de se concentrer sur la conversation.

Pam était en train de raconter qu'elle était toujours obligée de s'incliner devant les autres quand elle travaillait dans son hôpital psychiatrique au nord de l'Etat de New York.

— Je ne pouvais jamais prendre la moindre décision. C'était mon premier job, et je commençais à me demander comment j'avais pu croire que le métier d'infirmière présentait le moindre intérêt. Alors, je suis passée dans le service chirurgical en m'imaginant que ce serait mieux. Je ne savais pas que les chirurgiens étaient encore plus froids que les psy. Pas

496

Harry, bien sûr, mais vous savez de quoi je parle. Là-bas, dans la réalité, être infirmière, c'est être une vraie serpillière. Tu appartiens corps et âme au médecin. Tu es sa putain d'esclave! Désolée, McClure! Ici, c'est différent. J'aime mon travail. C'est horrible à dire, non? Ces types qu'on nous amène... Je pourrais sortir avec l'un d'eux... Et ils nous arrivent tellement abîmés, avec des blessures si monstrueuses... L'année dernière, avant que vous arriviez, il y avait ce troufion... Il avait sauté sur une mine. Plus de bras, plus de jambes! J'en ai pleuré. Comment pouvais-je le renvoyer chez sa mère dans cet état? Dans sa famille? Mais même ainsi il y a ceux qu'on sauve... J'ai l'impression de faire quelque chose de bien...

— Attends! l'arrêta Robin. Que lui est-il arrivé, à ton troufion? Tu l'as renvoyé chez lui ou pas? Mon Dieu, tu imagines sa mère le jour où elle l'a revu?

Elle frissonna.

— Il est mort, dit Pam d'une voix étrangement neutre.

Norma se signa.

— Que veux-tu... poursuivit Pam. Il voulait mourir. Il suppliait... Bah! Passons...

— Allez, Pam! Dis-nous ce qui s'est passé.

— Rien, c'est la fin de l'histoire. Il était malheureux. Il était grièvement blessé. Il n'avait plus envie de vivre et il est mort. C'est tout.

Robin dévisagea son amie qui, après deux ans et demi dans cet enfer, était toujours aussi fraîche et rose. Robin se demanda si cette charmante créature au visage si innocent n'avait pas aidé le jeune homme à mourir avec une surdose de quelque chose. Mais ce n'était pas une question à poser, surtout devant Norma McClure. Celle-ci disait justement :

— J'ai été élevée chez les sœurs. J'ai été formée dans un hôpital catholique. J'ai travaillé dans un hôpital catholique. Lorsque je me suis engagée, tout le monde m'a dit : « Jusqu'ici, tu as mené une vie protégée. L'armée sera trop dure pour toi. » Mais c'est parce qu'ils n'avaient jamais étudié et travaillé avec des bonnes sœurs!

Elle se mit à rire, soudain plus humaine que d'habitude.

– Il fallait toujours travailler jusqu'à ce que tout soit parfait. Si tu étais malade, il fallait travailler encore plus pour repousser la fièvre. Croyez-moi, après les sœurs de l'hôpital du Bon-Secours, puis celles de Saint-François-Xavier, l'armée, c'est du gâteau!

Elles éclatèrent de rire, puis McClure se tourna vers Robin.

– Et toi, Malone? Quelle est ton histoire?

Robin refoula une nouvelle montée de bile et récita :

– «Comment panser une guerre : une plaie à la fois, une personne à la fois. Avec toutes vos compétences d'infirmière. Avec toute la gaieté de votre cœur. Vous le faites parce que vous le voulez. Vous le faites, parce que vous êtes infirmière de guerre. Signé : le service médical de l'armée des Etats-Unis!» Ta-da!

– Je me souviens de celle-là, dit Norma. Elle était bien faite.

– Bien faite! protesta Robin. Tu veux dire que c'était une affiche de recrutement efficace! C'est celle-là qui m'a amenée ici, alors que je ne crois même pas que nous devrions participer à cette foutue guerre!

– Tu ne veux tout de même pas que les communistes l'emportent! dit Norma, choquée.

– Parce que tu y crois, toi, à toutes ces conneries? Pas moi. Je hais cette guerre stupide. Je hais toute cette propagande qu'on nous a fait avaler et qu'apparemment tu gobes toujours. Moi, vois-tu, quand je me suis engagée, on m'a envoyée en formation sur la côte Ouest. J'y ai vu tous les combattants qu'on rapatriait en pièces détachées. Cette guerre détruit des hommes jeunes, des adolescents presque, leur arrachant des bras, des jambes, des yeux, parfois même leur santé mentale.

Elle déglutit. Elle avait vu tant d'hommes aussi cinglés que Sandy, racontant les mêmes délires, ne sachant plus ce qui était réel et ce qui ne l'était pas. C'étaient eux, les morts-vivants, au cerveau en compote, qui l'avaient convaincue de s'engager au Vietnam.

– On ne fait pas d'omelette sans casser des œufs, répliqua McClure en retrouvant son style habituel.

– Est-ce que tu sais seulement pourquoi on est là? lui demanda Pam. Je ne te parle pas de nous trois, mais des Etats-Unis. Tu sais pourquoi on combat aux côtés des Vietnamiens contre les Vietnamiens?

– Eh bien, Pam, il y a ce truc qu'on appelle la théorie des dominos. Si on laisse les communistes prendre un pays, ils prendront ensuite le suivant, puis le suivant...

– Oh, McClure, je t'en prie! Epargne-nous cette salade. C'est juste une excuse pour faire la guerre et renflouer l'économie.

– Ça, ce n'est pas très patriote. Je dirais même que c'est très antiaméricain de ta part!

L'espace d'un instant, elles se turent, puis partirent d'un grand éclat de rire.

– Ce qu'on peut être bêtes! dit Norma.

Mais Robin savait qu'elle pensait vraiment ce qu'elle avait dit. Elle avait tout avalé et le régurgitait dès qu'on abordait le sujet. Beaucoup d'infirmières étaient comme elle. Des médecins aussi. Même des soldats qui arrivaient en miettes et qui croyaient encore qu'ils s'étaient battus pour quelque chose!

Quoi qu'il en soit, pourquoi parler politique par une nuit si belle et si tranquille avec ses millions d'étoiles? Au loin, on entendait le juke-box et la bande qui chantait chez Joe, qui dansait aussi probablement. Plus près, des bidasses en perm' faisaient cuire des hamburgers sur un feu de camp. L'odeur familière et grasse parvint jusqu'aux narines de Robin, qui fut soudain prise d'un haut-le-cœur. Elle n'eut pas le temps de se cacher et tomba à genoux en vomissant. Tout le monde la regardait, recroquevillée et se tenant le ventre. Un des soldats lança :

– On peut faire quelque chose?

– Ça va, on est infirmières, répondit Pam.

Norma alla tremper son écharpe dans la mer, et Pam l'appliqua sur le visage et le front de Robin.

– Je crois que j'ai élucidé ta mystérieuse maladie, déclara-t-elle. Viens, rassieds-toi.

Une fois qu'elles furent à nouveau toutes les trois confortablement installées, Pam énuméra en comptant sur ses doigts :

– Tu es fatiguée. Tu as des nausées. Tu as l'impression de grossir...

– Mais c'est vrai! Tous mes pantalons me serrent à la taille!

– Tais-toi et écoute, pour une fois, Malone. Où en étais-je? Ah oui, tu as l'impression de grossir. Tu t'endors en plein après-midi et, qui plus est, tu viens de me dire que tes règles étaient très en retard. Tu es infirmière, Malone, tu veux que je te fasse un dessin?

Robin la regarda sans comprendre, puis la lumière se fit.

– Oh, mon Dieu! Oh, merde! Oh, non! Désolée, McClure! Oh, merde!

– Qu'est-ce qu'il y a? demanda Norma.

Pam leva les yeux au ciel pendant que Robin répondait :

– Je suis enceinte, McClure, voilà ce qu'il y a!

Seigneur! Elle était enceinte alors qu'elle ne devait surtout pas avoir d'enfant, avec ses antécédents familiaux. Elle n'allait pas élever et aimer un enfant pour le voir se désintégrer dans la folie. Jamais. Après la mort de Sandy, elle s'était fait cette promesse. La schizophrénie qui hantait sa famille s'arrêterait avec elle.

– Mais comment ça a pu arriver? demanda Norma.

– Ne me dis pas que les bonnes sœurs t'ont aussi caché ça!

– Non, bien sûr, mais comment...? Oh...

– Pas Oh : Harry, résuma Pam.

– Ecoute-moi, Norma, dit Robin. Je ne veux surtout pas qu'il le sache, tu as compris? Pour des raisons que je ne peux pas te donner, je dois avorter. Si tu en parles à qui que ce soit, je te tue!

Norma se raidit, vexée.

Pam commença à dire que ce n'était pas juste de sa part de prendre une telle décision toute seule, que peut-être le père avait aussi son mot à dire et...

Robin se tourna vers elle et lança sur un ton véhément :

– Si, c'est juste! Dans mon cas, c'est plus que juste! C'est la seule solution. Tu le sais très bien.

– Rien n'est absolu, insista Pam. Tu ne peux pas être sûre.

Robin la fixa, frustrée et malheureuse. Elle comprenait très bien ce que son amie essayait de lui dire. Son enfant ne serait peut-être pas schizophrène. Après tout, elle ne l'était pas elle-même; ni sa mère ni sa grand-mère ne l'avaient été non plus. Mais comment une personne saine d'esprit pouvait-elle faire courir un tel risque à un bébé innocent? Si Pam ne pouvait le comprendre, Harry ne le comprendrait pas non plus. Personne ne pouvait se mettre à sa place. Elle était seule face à cette décision.

En voyant la mine désemparée de son amie, Pam s'approcha d'elle pour glisser un bras autour de ses épaules et la réconforter. Elle voulait lui dire qu'elle comprenait ce qui l'effrayait tant, mais Robin ne lui en laissa pas le temps. Elle se leva et s'éloigna en courant, sans nul doute vers le centre de loisirs. Plus tard, lorsque Pam voulut l'y retrouver, elle ne la trouva pas. Joe lui dit qu'elle était passée en coup de vent prendre une bouteille et avait filé. Pam se rendit alors au dortoir pour l'arrêter avant qu'elle ne s'abrutisse d'alcool, mais elle n'y était pas non plus. Elle revint au bar. Un marine très mignon qui lui faisait de l'œil depuis son arrivée au 161 se trouvait là. Pam avait toujours eu envie de savoir s'il était aussi intéressant qu'il en avait l'air. C'était le cas. Alors ils dansèrent un peu, burent un peu, flirtèrent beaucoup... Le temps qu'elle revienne en titubant au dortoir, elle pensait découvrir Robin ivre morte sur son lit. Elle n'y était toujours pas.

Robin entra à ce moment-là, le regard vitreux et la mine défaite. Pam espérait qu'elle ne s'était pas jetée dans les bras de quelque troufion de passage, histoire d'oublier ses problèmes. Elle aimait bien Harry Kaye. Il était un peu cinglé, ou prétendait l'être, mais elle avait remarqué la manière dont il regardait Robin. Il était dingue d'elle. Elle savait qu'au pays

Robin s'était fait larguer par un crétin de médecin. « Comme une vieille chaussette, lui avait-elle raconté. Ensuite, quand on a continué à travailler ensemble, il a fait comme si je n'existais pas. » Ce genre d'expérience pouvait vous dégoûter des hommes, et Robin s'était bâti une carapace d'un kilomètre d'épaisseur. Seul Harry parvenait à la franchir, et c'était une bonne chose.

– Où étais-tu passée? demanda-t-elle, en rogne.

– Je suis allée dormir à la morgue, répondit Robin.

– Tu es folle?

– Pourquoi? C'est sympa et calme, et je savais que j'allais me réveiller avec une gueule de bois d'enfer.

A son ton sec, il était évident qu'elle n'était pas d'humeur à répondre aux questions ni même à discuter. Elle se déshabilla et sortit prendre une douche. Pam la suivit. Tout en se savonnant, Robin reprit :

– Je veux avorter. Je sais que tu n'es pas d'accord, mais je vais le faire.

– Alors pourquoi tu m'en parles?

– Parce que je voudrais que tu m'accompagnes. Parce que je ne veux pas être seule. Parce que je ne veux pas vraiment le faire mais que je le dois...

Sa voix se brisa et elle se mit à pleurer. Pam était affligée de la voir dans cet état, mais soulagée de constater que son amie n'était pas aussi coriace qu'elle voulait le faire croire.

– On ira voir Li Chi, promit-elle en feignant de ne pas remarquer ses larmes. Si quelqu'un sait où se faire avorter, c'est elle.

Li Chi était leur domestique. Elle débarquait tous les matins à bicyclette depuis Bu Huy, le village voisin. Elle s'affairait gaiement dans le dortoir, nettoyant et rassemblant le linge sale. Li Chi était un mystère, comme tous les Vietnamiens. Ils parlaient français, et la plupart savaient déjà assez bien se débrouiller en anglais. Ils étaient donc intelligents. Pourtant, ils étaient là à servir un groupe d'infirmières, de filles de la Croix-Rouge et parfois une chanteuse venue remonter le moral des troupes. Ce ne devait pas être drôle tous les jours. Néanmoins, Li Chi était toujours aimable et souriante, toujours prête à faire, à prendre, à apporter ou à trouver tout ce qu'on lui demandait. Elle savait aussi écouter, mais Pam avait déjà remarqué que, comme tous les Vietnamiens, elle ne parlait jamais d'elle-même, de sa vie et de ce qu'elle pensait. Un vrai sphinx. Il fallait espérer qu'elle n'était pas viêt-cong. Beaucoup l'étaient.

La servante ne sourcilla même pas quand elles lui parlèrent de leur projet. Elle écouta patiemment, puis déclara :

– Oui, bien sûr. Nous avons un centre d'avortement dans mon village.

– Un centre d'avortement! s'exclama Robin, mi-amusée, mi-sidérée.

Li Chi s'éclaircit délicatement la gorge, puis expliqua :

– Beaucoup de nos jeunes filles sont mises enceintes par des soldats et des marines américains.

Bien sûr! Ce qu'on peut être sottes! se dit Pam, légèrement honteuse. Li Chi n'insista pas, mais Pam savait que les enfants de sang mêlé étaient très mal vus par la population locale. Un grand nombre de ces bébés étaient abandonnés par leur mère. Ceux de la région atterrissaient le plus souvent dans l'orphelinat tenu par des religieuses françaises à Bu Huy.

Naturellement, certaines Vietnamiennes tombaient amoureuses de leurs amants américains, vivaient avec eux et élevaient leurs enfants. Pam avait de la peine pour elles. Elles s'imaginaient généralement que ces types allaient les emmener avec eux aux Etats-Unis après la guerre. Ou qu'ils s'installeraient définitivement à Bu Huy ou dans quelque autre hameau. Peuh! Et puis quoi encore! Comme si ce marine craquant qui baisait si bien était le prince charmant et allait débarquer avec une bague de fiançailles!

Ce même après-midi, Pam réquisitionna une Jeep, et elles partirent toutes les trois, Pam, une Robin livide et Li Chi, sur la route cahoteuse qui menait au village. Pam, au volant, lançait sans cesse des regards inquiets vers Robin, qui paraissait

503

plus blême et trempée de sueur de minute en minute. Finalement, elle s'arrêta sur le bord de la route.

– Qu'est-ce qui se passe? s'inquiéta Robin. Ne me dis pas qu'il n'y a plus d'essence!

– Robin, tu as une mine de déterrée. Tu as l'air terrifiée. Si tu as changé d'avis, tu n'as qu'un mot à dire et on fait demi-tour.

Robin la dévisagea sans comprendre, puis éclata de rire.

– Changé d'avis? Pas du tout! C'est ta façon de conduire, Pam. Je n'ai jamais vu un danger pareil au volant.

Pam refusa de rire, mais ne put réprimer un petit sourire.

– Je ne conduis pas si mal. Tu es sûre que tu veux aller jusqu'au bout?

– Affirmatif.

Elle hésita un instant, puis reprit sérieusement :

– Je t'assure que je n'ai pas peur, Pam. Je sais ce que je veux.

Pam remit le contact et, quelques minutes plus tard, la Jeep entrait dans Bu Huy. C'était un assemblage désordonné de huttes, de baraques et de grands bâtiments en dur, plus l'hôpital et le complexe où vivaient les religieuses et les orphelins. Le sol en terre battue était parsemé de quelques rares arbres à l'ombre desquels picoraient les poules. Des enfants jouaient accroupis dans la poussière et, de temps à autre, on voyait apparaître une femme portant de l'eau ou de la nourriture. L'endroit paraissait étrangement inanimé, même si derrière les murs devaient se dérouler toutes les activités qui ne regardaient pas les « Blancs au long nez ».

Li Chi les conduisit vers un petit bâtiment derrière l'hôpital. Une vieille Vietnamienne en sortit, écouta Li Chi, puis leur fit signe d'entrer. Le ventre de Pam se noua. L'endroit ne paraissait pas aseptisé. Où était l'autoclave? Où étaient les perf? Il n'y avait même pas d'eau en train de bouillir.

Elle attira Robin à part et lui chuchota :

– Tu es sûre que tu veux faire ça? On pourrait aller à Saigon dans un hôpital américain.

504

– Mais non, je t'assure que ça ira. Ils avortent bien les Vietnamiennes, non? Arrête de penser comme si le Vietnam en était encore au Moyen Age. Si les choses se compliquent, il y a toujours le docteur Racine.

Elle voulait parler du séduisant médecin français qui dirigeait l'hôpital et parlait certainement le même langage médical que leurs propres toubibs. Alors, pourquoi Pamela se sentait-elle aussi mal? Elle comprit soudain. Au fond, elle aurait bien aimé être amoureuse d'un type sympa et drôle comme Harry Kaye et porter son enfant. Si cela avait été le cas, elle n'aurait pas avorté. Elle aurait sauté dans le premier avion et serait rentrée pouponner chez elle. Mais Robin avait ses raisons. C'était sa grossesse, pas celle de Pam.

Tout se passa bien. Pam les informa qu'elle était infirmière et qu'elle pouvait les aider, mais on la mit à la porte. Elle fit les cent pas devant le bâtiment, comme un père devant une maternité. Plus tard, en revenant vers Moonlight Bay, elle conduisit très lentement, parce que Robin avait une mine affreuse, comme si on l'avait vidée de toute sa substance plutôt que d'un simple amas de cellules.

Robin l'aurait tuée! Norma avait juré de garder le secret, bon sang! A présent, elle insistait :

– Je n'ai rien promis du tout! L'avortement est un meurtre, c'est un péché mortel.

Robin avait envie de l'égorger. Elle était si furieuse que ses oreilles en bourdonnaient.

– Je ne t'adresserai plus jamais la parole, McClure. Tu t'en fiches peut-être, mais je t'en voudrai pour le restant de mes jours!

– C'est un meurtre et un péché mortel, répéta Norma.

– McClure, je ne suis pas catholique. Je ne crois pas au péché mortel. Je suis indienne et, pour moi, l'avortement n'est pas un péché. Tu peux comprendre ça?

– Tu pourrais bien être une Hottentote, ça resterait un meurtre et un péché mortel.

Cette fois, c'en fut trop.

– Sors d'ici! hurla Robin. Tu m'entends, sors d'ici avant que je ne commette *vraiment* un meurtre. Dehors! Dehors!

Mais à quoi bon? Cette peste de Norma avait déjà lâché le morceau à Harry, et Harry était fou de rage. A son retour, ils avaient passé une nuit tendre et pleine d'amour. Elle était restée blottie dans ses bras longtemps après qu'il s'était endormi, se laissant bercer par sa lente et profonde respiration, par son odeur. Elle s'était sentie flotter dans une paix absolue, consciente qu'elle n'avait jamais été aussi proche du parfait bonheur. « Je t'aime. Cette fois, ça y est, je t'aime vraiment », lui avait-elle murmuré.

Puis, le lendemain matin, elle passait les malades en revue quand il entra d'un pas rapide. Pas un sourire, pas un clin d'œil. Il s'était approché d'elle et avait dit d'une voix grinçante : « Dehors. Tout de suite. » Elle le suivit, puis demanda : « Qu'est-ce qui se passe? – Viens, marchons un peu. »

Il prit la direction du dortoir, et elle lui lança sur un ton taquin : « Quoi, tu veux remettre ça de si bon matin? Tu n'es pas encore fatigué? »

Il ne répondit pas. Il lui tenait la main, mais ne la regardait pas. Il gardait les yeux fixés au sol. Enfin, il demanda : « Qu'est-ce qui t'a pris de tuer notre enfant? – Harry... Ecoute... – Non, c'est toi qui vas m'écouter. Je suis sans doute le seul type ici qui ne raconte pas de bobards aux femmes. Je ne dis pas : " Je t'aime " quand j'ai juste envie de tirer un coup. Je ne raconte pas que je suis marié ou fiancé. Est-ce que tu sais seulement la chance que tu as? Qu'est-ce qui t'a pris, bon sang! Tu n'avais pas le droit! Pas sans m'en avoir parlé! – Harry, tu ne comprends pas... » Il s'arrêta et se tourna vers elle, la regardant droit dans les yeux. « Ça, tu peux le dire! Non, je ne comprends pas. Comment as-tu pu, Malone? Je croyais que tu m'aimais. – Mais je t'aime, Harry. Je t'aime. – Je croyais qu'on allait se marier quand cette guerre serait finie. Qu'on rentrerait tous les deux à la maison et qu'on aurait des enfants. Bon sang, Malone! Je suis chirurgien, avec ce que je gagnerai j'aurai largement de quoi élever toute une marmaille et les envoyer à l'université. Pourquoi? C'est tout ce que je veux savoir! Pourquoi?» Il faisait de son mieux pour se contrôler, mais elle voyait bien qu'il était bouleversé. Il se remit à marcher, si vite qu'elle avait du mal à le suivre.

« Pourquoi? Parce que je suis une femme et que je suis celle qui porte les enfants. Je crois que ça me donne quelques voix de plus au chapitre, non? Je ne voulais pas avoir un enfant tout de suite, ça te va? – Non, ça ne me va pas! C'était aussi *mon* enfant, Malone. *Notre* enfant. On l'a fait à deux, souviens-toi. – Oui, mais c'était moi qui étais enceinte, Harry, moi qui avais des nausées du matin au soir, moi qui... – Malone, Robin, ma chérie, il aurait suffi de dire à Bingo que tu étais enceinte pour qu'on te renvoie illico à la maison... – Ah oui? Comment veux-tu que je fasse mon travail si je suis en Californie à rendre mes tripes à longueur de journée et à grossir comme une vache? »

Ils étaient arrivés devant le dortoir. Il entra, et elle le suivit. Il alla droit dans sa petite cellule. Ils ne s'assirent ni l'un ni l'autre sur le lit. Ils s'adossèrent au mur, face à face, les bras croisés.

« Précisément! reprit Harry. A l'heure actuelle, tu serais déjà en Californie. (Il esquissa un sourire.) Tu serais enfin sortie de cette saloperie de guerre que tu hais tellement! Tu serais chez nous, enceinte, en train de m'attendre. Là où j'aimerais que tu sois. Là où tu devrais être. » C'était le mot qu'il ne fallait pas prononcer.

« Là où je devrais être? A ma place, tu veux dire? J'aurais dû deviner que, sous ton masque de brave type qui affirme que les femmes ont un cerveau, tu es comme tous les autres qui pensent que leur épouse est là pour porter leurs enfants et que les infirmières sont des esclaves. Tu me veux à la maison, à ma juste place? A savoir là où je ne pourrai plus prendre de décisions, où je devrai passer par l'infirmière en chef, le médecin et la grand-mère d'un patient pour lui enlever sa perf infectée! »

Elle le voyait qui essayait de l'interrompre. Elle savait également qu'elle était à côté de la plaque, mais elle était lancée. « Ici, je suis maîtresse de mes actes, je décide seule de ce que je dois faire ou pas. Ici, je suis une vraie personne, avec un vrai cerveau. J'imagine que c'est ce qui te dérange, n'est-ce pas? Tu préférerais me voir à la maison, en bonne épouse docile et sage, n'est-ce pas! Eh bien, va te faire foutre, Harry Kaye! »

Elle s'effondra, en larmes. « Robin, tu sais bien que ce n'est pas vrai... C'est juste que... c'était mon bébé à moi aussi et, à présent qu'il est parti, je ne l'aurai jamais tenu dans mes bras et... » Cette fois, ce fut son tour de se mettre à pleurer, secoué d'horribles sanglots. Elle se précipita vers lui et le serra dans ses bras. « Oh, mon Dieu! Harry! Non, ne pleure pas. Pardonne-moi! Pardonne-moi! »

L'espace d'un instant, elle fut sur le point de lui dire la vérité, de tout lui raconter sur Sandy et l'histoire de sa famille. Puis il y eut une grande détonation quelque part. Ils coururent à l'extérieur. Un village non loin était en train d'être bombardé. Pas assez près pour justifier qu'ils courent aux abris, mais ils apercevaient des fragments de bâtiments voler au-dessus des arbres et le rougeoiement des obus suivi de pluies d'étincelles. C'était une scène spectaculaire et étrangement belle.

« Tu as déjà remarqué à quel point tout dans cette guerre paraît irréel? lui demanda-t-elle. – Oui, sauf quand on est juste sous les bombes ou dans le bloc opératoire », répondit-il.

Au même moment, le bombardement cessa, et il ne resta plus qu'une lueur rouge dans le ciel. Sans doute des maisons qui brûlaient, l'hôpital français ou le centre d'avortement où elle s'était trouvée peu de temps avant. Elle aurait pu être tuée. Elle le pouvait encore. Cela paraissait parfois irréel, mais c'était plus réel que l'enfer.

Elle ouvrit la bouche. Elle devait lui avouer son secret. Cela paraissait ridicule devant une telle destruction aveugle. Mais

Harry posa une main sur sa bouche. « Chut, ma chérie. Quoi que ce soit, ça peut attendre. Estimons-nous heureux d'être en vie et ensemble. Je veux juste t'aimer. Qui sait quand ces obus nous tomberont sur la tête à notre tour ? Je veux juste t'aimer et que tu m'aimes en retour. Aime-moi, Robin. Aime-moi à la folie ! – A la folie », promit-elle.

Elle le lui dirait un autre jour. Ils avaient toute la vie devant eux pour tout se dire. Une éternité.

39

Février 1968

L'hélicoptère s'était à peine posé que les brancardiers couraient déjà en poussant les blessés, hurlant les mauvaises nouvelles à mesure qu'ils approchaient de la zone de tri.

– Celui-ci vient de la base Whisky! Etat critique... deux membres inférieurs... un éclat d'obus... une blessure à la tête...

Robin et Jay Silverman couraient à leurs côtés, examinant les blessés et décidant qui pouvait être sauvé, qui « pouvait attendre », vociférant des ordres. Ils se trouvaient en pleine opération de tri quand les sirènes se mirent à retentir. Une nouvelle attaque. Robin leva des yeux las et incrédules vers le ciel.

– Oh, non, mer... credi! lança Silverman, qui était connu pour ne jamais prononcer de gros mots. Qu'est-ce qu'ils ont, en ce moment, ces congs? Personne ne leur a dit que c'était le Têt, nom d'un chien?

– Blessure au thorax! Préparez une perf'! cria Robin.

Puis elle lança à Jay :

– Ce n'est pas le Têt de la joie et de la prospérité, mais le Têt de l'offensive. Tu n'as pas entendu? Oncle Hô veut gagner la partie.

– J'aimerais bien qu'il se calme un peu. Ça fait deux semaines que ça dure, et ça n'a pas l'air de vouloir s'arrêter.

Il secoua la tête et ôta le cigare qu'il tenait en permanence entre ses dents. Il était éteint la plupart du temps, mais cela n'avait pas l'air de le gêner.

– Une perf' ici, et préparez-le pour le bloc!

La nuit du 13 janvier, ils étaient tous réunis chez Joe, après un grand barbecue sur la plage, buvant un coup et s'apprêtant à faire la fête. Il y avait un cessez-le-feu. En outre, le Têt, le Nouvel An vietnamien, était une fête importante. Tout le monde dans le pays le célébrait. C'était le moment ou jamais de souffler un peu. Erreur. Tout à coup, un bombardement intense prit tout le monde par surprise. Les obus pleuvaient de partout, n'épargnant rien ni personne. On se battait souvent près de l'hôpital, parce que dans cette maudite guerre il n'y avait pas de vrai front ni aucune ligne de retranchement. Mais, généralement, les hôpitaux eux-mêmes n'étaient pas visés.

Sauf en ce moment. Deux ou trois fois par jour, Moonlight Bay était pris pour cible et retentissait du vacarme des sirènes et des tirs au mortier. Les patients, bien sûr, ne connaissaient que trop bien ces bruits. Ils se mettaient à hurler qu'on leur donne leurs armes et agitaient le poing vers un ennemi invisible. « On est dans un hôpital, bande de salauds ! »

La piste d'atterrissage avait été touchée deux fois. Heureusement, les Chinooks pouvaient encore se poser pour débarquer leurs blessés. Certaines salles avaient été si salement touchées que le personnel ne pouvait plus y travailler. L'hôpital chirurgical numéro deux de Phu Bai avait été attaqué tant de fois que tout le monde devait rester aux abris. A Cam Ranh Bay, des groupes de snipers avaient débarqué sur la plage, mitraillé le quartier des médecins, fait sauter le château d'eau et abattu les patients qui couraient se mettre à couvert. Personne n'était en sécurité. Ils s'en rendirent compte rapidement quand ils tentèrent de demander des renforts et du matériel par radio et qu'on leur répondit que l'on comptait justement sur eux pour en fournir.

Robin lança un regard vers le blessé suivant et faillit détourner les yeux. Comment pouvait-il encore respirer ? Il n'avait plus qu'un trou béant à la place de la cage thoracique. Il mourut au même instant. *Désolée, mon vieux*, dit-elle en elle-même. *Je crois que tu n'aurais pas voulu continuer à vivre même si j'avais pu te sauver, ce dont je doute fort.*

– Celui-ci nous a quittés, annonça-t-elle à un ambulancier voisin. Emmène-le. Suivant!

Elle entendit Jay Silverman crier :

– Radiographie ici! J'ai besoin d'une série complète du crâne!

Puis il se tourna vers elle :

– On a fini ici, Malone. On ferait mieux de se remettre à l'abri.

Les ambulanciers continuaient à décharger l'hélico, mais il ne restait plus que les morts. Ceux-là, on les gardait pour la fin. Robin passait plus tard à la morgue ou y expédiait l'une de ses infirmières pour décider quelles plaies il valait mieux masquer ou embellir avant de renvoyer les corps à leurs familles.

La veille, un ambulancier était entré dans le bloc pour leur annoncer qu'ils avaient empilé cinquante jambes depuis le début de la semaine. « Et je ne compte pas les bras! »

L'un des médecins l'avait rabroué en rétorquant qu'ils étaient trop occupés pour s'amuser à faire des comptes. A dire vrai, ils avaient à peine le temps de respirer. Robin n'avait encore rien vécu de pareil depuis son arrivée. Un véritable cauchemar.

Le premier jour des attaques, l'hôpital avait été touché en plusieurs endroits, heureusement sans trop de dégâts. Le centre de loisirs aussi, tout décoré de guirlandes, de papier crépon et de tout ce sur quoi Joe avait pu mettre la main. Le bar était noir de monde ce soir-là, buvant et dansant. Dans un coin se tenait un concours de hula-hoop quand bombes, obus, grenades, vacarme, éclairs, fracas et détonations, roquettes, mortiers, artillerie... toute l'armée invisible leur était tombée sur la tête. Le ciel rougeoyait d'explosions en continu.

Depuis, cela n'avait pas cessé. La veille, une nouvelle infirmière avait été grièvement blessée juste en lisière du centre de tri. Elle était toujours dans le coma. Deux ambulanciers avaient été tués en déchargeant les blessés. Ils avaient toujours eu beaucoup de blessés, ici, à Moonlight Bay, mais les Chinooks qui se succédaient en déversaient à présent des flots ininterrompus.

512

En outre, il y avait en permanence quelque chose qui clochait. Aujourd'hui, c'était la lumière dans le bloc opératoire. Elle n'arrêtait pas de s'éteindre. Tout le monde se mettait à râler et à soupirer et, quelques minutes plus tard, elle revenait. Puis elle s'éteignit soudain pour de bon. Les générateurs de secours devaient être épuisés. Robin, qui était en train d'assister Jay Silverman, occupé à remettre les viscères d'un soldat dans son abdomen, se dit que, cette fois, il allait enfin lâcher une obscénité. Au lieu de cela, il lança :

— Que tous ceux qui tiennent encore debout viennent tenir une torche. Les poupées, magnez-vous !

Les filles de la Croix-Rouge filèrent et revinrent quelques minutes plus tard avec des torches. Pendant ce temps, Silverman ne cessa de parler à son patient, qui naturellement était sous anesthésie, lui disant de s'accrocher. Les cinq ou six patients capables de marcher, plus un ou deux bidasses en perm' sur la base, se rassemblèrent autour de la table pour éclairer le ventre du blessé. L'un d'eux eut un haut-le-cœur, puis se reprit aussitôt.

— Excusez-moi, c'est juste le... la surprise, c'est tout. Je ne regarderai pas.

Quelques heures, ou minutes, ou encore semaines plus tard, Silverman se redressa en se massant les reins et gémit :

— Si on m'avait dit à la fac de médecine que ce serait comme ça... Je donnerais tout l'or du monde pour une tasse de café...

Deux médecins, un homme au repos sur la base et une femme faisant partie d'une équipe d'observation du gouvernement, étaient venus prêter main-forte. L'homme se porta volontaire pour aller chercher du café, sous les bravos de l'assistance. Pam lui lança qu'elle était prête à l'épouser après la guerre. Il lui répliqua en retour qu'il serait ravi d'en discuter avec elle.

— Chez moi ou chez toi, infirmière ? demanda-t-il.

— Lieutenant, rétorqua-t-elle sous un chœur de huées.

— Ah, tout irait pour le mieux si Harry voulait bien rentrer de sa petite course, soupira Silverman.

– A qui le dis-tu! répliqua Robin.

Harry était parti en Jeep deux jours plus tôt pour soigner les soldats d'une patrouille qui avait été prise en embuscade. Ils étaient censés se trouver à quelques kilomètres seulement, mais il n'était toujours pas rentré. Elle se faisait un sang d'encre. Ses nuits étaient hantées d'angoissants cauchemars remplis de femmes dansant et d'un immense oiseau blanc décrivant des cercles au-dessus de sa tête. Rien que de songer à cet oiseau la faisait frissonner.

– Qu'est-ce qui t'arrive, Malone? demanda un soldat. On dirait que tu as vu un fantôme.

Elle sentit une vague de panique la parcourir. Il était peut-être temps d'aller dormir un peu.

Elle revint quelques heures plus tard, ayant dormi sans se sentir plus fraîche pour autant. Elle suggéra à Pam de faire une pause à son tour, mais celle-ci refusa. Elle passa donc dans le service postopératoire, souriant, donnant des tapes amicales ici et là, distribuant de l'eau et autres petits réconforts aux soldats blessés.

Il y avait trois rangées de lits serrés les uns contre les autres. Certains patients étaient en piteux état, mais Robin affichait toujours le même sourire, espérant ne rien dévoiler de son état d'esprit, surtout pas l'angoisse qui lui tenaillait les tripes. Où était passé Harry?

L'un des blessés gémissait dans son sommeil. Tout le côté droit de son corps avait été soufflé. Elle vérifia sa perfusion. Il fallait augmenter la dose de morphine. Elle lança un regard vers sa feuille de température, puis se pencha vers lui et chuchota :

– Je reviens tout de suite, Lewis. Je sais que tu as mal. Je vais t'apporter quelque chose pour soulager la douleur, d'accord?

Juste derrière elle, Pam lui demanda :

– Tu crois qu'il peut t'entendre?

– Peut-être que oui, peut-être que non. Ça n'a pas d'importance.

Elle partit chercher la morphine, résolue à se concentrer sur ses patients et à cesser de se torturer à propos de...

– Harry?

Il était là, devant elle, mal rasé, son treillis en lambeaux, le bras bandé, sur le point de s'effondrer. Mal en point, mais en vie.

– Harry? Je ne rêve pas, c'est bien toi?

– Qu'est-ce qui t'arrive, mon cœur? Tu ne reconnais plus John Wayne?

Comme elle restait clouée sur place, il ajouta :

– Dis, tu ne veux pas me prendre dans tes bras? Avant que je m'étale.

Elle se précipita vers lui, les larmes aux yeux. Elle le sentit chanceler de fatigue et appela des collègues à la rescousse. Deux Vietnamiens surgirent de nulle part, l'un plutôt âgé, l'autre très jeune. Ils le transportèrent vers une chaise où il s'effondra et perdit conscience, gardant toujours son sourire béat au coin des lèvres. Les deux hommes s'inclinèrent devant Robin, puis le plus jeune lui raconta ce qui s'était passé.

La Jeep du docteur Harry avait sauté sur une mine... Le jeune homme fit une pantomime pour illustrer comment il avait été projeté hors du véhicule.

Robin l'écouta attentivement tout en s'étonnant que ces deux villageois semblent si bien connaître Harry, au point de l'appeler par son nom. Il avait plusieurs côtes cassées et des lacérations au bras. Ils l'avaient soigné tant bien que mal. Ils s'excusèrent à l'avance de n'être que de vulgaires amateurs et de tout ce qu'ils auraient pu faire de travers. Des membres de leur famille l'avaient trouvé sur la route et amené chez eux. Ils l'avaient accompagné à la base dès qu'ils avaient pu.

Elle les remercia et commença à défaire délicatement les bandages de Harry. Pas mal, pour des amateurs. Ils esquissèrent moult courbettes sans cesser de sourire et, après avoir souhaité un prompt rétablissement au bon docteur Harry, prirent congé.

Lorsque Harry fut revenu à lui et eut avalé quelque chose, elle lui banda à nouveau les côtes.

– Tu connais ces types? demanda-t-elle.

– Quels types, mon cœur?

– Les villageois qui t'ont soigné et t'ont ramené jusqu'ici d'une seule pièce.

Elle parlait sur un ton détaché, mais son regard disait : « Ne t'avise pas de me raconter des salades! »

– Ah, oui! J'ai soigné un de leurs enfants l'année dernière. Depuis, je passe régulièrement voir si tout va bien. Ils vivent à quelques kilomètres de Bu Huy et sont un peu isolés. Bon sang, ce que je suis content de te voir! Quand la Jeep a sauté, j'ai bien cru que c'était fini! Le chauffeur a été déchiqueté.

– Alors, c'est là que tu vas chaque fois que tu prends la poudre d'escampette?

– Comment ça?

– Environ une fois par semaine, tu disparais. Je commençais à me demander si...

– Robin! Je pars plusieurs fois par semaine. Je te rappelle que je suis médecin. Ça s'appelle des visites à domicile.

– Ils semblent très bien te connaître.

– Le gamin en question, c'était juste un bébé. J'ai dû lui recoudre les intestins. La famille campait tout à côté et venait le voir tous les jours. On a fini par se connaître. Pourquoi est-ce qu'on parle de ça alors que j'ai une forme d'enfer?

Il lui prit la main et la posa sur une érection assez impressionnante. Elle réprima un sourire et dit :

– On ne fait pas de propositions indécentes aux infirmières.

Mais elle dut se concentrer pour empêcher ses mains de trembler tandis qu'elle finissait ses pansements. Il l'attira à lui et l'embrassa passionnément. Elle se laissa glisser dans ses bras, le cœur battant. Elle avait envie de lui et il le savait. Lorsqu'il s'écarta, il avait un sourire radieux.

– Alors? demanda-t-il.

– Oui, espèce de satyre, oui, oui et oui!

Il renversa la tête en arrière et éclata de rire tout en gémissant :

– Ouïe, ouïe, ouïe! Ce que ça fait mal!

Elle se pencha sur lui et l'embrassa à nouveau.

– Il n'y a qu'un petit problème, chérie. Il va falloir que tu fasses tout le boulot.

– Crois-moi, répondit-elle en l'aidant à se relever, ce ne sera pas un problème.

Lorsque l'unité chirurgicale de Da Nang l'appela par radio pour une consultation, elle se récria :

– Non, Harry ! N'y va pas. Ce n'est pas juste ! Tu viens juste de rentrer.

– Peut-être, mais ça fait trois jours que je suis au lit avec toi, mon cœur. Pour l'armée, ça compte comme du repos.

– Tes côtes ne sont pas guéries !

– Je n'ai pas besoin de mes côtes pour examiner un blessé et établir un diagnostic avisé.

– N'y va pas, Harry, je t'en supplie.

– Je te rapporterai un joli cadeau de Da Nang. Un petit négligé en dentelle noire, peut-être ?

– Ça, c'est un cadeau pour toi, bêta.

– Alors, un minislip de bain noir, pour moi.

– Oh, Harry, tu devrais rester te reposer encore.

Mais elle savait que c'était inutile. Il aimait son travail et y excellait. Pouvait-elle l'empêcher d'aller sauver la vie d'un malheureux soldat ? N'était-ce pas sa passion à elle aussi ?

Aussi, le lendemain matin, ils s'embrassèrent tendrement, puis il lui dit :

– Sois-moi fidèle pendant mon absence, mon petit rouge-gorge.

Ils se mirent à rire. Il ne partait que jusqu'au lendemain. Il grimpa à bord du Huey et agita la main en guise d'adieu. C'était une journée lourde et poisseuse, mais Robin resta plantée en plein soleil jusqu'à ce que l'hélicoptère eût disparu. Il n'y avait rien de plus merveilleux que d'être amoureux.

Quelques heures plus tard, Pam entra dans le bloc opératoire où Robin faisait l'inventaire.

– Robin... dit-elle.

Lorsque Robin se retourna et vit son teint livide, son sang se glaça.

– Qu'est-il arrivé?

Sa propre voix lui parut lointaine, comme si elle appartenait à quelqu'un d'autre.

– Pam, qu'est-ce que c'est? C'est Harry, n'est-ce pas? C'est Harry! Oh, mon Dieu! Quoi? Quoi? *Quoi*?

Puis Pam s'effondra, en larmes.

Robin courut au-dehors. Il y avait un Huey sur la piste d'atterrissage qu'elle n'avait même pas entendu approcher. Elle vit tout de suite que ce n'était pas celui dans lequel Harry était monté. Trois civières étaient alignées devant l'appareil. Elle se précipita. *Non, non, non, non, non! Je vous en supplie!*

Dès qu'elle le vit sur la civière, elle sut qu'il était mort. Elle sut, même s'il n'y avait pas de trace de sang, pas de bras ou de jambe manquantes, pas de plaie béante, pas de crâne fracassé, pas de treillis vide. Elle lança un regard vers les deux autres civières. Pareil. Ils avaient l'air indemnes. Bizarres, mais indemnes. En s'approchant, elle vit que leurs bras et leurs jambes formaient des angles étranges. Elle prit la main de Harry. On aurait dit un sac de sable. Tous les os étaient broyés. Elle ne pouvait plus respirer. La tête lui tournait.

Le pilote à ses côtés expliqua :

– Leur hélico en a percuté un autre. Ceux de l'autre ont cramé, mais ceux-là... c'est bizarre, c'était comme de ramasser des vêtements vides.

Robin retrouva sa voix. Sur un ton monocorde, comme dans un rêve, elle dit :

– L'impact les a broyés. Leur respiration a été coupée par la protrusion du cerveau.

Puis toutes ses pensées s'effacèrent. Elle poussa un cri. Ce n'était pas une phrase, ni même un nom, juste un hurlement terrifié exprimant une perte inimaginable et une peine sans fond.

40

Avril 1968

Cinq semaines. Non, six. Cela faisait donc si longtemps que...? Robin arrêta sa pensée en plein vol. Elle ne pouvait se permettre de l'achever, c'était trop insupportable. Son seul moyen de s'en sortir était de rester toujours très occupée. Elle passait en revue les patients en soins intensifs quand elle aperçut un officier à l'autre bout de la salle. Il était tout net et propret, marchant entre les lits, examinant leurs occupants. Il n'avait rien à faire là.

Elle se dirigea vers lui d'un pas leste.

– Je peux vous aider, capitaine?

– Non, merci, infirmière. Je voudrais parler au responsable de cette unité.

– Lieutenant, si ça ne vous fait rien.

– Excusez-moi, lieutenant.

– Je suis responsable de cette unité. Je répète donc : je peux vous aider? Que faites-vous ici?

– Je suis l'aide de camp du général Roscoe, dit-il fièrement. Je contrôle votre unité pour m'assurer qu'il n'y a pas trop de blessés trop... amochés, enfin, qui ne soient vraiment pas beaux à voir, vous comprenez. Je ne veux surtout pas que le général soit perturbé.

Elle cligna des yeux. Ce type était-il idiot ou simplement à côté de la plaque?

– Que vient faire le général Roscoe ici? demanda-t-elle.

Elle connaissait déjà la réponse. Une seule raison pouvait amener les généraux jusqu'au 161.

– Ben... distribuer les Croix de guerre!

Robin lui fit signe de s'éloigner un peu et lui chuchota sur un ton sec :

– Ecoutez-moi bien, capitaine. Cette unité est remplie de jeunes hommes courageux qui ont risqué leur vie sous les ordres de types comme votre général Roscoe. Vous les voyez, couchés là? Ils sont tous grièvement blessés, certains sont en train de mourir. J'espère bien que le général sera perturbé quand il les verra. Qu'il voie un peu ce qui se passe chaque fois qu'il ordonne à ses troupes de monter au combat et d'affronter l'ennemi!

Le capitaine, qui était très jeune et ne semblait pas très rassuré devant cette infirmière, détala sans plus de commentaires. Il revint quelques minutes plus tard, accompagné du général, un grand costaud d'âge mûr. Roscoe fit comme s'il ne voyait pas Robin et s'arrêta rapidement devant chaque lit, agrafant les médailles sur les pyjamas bleus des soldats, souhaitant manifestement en finir au plus vite. Robin se demanda avec amertume s'il avait jamais été sur une base de feu et s'il avait assisté à de vrais combats.

Elle se tenait dans un coin de la salle, espérant qu'il allait enfin lever la tête et la remarquer, quand un des patients l'appela sur un ton qui laissait entendre que quelque chose n'allait pas du tout.

Quand elle arriva près de son lit, elle constata qu'il n'avait rien. Mais il lui montra du doigt le lit d'à côté.

– Faites quelque chose! marmonna-t-il.

Son voisin essayait vainement de respirer, émettant ce terrible bruit que Robin ne connaissait que trop bien. Elle se mit aussitôt à lui faire un bouche-à-bouche tout en priant :

– Allez, ne craque pas maintenant. Tiens bon!

Mais il n'y avait déjà plus de vie en lui. Compte tenu de l'état dans lequel il était arrivé, il était miraculeux qu'il ait survécu à son opération, mais il n'avait pas rouvert les yeux depuis.

Elle déposa un baiser sur son front, puis se redressa et tira le drap sur son visage. Elle inscrivit le nom et l'heure de la mort sur son carnet, refoulant toute émotion. Il était important de ne rien sentir.

Le jour où Harry était... bref, Bingo l'avait appelée dans son bureau. « Robin, je sais ce que le docteur Kaye représentait pour vous. Nous l'aimions tous. – Oui, mon colonel. »

Bingo se pencha sur son bureau, la dévisageant attentivement. Robin se tenait très droite, résolue à rester martiale jusqu'au bout. Combien de fois Bingo les avait-elle toutes sermonnées, répétant que les infirmières de guerre n'avaient pas le droit d'avoir de sentiments ?

« Je vous rappelle que l'ennemi n'a pas encore capitulé. – Oui, mon colonel. – Je vous rappelle également que nous n'avons pas le temps de porter le deuil de qui que ce soit, surtout quand on est infirmière. – Oui, mon colonel. – Pas le temps de pleurer. – Vous n'avez pas à vous inquiéter pour ça, mon colonel. – Bien. »

Aussi incroyable que celui puisse paraître, elle n'avait pas encore pleuré Harry. Elle aurait dû verser des torrents de larmes, mais elle se sentait vide et sèche.

Elle se tenait toujours auprès du mort, son carnet à la main, quand le général Roscoe arriva au pied du lit et agrafa une médaille sur le drap.

– Vous ne croyez pas que c'est un peu tard, général ? s'exclama-t-elle, horrifiée.

Elle avait du mal à croire à son propre culot. Le général aussi, apparemment. Il lui lança un regard assassin. Mais, au lieu de lui demander son nom et de lui passer un savon, il marmonna que le service devait être très dur pour une femme et lui tendit le reste des médailles.

– Tenez, lieutenant. Vous n'avez qu'à distribuer le reste.

Là-dessus, il tourna les talons et sortit, l'aide de camp trottinant derrière lui.

Robin se tourna vers la salle et annonça :

– J'ai là des Croix de guerre pour tout le monde. Vous l'avez tous amplement méritée. Je tiens à ce que vous sachiez que votre pays vous est éternellement reconnaissant pour ce que vous avez fait pour lui. A votre retour, vous serez accueillis comme des héros.

Elle mentait. Quelques semaines plus tôt, une chanteuse de l'USO avait partagé leur dortoir pendant quelques nuits. Elle leur avait raconté qu'aux Etats-Unis de nombreuses voix s'élevaient contre la guerre et que le ressentiment général concernait également les soldats. « Ce ne sont pourtant pas eux qui ont demandé à ce qu'on fasse cette guerre! » s'était écriée Pam.

La chanteuse, une certaine Susie, avait répondu que cela n'avait rien à voir et que les hommes devaient y être préparés avant leur retour. « Il faut qu'ils sachent qu'ils ne seront pas accueillis à bras ouverts. Personne ne les considérera comme des héros. Personne ne leur demandera comment c'était. Tout le monde évitera le sujet, croyez-moi. Je suis assez vieille pour me souvenir d'autres guerres. Celle-ci est différente. »

Au moins, je les aurai remerciés, se dit Robin. D'ailleurs, combien d'entre eux tiendraient assez longtemps pour rentrer vivants au pays?

Elle était toujours plongée dans ses pensées quand, se retournant, elle vit une *mamasan* tenant un bébé d'environ un an dans les bras. C'était une petite fille adorable, de toute évidence issue d'un GI. Elle n'avait pratiquement pas l'air asiatique. La femme, qui devait avoir la cinquantaine, bien que ce fût toujours difficile à deviner avec les Vietnamiennes, était très belle. Elle inclina poliment la tête et s'adressa à elle en français, lentement, utilisant des mots simples. Robin, qui avait étudié le français pendant quatre ans, fut stupéfaite de constater qu'elle comprenait pratiquement tout.

– *Pardonnez-moi, lieutenant. Je suis Mme Chiou. Cette enfant est la fille de ma fille, qui est disparue ou, peut-être, morte... Elle est la fille aussi du docteur Harry* [1].

Le cœur de Robin se mit à battre. Mme Chiou poursuivit en demandant s'il était vrai que le docteur travaillait ici, à l'hôpital.

1. En français dans le texte.

A partir de cet instant, Robin ne comprit plus rien, et encore moins le français. Elle interrompit la femme et envoya quelqu'un chercher Joe le barman, qui était originaire du Québec. Elle fit signe à Mme Chiou de s'asseoir et dévisagea la petite, qui l'examina à son tour. Qu'est-ce que c'était que cette histoire? Quand on était pauvre et que sa fille avait abandonné son enfant, la meilleure chose à faire était sans doute de prétendre que le père était un des médecins américains. Après tout, les médecins avaient du pouvoir et de l'argent, non?

Soudain, l'enfant lui sourit, et Robin laissa échapper malgré elle un gémissement de douleur. C'était le sourire en coin de Harry, exactement. Puis elle vit qu'elle avait aussi sa fossette au menton et les mêmes cheveux bouclés, bien qu'ils ne fussent pas roux mais châtains. Certains des enfants de GI avaient l'air moins asiatique que d'autres, mais celle-ci n'en avait qu'un soupçon. Peut-être ses yeux noirs en amande... L'enfant de Harry, Seigneur!

Joe débarula au pas de course, puis approcha une chaise. Après de nombreux hochements de tête et courbettes agrémentés d'amabilités, il se mit à traduire en simultané. Robin ferma les yeux. La douleur et l'angoisse qu'elle ressentait étaient étourdissantes. L'inexorable conversation se poursuivit: d'abord la voix douce et haut perchée de la femme, puis celle grave et laconique de Joe, entrecoupée de euh... et de ah...

Soudain, Mme Chiou regarda Robin d'un air étrange et s'adressa directement à elle.

– Malone, elle demande si le docteur Harry était... euh... ton amant.

Robin hocha la tête.

– *Moi aussi* [1]... dit la femme.

Puis la voix de Joe couvrit la sienne.

– Elle veut dire qu'elle aussi son mari... euh, enfin, je ne sais pas trop si c'était son mari, enfin bref... il était docteur. Un

1. En français dans le texte.

médecin français. Sauf qu'il était déjà marié, tu suis? Marié et catholique. Elle voulait garder l'enfant. Alors...

Mme Chiou esquissa un haussement d'épaules universel.

A travers un épais brouillard, Robin demanda :

– Qu'est-il arrivé à sa fille? Elle m'a dit tout à l'heure qu'elle était soit disparue soit morte. Enfin, je crois que c'est ce qu'elle a dit...

Il y eut un bref échange.

– Sa mère pense qu'elle était viêt-cong, rapporta Joe. Elle devait prouver qu'elle était une vraie Vietnamienne... Non, attends...

La femme parla rapidement.

– Les villageois étaient cruels avec elle, reprit Joe. A cause de son sang mêlé. Mais Mme Chiou était déterminée à garder sa fille auprès d'elle. Li Minh, c'est le nom de sa fille. A présent, Li Minh est partie, sans un mot, laissant son enfant derrière elle.

Joe lança un regard inquiet vers Robin.

– Ça va, Malone?

– Très bien, répondit-elle en affichant son plus beau sourire.

– Ça n'a pas l'air. Tu n'étais pas au courant, n'est-ce pas?

– Non. Pourquoi? Tu le savais, toi?

– Ben... oui. Hé! Ne me regarde pas comme ça. Quand Harry est tombé amoureux de toi, il m'a fait jurer le secret. Il voulait te le dire lui-même dès qu'il serait sûr que tu l'aimais vraiment. Tout s'est terminé entre eux dès qu'il a posé les yeux sur toi.

Mme Chiou se remit à parler, regardant Robin d'un air implorant.

– Que demande-t-elle?

– Elle... euh... elle voudrait voir Harry. Elle dit qu'il s'est toujours montré très généreux avec Li Minh et que, maintenant qu'elle est partie, il voudra sûrement emmener la petite chez lui, aux Etats-Unis, où... euh... personne ne la méprisera et ne l'insultera, et... euh... ne lui jettera de la terre au visage.

Que devait-elle décider? Que devait-elle penser? Cela faisait beaucoup à avaler en même temps. Elle comprenait enfin certaines des absences de Harry, certains de ses silences. Néanmoins, elle était furieuse contre lui, mort ou pas. Pourquoi ne lui avait-il rien dit, le lâche! Une petite voix au fond d'elle-même lui rétorqua : *Et toi? Tu ne comptais rien lui dire au sujet de l'avortement, non?* Ça ne faisait rien. *Le salaud! Le salaud!*

Enfin, elle regarda Mme Chiou droit dans les yeux et dit :

– *Le docteur Harry... il est mort* [1].

– *Mort... ah...*

Une ombre d'une telle tristesse et d'une telle tendresse traversa son regard que Robin dut détourner la tête.

Elle regarda la femme et l'enfant partir, puis sortit à son tour, sans remercier Joe. Elle marchait vite, courait presque, essayant de chasser les pensées qui se bousculaient dans sa tête. Pourquoi avait-elle tué leur enfant, la seule chose qui aurait pu rester de lui? Il avait eu un bébé avec une autre femme. Dieu que cela faisait mal! Il avait couché avec la fille de cette Vietnamienne, l'avait tenue comme il avait tenu Robin, lui agrippant les cheveux au moment de jouir en elle, s'était lové contre elle pendant la nuit. Robin serra les poings et laissa les larmes venir. L'enfant de Harry... Elle lui ressemblait tant. La mère avait disparu, sans doute à jamais...

Elle sortit du camp et continua à marcher le long de la route de terre. Lorsque le soleil commença à décliner, elle marchait toujours, le T-shirt trempé et les pieds endoloris. Elle entendit avec soulagement une Jeep approcher derrière elle. Comme elle s'y était attendue, c'était Joe. Pam était assise à ses côtés, l'air inquiet.

– Malone, tu es trop vieille pour fuguer, lança Pam. En plus, tu boites. Je t'avais bien dit que ces chaussures étaient trop petites.

– Tu ne m'as jamais rien dit de tel, rétorqua Robin en grimpant à l'arrière. Je les ai achetées à San Francisco.

Joe se retourna.

– Où on va? demanda-t-il.

1. En français dans le texte.

– A la maison. Je crois que j'ai assez marché pour aujourd'hui.

Il fit demi-tour et reprit la route de Moonlight Bay. Une idée avait germé dans la tête de Robin. Plus elle y pensait, plus cela l'excitait. Pourquoi n'adopterait-elle pas l'enfant ? Pourquoi ne resterait-il rien de Harry Kaye une fois cette guerre terminée ? Sa période de service touchait à sa fin. Elle pourrait emmener la petite fille avec elle aux Etats-Unis. Oui ! C'était le bébé de Harry ! Et, bientôt, ce serait le sien aussi.

Elle se pencha en avant et posa une main sur l'épaule de Joe.

– Arrête-toi ! ordonna-t-elle.

– Quoi, tu veux vomir ?

– Mais non, je ne me suis jamais sentie aussi bien. Conduis-nous chez Mme Chiou.

– Maintenant ? dit Pam. Il fait presque nuit !

– Oui, maintenant. On peut, Joe ? S'il te plaît !

– Non. Désolé, mais je ne sais pas où elle habite. Harry ne me l'a jamais dit. Il agitait juste vaguement la main vers le nord-ouest.

– Quelqu'un doit bien savoir d'où elles viennent ! J'y suis ! Les deux villageois ! Le gamin, celui qui avait une occlusion intestinale ! Je le retrouverai dans les archives. Désolée de t'avoir fait t'arrêter, Joe. On peut rentrer à la base. Je trouverai ce village, même si je dois rempiler pour ça !

Elle dut éplucher des dossiers de patients pendant trois jours entiers. Même une fois repartis sur la route en Jeep, ils n'étaient pas sûrs de leur destination. Le village s'appelait Sa Binh, pensaient-ils, et se trouvait non loin de Qui Nhon. Peut-être... Une jeune femme du nom de Li Minh Chiou était venue au 161 deux ans plus tôt avec une balle dans la cuisse. Son dossier était rédigé avec l'écriture en pattes de mouche de Harry. Cela collait. En outre, ils n'avaient pas d'autre piste.

Joe conduisait trop vite, comme d'habitude. Pam et Robin, toutes deux assises à l'arrière, se cramponnaient de leur mieux. A la sortie d'un virage, un tireur embusqué les prit pour cible. La Jeep fit un tête-à-queue et manqua de se renverser dans le fossé, projetant de grandes gerbes d'eau sur les côtés. La saison des pluies venait de commencer.

– Retour à la case départ, les filles! annonça Joe.

– Non, attends! protesta Robin. Tu as promis de nous conduire à Sa Binh pour voir Mme Chiou. Tu as promis! Tu as donné ta parole de scout!

– Malone, tu tiens vraiment à te faire tuer? Ce ne sont pas des petits garçons qui jouent à la guéguerre par ici. C'est l'oncle Hô, et il ne plaisante pas!

– D'après la carte, on y est presque. Allez! Ça fait cinq minutes qu'on est à découvert et personne ne nous a plus tiré dessus. Allez, Joe! Allons jusqu'à Sa Binh. Si Mme Chiou n'y est pas, c'est fini, je te le jure.

– Tu me donnes ta parole de scout?

Robin tendit deux doigts. Joe éclata de rire.

– Ce ne sont pas les bons doigts, Malone! Vous n'avez donc pas de scouts à Brooklyn? C'est bon, je rends les armes. C'est reparti pour Sa Binh!

Il démarra sur les chapeaux de roue, et la Jeep reprit sa course en zigzaguant entre les flaques d'eau. Les deux infirmières essuyaient la boue sur leur visage. Encore heureux qu'il ne pleuve pas!

Quelques kilomètres plus loin, ils aperçurent la fumée qui se dégageait des toits des maisons de Sa Binh. Ils crièrent de joie. Lorsqu'ils entrèrent dans le village, ils furent aussitôt encerclés par une centaine d'enfants curieux qui voulaient grimper dans la Jeep et essayer tous les boutons. Puis les adultes, des femmes et des vieillards pour la plupart, apparurent à leur tour.

Joe commença à leur parler, en français, un peu en vietnamien, et avec beaucoup de gestes. Robin et Pam n'eurent pas besoin de traduction. Elles avaient déjà compris. Mme Chiou n'était plus dans le village. Elle était partie avec le bébé.

– A Saigon? demanda Robin.

– Non, à Bu Huy, chez les religieuses, expliqua Joe.

– Tu veux dire qu'on a fait tout ce chemin alors qu'elle était à deux pas de chez nous?

– Tu n'es jamais contente! soupira Joe.

Comme par magie, il sortit des chewing-gums et des bonbons de sa poche, et les distribua autour de lui. Lorsqu'ils repartirent, les villageois leur souriaient, agitaient la main et leur criaient quelque chose en vietnamien.

– Ils nous souhaitent bonne chance, traduisit Joe.

Ils reprirent donc la route de Bu Huy. Au moins, ils y trouveraient quelqu'un parlant l'anglais au cas où Mme Chiou serait de nouveau partie. Les sœurs qui dirigeaient l'orphelinat étaient des Vietnamiennes francophones, accompagnées d'une ou deux religieuses françaises parlant l'anglais. Au moment où ils se garaient dans la grande cour nue au milieu des bâtiments, il se mit à pleuvoir. Cela ne semblait pas gêner les orphelins. La plupart étaient à moitié nus. Robin repéra tout de suite la petite fille, assise calmement au milieu d'un groupe de gamins jouant au ballon. Elle était occupée à examiner un insecte. Seigneur! Cette expression... Cet air si parfaitement concentré, ce froncement de sourcils... Robin sentit son cœur se serrer. Il fallait coûte que coûte qu'elle devienne la mère de cette enfant.

Lorsqu'elle le dit à Pam, celle-ci rétorqua :

– Quoi? Mais ton service s'achève dans trois semaines. Tu rentres à la maison. Et puis tu n'es même pas mariée. Ils ne confient jamais un enfant à une célibataire.

– Qui ça, « ils »?

Elle avait beau prendre l'air sûre d'elle, Robin savait que ce ne serait pas facile. Un sergent de la base, chef de l'unité de la police militaire, était tombé amoureux de sa maîtresse vietnamienne. Lorsqu'elle avait été tuée lors d'un bombardement, il avait voulu envoyer leur enfant à sa mère aux Etats-Unis. Robin avait été témoin des difficultés qu'il avait dû affronter. Les autorités vietnamiennes étaient étrangement réticentes à laisser partir les enfants de sang mêlé, en dépit du mépris et de l'isolement dont ceux-ci étaient victimes dans le pays. Robin savait aussi que les lois sur l'adoption étaient très strictes en Amérique. Les juifs devaient trouver un bébé juif. Si l'enfant était né d'une mère catholique, seule une famille catholique pouvait l'adopter. Idem pour les protestants. Adopter un enfant d'une autre race? Impossible. Cela paraissait parfaitement absurde à Robin. Si on lui demandait quelle était sa religion, que répondrait-elle? Elle n'en avait pas. Elle devait peut-être leur dire qu'elle avait du sang indien. Les Indiens n'étaient-ils pas censés être venus d'Asie?

– Ne t'inquiète pas, dit-elle à Pam. Je suis sûre qu'on trouvera un moyen de contourner le système. Zut, en deux ans d'armée, j'ai quand même appris quelques petites astuces!

– « On »? répéta Pam. Non, non, je blague. Bien sûr que je vais t'aider, sauf que je ne vois pas ce que je peux faire. Par contre, Joe, lui... il pourrait t'être utile.

– Comment? s'étonna Joe.

– Tu n'as qu'à épouser Malone. Elle pourra adopter plus facilement.

– Hé, minute! Je veux bien vous conduire toutes les deux où vous voulez, mais... me marier?

– Ne t'inquiète pas, Joe, dit Robin en riant. Ce n'est pas une si bonne idée...

Elle s'accroupit timidement devant la fillette et ouvrit les bras.

– Tu viens me faire un câlin?

La petite sourit et tendit ses petits bras potelés en babillant.

Robin la prit et se releva, se rendant soudain compte que les langes étaient non seulement couverts de poussière mais trempés.

– Je reviens tout de suite, annonça-t-elle aux autres. Il faut qu'on fasse connaissance, et elle a besoin d'être changée.

A l'intérieur, elle tomba sur une très jeune sœur qui était manifestement attachée à l'enfant. Elle la lui prit des bras sans hésiter une seconde et fronça les sourcils.

– Mouillée! dit-elle. Merci de l'amener à moi.

– Comment s'appelle-t-elle?

Silence.

– Son nom?

– Ah, nom! Nguyen Ninh. On dit Ninh.

Robin répéta dans sa tête : « Ninh Malone. » C'était très laid. « Ninh Kaye. » Encore pire. Elle ne voulait pas que les autres enfants se moquent de *sa* petite fille! Puis elle sut : Nina. Nina Malone. C'était parfait.

– S'il vous plaît, demanda-t-elle à la religieuse en tendant les bras, je peux? *Un moment, seulement* [1].

Ces trois mots de français parurent impressionner la sœur, qui lui tendit la petite à contrecœur.

– Mouillée! Mouillée! répéta-t-elle néanmoins comme si Robin n'avait pas remarqué.

Robin retourna dans la salle d'accueil, où elle se mit à faire les cent pas tout en murmurant à l'enfant blottie dans ses bras, lui parlant de Brooklyn et de New York.

– ... et il y a cette grande dame toute verte qu'on appelle la statue de la Liberté. On prendra le ferry et je te la montrerai. Ma grand-mère et tante Addie m'emmenaient souvent à Staten Island, et j'adorais passer au pied de cette statue. Je suis sûre que tu l'aimeras aussi, parce que, quand tu la verras, je serai ta maman. Ce sera bien, non?

Elle caressait les boucles auburn et embrassait les joues rondes. La petite l'écoutait attentivement, intéressée par le son de cette nouvelle voix. Elle enfonça un doigt dans la bouche de Robin, puis lui palpa le visage. Elle était si mignonne! Elle était parfaite!

Bientôt, trop tôt, la jeune sœur vint reprendre Nina. Robin embrassa l'enfant, hésitant à la laisser partir. Quand elle ressortit, elle trouva Mme Chiou l'attendant dans la cour, aux côtés de Pam, de Joe et d'une sœur plus âgée qu'on lui présenta comme la mère supérieure.

– Ma sœur, je voudrais adopter Nina, euh... je veux dire, Ninh. Nguyen Ninh. La petite-fille de Mme Chiou.

---

1. En français dans le texte.

Les deux femmes se mirent à parler brièvement en vietnamien, puis Mme Chiou se tourna vers Robin avec un grand sourire et lui dit quelque chose dans un français très rapide, dont elle ne comprit qu'un mot :

– *Merci! Merci* [1]!

– *Non, merci à vous* [1]!

Ils prirent congé en échangeant de nombreux sourires et de multiples courbettes.

Robin grimpa dans la Jeep, le cœur léger.

– Parfait! dit-elle. Tout est réglé!

Naturellement, c'était loin d'être le cas. Elle contacta le QG où, après une bonne quinzaine de coups de fil, elle tomba sur un certain lieutenant Carville, qui semblait s'y connaître un peu.

– Tout d'abord, l'enfant doit obtenir une autorisation médicale.

– Pas de problème, répondit Robin. Il se trouve que je travaille dans un hôpital. Je demanderai à un des médecins de s'en charger.

Le lieutenant Carville s'éclaircit la gorge.

– J'aimerais que ce soit aussi simple, lieutenant Malone. Il faut entre six mois et un an avant que les autorités vietnamiennes ne délivrent une autorisation médicale. Ensuite, il vous faudra obtenir un visa pour l'enfant.

– Ah! Et où je m'adresse pour ça?

– Depuis 1959, la loi américaine stipule que tout enfant étranger doit satisfaire aux critères d'adoption de son Etat d'accueil avant que le service de l'immigration et des naturalisations ne lui délivre un visa. D'où êtes-vous, lieutenant Malone? De New York? Attendez voir... Dans l'Etat de New York, ces critères incluent notamment qu'une agence d'adoption officielle doit se porter garante de tout enfant introduit dans le pays pour y être adopté. Il vous faut donc trouver une agence à New York.

1. En français dans le texte.

– Vous ne sauriez pas comment je peux en trouver une, par hasard?

– Non, désolé. Pourquoi ne pas vous adresser à une agence vietnamienne? Ils sauront peut-être.

Malheureusement, il n'existait pas d'agence d'adoption vietnamienne. Pas une seule organisation officielle au Vietnam ne s'occupait des orphelins. De fait, le concept même d'adoption était resté virtuellement inconnu dans le pays jusqu'en 1960, puis n'avait concerné que des enfants vietnamiens adoptés par des familles vietnamiennes. Les adoptions à l'étranger étaient rarissimes. Elle apprit, au fil d'innombrables appels, que les orphelins de guerre n'étaient une priorité pour personne, pas plus pour l'armée américaine, qui avait pourtant fourni la plupart des pères, que pour les gouvernements du Vietnam et des Etats-Unis. Personne ne pouvait l'aider. Personne ne savait rien. Les responsables levaient les yeux au ciel en répétant : «Désolé. Je ne sais rien du tout à ce sujet.»

Par un soir pluvieux où elle se trouvait au bar de Joe, elle se lamenta :

– J'en ai tellement marre de ces bureaucrates qui s'en foutent comme de l'an quarante et me font tourner en rond que je vais finir par les rédiger moi-même, ces autorisations! Non, mieux que ça : je mentirai et je dirai que c'est mon bébé.

Jerry Marx, un des nouveaux médecins, lui répondit :

– Je ne pense pas que ce soit une très bonne idée. Tu n'as jamais entendu parler de kidnapping? Tu risques gros si tu te fais prendre.

– Qu'est-ce qu'ils vont me faire, m'envoyer au Vietnam?

Cela fit rire tout le monde, mais la situation n'était pas drôle. Le temps passait. Robin envisagea de signer pour une nouvelle période de service, mais il devint de plus en plus évident qu'il valait mieux qu'elle rentre aux Etats-Unis pour effectuer les démarches de là-bas.

Elle fit promettre à Mme Chiou, à la mère supérieure et au médecin français que les demandes pour l'autorisation médicale commenceraient sans tarder et qu'ils ne confieraient à personne d'autre la petite fille qu'elle considérait déjà comme la sienne.

Les copains lui organisèrent une grande fête d'adieu, avec barbecue sur la plage, match de volley et boissons à volonté au bar de Joe. Personne ne mentionna le nom de Harry. D'ailleurs, personne ne parlait jamais de lui. C'était une règle tacite : on ne parlait pas des morts. On n'avait pas de peine. On n'avait que de la force. Robin aurait voulu pleurer. Elle aurait voulu porter le deuil de leur amour, surtout maintenant qu'elle allait quitter le lieu où il était mort. Pourquoi ses yeux restaient-ils secs? Sans doute parce que, si elle laissait venir les larmes, rien ne pourrait plus les arrêter.

Elle reposa lourdement son verre sur le comptoir et lança :
– Barman! Un autre!

Un pilote en repos sur la base pour quelques jours, un type sympa du nom de Roy, lui faisait du gringue. Elle lui donnerait peut-être sa chance. Tout le monde dansa et chanta au son du juke-box. L'air le plus populaire du moment disait : « Faut qu'on se tire d'ici, quitte à en crever! » Ils se le repassaient encore et encore. Elle but, dansa avec Roy, but encore. Elle dansa avec tous les toubibs, puis avec tous les patients, y compris avec un soldat en fauteuil roulant. Au bout d'un moment, le pilote trouva une meilleure affaire et disparut. Elle s'en fichait. Quelque chose de fort et d'important, peut-être la chose la plus importante de sa vie, était sur le point de se terminer, et elle ne voulait pas en perdre une minute.

Elle accueillit l'aube, assise sur la plage avec Pam et Joe, contemplant le soleil levant sur la mer de Chine tandis que la marée descendait. Puis il fut temps de partir. Le Huey qui devait la ramener à Saigon attendait déjà sur la piste. Plissant les yeux sous le soleil matinal, elle se sentit incapable de dire adieu. Elle ne pouvait plus parler.

Elle grimpa dans l'hélicoptère et, tandis qu'il s'élevait, agita la main pour dire au revoir. Au revoir à tout le monde. Au revoir à tout ce qu'elle avait perdu, à tout ce qu'elle avait trouvé. L'appareil prit de la hauteur et vira vers le sud. Elle se pencha par la porte grande ouverte, espérant apercevoir Bu Huy, mais ils allaient dans la mauvaise direction.

Elle continua néanmoins d'agiter la main, faisant une promesse silencieuse à l'enfant. *Je serai ta maman, coûte que coûte.*

41

Septembre 1969

Le bâtiment des arrivées internationales de l'aéroport J.F.K.
était une vraie maison de fous, notamment la mezzanine au-
dessus des douanes, d'où l'on pouvait se pencher pour
essayer d'apercevoir le passager que l'on attendait. Et Robin
attendait depuis la nuit des temps que cet avion se pose.
L'avion qui amenait enfin Nina vers sa nouvelle vie aux
Etats-Unis.

Nina et quatre autres orphelins. C'était la dernière lubie du
gouvernement vietnamien, qui avait décrété que les orphelins
ne pouvaient sortir du pays que par groupes de cinq. Pourquoi
cinq et non six, ou quatre, ou dix-sept, personne n'aurait su le
dire. C'était la loi, point. Il n'y avait pas à discuter. Jusqu'à ce
que cette loi soit brusquement remplacée par une autre tout
aussi absurde.

Une grosse bonne femme avec l'accent du Queens, traînant
ses deux sales gosses derrière elle, bouscula Robin et se mit à
beugler vers quelqu'un en bas. Robin envisagea de lui lancer
une vacherie qui la ferait taire, puis se ravisa. Cela n'en valait
pas la peine. Elle était déjà assez sur les nerfs. De toute
manière, il était impossible de repérer qui que ce soit dans
cette foule, surtout une petite fille qui avait grandi et changé
depuis la dernière fois qu'elle l'avait vue. Elle n'était même
pas sûre de se souvenir des traits de Nina.

Elle recula donc et alla retrouver ses parents, assis sur un
banc. Ils étaient aussi fatigués et tendus qu'elle. L'attente semblait ne jamais devoir finir. Elle leur avait pourtant dit qu'elle

préférait venir seule. « Je suis déjà suffisamment énervée comme ça ! »

Mais on ne discutait pas avec le docteur Birdie Malone, la reine du pragmatisme, le pédiatre adulé de toutes les jeunes mamans de Brooklyn Heights. « Ne sois pas ridicule, Robin. Personne ne doit rester seul dans des moments pareils. Ne t'inquiète pas, on se fera très discrets. Mais au moins on sera là si tu as besoin de nous. Et puis, nous sommes ses grands-parents, quand même ! Elle aura envie de nous rencontrer. »

Robin n'insista pas, sachant que c'était peine perdue. Le seul moyen d'échapper à sa mère, c'était de prendre la tangente et d'aller vivre ailleurs, ce qu'elle ne pouvait pas se permettre tant qu'elle n'aurait pas mis un peu d'ordre dans sa vie, à savoir tant que Nina ne serait pas arrivée et ne se serait pas adaptée. Ensuite, elle envisageait de quitter Clinton Street et son job idiot à l'hôpital de Cadman. Elle travaillait dans le service chirurgical, un des postes d'infirmière les plus intéressants et satisfaisants qui soient, mais détestait chaque minute passée là-bas à devoir courber la tête et obéir.

Sa mère ne comprenait pas pourquoi elle se plaignait. Robin avait essayé de lui expliquer que, au Vietnam, elle avait travaillé avec le chirurgien, pas derrière. « On me faisait confiance, maman. On me respectait. J'étais responsable de l'unité chirurgicale, et aucun patient n'y était admis sans mon feu vert. Oui, moi, simple infirmière ! – Mais tu n'étais pas médecin. »

Robin avait tiqué, puis avait compris ce qu'elle voulait dire. « Non, je ne suis pas médecin et, si tu veux encore me tanner avec tes « Je t'avais bien dit de faire médecine ! », vas-y. Oui, les médecins avaient toujours le dernier mot. Tout d'abord, ils étaient capitaines alors que les infirmières n'étaient que lieutenants. Je ne veux pas dire qu'on ne faisait aucune différence entre un médecin et une infirmière. C'est juste que... » Elle cherchait les mots dans sa tête pendant que sa mère la dévisageait attentivement. « C'est juste que cette différence n'était pas aussi marquée. Les infirmières n'étaient pas là pour servir les médecins, mais pour soigner les blessés. »

Elle s'interrompit, voyant que cela ne rimait à rien. Sa mère était polie, mais perplexe.

A quoi bon lui dire qu'au Vietnam elle avait travaillé en T-shirt et pantalon de treillis, et non engoncée dans un ridicule uniforme amidonné avec une coiffe qui lui donnait une allure d'hôtesse de l'air? A quoi bon lui expliquer que, là-bas, elle avait pris des décisions toutes les minutes, des décisions de vie ou de mort, alors qu'elle était à présent réduite à une fonction de femme de chambre devant demander une permission pour tout et n'importe quoi, incapable d'utiliser son cerveau et contrainte de suivre des ordres?

A Cadman, elle ne cessait de s'attirer toutes sortes d'ennuis. Elle en faisait trop, elle se servait de ses méninges. Son chef était même allé jusqu'à se plaindre à sa mère comme si elle était une gamine de six ans!

« On ne t'en demande pas tant, Robin! lui avait expliqué Birdie. Au Vietnam, on te laissait peut-être jouer au docteur, mais pas ici. Si tu voulais être médecin, tu n'avais qu'à faire médecine comme je te le proposais. Mais non! Mademoiselle devait « se trouver »! Eh bien, maintenant, tu es infirmière, alors comporte-toi en infirmière. » Robin avait eu le souffle coupé. « Jouer au docteur »! C'était injuste!

« Comment veux-tu que j'oublie tout ce que j'ai appris? C'est impossible! Je sais recoudre un patient après l'opération, je sais faire une trachéotomie, je sais établir un premier diagnostic mieux que n'importe quel médecin de Cadman. Je ne pourrai jamais redevenir l'infirmière que j'étais avant! – Il le faudra bien. J'ai bien peur que tu n'aies pas le choix. »

Birdie avait marqué une pause, puis ajouté : « Tu sais, Robin... tu ne devrais pas trop parler de ton expérience au Vietnam. Les gens ne sont pas très à l'aise avec ça. Ce n'est pas une guerre très... populaire. – Elle l'était encore moins pour tous les soldats qui y ont laissé une jambe, un bras ou la vie! – Arrêtons là, Robin. Ton supérieur m'a demandé de t'en parler. Je l'ai fait. Maintenant, tout ne dépend plus que de toi. »

De toute façon, il lui fallait un travail. Au moins, elle était bien payée, et c'était mieux que de repartir de zéro avec un job de secrétaire intérimaire ou autre chose du même genre. Elle ne devait pas oublier qu'elle était mère à présent ou, du moins, le serait dès que Nina serait arrivée.

Ses parents attendaient patiemment. Maman feuilletait un magazine. Son père, comme d'habitude, rongeait son frein. Il martelait le sol de son talon et faisait craquer ses doigts tout en lançant des regards nerveux à la ronde. Dans une minute, maman dirait : « Je t'en prie, J.J. ! Cesse de t'agiter comme ça ! » Il s'arrêterait quelque temps, puis recommencerait.

En rentrant du Vietnam, Robin avait trouvé J.J. installé dans la maison. Au début, elle avait été furieuse. « Comment as-tu pu le laisser revenir après ce qu'il nous a fait ? » avait-elle crié à sa mère.

Celle-ci avait répondu le plus calmement du monde : « La relation entre ton père et moi ne regarde que nous deux, Robin. En outre, il se trouve que je l'aime. – Tu es folle ? » Elle avait aussitôt regretté ce qu'elle venait de dire. Sa mère l'avait regardée fixement, puis avait dit : « Parce que tu te crois saine d'esprit, peut-être ? Pour toi, ce n'est pas de la folie d'adopter une enfant qui n'a aucun lien de parenté avec toi ? De te priver de toutes tes chances de te marier un jour et d'avoir une vie normale ? »

Birdie n'avait pas complètement tort. C'était de la folie. Et le plus fou, c'était qu'elle était allée jusqu'au bout, après plus d'une année cauchemardesque de mensonges, de faux-fuyants, de changements de décrets et de lois. Mais elle avait tenu bon et avait gagné. Il lui vint soudain à l'esprit qu'il en avait été de même avec sa mère et J.J. Elle s'était accrochée jusqu'à ce qu'elle finisse par l'emporter.

Robin examina ses parents assis sur leur banc, essayant de les voir comme une étrangère. Ils formaient un beau couple d'âge mûr, parfaitement assortis l'un à l'autre. La femme, petite, mince, avec des cheveux blond cuivré (on ne pouvait deviner si c'était sa couleur naturelle) coupés juste sous les oreilles, portait un chemisier blanc et une jupe étroite. L'homme avait de beaux traits réguliers qui commençaient à s'affaisser et une épaisse tignasse de cheveux blancs. J.J., qui allait régulièrement à la gym, était devenu plutôt baraqué. Il avait décroché plusieurs petits rôles dans des films qui se tournaient dans la région de New York et était assez content de lui.

Lorsqu'il était revenu à la maison, il buvait encore pas mal. Il partait toujours au club de gym avec une bouteille de jus d'orange généreusement agrémenté de vodka, jusqu'à ce que Birdie le surprenne. Elle avait pris les choses en main. Soit il cessait complètement de boire, soit il partait. A présent, il était aux Alcooliques anonymes et tançait Robin pour qu'elle le rejoigne. Elle l'envoyait au diable : « Si tu avais été au Vietnam, tu saurais pourquoi je bois ! – Comment tu crois que j'ai tenu le coup en Sicile en 1943 ? rétorquait-il. Moi aussi, je suis passé par là, et je sais pourquoi tu bois. Je connais aussi pas mal de gars qui n'ont jamais pu s'arrêter, et au train où tu y vas... – Je contrôle parfaitement la situation, ne t'inquiète pas pour moi. Je n'ai pas besoin de ton club d'ex-poivrots. »

Cela dit, elle devait bien reconnaître que, parfois, après une journée particulièrement frustrante à l'hôpital ou quand les souvenirs de Harry déferlaient brusquement sur elle, elle pouvait siffler une bouteille entière. C'était vrai aussi que, certains week-ends, elle aimait bien aller dans un bar de Park Slope où se réunissaient d'anciens combattants ; il lui arrivait de se réveiller dans un lit qu'elle ne connaissait pas à côté d'un type dont elle ne se souvenait pas. Ce n'était pas très rassurant.

Mais elle était toujours à l'heure à son boulot, et cela ne perturbait pas sa vie. De fait, elle n'avait jamais été aussi active et suivait même des cours du soir pour préparer un doctorat en psychologie. Une fois que sa fille serait là, elle cesserait de boire. Elle pouvait arrêter quand elle le voulait.

Tandis que Robin se tenait là à observer ses parents, sa mère releva le nez de son magazine et l'interrogea du regard. Robin secoua la tête, lui indiquant qu'elle n'avait toujours pas aperçu Nina. C'était étrange que maman tienne tant à être à ses côtés aujourd'hui alors que, pendant toute son enfance, elle avait toujours fait passer les autres avant sa fille. *Oh, ne recommence pas !* se reprit-elle. *Tu avais grand-mère et tante Addie. Tu as été plus dorlotée que la plupart des enfants.* Si seulement elle n'avait pas perdu tous ceux qu'elle aimait!

Mais à présent elle attendait quelqu'un qu'elle aimait. Un petit morceau de Harry. La bataille pour l'adoption avait été longue. Il y avait eu tant d'obstacles, tant de faux espoirs, tant de crétins butés qui s'accrochaient à leurs règlements stupides. Il lui avait fallu faire venir des dizaines de documents du Vietnam : le certificat de naissance de Nina, l'autorisation de sortie de l'orphelinat de Bu Huy, des photos, le rapport d'une assistante sociale sur son état affectif, le rapport d'un médecin sur son état physique, un visa de sortie du gouvernement vietnamien, un rapport sur ses deux parents. Celui-ci avait été particulièrement épineux. Le cœur battant, Robin avait contacté les parents de Harry en Floride. Ils étaient convenus d'un rendez-vous, et elle avait pris l'avion pour les rencontrer et leur parler de Nina.

Les Kaye avaient été fantastiques. Assise dans leur salon couleur citron, elle avait tourné autour du pot pendant quelque temps, puis tout expliqué. Harry et elle avaient été fiancés, il avait eu une enfant avec une Franco-Vietnamienne, enfant qu'elle voulait à présent adopter. Les parents ne tournèrent pas de l'œil. Quand elle eut fini, le père demanda en souriant : « Vous voulez bien recommencer... plus lentement. »

Il avait le sourire en coin de Harry, la tête légèrement inclinée sur le côté. « Elle aussi elle a votre sourire, dit Robin. Elle ressemble tellement à Harry! Elle a ses cheveux bouclés et sa fossette. Elle est si intelligente! »

Elle reprit son histoire plus lentement. Quand elle eut fini, la mère de Harry l'interrogea : « Qu'est-ce qu'il vous faut exactement? »

Elle alla aussitôt chercher les bulletins scolaires de son fils, ses dossiers médicaux où figuraient toutes ses maladies, de la rougeole à la rubéole, ses carnets de vaccination, ses diplômes universitaires. Quand Robin fut enfin prête à quitter Fort Lauderdale, les Kaye étaient devenus des amis. Elle les remercia pour leur compréhension.

« De vous à moi, lui confia M. Kaye, je dois bien avouer que j'ai été un peu choqué en apprenant que Harry... euh... enfin, vous savez. Mais de savoir qu'il n'est pas complètement... » Sa voix se brisa, et il n'en dit pas plus.

Mme Kaye acheva pour lui : « Nous espérons que vous nous permettrez d'être de vrais grands-parents pour la petite Nina. » Robin promit, résolue à tenir parole.

De son côté, Mme Chiou rédigea un rapport volumineux sur sa fille qui, d'après les lettres de Pam, n'était toujours pas réapparue. La mère supérieure fut mobilisée pour constituer un dossier sur Ninh et remplir une attestation selon laquelle elle ne s'opposait pas au départ de la petite, la mère étant présumée morte.

Lorsque les documents furent prêts, Robin apprit qu'on ne pouvait les lui envoyer directement, mais qu'ils devaient passer par une organisation officielle d'aide sociale internationale. Elle appela immédiatement Pam à la base. La seule organisation de ce genre au Vietnam était l'ISS, International Social Service.

Elle appela l'ISS à Saigon, où on lui passa une certaine Marjorie Crandell. « C'est que nous ne nous occupons pas de placements individuels, répondit Mlle Crandell. Nous localisons des enfants et traitons leurs dossiers pour des agences d'adoption officielles. – Oh, non! Encore un problème! gémit Robin. Ça ne finira jamais. Je n'arrive pas à croire à quel point il est difficile de faire sortir un orphelin du Vietnam. » Sa voix tremblait, et elle sentit monter des larmes. « Je suis vraiment désolée, dit Mlle Crandell, qui paraissait sincère. Je sais ce que vous ressentez. Ecoutez... Ce n'est pas parce que vous n'avez pas eu de chance jusqu'à présent qu'il faut cesser d'espérer. Essayons autre chose. Moi, je veux bien vous aider. Qu'est-ce que vous en dites? »

Quelle question! Elle était prête à essayer n'importe quoi. Elle ne comprenait pas pourquoi adopter un enfant était si difficile. Tout le monde aurait dû être ravi qu'un orphelin trouve une vraie famille, quelqu'un qui l'aime, prenne soin de lui et l'envoie à l'école. Alors, pourquoi lui mettre autant de bâtons dans les roues ?

Par exemple, il fallut des mois pour rassembler tous les documents américains, les faire viser par les autorités compétentes et les envoyer au Vietnam. Heureusement que Mme Chiou avait hâte d'envoyer sa petite-fille en lieu sûr et que Marjorie Crandell disposait d'une belle collection de timbres et de tampons, à l'air officiel, dont elle tartinait allègrement tous les rapports.

« Ça y est, tout est prêt, lui annonça-t-elle au cours d'une de leurs dizaines de conversations téléphoniques. Enfin... je crois. On ne sait jamais à quoi s'attendre ici. A présent, il va falloir que vous veniez. – Au Vietnam ? – Oui, à Saigon. Vous devez rassembler tous les documents, constituer un dossier, le soumettre à plusieurs hauts fonctionnaires pour les faire viser et... »

Robin partit. C'était très étrange de se promener à Saigon sans la carapace protectrice de son uniforme militaire. Se retrouver en civil était un peu comme être nue. Elle découvrit avec surprise que Marjorie Crandell était une jolie jeune femme, et non le vieux rat de bibliothèque au chignon austère auquel elle s'était attendue. Marjorie l'invita à loger chez elle, mais Robin avait déjà une réservation d'hôtel. En outre, elle comptait passer le plus clair de son séjour au 161, où elle serait à deux pas de Bu Huy.

Elle consacra une semaine à faire de grands sourires à des dizaines de visages anonymes au regard vitreux, en s'efforçant de ne pas s'énerver et en usant de tous ses pouvoirs télépathiques pour les convaincre d'apposer leurs tampons sur ses documents. Il y en avait toujours un qui manquait, et elle repartait aussitôt voir Marjorie Crandell. Celle-ci commençait à être un as des faux papiers. Enfin, ce fut terminé.

« Vous en êtes sûre, Marjorie ? – Puisque je vous le dis, Robin. – Youpi ! Allons boire un coup pour fêter ça ! Non, allons boire deux coups ! »

Puis elle négocia une place dans un hélico et alla retrouver sa bande. Pam, qui avait presque terminé sa seconde période de service et allait bientôt rentrer au pays, fut ravie. Joe aussi. Même Bingo lui sourit et lui offrit un verre. Elle profita de toutes les occasions pour voir Nina. La petite commençait juste à se tenir debout et à essayer de parler... Et Robin ne serait pas là pour assister à ça. Cela la rendait folle. Elle était complètement amoureuse de ce petit bout de femme. Celle-ci possédait déjà beaucoup des expressions de Harry et savait prononcer des mots en anglais : maman, bonjour, bye bye, Brooklyn. Enfin... son « Brooklyn » n'était pas encore tout à fait au point, mais Robin était persuadée que Nina était le bébé le plus intelligent du monde.

Dès qu'elle rentra aux Etats-Unis, Robin fila droit au bureau de l'immigration et des naturalisations, à Manhattan, et déposa la liasse de documents devant un employé. Ce dernier, un chauve aux yeux de chien battu dont le badge proclamait qu'il s'appelait M. Golden, passa une éternité à examiner les papiers d'un air absent. Puis il releva enfin la tête et déclara : « Il vous manque le certificat de préadoption de l'Etat de New York, le rapport d'enquête sur votre domicile, notre rapport d'enquête de bonnes mœurs et le certificat de naissance de l'enfant. – Son certificat de naissance ? Mais il est là. » Elle parcourut la liasse sous le regard morne de l'employé, trouva le papier et l'agita sous son nez. « Ce n'est pas un certificat de naissance, répondit-il. C'est l'enregistrement de sa naissance au lieu où elle a été déclarée. Ce n'est pas la même chose. – Mais quelle est la différence ? Ce papier dit qu'elle est née, où et quand. Qu'est-ce qu'il vous faut de plus ? – Ce n'est pas en criant que vous aurez votre certificat de naissance, madame. Il me faut un certificat officiel délivré par les autorités du pays de naissance. » Un coup de fil à Marjorie Crandell à Saigon produisit un certificat de naissance à l'allure on ne peut plus officielle par retour du courrier. Encore dix jours de perdus !

Robin croyait être enfin arrivée au bout de ses peines. Elle se trompait. Elle avait découvert une agence d'adoption disposée à se porter garante d'elle et de Nina. Il fallut encore remplir des formulaires, fournir des attestations en quatre exemplaires, les faire viser et certifier conformes. On prit ses empreintes digitales, puis celles de Birdie et de J.J. Ensuite, ils durent se soumettre non pas à une mais à deux enquêtes. Cela signifiait que deux individus à la mine patibulaire se pointaient, entraient et inspectaient la maison de fond en comble, ouvraient les placards, inspectaient le garde-manger, fouillaient l'armoire à linge... Puis ce fut au tour des agents des services d'immigration, qui interrogèrent les voisins et les collègues de travail, vérifièrent que Robin ne s'était pas convertie au communisme pendant son séjour au Vietnam, demandèrent à son entourage s'ils avaient entendu dire que l'enfant à adopter était viêt-cong. « Mais ce n'est qu'un bébé! s'indigna Robin. Elle ne fait pas de politique! »

A peine ce nouveau cauchemar terminé, il y eut un brusque changement de politique au Vietnam. Le nouveau ministre de l'Intérieur était contre l'adoption d'enfants vietnamiens par des étrangers. Le service de l'immigration appela Robin pour lui dire qu'ils ne pouvaient obtenir de visa de sortie pour Nina. Elle téléphona aussitôt à Saigon. A l'autre bout du fil, Marjorie Crandell semblait inquiète. « Je ne sais pas trop ce qui se passe, Robin. Les lois ont encore changé. – Et flûte! – Je ne vous le fais pas dire. J'aimerais pouvoir vous aider, mais je crains que la seule chose à faire, ce soit attendre. – Oui, c'est ça. Attendre et espérer. J'ai l'habitude. Vous n'y êtes pour rien, Marjorie, vous avez été fantastique. C'est juste que je crois toujours que vous allez sortir un nouveau petit lapin de votre chapeau de magicienne. – Navrée, Robin. Je suis à court de petits lapins en ce moment. Mais tout peut changer d'un jour à l'autre. »

Qu'est-ce qui l'avait incitée à en parler à Larry Underhill? Un coup de cafard probablement. Elle sortait avec lui depuis quelques semaines. C'était un jeune juriste au service du ministère public et, comme tous les jeunes loups de son genre, il était actif et ambitieux. Il possédait une superbe Jaguar qu'il aimait sans doute plus que tout au monde et qu'il conduisait comme un fou. Un jour, alors qu'elle lui demandait sur le ton le plus détaché possible s'il voulait bien cesser de jouer les Fangio sur la Cinquième Avenue avant qu'ils ne percutent un platane, il lui rétorqua : « Ma caisse, c'est mon arme, poupée ! »

Néanmoins, c'était un bon coup. Son sexe aussi était son arme, et il savait s'en servir. Mais ce n'était pas la personne à qui elle aurait confié ses problèmes.

Pourtant, un soir qu'ils étaient dans un club de jazz, ayant légèrement abusé des Martini dry, elle lui parla de ces crétins qui travaillaient au service de l'immigration. Or il se trouvait que Larry connaissait des gens dans presque tous les services de l'administration et qu'il aimait jouer les bras longs, surtout pour frimer devant elle. « Les types de l'immigration te font des ennuis ? Donne-moi quelques jours, poupée. »

Comme par magie, quelques jours plus tard, deux agents des services d'immigration la contactèrent. Quelle différence dans leur ton ! Ils avaient reçu un appel de M. Underhill et vou-laient savoir s'ils pouvaient lui être utiles. Si madame voulait bien leur expliquer le problème... Abracadabra ! Une semaine plus tard, elle reçut par la poste le visa de Nina, qui s'appelait encore Ninh. Peu de temps après, l'Etat de New York, dans son infinie bonté, lui envoya le certificat de préadoption. Entre-temps, elle s'était lassée de Larry Underhill, dont la nature pré-datrice commençait à lui porter sur les nerfs. Néanmoins, elle coucha encore avec lui une ou deux fois, par gratitude. Elle lui devait bien ça.

Mais tout cela était du passé. Dans quelques minutes, elle tiendrait enfin son enfant dans ses bras, sa Nina, et sa vraie vie pourrait commencer.

Enfin, avec deux heures de retard seulement, les passagers du vol 542 commencèrent à sortir. Le cœur de Robin se mit à battre plus fort. Elle prévint ses parents, et ils se pressèrent tous les trois devant les portes de sortie des douanes. Tout à coup, sa mère lança :

– Ça ne serait pas elle qui sort, là ? Avec des bouclettes auburn ? Elle n'a pas l'air asiatique du tout !

– Où ça, où ça ? Son père n'était pas vietnamien, maman, tu as oublié ? Il était juif... comme le tien. Et sa mère était à moitié française. Ce qui revient à dire qu'elle est aussi asiatique que tu es indienne.

– Là-bas, sur la gauche. Tout au fond. Avec une hôtesse et d'autres petits enfants.

Robin joua des coudes pour s'approcher de la barrière, avec la sensation qu'elle avançait dans l'eau.

Puis elle la vit. Elle était plus grande et plus fine, marchant comme une petite adulte, tenant la main de l'hôtesse. Elle serrait contre elle le nounours que Robin lui avait apporté lors de son dernier voyage, lançant des regards fascinés autour d'elle. L'orphelinat l'avait emmitouflée dans ses habits du dimanche, avec une robe en velours et des collants blancs. La pauvre chérie, elle devait mourir de chaleur ! Il faisait très chaud à New York. Mais la petite avait vécu toute sa vie au Vietnam, où la température en cette saison devait avoisiner les quarante degrés.

– Nina ! Nina !

La petite fille tourna la tête en entendant son nom. L'espace d'un instant très angoissant, Robin craignit qu'elle ne la reconnaisse pas. Puis la fillette lui adressa son sourire à la Harry Kaye et s'écria en français d'une petite voix flûtée :

– *Maman ! Maman ! C'est moi* [1] *!*

Elle lâcha la main de l'hôtesse et courut vers Robin.

Robin courut à son tour, la saisit au vol et la serra contre elle, se mettant à pleurer comme une idiote. Lorsqu'elle sentit les petits bras se refermer autour de son cou et le serrer, elle sut que c'était fini. Cette fois, c'était vraiment terminé. Et elle pensa très fort, tout au fond d'elle : *C'est bon, Harry, tout va bien. Elle est avec moi à présent. Elle est à moi, à nous. Tu verras, tu seras très fier d'elle. Je te le promets.*

---

1. En français dans le texte.

Epilogue

Docteur Nina Malone Crane
Docteur Charles Dancing Crane
Harry K. Crane
     Robin Malone, docteur en psychologie

Old Saybrook, détroit de Long Island,
        près du fleuve Connecticut, été 1997

– Il serait temps que tu te décides à vendre cette vieille bicoque de Clinton Street, maman. Elle est trop grande et tu n'es plus vraiment toute jeune.

– Je te remercie, Nina! Ça fait toujours plaisir à entendre!

Mais Robin n'était pas vraiment vexée. Elle devait bien se rendre à l'évidence. Elle avait cinquante-six ans. Ces jours-ci, chaque fois qu'elle se regardait dans un miroir, elle était surprise... ou plutôt choquée par ce visage qui la dévisageait en retour, avec ses chairs qui s'affaissaient et ses cernes noirs. C'était un visage fatigué.

Fatigué, il y avait de quoi. Elle venait de passer cinq mois à Menlo Park, en Californie, au centre de réhabilitation pour infirmières de guerre, et plus particulièrement pour celles qui avaient fait le Vietnam. A l'époque de la guerre, elles n'étaient que des gamines, à peine plus âgées que les garçons qu'on leur apportait en morceaux sur des civières. Elles avaient regardé la mort en face au moins dix fois par jour, baigné dans l'horreur quotidienne, pendant des séances de travail de douze heures d'affilée. On attendait d'elles qu'elles restent toujours calmes, organisées et stoïques.

547

Quand elles étaient rentrées au pays, un pays hostile qui ne demandait qu'à oublier cette maudite guerre, personne ne voulait savoir ce qu'elles avaient enduré. L'armée répétait qu'elles n'en avaient pas vraiment bavé. Après tout, elles n'étaient pas allées au combat. Ce fut le premier gros mensonge. Robin s'en souvenait encore, et comment! Si patauger dans le sang et les tripes nuit et jour, affronter la mort, la terreur et les catastrophes permanentes n'était pas le combat, qu'est-ce que c'était?

Elle avait perdu tant d'amis, d'espoirs et de rêves! Elle ressentait une telle rage! Mais elle était infirmière, et les infirmières ne pleurent pas, ne crient pas et ne se fâchent jamais. Pendant des années, elle avait bu pour ravaler sa colère d'avoir perdu celui qu'elle aimait, puis sa meilleure amie. La douce et drôle Pam Boone avait été abattue par un tireur embusqué la dernière semaine de son service. Tuée sur le coup. Et que dire de tous ces garçons qui étaient arrivés au 161 pour qu'on recolle leurs morceaux et qui, malgré tous leurs efforts, y étaient passés? Combien de centaines de fois avait-elle prononcé le redoutable « peut attendre » sans jamais avoir le droit de laisser exploser sa colère?

Les infirmières qui protestaient étaient considérées comme folles. Les infirmières folles perdaient leur licence, et on leur enlevait leurs enfants. Aussi, la plupart de celles qui rentrèrent du Vietnam ravalèrent leurs cris. Elles ne perdirent ni leur licence ni leurs enfants, elles perdirent simplement la raison.

Robin avait refoulé sa rage si profondément qu'elle avait pratiquement oublié que c'était toujours là. Pendant près de trente ans, elle se jeta à corps perdu dans le travail. Elle éleva son enfant, fit du bénévolat, poursuivit ses cours du soir. Après qu'elle fut devenue infirmière en chef du bloc opératoire de l'hôpital de Cadman, on lui proposa de prendre la direction de l'école d'infirmières. Elle y réfléchit longuement, puis répondit non. Elle en avait assez d'être bonne, douce et discrète. Elle ne voulait pas former des jeunes filles intelligentes pour qu'elles finissent dans la même impasse. On ne pouvait pas changer la mentalité des médecins, y compris celle de sa propre mère.

Elle reprit des études à plein temps, acheva son doctorat en psychologie et devint, contre toute attente, psychothérapeute. Elle se mit à conseiller et à réconforter, alors qu'elle-même n'était qu'une bombe à retardement ambulante, incapable la plupart du temps de trouver le sommeil sans une bonne dose de whisky.

Elle se leva de son transat et marcha jusqu'au bord de la véranda, qui dominait le détroit de Long Island. Il faisait beau et clair, avec une brise régulière. L'océan était parsemé de petites voiles blanches.

– Tu arrives à reconnaître le bateau de Charlie dans tout ça? s'enquit-elle.

– Jamais, dit Nina. Mais, quand il me demande si je l'ai vu me faire signe de la main, je réponds toujours oui. Autrement, il est trop déçu. Charlie est un grand romantique.

– Plains-toi!

– Oh, j'en suis ravie au contraire. Ça ne le dérange même pas que je sache me servir de mon cerveau!

Elles éclatèrent de rire, se souvenant toutes les deux des garçons avec qui elle était sortie adolescente et qui, eux, étaient sérieusement dérangés.

– Je te l'avais bien dit, non? Je t'avais dit que tout irait de mieux en mieux.

– Et tu avais raison.

Nina lança un regard vers le vieux berceau installé à l'ombre. Elle se leva de son fauteuil et alla bercer le bébé.

Il avait deux mois et s'appelait Harry Kaye Junior. Et il avait les cheveux roux et bouclés. Robin était folle de lui. Elle n'avait pas imaginé que cela lui arriverait à nouveau, mais c'était si bon. Elle s'approcha à son tour pour admirer le petit Harry, couché sur le dos, les poings fermés, ses boucles dorées lui collant à la nuque. Il était beau. Robin espérait de tout son cœur qu'il ressemblerait à son grand-père. Son grand-père! Il était étrange de songer à Harry, qui avait toujours trente ans dans ses souvenirs, comme à un grand-père. Les larmes lui montèrent aux yeux.

Nina s'en aperçut et dit sur un ton détaché :

– Tu sais, on le pensait vraiment quand on t'a proposé de venir vivre ici avec nous.

– Moi, à la campagne? Non merci, chérie. Je suis une fille de la ville. Je n'arrive toujours pas à croire que Charlie et toi ayez refusé de devenir propriétaires de Clinton Street.

– J'ai adoré grandir à Brooklyn Heights, maman. Mais, la première fois que Charlie m'a amenée ici pour rencontrer ses parents, il m'a montré la plage de Hammonasset et j'en suis tombée amoureuse. C'est ici que je veux vivre. Au bord de la mer, avec les mouettes qui volent tout autour et le soleil qui se couche dans l'eau. Et puis, maintenant que Charlie fait ses recherches sur les Indiens, c'est encore plus intéressant pour moi. Son peuple s'y connaissait beaucoup en médecine. Les premiers colons en ont profité. Dans leurs lettres et leurs journaux, ils écrivent tous que les Indiens étaient beaucoup plus propres et plus sains qu'eux. Ils leur ont emprunté un tas de remèdes. Moi aussi, d'ailleurs.

– Qu'est-ce que tu veux dire?

– Prends les Péquots par exemple, qui, en fait, étaient des Mohicans. Ils vivaient par ici.

D'un geste du bras, elle balaya la plage et l'arrière-pays.

– L'été, ils installaient leur campement sur la plage et, l'hiver, remontaient vers le nord dans les collines. Ils cultivaient du maïs, des courges, des haricots, et péchaient des fruits de mer. Ils avaient une alimentation très saine. Ils ne se farcissaient pas tous ces sucres et ces aliments frits qui rendent les Américains d'aujourd'hui si gras, diabétiques et vulnérables aux maladies cardiaques.

Nina avait fait ses études à la faculté de médecine de Harvard mais, très tôt, s'était passionnée pour les médecines parallèles. Au cours d'un voyage en Chine, elle avait constaté que l'acupuncture fonctionnait là-bas comme l'anesthésie en

Occident, à savoir la plupart du temps. Cela avait marqué le début de sa nouvelle vocation et lui avait permis de démystifier une grande partie des prétendues révélations de la science moderne. Elle considérait que ses compatriotes comptaient beaucoup trop sur les médicaments et pas assez sur la capacité naturelle de l'esprit à soigner le corps. Devenue le chantre des vertus curatives d'une bonne nutrition, elle se plaisait à citer un professeur en médecine, dont Robin ne se rappelait jamais le nom, qui disait : « Le remède au cancer ne se trouve pas dans les laboratoires mais dans nos assiettes. » Pendant sa grossesse, Nina avait commencé à écrire une série d'articles qui, jusque-là, n'avaient été publiés que dans des revues de médecine alternative à faible tirage. Mais elle ne perdait pas espoir. Il en fallait beaucoup plus pour la décourager.

— Tu sais, maman, c'est incroyable. Les Indiennes n'avaient généralement que deux ou trois enfants. Elles ne tombaient enceintes que si elles le voulaient. Elles savaient avorter, sans doute avec des plantes médicinales, parce que à l'époque elles n'avaient pas d'instruments chirurgicaux.

Robin sourit.

— Bien sûr que c'était avec des plantes, ma chérie. Ma grand-mère, Morgan Becker, savait les préparer.

— C'est vrai?

— Je t'en ai sûrement déjà parlé.

— Tu m'as dit que c'était un médecin adoré par ses patients et qu'elle avait commencé comme sage-femme.

— Je ne t'ai jamais parlé de sa mère? Elle était guérisseuse. D'ailleurs, elle vivait tout près d'ici, quelque part dans les environs d'East Haddam.

— Tu me fais marcher! Tu veux dire que ma famille vient d'ici? Attends un peu que je raconte ça à Charlie! Dire que tu me cachais tout ça!

— Je ne t'ai jamais rien caché! Je t'ai tout raconté... quand tu étais petite. Oui, bon, d'accord, quand tu étais très petite. Je ne sais pas quelle est la part de vrai dans ces histoires, mais grand-mère me parlait souvent de sa mère, Annis. Annis Wellburn. Elle était sage-femme et, en ce temps-là, la sage-femme faisait généralement aussi office de gynécologue. Comme elle était très douée, les gens ont commencé à venir la trouver pour toutes sortes de maux. Grand-mère disait qu'elle ne faisait qu'utiliser son bon sens, mais pour les gens du coin c'était de la magie. On la disait sorcière.

Robin décida de sauter la partie sur les sorts et les envoûtements. Ce n'était pas crédible.

– Tu sais, reprit-elle, je ne suis pas sûre de me souvenir de tout correctement.

– Tu as intérêt! C'est une des raisons pour lesquelles Charlie a commencé à s'intéresser à ce sujet.

– Quelles sont ses autres raisons?

Nina se mit à rire.

– Il espère que les Mohicans – son peuple – financeront une partie de ses recherches sur la magie et la médecine indiennes. Maintenant qu'ils sont riches avec leur casino de Mohican Sun! S'ils ne le font pas, il s'adressera aux Péquots du Mashantucket, la tribu qui possède Foxwoods.

– J'espère que l'une de ces tribus l'aidera. J'ai toujours pensé que la magie et la médecine étaient de proches parentes. D'ailleurs, regarde ce que je fais. Qu'est-ce que la psychothérapie sinon un mélange des deux?

– Ta grand-mère ne t'a pas raconté d'autres histoires? Je suis sûre que si!

– Maintenant qu'on en parle, d'autres souvenirs commencent à me revenir. Il paraîtrait que grand-mère, et par la force des choses maman et moi, descendons directement d'une guérisseuse qui s'appelait Bird. C'est pourquoi ma mère s'appelait Birdie et qu'elle m'a appelée Robin. Or il semblerait que cette Bird...

– Attends! l'interrompit Nina. Maman, comment je m'appelle?

Robin la regarda, perplexe.

– Mais... Nina, bien sûr!

Puis elle comprit :

– Oh... Nina Crane.

– Exactement, Crane, répéta Nina d'une voix songeuse. Une grue. Encore un oiseau.

Leurs regards se croisèrent, et Robin sentit un petit frisson parcourir son échine.

– Cette guérisseuse, Bird, demanda Nina, elle était péquot, n'est-ce pas ? Elle peut très bien avoir vécu ici, sur cette plage.

Elle marqua une pause.

– Et si ma décision de vivre ici m'avait été inspirée par l'esprit de Bird ?

Robin se mit à rire.

– Tu n'es pas du même sang, ma chérie.

Nina ne se laissa pas décontenancer.

– Peut-être, mais l'esprit de Bird sait que j'appartiens à cette famille. Et puis, Charlie a du sang mohican, ne l'oublie pas.

Un autre frisson. Robin revit soudain le grand oiseau blanc qui apparaissait parfois dans ses rêves. Non, ce n'était pas possible. Sa fille flirtait peut-être avec toutes ces croyances du New Age, mais pas elle, pas la psychothérapeute Robin Malone. Harry Junior lui épargna d'avoir à répondre. Il se réveilla brusquement et réclama sa tétée. Nina le prit dans ses bras et s'installa confortablement avec lui dans le rocking-chair.

Robin rentra à l'intérieur se préparer un verre. De la limonade, et non du jus de fruit généreusement arrosé de vodka comme autrefois. Un grand nombre de ses habitudes auto-destructrices appartenaient désormais au passé. Dieu merci ! Ou, plutôt, merci Menlo Park. Sans l'aide de ces femmes qui soignaient les troubles post-traumatiques des infirmières de guerre, elle serait restée prisonnière de sa spirale infernale.

Afin de devenir thérapeute, elle avait dû faire une analyse. Mais le traitement semblait ne jamais atteindre le mal. Les thérapeutes ne pouvaient ou ne voulaient pas entendre ce qu'elle avait à dire. Au cours de sa formation, elle en avait vu deux. Le premier, un homme, la trouvait trop en colère et hostile, et affirmait qu'elle avait pris sur elle les problèmes des soldats qu'elle soignait. Elle lui répondait qu'il s'agissait bien de ses problèmes à elle. Elle avait vu trop de gens mourir, même des garçons dont elle ne connaissait pas le nom. Il rétorquait : « Vous vous mettez en scène, Robin. Vous culpabilisez parce que vous êtes revenue et pas eux. »

Ils continuèrent ainsi un bon moment, elle essayant de lui expliquer ce qui la perturbait, lui affirmant que cela ne la perturbait pas vraiment. Finalement, au cours d'une séance, elle explosa. Elle se mit à crier et lui demanda pourquoi il ne pouvait pas l'écouter. Il répondit : « Comment voulez-vous poursuivre une thérapie avec une telle colère en vous, Robin ? Comment pouvez-vous espérer aider d'autres gens ? Vous devriez peut-être envisager une autre carrière. »

Elle claqua la porte et se trouva un autre thérapeute, une femme cette fois. Celle-ci n'y comprenait pas grand-chose non plus, mais Robin avait appris à bien se tenir. Elle décrocha son doctorat et sa licence professionnelle. Mais elle n'était toujours pas soignée et vivait encore dans un profond désarroi.

Pendant toutes ces années, puis pendant que Nina poursuivait ses études à l'université, elle avait paru parfaitement normale. Elle était le docteur Robin Malone, sa fille serait bientôt le docteur Nina Malone. Que demander de plus ? En surface, elle était calme, posée et solide comme un roc. Ses patients l'adoraient. Puis, l'année précédente, elle avait perdu son père. Et sa mère. Tout à coup, elle se retrouva seule dans la grande maison, seule au monde. Elle attrapa une mauvaise grippe qui la cloua au lit pendant dix jours. Elle devint si faible qu'elle ne pouvait même plus aller à la salle de bains toute seule. Elle dut engager une infirmière pour s'occuper d'elle.

Alors qu'elle était toute molle, malade et sans défenses, ne trouvant même plus la force de tenir un journal entre ses mains, tout lui revint d'un coup. Parfois en rêve, souvent en plein jour, sans crier gare. Elle était assaillie de visions : Harry gisant sur sa civière, semblant dormir alors qu'elle savait qu'il ne restait plus un os intact dans son corps, les empilements de cadavres devant la tente après une alerte générale, les visages des garçons, fiers, courageux et chahuteurs, venus passer leur perm' au 161 et repartant dans un sac mortuaire.

Dans la cuisine immaculée de sa fille, devant le comptoir en granit, Robin se mit à pleurer. C'était fou ce qu'elle pleurait facilement depuis Menlo Park. Là-bas, les thérapeutes disaient que les infirmières de guerre avaient trop longtemps retenu leurs larmes. Ils avaient raison. Elle aurait dû pleurer depuis longtemps. Mais elle avait été orgueilleuse. Quand elle avait entendu parler de Menlo Park et de ce qu'on y faisait, elle avait pensé : *Non, pas Robin Malone. Je n'ai pas besoin de ça!* A présent, pour un oui ou pour un non, un souvenir lui revenait et les larmes lui montaient aux yeux. Mais elle les acceptait. Le moment était enfin venu de pleurer et de porter le deuil de tous ceux qu'elle avait perdus pendant la guerre. Y compris son propre bébé. Elle regrettait seulement d'avoir fermé les yeux sur sa douleur pendant tant d'années.

Lorsqu'elle s'était enfin décidée à aller à Menlo Park, dans le hall d'entrée elle était tombée sur Norma McClure. Toujours avec la même coupe à la garçonne. Toujours aussi jolie. Mais en plus vieille. Elle s'en allait, ayant fini sa cure. Naturellement, elle trouva le moyen d'agacer Robin. « Ça ne va pas te plaire, Malone, surtout au début. Mais tu verras, ensuite, tu leur en seras reconnaissante. En tout cas, moi, je le suis. Tu ne peux pas imaginer! Il y a quelques mois, on m'a retrouvée en train de prier au chevet d'un malade, affirmant qu'il faisait partie des " peut attendre " mais que je n'arrivais pas à lui trouver un prêtre. Non seulement ce n'était pas mon patient du tout mais, en plus, le pauvre n'était là que pour une appendicite. Je lui ai flanqué une de ces trouilles! Je me croyais de retour au 161. »

Elle lança un regard amical à Robin. « Je parie que tu n'as jamais pleuré correctement Harry Kaye, Malone. Oh, tu vas en baver là-dedans, crois-moi, mais ça te fera beaucoup de bien. »

Ce n'est pas la peine de prendre tes airs supérieurs, avait pensé Robin. *En tout cas, moi, je n'en suis pas à prier au chevet de mes patients!* Peut-être pas, mais deux ans plus tôt elle s'était sacrément donnée en spectacle chez les parents de Charlie à Killingworth! Tout le monde était réuni à table pour le repas de Thanksgiving. Soudain, la dinde farcie s'était transformée en cadavre humain et la sauce en sang. Elle s'était précipitée dans la salle de bains et s'était enfoncé sa serviette dans la bouche pour ne pas crier ou vomir sur les beaux tapis des Crane. Même si elle avait du mal à l'admettre, elle avait besoin de Menlo Park. Norma avait raison. A la fin, elle leur en avait été reconnaissante.

Toutefois, elle aurait bien aimé ne pas se mettre à larmoyer toutes les cinq minutes. Elle ne tenait pas à inquiéter Nina et Charlie ou à effrayer ses patients.

Robin se servit un autre verre de limonade, y laissa tomber quelques glaçons et revint sur la véranda.

— Alors, qu'est-ce que tu en penses, maman? demanda Nina. Au sujet de l'esprit de Bird?

— Je n'en sais rien, répondit prudemment Robin. Et toi?

Nina se mit à rire.

— Ne t'inquiète pas, maman, je n'ai pas encore disjoncté! Charlie dit que, pour les Indiens, tout avait une âme, même les arbres et les plantes. C'est une belle idée, non? On ne se soucie jamais des objets dits « inanimés ». Peut-être que l'arbre crie : « Aïe! » dans le langage des arbres quand on lui plante un clou ou qu'on lui coupe une branche. Ne me regarde pas comme ça, je réfléchis à voix haute. Je ne vais pas me mettre à lire dans une boule de cristal et à entrer en communication avec les morts. Quoique...

Elle rit de plus belle.

— Tu verrais ta tête, maman!

— Laisse ma tête tranquille. Tu viens de me rappeler que j'ai trouvé quelque chose quand j'ai fait le grand ménage de la maison. En fait, deux choses. D'abord, un cahier dans lequel ma grand-mère notait toutes ses recettes...

– Tu me fais marcher!

– Pas du tout, répondit Robin avec un sourire fier.

– C'est génial! Je vais pouvoir tester toutes ses préparations à base de plantes! Je les comparerai aux remèdes que Charlie a trouvés dans ses recherches. Je me demande si ce sont les mêmes. Tu imagines? Oh, ce serait fantastique! Je pourrais appeler quelqu'un à l'université de Yale pour monter une série d'expériences. Oh, si Harry n'était pas en train de téter, je viendrais t'embrasser! Qu'est-ce que tu as trouvé d'autre?

– Ça.

Robin fouilla dans son sac et en ressortit un petit sachet en plastique. Elle le tendit à Nina qui le retourna au-dessus de sa paume.

– C'est... un bijou?

– Je crois que c'est ce qu'on appelle un *wampum*, une longue perle tubulaire taillée dans un coquillage.

– Charlie va adorer.

– J'espère qu'elle te plaît aussi. C'est une amulette. Elle chasse les mauvais esprits... Bref, elle est magique. Elle appartenait à grand-mère, qui la tenait de sa mère, et ainsi de suite jusqu'à la fameuse Bird.

– Je rêve!

Nina écarquillait des yeux émerveillés.

– Je me souviens de l'avoir vue quand j'étais petite, reprit Robin, et d'avoir entendu des histoires à son sujet. Le sac en plastique, lui, n'est pas d'origine.

Elles se mirent à rire.

– Je regrette que tu n'aies pas connu grand-mère, Nina. Morgan Wellburn Becker était vraiment une femme formidable.

– Aussi formidable que nanny? répliqua Nina sur un ton légèrement défensif.

Robin s'approcha de sa fille et posa une main sur son épaule. Nina avait adoré Birdie et, de fait, Robin devait reconnaître que celle-ci avait été davantage une mère pour sa petite-fille qu'elle ne l'avait été pour sa propre fille. Elles avaient formé une sacrée paire, Nina et nanny! Pendant que Robin se surmenait pour ne pas avoir le temps de penser à son chagrin, Birdie avait veillé sur sa petite-fille. A présent, elle était morte. Elle n'avait pas survécu longtemps à J.J., trois mois à peine. De fait, elle avait toujours dit qu'elle n'était rien sans lui. Au fond, cette forme de loyauté avait quelque chose d'admirable.

– Je suis désolée, chérie, je sais que ta nanny te manque. Je suis contente qu'elle ait toujours été là pour toi, parce que je dois bien reconnaître que je ne t'étais pas d'une grande utilité.

Nina lui pressa la main.

– Tu m'as toujours été utile, maman. Et puis, ça fait du bien de te voir sourire et pleurer enfin. Ne crois pas que je n'aie rien remarqué. C'est beaucoup mieux que quand tu étais froide et renfermée...

– Nina...

– Oui?

– Est-ce qu'il t'arrive de voir un grand oiseau blanc dans tes rêves?

– Un grand oiseau blanc? Comme un héron?

– Je ne sais pas. Il est juste grand, blanc, et c'est un oiseau.

– Pas que je m'en souvienne, mais j'y ferai attention à l'avenir. Qu'est-ce qu'il fait dans tes rêves?

– Rien de spécial. Il bat des ailes et décrit des cercles. Peut-être qu'il représente ma mère, tu sais... Birdie. Mais bizarrement je ne crois pas. Quelque part...

– Quelque part quoi?

– Je ne sais pas. Je rêvais déjà de lui au Vietnam. Peut-être qu'il est lié à... Harry... A son accident...

– Tu l'aimais vraiment, n'est-ce pas? demanda timidement Nina.

– Oui, vraiment.

Voilà que ces maudites larmes revenaient! Elle les essuya du bout des doigts et poursuivit :

– Nous comptions nous marier à notre retour.

– Je sais, maman. Je suis désolée.

– Ne le sois pas. Je connais plusieurs couples qui sont tombés follement amoureux au Vietnam, mais qui n'ont pas tenu le coup une fois de retour au pays. Le danger n'était plus là, ni le sentiment de camaraderie. C'est dur à expliquer. Harry et moi ne nous serions peut-être jamais mariés. Mais il me manque quand même.

– Charlie et moi, on connaît un homme adorable, un veuf. C'est notre courtier. Il est de ta génération.

– Tu ne veux quand même pas me caser à mon âge!

– Il vit à Old Lyme, et je l'ai invité à passer nous voir ce week-end.

– Nina! Je te jure que je vais t'étriper!

– Ne t'inquiète pas, dit Nina en riant. Je ne lui dirai pas que mon arrière-arrière cent fois arrière-grand-mère était une sorcière.

– Une guérisseuse, chérie. Sage-femme, infirmière, sans doute psychiatre à ses heures et je suppose un peu sorcière aussi. Tout ça à la fois.

– Un médecin, en somme.

– En somme.

– Tu sais, depuis quelque temps, je recopie dans les notes de Charlie les noms des plantes que les Indiens utilisaient autrefois et je les essaie sur mes patients. Rien de dangereux, bien sûr. Les infusions d'écorce de canneberge, par exemple, aident vraiment à soulager les douleurs menstruelles. Plusieurs sages-femmes avec lesquelles je travaille m'ont dit que ça marchait également très bien pour les douleurs de l'accouchement. L'actée à grappes fait des merveilles contre l'arthrite, alors que l'écorce d'aulne gluant forme une sorte de mucilage excellent pour la cicatrisation des brûlures. Si tu veux mon avis, nous avons encore beaucoup à apprendre de ces remèdes anciens. Tu penses que je suis tombée sur la tête, maman?

– Pas du tout, chérie. Mais je te trouve très courageuse d'essayer toutes ces recettes. Ou, plutôt, ce sont tes patients qui font preuve d'un grand courage!

– Tout ce que je sais, c'est que ça marche.

Harry fit enfin son rot, et Nina le tendit à Robin. Ravie de le tenir dans ses bras, elle enfouit son nez dans la douceur de son petit cou dodu. A ses côtés, Nina reprit, songeuse :

– Je me demande... Tu crois que ces tisanes et ces décoctions dont je me sers sont les mêmes que celles qu'utilisait notre ancêtre, Bird ? Que, d'une manière ou d'une autre, nous portons toutes en nous sa science et son savoir, qui se seraient transmis de génération en génération ?

Elles échangèrent un regard, puis secouèrent la tête.

– Non ! C'est ridicule.

GROUPE CPI

Achevé d'imprimer en septembre 2000 par
BUSSIÈRE CAMEDAN IMPRIMERIES
à Saint-Amand-Montrond (Cher)
N° d'édition : 27961. — N° d'impression : 004366/4.
Dépôt légal : octobre 2000.
Imprimé en France